Brandschade

V.I.. Warshawski werd geboren op 27 juli met de zon in Leeuw en Tweelingen als ascendant. Haar horoscoop luidt: 'Van nature buitengewoon actief, vindt het heerlijk om erop uit te trekken en mensen te ontmoeten. Erg rusteloos, kan niet stil blijven zitten. Je bent doorgaans nogal nerveus en gespannen en het zou goed voor je zijn om middels sportieve activiteiten wat van die energie te verbranden.'

Voor een vrouw met een dergelijke persoonlijkheid is privédetective het perfecte beroep. In de boeken klaagt V.I. er tegenwoordig vaak over hoe internet het vak veranderd heeft. Vroeger was ze altijd op pad, zocht ze in openbare archieven of achtervolgde ze mensen voor inlichtingen die je nu beter online kunt achterhalen. Voor iemand met haar actieve instelling is het gedwongen achter een computer zitten een kwelling.

V.I. groeide op onder de rook van de oude staalfabrieken in de South Side van Chicago. Haar vader was politieagent; haar moeder een vluchteling uit het Italië van Mussolini. Zij ambieerde een carrière als operazangeres maar gaf uiteindelijk muziekles aan de buurtkinderen. Ze stierf toen V.I. bijna zestien was, een verlies dat haar nog steeds achtervolgt. De acht Venetiaanse glazen die haar moeder meenam zijn V.I.'s meest gewaardeerde bezit.

Toen ze jong was, was V.I. ooit getrouwd. Het huwelijk duurde ongeveer achttien maanden tot ze er achter kwam dat haar echtgenoot onafhankelijke vrouwen alleen van een afstandje bewonderde. Tegenwoordig woont ze alleen maar deelt twee honden met haar buurman, Mr. Contreras, een gepensioneerd monteur wiens grootste hobby V.I. zelf is.

V.I.'s horoscoop voegt daar nog aan toe dat ze 'koppig vasthoudt aan haar recht om het leven volgens haar eigen principes te leven. Ze hecht waarde aan waarheid en eerlijkheid; ze leeft daar zelf naar en verwacht dat ook van anderen.'

Sara Paretsky
Brandschade

Vertaald door Josephine Ruitenberg

Amsterdam · Antwerpen

Voor Rachel, Phoebe, Eva, Samantha en Maia, mijn eigen hoop
op een betere wereld

Proloog

Ik was halverwege het talud toen ik de oranjerode flits zag. Ik liet me op de grond vallen en sloeg mijn armen om mijn hoofd. En voelde zo'n vreselijke pijn in mijn schouder dat ik niet eens kon schreeuwen.

Ik lag voorover met mijn gezicht in de begroeiing en het zwerfvuil en ademde oppervlakkig, hijgend als een hond en met glazige blik, totdat de pijn zo ver was gezakt dat ik me kon bewegen. Voorzichtig kroop ik weg van de vlammen, toen kwam ik overeind op mijn knieën en bleef roerloos zitten. Ik dwong mezelf langzaam en diep adem te halen, zodat ik de pijn genoeg kon verdringen om die draaglijk te maken. Uiteindelijk tastte ik met mijn hand voorzichtig naar mijn linkerschouder. Een staaf. Metaal of glas. Een onderdeel van het raam dat als een pijl uit een boog was weggeschoten. Ik gaf er een ruk aan, maar dat bezorgde me zo'n ondraaglijke pijn dat ik bijna flauwviel. Ik liet me op mijn zij zakken en kromp ineen, met mijn hoofd tegen mijn knieën.

Toen de golf van pijn wegebde, keek ik naar de fabriek. Achter de raamopening in de achtergevel waar de ruit uit was gevlogen, woedde een purperrode vuurzee, zo dicht dat ik geen vlammen kon onderscheiden, alleen een felle gloed. Er lagen daar rollen stof opgeslagen, die het vuur voedden.

En Frank Zamar. Met plotselinge ontzetting dacht ik aan hem. Waar was hij geweest op het moment van de explosie? Ik krabbelde zo goed en zo kwaad als het ging overeind en strompelde naar het gebouw.

Huilend van pijn haalde ik mijn lopers tevoorschijn en probeerde het slot open te morrelen. Pas bij mijn derde vergeefse poging dacht ik aan mijn mobieltje. Ik viste het onhandig uit mijn zak en belde het alarmnummer.

Terwijl ik op de brandweerwagens wachtte, bleef ik het slot proberen. Door de stekende pijn in mijn linkerschouder was het moeilijk de dunne sleutels te hanteren. Ik probeerde ze met mijn linkerhand te ondersteunen, maar mijn hele linkerkant beefde. Ik kon de lopers niet stilhouden.

Ik had de brand niet verwacht; ik verwachtte helemaal niets toen ik hierheen kwam. Alleen vanwege een vaag, knagend, ongemakkelijk gevoel was ik op weg naar huis opnieuw langs Fly the Flag gegaan. Ik was zelfs al Route 41 op gedraaid toen ik besloot bij de fabriek te gaan kijken. Ik had een U-bocht gemaakt naar Escanaba Avenue en was zigzaggend door de haveloze straten naar South Chicago Avenue gereden. Het was toen zes uur en al donker, maar ik kon een handjevol auto's op het terrein van Fly the Flag zien staan toen ik langsreed. Er waren geen voetgangers te bekennen, maar daar zijn er hier nooit veel van. Er reden maar enkele auto's voorbij, roestbakken van mensen die de paar overgebleven fabrieken verlieten en naar een café of misschien zelfs naar huis gingen.

Ik liet mijn Mustang in een van de zijstraten staan, in de hoop dat hij niet de aandacht van rondzwervend tuig zou trekken. Ik stopte mijn mobieltje en portefeuille in mijn jaszakken, pakte mijn lopers uit het handschoenkastje en zette mijn tas in de kofferbak, die ik afsloot.

Onder dekking van de koude novemberavond klauterde ik het talud achter de fabriek op, de steile helling waarover de tolweg loopt, hoog boven de oude wijk. Het geraas van het verkeer op de Skyway boven me overstemde elk geluid dat ik maakte... inclusief mijn kreet toen ik over een oude autoband struikelde en met een smak op de grond viel.

Vanaf mijn hoge plaats onder de snelweg kon ik de achteringang en het terrein naast het gebouw zien, maar niet de voorkant. Toen de fabriek om zeven uur uitging, zag ik nog net de vage contouren van mensen die naar de bushalte sjokten. Een paar auto's hobbelden over de oprit vol kuilen achter hen aan naar de weg.

Aan de noordkant van de fabriek brandde nog licht. Ook in een van de ramen van het souterrain tegenover me was het bleke schijnsel van tl-licht te zien. Als Frank Zamar nog in het pand was, kon hij van alles aan het doen zijn, bijvoorbeeld de voorraad inventariseren, of dode ratten in de ventilatiekanalen stoppen. Ik vroeg me af of ik ergens in de troep een krat zou kunnen vinden waarop ik kon gaan staan om naar binnen te kijken. Ik was de heuvel half afgedaald, zoekend tussen de rotzooi, toen het heel even donker werd achter het raam en direct daarna het felle licht van de vlammen oplaaide.

Ik stond nog steeds aan het deurslot te prutsen toen er gillende sirenes naderden over South Chicago Avenue. Twee bluswagens, een commandowagen en een zwerm politieauto's scheurden het terrein op.

Ik werd omringd door mannen in zwarte oliejassen. Rustig aan, mevrouw, opzij graag, wij handelen het verder wel af, het 'kloing' van bijlen die inhakken op metaal, mijn god, heb je dat ding in haar schouder gezien, laat een ambulance komen, een reusachtige gehandschoende hand die me oppakte alsof ik een baby was in plaats van een detective van vijfenzestig kilo, en toen ik op de passagiersstoel van de commandowagen zat te hijgen, met mijn zij tegen de rugleuning en mijn voeten op de grond, een bekende stem:

'Ms. W., wat doe jij hier in jezusnaam?'

Ik keek geschrokken op en werd duizelig van opluchting. 'Conrad! Waar kom jij vandaan? Hoe wist je dat ik hier was?'

'Dat wist ik niet, maar ik had natuurlijk kunnen raden dat je in de buurt zou zijn, als er gebouwen de lucht in vliegen in mijn wijk. Wat is er gebeurd?'

'Ik weet het niet.' Een nieuwe pijnscheut zorgde voor een moment van helderheid. 'Zamar. Waar is hij?'

'Wie is Zamar? Je nieuwste slachtoffer?'

'De eigenaar van de fabriek, chef,' zei een man buiten mijn beperkte gezichtsveld. 'Kon niet meer wegkomen.'

Een walkietalkie snerpte, mobieltjes gingen over, mensen praatten, motoren ronkten en mannen met beroete gezichten droegen een verkoold lichaam weg. Ik deed mijn ogen dicht en liet me wegdrijven op de pijngolf.

Toen de ambulance arriveerde, kwam ik kortstondig bij. Ik strompelde op eigen kracht naar de achterdeuren, maar het ambulancepersoneel moest me in de wagen tillen. Nadat ze me had-

9

den vastgesnoerd, onhandig, op mijn zij, vernauwde het hotsen van de ambulance mijn bewustzijn tot een piepkleine kern van pijn. Als ik mijn ogen dichtdeed werd ik misselijk, maar als ik ze openhield was het licht vlijmscherp.

Toen we door de ambulance-ingang reden, zag ik vaag de naam van het ziekenhuis, maar het kostte me de grootste moeite antwoord te geven op de vragen van de eerstehulpverpleegkundige. Op de een of andere manier slaagde ik erin mijn verzekeringspasje uit mijn portefeuille te halen, formulieren te ondertekenen, de naam van Lotty Herschel in te vullen als mijn huisarts en hun te vertellen dat ze meneer Contreras op de hoogte moesten stellen als er iets met me gebeurde. Ik wilde Morrell bellen, maar ik mocht mijn mobieltje niet gebruiken, en bovendien hadden ze me al op een rijdende brancard gelegd. Iemand stak een naald in de rug van mijn hand en andere iemanden stonden om me heen en zeiden dat ze mijn kleren moesten wegknippen.

Ik wilde protesteren – ik had mijn goede kleren aan onder mijn marineblauwe jopper – maar de verdoving begon te werken en mijn woorden kwamen eruit als wartaal. Ik ben niet volledig onder narcose gebracht, maar ze moeten me iets hebben gegeven wat geheugenverlies veroorzaakt, want ik kon me later niet herinneren dat ze mijn kleren hadden weggeknipt of het stuk raamstijl uit mijn schouder hadden gehaald.

Ik was weer bij kennis toen ik naar een bed werd gereden. Door de medicijnen en een kloppend gevoel in mijn schouder schrok ik steeds wakker als ik indommelde. Toen om zes uur de arts-assistent kwam kijken, was ik wakker, maar met een duf hoofd, zoals je dat hebt na een slapeloze nacht, waardoor het lijkt alsof er een sluier tussen jou en de wereld hangt.

Ze was zelf de hele nacht op geweest en had spoedoperaties zoals de mijne uitgevoerd, maar hoewel haar oogleden dik waren van slaapgebrek, was ze jong genoeg om op het puntje van de stoel naast mijn bed te zitten en op levendige, bijna opgewekte toon te praten.

'Toen het raam uit de gevel vloog, is een stuk van het kozijn in uw schouder geslagen. U hebt geluk gehad dat het koud was gisteravond; uw jas heeft ervoor gezorgd dat het niet zo diep is doorgedrongen dat er werkelijke schade is aangericht.' Ze hield een verwrongen stuk metaal van twintig centimeter omhoog; ik mocht het hebben, als ik wilde.

'We gaan u nu naar huis sturen,' vervolgde ze, nadat ze mijn hart, hoofd en de reflexen van mijn linkerhand had gecontroleerd. 'Dat is de nieuwe geneeskunde, weet u. Direct van de operatiekamer de taxi in. Uw wond zal mooi genezen. Zorg alleen dat het verband een week lang niet nat wordt. Niet douchen dus. Kom aanstaande vrijdag naar de polikliniek; dan verschonen we het verband en kijken we hoe het ermee gaat. Wat doet u voor werk?'

'Ik ben speurder. Detective.'

'En kunt u een dag of twee ophouden met speuren, detective? Rust een beetje uit, geef het verdovingsmiddel de tijd om uit uw lijf te verdwijnen en het komt allemaal goed. Is er iemand die u kunt bellen om u te komen halen of zullen we u in een taxi zetten?'

'Ik heb gisteravond gevraagd of een vriend van me gebeld kon worden,' zei ik. 'Ik weet niet of dat gebeurd is.' Ik wist ook niet of Morrell in staat was hierheen te komen. Hij was herstellende van schotwonden die hem de afgelopen zomer in Afghanistan bijna het leven hadden gekost, en ik was er niet zeker van of hij er al aan toe was om zestig kilometer te rijden.

'Ik breng haar wel.' Conrad Rawlings was plotseling in de deuropening verschenen.

Ik was te duf om verrast of blij of misschien zelfs nerveus te zijn bij zijn aanblik. 'Adjudant... of nee, je bent bevorderd, hè? Is het nu inspecteur? Ga je bij alle slachtoffers van de brand van gisteravond langs?'

'Alleen bij degenen bij wie alle alarmbellen gaan rinkelen als ze zich binnen vijftig kilometer van de plaats delict bevinden.' Ik zag niet veel emotie op zijn vierkante diendergezicht – niet de bezorgdheid van een vroegere minnaar, zelfs niet de woede van een vroegere minnaar die kwaad was geweest toen hij me verliet. 'En ja, ik ben bevorderd. Ik ben nu wachtcommandant bij het bureau op de hoek van 103rd Street en Oglesby Avenue. Ik wacht in de hal totdat de dokter hier je gezond genoeg verklaart om de South Side weer op z'n kop te zetten.'

De arts tekende mijn ontslagpapieren, schreef recepten voor pijnstillers en antibiotica uit en droeg me over aan de verpleging. Een verpleeghulp gaf me de restanten van mijn kleren. De broek kon ik nog aan, hoewel hij naar roet stonk en er stukjes van de heuvel aan kleefden, maar mijn jas, mijn colbertje en mijn roze zijden blouse waren allemaal bij de schouders opengesneden. Zelfs het bandje van mijn beha was doorgeknipt. Om de zijden blouse moest ik huilen, en om het colbertje. Ze maakten deel uit van een setje dat ik graag droeg; ik had het 's ochtends – de vorige dag – aangetrokken omdat ik een presentatie moest houden voor een cliënt in het centrum voordat ik naar de South Side ging.

De verpleeghulp was volkomen onverschillig voor mijn verdriet, maar ze was het wel met me eens dat ik niet zonder kleren naar buiten kon. Ze ging naar de hoofdverpleegkundige, die ergens een oud sweatshirt voor me opscharrelde. Toen we dat allemaal hadden gedaan en een patiëntenvervoerder hadden gevonden om mijn rolstoel naar de hal te duwen, was het bijna negen uur.

Conrad had gebruikgemaakt van zijn privileges als politieman door recht voor de ingang te parkeren. Hij sliep toen ik naar buiten werd gereden, maar werd wakker toen ik het portier aan de passagierskant opende.

'Poeh. Een lange nacht geweest, Ms. W., een lange nacht.' Hij wreef de slaap uit zijn ogen en startte de auto. 'Woon je nog steeds op je ouwe stek bij Wrigley Field? Ik hoorde dat je het met de dokter over een vriend had.'

'Ja.' Tot mijn ergernis was mijn mond droog en klonk mijn stem als gekwaak.

'Toch niet die Ryerson?'

'Niet die Ryerson. Morrell. Een schrijver. Hij is afgelopen zomer aan flarden geschoten toen hij schreef over de oorlog in Afghanistan.'

Conrad bromde op een manier waaruit zijn minachting voor eenvoudige schrijvers die aan flarden worden geschoten duidelijk bleek; hij was zelf in Vietnam neergemaaid door een machinegeweer.

'Trouwens, ik heb van je zus gehoord dat jij ook niet bepaald kloostergeloften hebt afgelegd.' Conrads zus Camilla zit met me in het bestuur van een vrouwenopvanghuis.

'Je hebt je altijd mooi kunnen uitdrukken, Ms. W. Kloostergeloften. Nee, dat niet.'

Geen van beiden zeiden we nog iets. Conrads politie-Buick draaide Jackson Park in. We kwamen in een drukke verkeersstroom terecht, het staartje van de ochtendspits, en reden in file langs het bouwterrein in Jackson Park naar Lake Shore Drive. De zwakke herfstzon probeerde door het wolkendek te breken, en de bleke lucht deed pijn aan mijn ogen.

'Je had het over de plaats delict,' zei ik uiteindelijk, alleen om de stilte te doorbreken. 'Was de brand aangestoken? Was het Frank Zamar, die de brandweer naar buiten droeg?'

Hij bromde weer. 'We weten het niet zeker tot we bericht van de lijkschouwer krijgen, maar we nemen aan van wel. Volgens de voorman was Zamar de enige die na werktijd nog in het gebouw was. En of er opzet in het spel was weten we ook niet totdat de brandexperts de boel hebben onderzocht, maar ik denk niet dat die man aan ondervoeding is overleden.'

Conrad veranderde van onderwerp en vroeg me naar mijn oude vriendin Lotty Herschel. Het had hem verbaasd dat hij haar in het ziekenhuis niet had gezien, omdat ze toch arts was, en mijn grote beschermster.

Ik legde uit dat ik geen tijd had gehad om mensen te bellen. Ik vroeg me nog steeds af hoe het met Morrell zat, maar ik was niet van plan dat tegen Conrad te zeggen. Waarschijnlijk had het ziekenhuis niet de moeite genomen het telefoontje te plegen, anders had hij me zeker gebeld, ook als hij de rit niet aankon. Ik probeerde niet aan Marcena Love te denken, die in Morrells logeerkamer sliep. Hoe dan ook, zij had dezer dagen andere dingen aan haar hoofd. Dezer nachten. Ik vroeg Conrad bruusk hoe hij het vond om zo ver weg van het bruisende hart van de stad te werken.

'Zuid-Chicago is bruisend genoeg, als je bij de politie bent,' zei hij. 'Moorden, bendes, drugs... we hebben het allemaal. En veel brandstichting, allerlei oude fabrieken en zo, allemaal voor het verzekeringsgeld.'

Hij hield stil voor mijn huis. 'Woont die ouwe Contreras nog steeds op de benedenverdieping? Moeten we eerst een uur bij hem zitten voordat we naar boven kunnen?'

'Waarschijnlijk wel. En er is geen sprake van "we", Conrad. Ik kom de trap alleen wel op.'

'Ik weet dat je taai bent, Ms. W., maar je denkt toch niet dat ik uit heimwee naar je mooie grijze ogen naar het ziekenhuis ben gekomen, vanochtend? We gaan praten, jij en ik. Jij gaat me precies vertellen wat je gisteravond bij Fly the Flag deed. Hoe wist je dat dat pand de lucht in zou gaan?'

'Dat wist ik niet,' snauwde ik. Ik was moe, mijn wond deed pijn en ik was gesloopt door de verdovingsmiddelen.

'Ja, en ik ben de ayatollah van Detroit. Overal waar jij opduikt, worden mensen neergeschoten, verminkt of vermoord, dus er zijn twee mogelijkheden: óf je wist dat het ging gebeuren óf je hebt het veroorzaakt. Waarom was je zo geïnteresseerd in die fabriek?'

Er klonk verbittering in zijn stem, maar de beschuldiging maakte me zo kwaad dat mijn apathie verdween. 'Je bent vier jaar geleden neergeschoten doordat je niet naar me wilde luisteren toen ik iets wist. Nu wil je niet naar me luisteren als ik zeg dat ik niets weet. Ik word er doodmoe van dat je nooit naar me luistert.'

Hij glimlachte vals, als een echte smeris, en het bleke zonlicht weerkaatste in zijn gouden voortand. 'Dan gaat je wens in vervulling. Ik zal naar elk woord van je luisteren. Als we de volgende horde hebben genomen.'

De laatste zin sprak hij met gedempte stem. Contreras en de twee honden die van ons samen zijn, hadden blijkbaar op de uitkijk gestaan, want ze kwamen alle drie over de stoep aanrennen zodra ik uit de auto stapte. Contreras hield in toen hij Conrad zag. Hoewel hij er nooit enthousiast over was geweest dat ik met een zwarte man uitging, had hij me wel geholpen eroverheen te komen toen Conrad me verliet, en hij was duidelijk van zijn stuk gebracht nu hij ons samen zag arriveren. De honden gaven geen blijk van een dergelijke terughoudendheid. Of ze zich Conrad nog herinnerden, weet ik niet. Peppy is een golden retriever en haar zoon Mitch is een halve labrador, en ze begroeten iedereen, van de meteropnemer tot de man met de zeis, op dezelfde overenergieke manier.

Contreras liep langzaam achter hen aan over de stoep, maar toen hij zag dat ik gewond was, was hij bezorgd en tegelijk geërgerd omdat ik hem dat niet meteen had verteld. 'Ik was je wel komen halen, snoes, als je het me had laten weten. Dan had je geen politie-escorte nodig gehad.'

'Het is allemaal 's avonds laat gebeurd en ze hebben me vanochtend vroeg naar huis gestuurd,' zei ik op kalme toon. 'Conrad is nu trouwens wachtcommandant, bij het Fourth District. De fabriek waar gisteren brand is geweest, staat in zijn wijk, dus hij wil horen wat ik ervan weet; hij gelooft niet dat dat nul komma nul is.'

Uiteindelijk gingen we allemaal naar boven, naar mijn appartement: de honden, de oude man, Conrad en ik. Mijn buurman rommelde in mijn keuken en kwam tevoorschijn met een kom yoghurt met stukjes appel en bruine suiker. Hij wist mijn gebutste espressopot zelfs een grote kop koffie te ontlokken.

Ik strekte me uit op de bank en de honden kwamen ernaast liggen, op de grond. Meneer Contreras nam de leunstoel en Conrad trok het pianobankje bij, zodat hij mijn gezicht kon zien terwijl ik praatte. Hij haalde een cassetterecorder uit zijn zak en sprak de datum in, en de plaats waar hij zich bevond.

'Oké, Ms. W., dit is officieel. Vertel me van a tot z wat je in Zuid-Chicago deed.'

'Het is mijn thuis,' zei ik. 'Ik ben daar meer op mijn plaats dan jij.'

'Onzin; je woont er al minstens vijfentwintig jaar niet meer.'

'Dat maakt niet uit. Je weet net zo goed als ik dat de plek waar je opgroeit je in deze stad je hele leven blijft achtervolgen.'

1 Herinneringen aan vroeger

Als ik terugga naar Zuid-Chicago, heb ik altijd het gevoel dat ik terugkeer naar de dood. De mensen van wie ik het meest heb gehouden, met de onverdeelde genegenheid van een kind, zijn allemaal in deze inmiddels opgegeven buurt aan de zuidoostelijke rand van de stad gestorven. Weliswaar liggen het lichaam van mijn moeder en de as van mijn vader elders, maar ik heb ze allebei hier verzorgd in de periode dat ze aan akelige ziektes leden. Mijn neef Boom-Boom, die als een broer voor me was – of meer dan een broer – is hier vijftien jaar geleden vermoord. In mijn nachtmerries wordt mijn blik nog steeds vertroebeld door de gele rook uit de staalfabrieken, maar de gigantische schoorstenen die hoog oprezen boven het landschap uit mijn kinderjaren zijn nu zelf alleen nog maar schimmen.

Na de begrafenis van Boom-Boom had ik gezworen hier nooit meer terug te komen, maar dat zijn loze geloften, die kun je niet houden. Toch doe ik mijn best. Toen mijn oude basketbalcoach belde om me te smeken – of liever gezegd: op te dragen – haar plaats in te nemen terwijl zij geopereerd zou worden wegens kanker, zei ik automatisch nee.

'Victoria, door het basketbal ben je aan deze buurt ontsnapt. Je bent het aan je stand verplicht de meisjes die na jou komen de kans te geven die jij ook hebt gekregen.'

Dat ik aan Zuid-Chicago was ontsnapt, kwam niet door het basketbal maar door mijn moeders vaste voornemen dat ik zou gaan studeren, zei ik. En de resultaten van mijn toelatingsexamen waren uitstekend geweest. Maar coach McFarlane wees me erop dat de sportbeurs voor de Universiteit van Chicago ook geen kwaad had gedaan.

'Goed, maar waarom neemt de school niet gewoon een vervanger voor je in dienst?' vroeg ik kregelig.

'Denk je dat ze me betalen om te coachen?' Haar stem werd hoog van verontwaardiging. 'Het is de Bertha Palmer-school, Victoria. Het is Zuid-Chicago. Ze hebben helemaal geen geld en nu staan ze onder toezicht, wat betekent dat elke beschikbare cent wordt gebruikt om kinderen voor te bereiden op gestandaardiseerde toetsen. Het meisjesteam bestaat alleen doordat ik vrijwilliger ben, en dan nog is het kantje boord; ik moet bietsen om geld voor clubtenues en materiaal.'

Mary Ann McFarlane had me behalve basketbal ook Latijn geleerd, en toen de school al het talenonderwijs behalve dat in Spaans en Engels afschafte, had ze zich omgeschoold om meetkunde te kunnen geven. Maar ondanks al die veranderingen was ze altijd basketbalcoach gebleven. Dat had ik allemaal nooit beseft tot de middag dat ze belde.

'Het zijn maar twee uurtjes, twee middagen per week,' vervolgde ze.

'Plus bijna een uur reizen heen en daarna weer terug,' zei ik. 'Ik kan dat er niet bij hebben. Ik heb een druk detectivebureau, ik werk zonder assistent en ik zorg voor mijn vriend, die in Afghanistan aan flarden is geschoten. En dan moet ik ook nog mijn huis schoonhouden en mijn twee honden uitlaten.'

Coach McFarlane was niet onder de indruk; het waren allemaal uitvluchten. '*Quotidie damnatur qui semper timet*,' zei ze op scherpe toon.

Ik moest de woorden een paar maal voor mezelf herhalen voordat ik de vertaling had gevonden: wie altijd bang is, wordt elke dag veroordeeld. 'Ja, dat kan wel zijn, maar ik heb al twintig jaar geen basketbal op wedstrijdniveau meer gespeeld. De jongere vrouwen die meedoen aan onze zaterdagse geïmproviseerde partijtjes in de Y spelen sneller en gewiekster dan ik ooit heb gedaan. Misschien dat een van die twintigers een paar middagen per week voor je heeft... Ik zal het ze dit weekend vragen.'

'Er is geen enkele reden voor die jonge meiden om naar 90th Street en Houston Avenue te komen,' zei ze kortaf. 'Dit is jouw buurt, dit zijn jouw buren, niet dat chique Lakeview waar jij denkt dat je je kunt schuilhouden.'

Dat ergerde me dusdanig dat ik op het punt stond het gesprek te beëindigen, tot ze vervolgde: 'Alleen tot de school iemand anders heeft gevonden, Victoria. Of misschien gebeurt er een wonder en kom ik terug.'

Zo werd me duidelijk dat ze zou sterven. Zo werd me duidelijk dat ik toch weer terug moest naar Zuid-Chicago, weer terug naar de pijn.

2 Echte vriendinnen

Het lawaai was oorverdovend. Ballen bonkten op de oude gele vloer. Ze kaatsten tegen de achterplanken en tegen de tribunes die om het speelveld stonden, waardoor een syncopisch geroffel zo luid als een storm ontstond. De meisjes waren bezig met het oefenen van lay-ups en vrije worpen, het pakken van rebounds en het dribbelen tussen hun benen en achter hun rug. Ze hadden niet allemaal een bal – daar was het budget van de school niet toereikend voor – maar zelfs tien ballen maakten een ongelooflijke herrie.

De zaal zag eruit alsof er niet geschilderd of zelfs maar schoongemaakt was sinds ik hier zelf voor het laatst had gespeeld. Het rook er naar oud zweet en twee van de plafondlampen waren kapot, zodat het binnen altijd februari leek. De vloer was beschadigd en oneffen; af en toe vergat een van de meisjes op te letten in het driesecondengebied of de linkerhoek – de twee ergste plekken – en ging onderuit. Vorige week had een van onze veelbelovende guards een enkel verstuikt.

Ik probeerde me niet te laten beïnvloeden door de deprimerende sfeer. Per slot van rekening had de Bertha Palmer-school zestien meisjes die wilden spelen, sommigen van hen echt dolgraag. Het was mijn taak ze te helpen totdat de school een vaste coach vond. En om de moed erin te houden als het seizoen was begonnen en ze tegen teams met betere faciliteiten, meer goede speelsters en, niet te vergeten, veel betere coaches zouden uitkomen.

Degenen die onder de baskets op hun beurt wachtten, werden geacht rondjes te rennen of te stretchen, maar ze sprongen liever om de meisjes met de ballen heen en probeerden een bal te bemachtigen, of schreeuwden verhit dat April Czernin of Celine Jackman te veel tijd nam om te schieten.

'Je moeder is niet met haar benen wijd gaan liggen om die bal te betalen, dus geef op,' was een veelgebruikte schimpscheut. Ik moest alert blijven op gekibbel dat kon uitmonden in een regelrechte oorlog, terwijl ik fouten bij het schieten corrigeerde. En me niet laten afleiden door het gebrul van de baby en de peuter op de tribune. Dat waren de kinderen van mijn center, Sancia, een slungelige zestienjarige die er ondanks haar één meter vijfentachtig zelf nog uitzag als een klein kind. Haar vriendje paste zogenaamd op de kinderen, maar die zat er met een stuurs gezicht naast. Hij luisterde naar zijn discman en had noch oog voor zijn kinderen, noch voor wat er op het speelveld gebeurde.

Verder probeerde ik me niet in de war te laten brengen door Marcena Love, hoewel haar aanwezigheid mijn team onrustig maakte, zodat het tempo van de training en van de beledigingen die over en weer vlogen extra hoog was. Niet dat Marcena een talentscout of een coach was of zelfs maar veel van de sport wist, maar het team was zich zeer bewust van haar.

Toen ze samen met mij was aangekomen, onuitstaanbaar elegant in haar zwarte elasthan pakje van Prada en met een enorme leren tas, had ik haar kort voorgesteld: ze kwam uit Engeland, ze was journaliste en ze wilde wat aantekeningen maken en misschien in de pauze met een paar van de meisjes praten.

Die zouden toch al met haar zijn weggelopen, maar toen ze hoorden dat ze verslag had gedaan van een concert van Usher in het Wembley Stadium, gilden ze van opwinding.

'Praat met mij, mevrouw, met mij!'

'Luistert u maar niet naar haar, ze is het grootste liegbeest van de South Side.'

'Wilt u een foto van me maken terwijl ik mijn jumpshot doe? Ik ga dit jaar een divisie hoger spelen.'

Ik moest zo ongeveer geweld gebruiken om ze los te maken van Love en het veld op te krijgen. Zelfs toen ze ruzieden over het materiaal en het recht om te schieten, bleven ze haar in de gaten houden.

Ik schudde mijn hoofd: ik besteedde zelf te veel aandacht aan Love. Ik nam de bal van April Czernin over, een andere veelbelovende guard, en probeerde haar te laten zien hoe je achteruit het driesecondengebied in kon dribbelen om je op het laatste moment om te draaien en dat wegdraaiende jumpshot te maken waar Michael Jordan beroemd om was. Mijn schot was in elk geval raak, wat altijd prettig is als je wilt laten zien hoe het moet. April deed het een paar keer na terwijl een andere speelster klaagde: 'Waarom laat u haar de bal houden en krijg ik helemaal geen kans, coach?'

Ik vond het nog steeds verwarrend om 'coach' genoemd te worden. Ik wilde er niet aan gewend raken, want dit was een tijdelijk klusje. Mijn hoop was zelfs dat ik die middag een sponsor zou kunnen strikken, een bedrijf dat wilde betalen om een beroepskracht in te huren, of op zijn minst een semi-prof, die het van me over kon nemen.

Toen ik op mijn fluitje blies om aan te geven dat de vrije opwarmingstijd voorbij was, stond Theresa Díaz plotseling voor mijn neus.

'Coach, ik ben ongesteld.'

'Dat is mooi,' zei ik. 'Dan ben je in elk geval niet zwanger.'

Ze bloosde en keek nors. Ondanks het feit dat op elk willekeurig moment minstens vijftien procent van hun klasgenootjes in verwachting was, reageerden de meisjes verlegen en schichtig als er over lichamelijke zaken werd gepraat. 'Coach, ik moet naar de wc.'

'Een voor een, je kent de regel. Als Celine terugkomt, mag jij.'

'Maar, coach, mijn broekje, u weet wel...'

'Je mag op de bank wachten tot Celine terug is,' zei ik. 'De anderen: maak twee rijen. We gaan lay-ups en rebounds oefenen.'

Theresa slaakte een overdreven zucht en slofte aanstellerig naar de bank.

'Wat heeft het voor zin je macht zo te misbruiken? Gaat het meisje er beter van spelen als je haar vernedert?' Marcena Loves hoge, heldere stem klonk zo hard dat de twee meisjes die het dichtst bij haar stonden hun ruzie over een bal onderbraken om te luisteren.

Josie Dorrado en April Czernin keken van Love naar mij om te zien hoe ik zou reageren. Ik kon – mocht – mijn kalmte niet verliezen. Tenslotte wás het mogelijk dat ik me slechts verbeeldde dat Love haar best deed me dwars te zitten.

'Als ik haar wilde vernederen, zou ik met haar mee naar de wc

zijn gegaan om te zien of ze echt ongesteld was.' Ook ik sprak precies zo hard dat het team me kon horen. 'Ik doe alsof ik haar geloof, omdat het echt waar zou kunnen zijn.'

'Denk je dat ze alleen een sigaret wil?'

Ik dempte mijn stem. 'Celine, het meisje dat vijf minuten geleden naar de wc is gegaan, probeert me uit. Ze is een leider van de
South Side Pentas en Theresa is een van haar ondergeschikten. Als
Celine tijdens de training een minibijeenkomst van haar bende in
de doucheruimte kan organiseren, neemt ze het team over.'

Ik knipte met mijn vingers. 'Jij zou natuurlijk met Theresa mee
kunnen gaan en alle meisjesgedachten en -wensen van haar en
Celine kunnen noteren. Daar zouden ze aanzienlijk van opvrolij-
ken, en jij zou verslag kunnen doen van de toestand van de toiletten op een middelbare school in de South Side van Chicago en die
kunnen vergelijken met wat je in Bagdad en Brixton hebt gezien.'

Love zette grote ogen op en glimlachte toen ontwapenend. 'Het
spijt me. Jij kent je team het beste. Maar ik dacht dat sport juist
bedoeld was om de meisjes uit de bendes te houden.'

'Josie! April! Twee rijen, de een schiet en de ander pakt de rebound, jullie weten hoe het werkt.' Ik keek toe totdat de meisjes
twee rijen hadden gevormd en begonnen te oefenen.

'Basketbal is ook bedoeld om te zorgen dat ze niet in verwachting raken.' Ik gebaarde naar de tribune. 'Onder deze zestien meisjes is één tienermoeder, op een school waar bijna de helft van de
meisjes een kind krijgt voordat ze in de hoogste klas zitten, dus
voor de meesten werkt het. En we hebben – voor zover ik weet
– maar drie bendeleden in het team. De South Side is de vuilnisbelt van de stad. Daarom ziet de zaal er niet uit, heeft de helft van
de meisjes geen clubtenue en moeten we smeken om genoeg basketballen te krijgen om behoorlijk te kunnen oefenen. Er is heel
wat meer voor nodig dan basketbal om deze meiden te beschermen tegen drugs en zwangerschappen en om te zorgen dat ze naar
school blijven gaan.'

Ik keerde Love mijn rug toe en liet de meisjes in de ene rij naar
de basket rennen en van onderaf schieten, terwijl de andere rij
erachteraan kwam om de rebounds te pakken. We oefenden van
binnen het driesecondengebied, buiten de driepuntslijn, hook

shots, jumpshots en lay-ups. Halverwege de oefening slenterde Celine weer de zaal in. Ik zei niets tegen haar over de tien minuten dat ze weg was geweest, maar zette haar aan het eind van een van de rijen.

'Jouw beurt, Theresa,' riep ik.

Ze liep in de richting van de deur en mompelde toen: 'Ik geloof dat ik wel kan wachten tot na de training, coach.'

'Neem maar geen risico,' zei ik. 'Je kunt beter nog eens vijf minuten missen dan dat je straks voor gek staat.'

Ze bloosde weer en hield vol dat het prima ging. Ik zette haar in de rij waar Celine niet in stond en keek naar Marcena Love, om te zien of ze het had gehoord. De journaliste wendde haar hoofd af en leek verdiept in het spel onder de basket recht voor haar.

Ik glimlachte bij mezelf: een-nul voor de straatvechter uit de South Side. Hoewel die manier van vechten niet het beste middel tegen Marcena Love was; ze had een groter wapenarsenaal dan ik. Zoals het magere – nou, goed dan, slanke –, gespierde lijf dat nauw werd omsloten door haar zwarte Prada-pakje. Of het feit dat ze mijn geliefde al kende sinds zijn tijd in het Peace Corps. En afgelopen winter met Morrell in Afghanistan was geweest. En drie dagen geleden bij hem op de stoep had gestaan in Evanston, toen ik bij coach McFarlane in South Shore was.

Toen ik die avond bij hem binnenkwam, zat Marcena op de rand van zijn bed met haar blonde hoofd gebogen over de foto's die ze samen aan het bekijken waren. Morrell was herstellende van schotwonden en moest nog veel liggen, dus het was niet gek dat hij in bed lag. Maar al mijn stekels gingen overeind staan bij de aanblik van een vreemde vrouw, een vrouw met Marcena's zelfverzekerdheid en ongedwongenheid, die zich om tien uur 's avonds over hem heen boog.

Morrell stak zijn hand uit om me naar zich toe te trekken en een kus te geven voordat hij ons aan elkaar voorstelde: Marcena, een oude vriendin, een journaliste die in de stad was om een serie artikelen voor de *Guardian* te schrijven, had hem vanaf het vliegveld gebeld. Ze zou een weekje of zo in de logeerkamer slapen, tot ze zich een beetje had georiënteerd. Victoria, privédetective, waarnemend basketbalcoach, geboren en getogen in Chicago, kan je de stad laten zien. Ik had met alle hartelijkheid die ik kon opbrengen geglimlacht en had de volgende drie dagen geprobeerd me niet voortdurend af te vragen wat ze aan het doen waren terwijl ik van hot naar her racete.

Niet dat ik jaloers was op Marcena. Helemaal niet. Ik was tenslotte een moderne vrouw en een feministe, en ik wedijverde niet met andere vrouwen om de genegenheid van een man. Maar Morrell en Love hadden de vertrouwelijkheid die voortkomt uit een gedeeld verleden. Als ze met elkaar lachten en praatten, voelde ik me buitengesloten. En, nou ja, goed dan, jaloers.

Een ruzie onder een van de baskets herinnerde me eraan dat ik mijn aandacht bij de training moest houden. Zoals gewoonlijk ging het tussen April Czernin en Celine Jackman, mijn forward annex bendeleider. Het waren de twee beste speelsters van het team, maar een manier bedenken om ze te laten samenwerken was slechts een van de moeilijke taken waarvoor ze me stelden. Op dit soort momenten was het maar goed dat ik een straatvechter was. Ik haalde ze uit elkaar en formeerde ploegen voor oefenwedstrijdjes.

We pauzeerden om half vier, en tegen die tijd droop iedereen van het zweet, ik ook. In de pauze kon ik het team een sportdrankje geven, dankzij een gift van een van de bedrijven die me soms inhuurden. Terwijl de andere meisjes dat opdronken, klom Sancia Valdéz, mijn center, de tribune op om ervoor te zorgen dat haar baby de fles kreeg en om een soort gesprek met de vader te voeren – hoewel ik hem altijd alleen maar onverstaanbaar hoorde mompelen.

Marcena interviewde een paar van de meisjes, die ze willekeurig koos, of misschien op grond van hun huidskleur: een blondine, een latina en een Afro-Amerikaanse. De rest stond om haar heen te schreeuwen, hunkerend naar aandacht.

Ik zag dat Marcena hun woorden opnam met een klein rood apparaatje, dat ongeveer de grootte en vorm van een vulpen had. De eerste keer dat ik het zag, had ik het bewonderend bekeken. Het was uiteraard een digitaal dingetje en het kon acht uur geluid in zijn kleine koppetje opslaan. En als Marcena het niet vertelde, had niemand in de gaten dat hij werd opgenomen. Ze had het de

25

meisjes niet verteld, maar ik besloot er geen punt van te maken; de kans was groot dat ze gevleid zouden zijn, niet verontwaardigd.

Ik liet ze een kwartiertje hun gang gaan, zette toen het schoolbord bij hen neer en begon er spelpatronen op te tekenen. Marcena reageerde sportief; toen ze zag dat het team liever met haar praatte dan naar mij luisterde, borg ze haar recorder weg en zei dat ze na de training verder zou gaan.

Ik stuurde twee ploegen het veld op om een partijtje te spelen. Marcena keek een paar minuten toe en klom toen de gammele tribune op naar het vriendje van mijn center. Hij ging meer rechtop zitten en leek op zeker moment zowaar geanimeerd te praten. Dat leidde Sancia dusdanig af dat ze een heel gewone pass miste, zodat de andere ploeg makkelijk kon scoren.

'Hou je hoofd bij het spel, Sancia,' brulde ik in mijn beste coach McFarlane-imitatie. Ik was opgelucht toen de verslaggeefster uiteindelijk van de tribune klom en de zaal uit wandelde. Daarna concentreerde iedereen zich weer op wat er op het veld gebeurde.

Toen Marcena de vorige avond, tijdens het eten, had voorgesteld die middag met me mee te komen, had ik geprobeerd haar op andere gedachten te brengen. Zuid-Chicago is nogal afgelegen, en ik had haar gewaarschuwd dat ik er niet tussenuit kon om haar naar de binnenstad te rijden als het haar ging vervelen.

Love had gelachen. 'Ik verveel me niet zo snel. Je weet toch dat ik een serie voor de *Guardian* doe over het Amerika dat Europeanen nooit te zien krijgen? Ik moet ergens beginnen, en wie kan er onzichtbaarder zijn dan de meisjes die jij coacht? Je hebt zelf verteld dat ze nooit olympisch kampioenen of Nobelprijswinnaars zullen worden, ze komen uit een slechte buurt, ze hebben baby's...'

'Met andere woorden, het zijn net de meisjes uit Zuid-Londen,' had Morrell ertegen ingebracht. 'Ik geloof niet dat je daar een wereldverhaal aan hebt, Love.'

'Maar als ik erheen ga, kom ik misschien op een idee voor een verhaal,' zei ze. 'Een profiel van een Amerikaanse detective die teruggaat naar haar wortels, bijvoorbeeld. Iedereen houdt van detectiveverhalen.'

'Je zou het team kunnen volgen,' had ik met geveinsd enthousiasme beaamd. 'Het zou zo'n sentimenteel verhaal kunnen worden over een groep meiden die nauwelijks materialen of een clubtenue hebben, maar onder mijn bezielende leiding kampioen van de staat worden. Maar de training duurt twee uur, en daarna heb ik een afspraak met een plaatselijke bedrijfsleider. We zitten in het akeligste deel van de stad. Als je je verveelt, zul je er niet veel te doen vinden.'

'Ik kan altijd weggaan,' zei Love.

'Nergens in de stad worden meer moorden gepleegd dan daar.'

Ze lachte weer. 'Ik kom net uit Bagdad. Ik heb gewerkt in Sarajevo, Rwanda en Ramallah. Ik kan me niet voorstellen dat Chicago beangstigender is dan die andere plekken.'

Ik moest er wel mee instemmen, natuurlijk; ik kon niet anders. De enige reden dat ik haar niet had willen meenemen, was dat Love me tegen de haren in streek, of dat nu kwam doordat ik jaloers was, onzeker, of gewoon een prikkelbare straatvechter uit de South Side. Als het team aandacht in de pers kreeg, zelfs al was het in het buitenland, zou er misschien iemand geïnteresseerd raken en me helpen zoeken naar een sponsor.

Ondanks dat ze me luchthartig had verzekerd dat ze in Kaboel en op de Westelijke Jordaanoever ook voor zichzelf had gezorgd, was Love enigszins timide toen we bij de school aankwamen. De buurt zelf is om te huilen, althans, ik kan erom huilen. Toen ik twee weken daarvoor voor het eerst weer langs mijn oude huis was gereden, was ik daadwerkelijk in tranen uitgebarsten. De ramen waren dichtgetimmerd en de tuin waar mijn moeder geduldig een *bocca di leone gigante* en een camelia had verzorgd, was overwoekerd met onkruid.

Het schoolgebouw met zijn rommel en graffiti, kapotte ramen en vijf centimeter dikke, gehard stalen kettingen waarmee op één na alle ingangen zijn afgesloten, schrikt iedereen af. Zelfs als je gewend bent geraakt aan de kettingen en de rommel en denkt dat je ze niet meer ziet, beïnvloeden ze je toch. Zowel de leerlingen als de staf worden somber en opstandig als ze maar genoeg tijd in zo'n omgeving doorbrengen.

Marcena was opvallend stil toen we onze legitimatie aan de bewaking lieten zien. Ze mompelde alleen dat ze dit in Irak en op de Westoever gewend was, maar dat ze niet had beseft dat Amerikanen wisten hoe het voelde om een bezettingsmacht in hun midden te hebben.

'De politie is geen bezettingsmacht,' beet ik haar toe. 'Die rol wordt hier vervuld door de alomtegenwoordige armoede.'

'De politie houdt van macht, wat ook de reden is dat ze de baas zijn over een gemeenschap,' antwoordde ze, maar ze was toch zwijgzaam gebleven tot ze het team ontmoette.

Nadat ze de gymzaal had verlaten, voerde ik het tempo van de training op, hoewel een paar speelsters nukkig weigerden daarin mee te gaan en klaagden dat ze uitgeput waren en dat ze dit van coach McFarlane nooit hoefden.

'Daar trap ik niet in,' brulde ik. 'Ik heb zelf bij coach McFarlane getraind. Daar ken ik deze oefeningen van.'

Ik liet hen passes en rebounds oefenen, hun zwakste punten. Ik liet de luilakken onder de borden staan, zodat ze de ballen tegen zich aan kregen als ze niet de moeite wilden nemen die te vangen. Celine, mijn bendeleider, duwde een van de zeurpieten omver. Hoewel ik dat eigenlijk zelf wel had willen doen, moest ik Celine naar de kant halen en dreigen haar te schorsen als ze zich bleef misdragen. Dat deed ik met grote tegenzin, want April en zij waren samen met Josie Dorrado onze enige hoop een team op te bouwen dat een paar wedstrijden zou kunnen winnen. Als ze aan hun vaardigheden werkten. Als de anderen ook harder gingen werken. Als ze allemaal bleven komen, niet zwanger raakten of neergeschoten werden, en de basketbalschoenen en spullen voor krachttraining kregen die ze nodig hadden. En als Celine en April niet met elkaar op de vuist gingen voordat het seizoen goed en wel op gang was.

Plotseling steeg het energieniveau in de zaal, en ik wist zonder op de klok te kijken dat het een kwartier voor het einde van de training was. Dit was het tijdstip waarop er vrienden en familie binnenkwamen om op het team te wachten. En hoewel de meeste meisjes alleen naar huis gingen, speelde iedereen beter met publiek.

Vanavond was het tot mijn verrassing April Czernin die het fanatiekst werd; ze begon rebounds tegen de vloer te stuiten met de felheid van Teresa Weatherspoon. Ik draaide me om om te zien voor wie ze zich zo uitsloofde en zag dat Marcena Love was terug-gekomen, samen met een man van ongeveer mijn leeftijd. Zijn knappe, donkere uiterlijk begon een beetje te slijten, maar hij was nog zeker een tweede blik waard. Hij en Love lachten samen, en zijn rechterhand bevond zich ongeveer een millimeter van haar heup. Toen April zag dat hij zijn aandacht bij Marcena had, liet ze haar bal zo hard tegen het bord stuiten dat de rebound tegen Sancia's hoofd knalde.

3 Romeo komt op van rechts

De man kwam met een ongedwongen glimlach op me af. 'Dus jij bent het, Tori. Dat dacht ik al, toen April ons vertelde hoe je heette.'

Sinds mijn neef Boom-Boom was gestorven had niemand me meer zo genoemd. Het was zijn koosnaampje voor mij geweest – mijn moeder hield niet van Amerikaanse bijnamen en mijn vader noemde me Kruidje-roer-me-niet – en het beviel me helemaal niet het te horen uit de mond van deze man, een volslagen vreemde.

'Je bent al zo lang uit de buurt weg dat je je ouwe makkers niet meer herkent, hè, Warshawski?'

'Romeo Czernin!' Ik flapte zijn eigen bijnaam eruit toen ik hem tot mijn verbazing opeens herkende: hij had bij Boom-Boom in de klas gezeten, een jaar boven mij, en de meisjes in mijn groepje hadden allemaal giechelend toegekeken hoe hij onze klasgenootjes versierde.

Vanmiddag waren het Celine en haar maatjes die rauw lachten in de hoop April op stang te jagen. Dat lukte: April gooide een bal naar Celines hoofd. Ik sprong tussen hen in en ving de bal op, terwijl ik tevergeefs probeerde me Romeo's werkelijke naam te herinneren.

Czernin was vergenoegd, misschien vanwege de bijnaam uit zijn jonge jaren of omdat hij de aandacht van het team op zich had gevestigd waar Marcena bij was. 'De enige echte.' Hij sloeg zijn arm om me heen en boog me naar achteren om me te kussen. Ik draaide me in zijn arm om, haakte mijn linkervoet achter zijn enkel en glipte weg terwijl hij viel. Het was niet het soort trucje waarvan ik het gebruik binnen het team wilde stimuleren, maar helaas hadden ze allemaal aandachtig toegekeken. Ik had het vermoeden dat ik Celine dit op de volgende training zou zien gebruiken. Ook Marcena Love had toegekeken, met een geamuseerde glimlach waardoor ik me net zo onvolwassen voelde als mijn eigen gangstertjes.

Romeo klopte het stof van zijn kleren. 'Nog hetzelfde koele kreng als altijd, hè, Tori? Jij was toch altijd een van McFarlanes lievelingetjes? Toen ik hoorde dat ze nog steeds basketbalcoach was, ben ik een praatje met haar komen maken, want ik dacht dat ze vast net zo lullig tegen mijn dochter zou doen als ze vroeger tegen mij deed. En nu moet ik er zeker weer voor gaan zorgen dat jij April goed behandelt.'

'Dat heb je mis,' zei ik. 'Het is een waar genoegen om April te coachen. Ze begint een speelster van formaat te worden.'

'Als ik hoor dat je lievelingetjes hebt, dat je mijn dochter in elkaar laat slaan door dat Mexicaanse tuig, dan krijg je met mij te maken, onthou dat goed.'

April bloosde gegeneerd, dus ik glimlachte alleen en zei dat ik het niet zou vergeten. 'Kom volgende keer wat vroeger, zodat je haar kunt zien spelen. Je zult onder de indruk zijn.'

Hij knikte me toe, als om te benadrukken dat ik zijn macht had erkend, en zette toen weer een glimlach op voor Marcena. 'Dat zou ik wel willen, maar ik moet werken. Vandaag was ik vroeg vrij en wilde ik mijn meisje op een pizza trakteren. Wat zeg je daarvan, lieverd?'

April, die met Josie Dorrado wat verder weg was gaan staan, keek op met het soort stuurse blik waarachter tieners hun enthousiasme verbergen.

'En de Engelse mevrouw hier die over jullie team en de South Side schrijft, wil graag mee. Ik heb haar op het parkeerterrein ontmoet toen ik met de truck aankwam. Wat vind je? Dan gaan we naar Zambrano's en laten haar zien hoe deze buurt er echt uitziet.'

April haalde haar schouders op. 'Oké. Als Josie ook mee mag. En Laetisha.'

Romeo ging er met een fikse klap op zijn dochters schouder mee akkoord en zei dat ze moesten opschieten; na de pizza moest hij nog een vrachtje wegbrengen.

Zambrano's was zo ongeveer de enige zaak in de South Side die ik me nog herinnerde uit mijn jeugd. De meeste andere tentjes zijn dichtgespijkerd. Zelfs Sonny's, waar je voor een dollar een whisky met een biertje ernaast kon krijgen – en dat alles onder het levensgrote portret van de eerste Richard Daley – is niet meer open.

Ik stuurde de meisjes weg om te gaan douchen, in een kleedkamer waar het zo muf en bedompt rook dat ik zelf meestal mijn zweterige kleren aanhield tot ik bij Morrell was. Marcena ging achter het team aan met de mededeling dat ze een volledig beeld wilde krijgen van hun belevingswereld en dat ze trouwens toch moest pissen. De meisjes hapten geschokt naar adem toen ze haar dat woord in aanwezigheid van een man hoorden gebruiken, en ze dromden met hernieuwde geestdrift om haar heen.

Ik keek op naar de tribune om te zien of er iemand bij Sancia's kinderen was terwijl ze douchte. Aan het eind van de training was Sancia's zus binnengekomen; zij en haar moeder leken afwisselend te helpen met de kleintjes. Sancia's vriendje hing in de hal rond met een paar andere jongens die een vriendinnetje of zusje in het team hadden en wachtten tot de meisjes klaar waren. Na mijn eerste training, toen de jongens mijn gezag op de proef hadden gesteld door lawaaiig met een bal te spelen en te stoeien, had ik ze opgedragen buiten de gymzaal te wachten totdat de meisjes zich verkleed hadden.

Romeo pakte een van de ballen op en liet die tegen het bord stuiteren. Hij had werklaarzen aan, maar ik besloot dat er al genoeg wrijving tussen ons was zonder dat ik hem ook nog uitkafferde omdat hij geen zachte zolen droeg op de gehavende speelvloer.

Mijn neef Boom-Boom, die op de middelbare school een uitblinker was in basketbal en op zijn zeventiende al voor de Black Hawks speelde, plaagde Romeo altijd omdat hij minder goed was. Ik had meegedaan met de plagerijen, want ik wilde dat mijn neef en zijn stoere vrienden me leuk vonden, maar nu moest ik toegeven dat Czernin zelfs met werklaarzen aan behoorlijk goed was. Hij schoot achter elkaar vijf ballen raak vanaf de vrijeworplijn en begon toen rond te lopen over het veld en verschillende, flitsender worpen te proberen, wat minder succesvol was.

Hij zag dat ik naar hem keek en glimlachte me verwaand toe: alles was vergeven als ik hem zou bewonderen. 'Wat heb je uitgespookt, Tori? Is het waar wat ze zeggen, dat je net als je pa bij de politie bent gegaan?'

'Niet helemaal; ik ben privédetective. Ik doe dingen waar de politie geen interesse in heeft. Ben jij vrachtwagenchauffeur, net als je vader?'

'Niet helemaal,' praatte hij me na. 'Hij werkte voor zichzelf, ik werk voor By-Smart. Dat is tegenwoordig zo ongeveer het enige bedrijf hier dat mensen nodig heeft.'

'Kunnen ze hier een truck met oplegger gebruiken?'

'Ja. Spullen ophalen in hun grote distributiemagazijn en naar de winkels brengen, niet alleen naar die aan 95th Street. Ze hebben er elf in mijn gebied: de South Side, het noordwesten van Indiana, je weet wel.'

Altijd als ik over de snelweg hierheen kwam, passeerde ik de gigantische discountwinkel op de hoek van 95th Street en Commercial Avenue. Net als het assemblagebedrijf van Ford verder naar het zuiden, besloegen de winkel en het parkeerterrein bijna achthonderd meter van wat vroeger moeras was.

'Ik ga vanmiddag zelf naar het magazijn,' zei ik. 'Ken je Patrick Grobian?'

Romeo schonk me de veelbetekenende grijns die op mijn zenuwen begon te werken. 'En of ik hem ken. Ik werk veel met Grobian. Hij houdt de touwtjes van de distributie graag in handen, ook al is hij districtsmanager.'

'Dus je gaat Marcena de winkels in het noordwesten van Indiana laten zien nadat je de meisjes hebt meegenomen naar Zambrano's?'

'Dat is het idee. Vanbuiten lijkt ze net zo bekakt als jij, maar dat is alleen haar accent en haar kleding. Ze is echt, en ze wil graag weten hoe ik mijn werk doe.'

'Ze is met mij meegereden. Kun je haar naderhand in elk geval naar de Loop brengen? Het is geen goed idee om haar 's avonds laat met de trein te laten gaan.'

Hij grijnsde wellustig. 'Ik zal goed voor haar zorgen, maak jij je daar nou maar niet te sappel over, bekrompen trut die je bent.'

Ik onderdrukte de neiging hem een klap te geven en ging de ballen verzamelen die overal verspreid lagen. Ik liet hem die waarmee hij aan het spelen was nog even houden, maar de rest bracht ik naar de bergruimte. Als ik ze niet meteen wegborg verdwenen ze, zoals ik tot mijn schade had ondervonden: na mijn eerste training, toen vrienden en familie hadden rondgelopen door de zaal, waren we er twee kwijtgeraakt. Ik had vier nieuwe bij elkaar geschooid bij vrienden die lid zijn van chique sportscholen in de binnenstad. Nu borg ik alle tien de ballen op in een kist met een hangslot, maar ik moest de sleutel wel delen met de coach van de jongens en de gymleraren.

Terwijl de meisjes zich nog aan het omkleden waren, ging ik aan een tafeltje in de bergruimte zitten om presentielijsten en voortgangsrapporten in te vullen voor de imaginaire vaste coach. Even later keek ik op omdat ik een schaduw in de deuropening zag. Josie Dorrado, Aprils beste vriendin in het team, ging onzeker van het ene magere been op het andere staan en wond haar lange vlecht om haar vingers. Ze was een stil en ijverig meisje, een van de betere speelsters. Ik glimlachte en hoopte dat ze geen al te tijdrovend probleem zou aansnijden, want ik mocht niet te laat zijn voor mijn afspraak met de manager van By-Smart.

'Coach, eh, ik heb gehoord, eh... Is het waar dat u bij de politie bent?'

'Ik ben wel detective, Josie, maar een privédetective. Ik werk voor mezelf, niet voor de gemeente. Heb je de politie ergens voor nodig?' Het leek wel of ik bij elke training een dergelijk gesprek met iemand voerde, ook al had ik het team de eerste keer verteld wat voor werk ik deed.

Ze schudde haar hoofd en haar ogen werden groot van ontsteltenis bij de gedachte dat ze zelf de politie nodig zou hebben. 'Ik moet het van ma vragen, van mijn moeder.'

Ik stelde me een echtgenoot voor die haar mishandelde, een straatverbod, een lange avond in de rechtszaal, en probeerde niet hardop te zuchten. 'Wat voor probleem heeft ze?'

'Het heeft met haar werk te maken. Maar haar baas wil niet dat ze erover praat.'

'Wat? Valt hij haar lastig of zo?'

'Kunt u niet even met haar gaan praten? Ma kan het uitleggen, ik weet niet precies wat er aan de hand is, maar ze zei dat ik het aan u moest vragen, omdat ze iemand bij de wasserette heeft horen zeggen dat u hiervandaan komt en nu bij de politie bent.'

Romeo verscheen achter Josie en liet de bal op zijn vinger ronddraaien alsof hij bij de Harlem Globetrotters speelde. 'Waar heeft je ma een smeris voor nodig, Josie?' vroeg hij.

Josie schudde haar hoofd. 'Dat heeft ze niet, meneer Czernin, ze wil alleen met coach praten over een probleem dat ze met meneer Zamar heeft.'

'Wat heeft ze voor probleem met Zamar, dat ze zo'n privépik achter hem aan wil sturen? Of zit ze zelf achter zijn pik aan?' Hij lachte hartelijk.

Josie keek hem verward aan. 'Bedoelt u dat ze hem wil laten volgen? Ik geloof het niet, maar ik weet het niet zeker. Alstublieft, coach, het kost niet veel tijd, en ze zeurt me elke dag aan m'n kop: "Heb je al met je coach gepraat? Heb je al met je coach gepraat?" Dus ik moet haar echt vertellen dat ik het u heb gevraagd.'

Ik keek op mijn horloge. Tien voor vijf. Ik moest om kwart over vijf bij het magazijn zijn, en ik wilde bij coach McFarlane langs voordat ik naar Morrell ging. Als ik tussendoor naar Josies moeder ging, werd het weer tien uur voordat ik thuis was.

Ik keek Josie in haar ongeruste chocoladebruine ogen. 'Kan het tot maandag wachten? Dan kan ik na de training met haar gaan praten.'

'Nou, oké.' Alleen aan het feit dat ze haar schouders iets ontspande kon ik zien dat ze opgelucht was door mijn toezegging.

4 Stapels spullen

Ik reed langzaam tussen de vrachtwagens op het terrein van het magazijn door op zoek naar de parkeerplaats. Trucks reden achteruit naar laadplatforms, kleinere vrachtwagens reden een afrit naar een lager niveau op en af, een paar vuilnismannen haalden containers op en leegden ze, en overal om me heen schreeuwden mannen met veiligheidshelmen en bierbuiken elkaar toe dat ze verdomme moesten uitkijken wat ze deden.

Het vrachtverkeer had diepe voren in het asfalt gemaakt en mijn Mustang hobbelde er ontevreden doorheen, waarbij de modder tegen mijn ramen spetterde. Het had de hele dag met tussenpozen geregend en de hemel was nog steeds donker. Doordat er een eeuw lang van alles in de zompige grond van Zuid-Chicago was gedumpt, van cyanide tot sigarettenpakjes, was het landschap kleurloos en vaal geworden. Tegen deze grauwe achtergrond maakte het magazijn van By-Smart een onheilspellende indruk, als een grot waar een vraatzuchtig beest in huisde.

Het gebouw zelf was monsterlijk. Een laag stenen bouwwerk, misschien oorspronkelijk rood geweest maar in de loop der jaren vuilzwart geworden. Het had de oppervlakte van twee huizenblokken in de stad. Het gebouw en het terrein lagen achter een hoog hek met prikkeldraad, compleet met een wachthuisje. Toen ik er vanuit 103rd Street in wilde rijden, had een man in uniform me om mijn pasje gevraagd. Ik zei dat ik een afspraak met Patrick Grobian had; de man pleegde een telefoontje naar de grot en bevestigde dat ik werd verwacht. De parkeerplaats was rechtdoor, die kon ik niet missen.

Rechtdoor betekende voor de bewaker iets anders dan voor mij. Nadat ik langs twee zijden van het gebouw was gehobbeld, bereikte ik eindelijk het parkeerterrein. Het zag eruit als het verwaarloosde terrein van een handelaar in tweedehands auto's. Er stonden honderden roestbakken kriskras tussen de voren geparkeerd. Ik vond een plekje waarvan ik hoopte dat het zo afgelegen was dat niemand de zijkant van mijn Mustang zou schampen.

Ik opende het portier en keek vol afgrijzen naar de grond. De ingang van het magazijn was een paar honderd meter bij me vandaan en ik zou er door diepe plassen naartoe moeten waden, en dat met mijn goede schoenen aan. Ik ging op mijn knieën op de chauffeursstoel zitten en boog me voorover om de stapels papieren en handdoeken achterin te doorzoeken. Uiteindelijk wist ik een paar plastic teenslippers op te diepen die ik de afgelopen zomer op het strand had gebruikt, en ik wurmde mijn kousenvoeten moeizaam in de slippers. Het betekende dat ik me langzaam en gênant waggelend een weg over het terrein naar de ingang moest banen, maar in elk geval zaten alleen mijn kousen en de rand van mijn broek onder de modderspetters toen ik daar aankwam. Ik schoot in mijn pumps en stopte de modderige slippers in een plastic zak voordat ik ze in mijn aktetas schoof.

Hoge deuren boden toegang tot de nachtmerrie van elke consument. Stellingen vol met alle denkbare producten strekten zich uit zo ver het oog reikte. Recht voor me hingen bezems, honderden: rijsbezems, luiwagens, bezems met een plastic steel, met een houten steel, scharnierende bezems. Daarnaast hingen duizenden sneeuwschoppen klaar voor alle inwoners van Chicago die deze winter hun stoep schoon wilden houden. Rechts van me stonden kartonnen dozen met het opschrift 'strooizout' opgestapeld tot halverwege het plafond, dat tien meter boven mijn hoofd eindelijk opdoemde.

Ik wilde naar voren lopen en stapte meteen weer naar achteren toen een vorkheftruck met hoge snelheid op me af ratelde, zwaarbeladen met een stapel dozen met strooizout. Hij bleef aan de andere kant van de sneeuwschoppen staan en een vrouw in een overall en een felrood vest begon de dozen al open te snijden voordat ze op de grond stonden. Ze trok er kleinere dozen met strooizout uit en zette die bij de stapel die er al stond.

Een andere vorkheftruck bleef voor me staan. Een man in een identiek rood vest begon er bezems op te laden en vinkte ze af op een computeruitdraai.

Toen ik weer naar voren stapte en me afvroeg welke route ik zou nemen tussen de stellingen door, kwam er een bewaker op me af. Het was een grote zwarte vrouw in een vest met veiligheidsreflectoren. Verder droeg ze een plastic helm met het opschrift 'Be smart, By-Smart' en een riem waaraan alles leek te hangen wat je maar nodig kon hebben om de wet te handhaven – inclusief een taser. Boven het lawaai van de transportbanden en de vorkheftrucks uit vroeg ze wat ik daar te zoeken had.

Opnieuw legde ik uit wie ik was en waarvoor ik was gekomen. De bewaker pakte een mobieltje van haar riem en belde om bevestiging. Toen ze die had gekregen, gaf ze me een badge en vertelde me hoe ik bij Patrick Grobians kantoor moest komen: door gangpad 116S, naar links 267W in en dan helemaal rechtdoor tot het einde, waar ik alle kantoren, de toiletten, de kantine en dergelijke zou vinden.

Toen zag ik de grote rode cijfers aan het begin van elk gangpad. Ze waren zo kolossaal dat ik ze in eerste instantie niet had gezien. Dat gold ook voor een reeks transportbanden hoog boven de gangpaden; ze hadden hellingbanen waarover allerlei goederen naar diverse stapelplaatsen zakten. Borden met de tekst 'Roken overal en altijd verboden' waren op opvallende plaatsen tegen de muren en de stellingen gehangen, samen met de aansporing 'Maak de werkplek een veilige plek'.

We stonden tegenover gangpad 122S, dus ik ging linksaf bij de schoppen en liep langs zes gangpaden, waarbij ik een berg magnetrons passeerde, gevolgd door een woud van imitatiekerstbomen. Bij gangpad 116 begon de kerstversiering: lawines van klokjes, lichtjes, servetten, plastic engelen en Maria's met oranje gezichten die sneeuwwitte kindekes Jezus vasthielden.

Te midden van de stapels spullen die zich eindeloos uitstrekten, de ratelende transportbanden boven mijn hoofd en de vorkheftrucks die om me heen reden, begon ik duizelig te worden. Er waren mensen in dit gebouw, maar die leken alleen te bestaan als verlengstukken van de apparaten. Ik greep me aan een stelling vast om mijn evenwicht te hervinden. Ik kon niet in het kantoor van Patrick Grobian verschijnen en een benevelde indruk maken. Ik wilde zijn steun voor het basketbalteam van de Bertha Palmer-school, dus ik moest vrolijk en professioneel zijn.

Drie weken geleden, toen ik de conrector ontmoette die over het buitenschoolse programma van de school ging, werd me duidelijk dat ik zelf een vervanger voor Mary Ann zou moeten zoeken als ik niet de rest van mijn leven op de middelbare school wilde blijven rondhangen. Natalie Gault was begin veertig, klein, stevig, en zich zeer bewust van haar gezag. Ze kwam om in het papierwerk. Basketbal voor meisjes kwam in haar beleving ergens na een beter koffiezetapparaat in de lerarenkamer.

'Ik val maar tot het eind van het jaar voor Mary Ann in,' waarschuwde ik toen ze me bedankte dat ik het werk op zo'n korte termijn had overgenomen. 'Als het wedstrijdseizoen start, in januari, heb ik geen tijd meer om hierheen te komen. Ik kan de meisjes tot die tijd in conditie houden, maar ik ben geen ervaren coach, en die hebben ze nodig.'

'Het enige wat ze nodig hebben, is een volwassene die belangstelling voor hen toont, mevrouw Sharaski.' Ze wierp me een stralende, nietszeggende glimlach toe. 'Niemand verwacht dat ze wedstrijden winnen.'

'Warshawski. En de meisjes zelf verwachten dat ze wedstrijden winnen... Ze spelen niet om te laten zien hoe sportief ze zijn. Dat zijn ze ook niet. Drie of vier van hen zouden topspeelsters kunnen worden als ze de juiste training kregen. Ze verdienen meer dan de weinige tijd en de niet al te grote deskundigheid die ik hun kan bieden. Wat doet de school om iemand te vinden?'

'Bidden om een wonder wat betreft Mary Ann McFarlanes gezondheid,' zei ze. 'Ik weet dat u hier op school hebt gezeten, maar in die tijd kon de school nog een instrument huren voor elk kind dat er een wilde bespelen. We doen op deze school al achttien jaar niets meer aan muziek, afgezien van het schoolorkest, dat wordt geleid door een van de docenten leesvaardigheid. We hebben geen geld om kunstzinnige vorming aan te bieden, dus sturen we de kinderen naar een gratis programma in de binnenstad, twee uur reizen met twee bussen. We hebben geen officieel basketbalteam, we hebben een basketbalclub. We kunnen geen coach betalen. We hebben een vrijwilliger nodig en we hebben geen docent die er de tijd voor heeft, laat staan de vaardigheden. Als we een bedrijf konden vinden dat ons wil sponsoren, zouden we misschien een coach vanbuiten kunnen aanstellen.'

'Wat zitten hier voor bedrijven die voldoende geld in het basketbalprogramma zouden kunnen steken?'

'Een paar kleine ondernemingen in de buurt, zoals Fly the Flag, geven soms geld voor uniformen of instrumenten voor het orkest. Maar het gaat nu zo slecht met de economie dat ze dit jaar helemaal niets voor ons doen.'

'En welke grote bedrijven komen er nog in aanmerking? Ik weet dat het assemblagebedrijf van Ford hier zit.'

Ze schudde haar hoofd. 'Dat is helemaal aan 130th Street. Dat is te ver weg en daar zijn we te klein voor, ook al werken sommige ouders er.'

Op dat moment ging haar telefoon. De volgende dag zou er iemand van de gemeentelijke gezondheidsdienst langskomen om te controleren op uitwerpselen van knaagdieren; wat moest er met de keuken gebeuren? Een docent kwam langs om te klagen over het tekort aan studieboeken voor maatschappijleer, en een ander wilde dat er acht leerlingen uit zijn lokaal naar een andere groep werden overgeplaatst.

Tegen de tijd dat mevrouw Gault weer aandacht voor mij had, wist ze niet meer of ik Sharaski of Varnishky was, laat staan of de school kon helpen een coach te zoeken. Tandenknarsend kwam ik die middag terug in mijn kantoor en ik ging op zoek naar bedrijven binnen een straal van drie kilometer van de school. Ik vond er drie die groot genoeg waren om echt iets voor de gemeenschap te kunnen doen; bij de eerste twee lukte het me niet eens een afspraak te maken.

By-Smart had de discountwinkel op de hoek van 95th Street en Commercial Avenue, en hun distributiecentrum voor het Midden-Westen lag op de hoek van 103rd Street en Crandon Avenue. Bij de winkel vertelden ze me dat ze geen beslissingen namen over liefdadigheidswerk, dat ik contact moest opnemen met Patrick Grobian, de districtsmanager voor Zuid-Chicago en de aangrenzende voorsteden, die zijn kantoor in het magazijn had. Een jongen die in Grobians kantoor de telefoon aannam, zei dat ze zoiets nog nooit hadden gedaan maar dat ik welkom was om te komen vertellen wat ik wilde. En daarom baande ik me nu een weg tussen stapels spullen door naar het kantoor van Grobian.

Toen ik opgroeide in Zuid-Chicago, had ik op de een of andere manier nooit van By-Smart gehoord. Maar dertig jaar geleden was het proces van hun spectaculaire groei natuurlijk nog maar net begonnen. Uit mijn research was gebleken dat de omzet vorig jaar 183 miljard dollar bedroeg, een getal dat ik nauwelijks kon bevatten; het ging me duizelen van al die nullen.

Ik denk dat hun magazijn in mijn kindertijd ook al hier was, op de hoek van 103rd en Crandon, maar ik kende toen niemand die er werkte. Mijn vader was politieman en mijn ooms werkten bij de graanpakhuizen of de staalfabrieken. Als ik nu om me heen keek, vond ik het onvoorstelbaar dat ik niets van deze plek had geweten.

Tegenwoordig moet je wel een trappister monnik zijn om nooit van het bedrijf te hebben gehoord; je wordt doodgegooid met hun tv-reclames, vol vrolijke, hartelijke verkopers in hun rode jasschorten met het opschrift 'Be smart, By-Smart'. In veel kleine plaatsen in Amerika zijn ze de enig overgebleven supermarkt.

De oude meneer Bysen was opgegroeid in de South Side, in het Pullman District. Dat wist ik doordat Mary Ann me had verteld dat hij op de Bertha Palmer-school had gezeten. In zijn biografie was daar niets over te vinden en lag de nadruk op zijn heldhaftige optreden als artillerist in de Tweede Wereldoorlog. Toen hij terugkeerde uit de oorlog, had hij zijn vaders kruidenierswinkeltje op de hoek van 95th Street en Exchange Avenue overgenomen. En daarmee was de kiem gelegd van wat een wereldwijd imperium van goedkope hypermarkten zou worden, om de oververhitte beeldspraak van een zekere bedrijfsanalist te lenen. Van de zestien meisjes van de Bertha Palmer-school die ik coachte, hadden er vier een moeder die bij de supermarkt werkte, en nu wist ik dat April Czernins vader er als vrachtwagenchauffeur in dienst was.

De South Side was Bysens basis geweest en was later het middelpunt van zijn activiteiten geworden, had ik in *Forbes* gelezen. Hij had dit magazijn van Ferenzi Tool and Die gekocht toen dat bedrijf in 1973 failliet ging en het aangehouden als distributiecentrum voor het Midden-Westen, ook nadat hij zijn hoofdkantoor had verplaatst naar Rolling Meadows.

William Bysen, die alom Buffalo Bill werd genoemd, was nu drieëntachtig, maar hij kwam nog steeds elke dag naar zijn werk en bepaalde nog steeds alles, van het wattage van de gloeilampen in de diensttoiletten tot By-Smarts contracten met belangrijke leveranciers. Zijn vier zonen zaten allemaal in het management en zijn vrouw, May Irene, vervulde een belangrijke rol in het maatschappelijk leven en was actief binnen liefdadigheidsorganisaties en binnen de kerk. May Irene en Buffalo Bill waren evangelische christenen; op het hoofdkantoor begon elke dag met een gebedsbijeenkomst, er kwam tweemaal per week een voorganger die een preek hield en het bedrijf steunde een aantal zendingsposten in het buitenland.

Een paar meisjes in mijn team waren ook evangelische christenen. Ik hoopte dat het bedrijf dit als een gelegenheid zou zien om op grond van hun geloof iets voor Zuid-Chicago te doen.

Tegen de tijd dat ik bij gangpad 267W aankwam, had ik nog maar één wens: nooit van mijn leven meer boodschappen te hoeven doen. Het pad kwam uit in een tochtige gang die over de hele lengte van het gebouw liep. Aan het andere eind zag ik de silhouetten van mensen die ineengedoken in een brede deuropening stonden te roken, wanhopig genoeg om de kou en de regen te trotseren.

Er kwam een hele reeks openstaande deuren uit op de gang. Ik stak mijn hoofd om de hoek van de eerste en zag een kantine, met rijen verkoopautomaten langs de muren. Er zaten een stuk of tien mensen onderuitgezakt aan de gehavende grenen tafels. Sommigen aten een kant-en-klaarmaaltijd of koekjes, maar er waren er ook die sliepen. De punten van hun rode jasschorten hingen op de groezelige vloer.

Ik deed een stap terug en keek in de andere kamers die aan de gang lagen. De eerste was een printerkamer, waar twee grote Lexmarks ellenlange inventarislijsten uitspuwden. Een faxapparaat in de hoek leverde zijn eigen bijdrage aan de papierloze samenleving. Terwijl ik gebiologeerd naar de stroom papier stond te kijken, stopte er een stoet vorkheftrucks om de productie op te halen. Toen ze wegreden, knipperde ik met mijn ogen en liep achter ze aan de gang in.

De volgende twee deuren kwamen uit op kleine kantoortjes, waar mensen zo energiek in de weer waren met computers en ordners dat ze niet eens opkeken toen ik naar Grobian vroeg, maar alleen hun hoofd schudden en doortypten. Ik zag kleine videocamera's in het plafond zitten; misschien werd er salaris ingehouden als ze erop werden betrapt buiten de pauze op te kijken van hun werk.

Een stukje verderop in de gang stonden vijf mannen te wachten voor een gesloten deur. Een paar dronken iets uit een kartonnen bekertje uit de kantine. Ondanks de talrijke camera's en het grote bord met 'Roken overal en altijd verboden' stonden er twee stiekem te roken. Ze hielden hun sigaret in hun gekromde hand en tikten de as af in een leeg bekertje. Ze droegen de versleten spijkerbroeken en afgetrapte laarzen van vermoeide mannen die hard werkten voor niet al te veel geld. De meesten hadden een oud bomberjack of fleece vest aan, met reclame op het rugpand voor van alles, van HarleyDavidson tot New Mary's Wake-Up Lounge.

Op de deur voor hen zat Grobians naamplaatje. Ik bleef staan en trok een wenkbrauw op. 'Is de grote baas zelf binnen?'

De man met het Harley-jack lachte. 'De grote baas? Dat kun je wel zeggen, zus. Te groot om onze briefjes te tekenen zodat we op pad kunnen.'

'Omdat hij denkt dat hij op weg is naar Rolling Meadows.' Een van de rokers hoestte en spoog in zijn bekertje.

New Mary's Wake-Up Lounge grijnsde onaangenaam. 'Misschien is hij dat ook wel. Gaat de koningin van de beddenlakens niet... hé, waar slaat dat nou op, man?' Een andere roker had hem tegen zijn scheen geschopt en gaf met zijn hoofd een rukje in mijn richting.

'Het is oké, ik klets niks door, en ik werk trouwens niet eens voor het bedrijf,' zei ik. 'Ik heb een afspraak met de grote baas, en normaal gesproken zou ik gewoon bij hem binnenvallen, maar aangezien ik hem om een gunst wil vragen, zal ik als een braaf kleutertje in de rij gaan staan.'

Daar moesten ze weer om lachen. Ze gingen opzij om plaats

voor me te maken tegen de muur. Ik luisterde terwijl ze over hun komende ritten praatten. De man in het Harley-jack zou zo meteen naar El Paso vertrekken, maar de anderen bleven in de buurt. Ze praatten over de Bears, die een waardeloze verdediging hadden. Net als het team van vijfentwintig jaar geleden, vlak voordat Ditka en McMahon ons even aan de glorie lieten snuffelen, maar was Lovey Smith wel de man om de tijd van McMahon en Payton terug te brengen? Ze zeiden niets meer over de koningin van de beddenlakens of Grobians ambitieuze verlangen naar het hoofdkantoor. Niet dat ik daar iets over hoefde te weten, maar de belangrijkste reden dat ik privédetective ben, is een voyeuristische belangstelling voor het leven van anderen.

Nadat we tamelijk lang hadden gewacht, ging Grobians deur open en verscheen er een jongeman. Zijn roodbruine haar, dat kort was geknipt in een vergeefse poging zijn dikke krullen onder controle te krijgen, zat glad tegen zijn hoofd geplakt. Zijn brede gezicht was bezaaid met sproeten en op zijn wangen was nog het zachte dons van de adolescentie te zien, maar hij nam ons met een volwassen ernst op. Toen hij de man met het Harley-jack in het oog kreeg, glimlachte hij met zo'n oprechte vreugde dat ook ik een glimlach niet kon onderdrukken.

'Billy the Kid,' zei Harley, en hij gaf hem een klap op zijn schouder. 'Hoe gaat-ie, jongen?'

'Hoi, Nolan. Prima, joh. Ga jij vanavond op weg naar Texas?'

'Klopt. Als de grote baas ooit nog van z'n kont komt en me een krabbel geeft.'

'De grote baas? Bedoel je Pat? Die zit alleen even de overzichten door te nemen, maar hij komt zo. Het spijt me echt dat jullie zo lang hebben moeten wachten, maar hij komt er nu aan, eerlijk waar.' De jongen kwam naar me toe. 'Bent u mevrouw War-sha-sky?'

Hij sprak mijn naam met zorg maar niet geheel correct uit. 'Ik ben Billy. Ik heb gezegd dat u vandaag kon langskomen, maar Pat, meneer Grobian, hij is er niet helemaal... Nou ja, hij is een beetje laat, en eh, hij moet misschien even omgepraat worden, maar dan zal hij u zeker ontvangen, nadat hij deze mannen op weg heeft geholpen.'

'Billy?' riep een man in het kantoor. 'Stuur Nolan naar binnen. We kunnen aan de slag! En ga de faxen voor me halen.'

De moed zonk me in de schoenen: een negentienjarig loopjongetje dat wel enthousiast was maar niets te vertellen had, had mijn afspraak geregeld met de man die het voor het zeggen had maar elk enthousiasme ontbeerde. In gedachten zong ik een liedje: '*Whenever I feel dismayed, I hold my head erect.*'

Terwijl Billy door de gang naar de printerkamer liep, knepen de rokers het uiteinde van hun sigaret en stopten die voorzichtig in hun zak. Nolan ging Grobians kamer binnen en sloot de deur. Toen hij een paar minuten later naar buiten kwam, dromden de andere mannen en bloc naar binnen. Aangezien ze de deur open lieten staan, liep ik achter hen aan.

5 De keizerlijke hofhouding

Kantoorruimtes in industriële panden zijn niet ontworpen voor het comfort of prestige van de gebruiker. Grobians kamer was groter dan de hokjes waar ik eerder mijn hoofd om de deur had gestoken – hij had zelfs een ingebouwde kast in de achterste hoek – maar de muren waren net als alle andere vuilgeel geschilderd, er stonden hetzelfde metalen bureau en dezelfde stoelen in en ook hier zat een videocamera in het plafond. Buffalo Bill vertrouwde blijkbaar niemand.

Grobian zelf was een energieke man van in de dertig met opgerolde overhemdsmouwen, waardoor zijn gespierde armen zichtbaar waren, en een grote tatoeage van een anker op zijn linker bovenarm. Hij leek het soort man waar truckers respect voor zouden hebben, met een stoere, vierkante kaak en een kortgeknipte kop.

Hij fronste zijn wenkbrauwen toen hij mij achter de mannen zag staan. 'Ben je nieuw hier? Je moet hier niet zijn... Meld je bij Edgar Díaz in...'

'Ik ben V.I. Warshawski. We hadden een afspraak om kwart over vijf.' Ik probeerde vrolijk en professioneel te klinken, en niet geërgerd omdat het bijna zes uur was.

'O, ja. Dat heeft Billy geregeld. U zult even moeten wachten. Deze mannen zijn al laat en moeten op weg.'

'Natuurlijk.' Vrouwen worden geacht op mannen te wachten; dat is de rol die ons is toebedeeld. Maar die gedachte hield ik voor me. Bedelaars dienen een zonnig humeur te hebben. Ik haat bedelen.

Toen ik rondkeek of ik ergens kon gaan zitten, zag ik achter me een vrouw. Ze was zeker geen doorsnee werkneemster van By-Smart. Haar make-up was zorgvuldig aangebracht alsof haar huid een doek van Vermeer was. Ook haar kleren – een nauwsluitende tricot top boven een lavendelblauwe Schotse rok die ingenieus zo was geschikt dat er inzetstukken van zwart kant zichtbaar waren – waren niet van een By-Smart-salaris gekocht, laat staan dat ze afkomstig waren uit een rek in een By-Smart-winkel, en geen van de uitgeputte arbeiders die ik in de kantine had gezien, zou de energie kunnen opbrengen om zo'n gespierd, lenig lijf te kweken.

De vrouw glimlachte toen ze zag dat ik haar aanstaarde; ze hield blijkbaar van aandacht, of misschien van afgunst. Ze zat in de enige stoel, dus ging ik tegen een metalen archiefkast naast haar staan. Er lag een ordner op haar schoot, opengeslagen bij een hele rits getallen die me niets zeiden, maar toen ze besefte dat ik ernaar keek, deed ze de map dicht en sloeg haar benen over elkaar. Ze droeg kniehoge lavendelblauwe laarzen met hakken van acht centimeter. Ik vroeg me af of ze een paar teenslippers bij zich had om aan te trekken als ze naar haar auto ging.

Er voegden zich nog twee mannen bij de vier die in de rij stonden voor Grobians bureau. Toen hij hen had geholpen, kwamen er weer drie binnen. Het waren allemaal chauffeurs van wie de lading moest worden goedgekeurd, de spullen die ze net hadden afgeleverd of die waarmee ze wilden vertrekken.

Ik begon me te vervelen en werd zelfs een beetje boos, maar het zou veel erger zijn als ik mijn kans verprutste om van het meisjesbasketbalteam af te komen. Ik ademde diep in – opgewekt blijven, Warshawski – en wendde me tot de vrouw om haar te vragen of ze in het managementteam van het distributiecentrum zat.

Ze schudde haar hoofd en glimlachte een beetje neerbuigend. Ik zou haar heel wat vragen moeten stellen voordat ik iets wijzer werd. Niet dat ze me zo interesseerde, maar ik moest toch iets doen om de tijd te doden. Ik herinnerde me de opmerking van de trucker over de koningin van de beddenlakens. Ze kocht ze in of ze lag ertussen, of misschien wel allebei.

'Gaat u over het linnengoed?' vroeg ik.

Ze keek enigszins zelfvoldaan: ze had een reputatie, er werd over haar gepraat. Ze plaatste de orders voor de handdoeken en lakens voor alle By-Smarts in Amerika, zei ze.

Voordat ik verder kon gaan met het vraag- en antwoordspelletje, kwam Billy weer de kamer in met een grote stapel papier. 'O, tante Jacqui, er zitten ook faxen voor u bij. Ik weet niet waarom ze hierheen zijn gestuurd en niet naar Rolling Meadows.'

Tante Jacqui stond op, maar liet daarbij haar ordner vallen. Er gleden een paar vellen papier uit, die naar de grond zeilden en waarvan er drie onder Grobians bureau terechtkwamen. Billy pakte de ordner op en legde die op haar stoel.

'O, jee,' mompelde ze met een lome, bijna slepende stem. 'Ik geloof niet dat ik in deze kleren onder het bureau kan kruipen, Billy.'

Billy legde de faxen op haar ordner en liet zich op handen en knieën zakken om de gevallen papieren op te rapen. Tante Jacqui pakte de stapel faxen op, keek ze snel door en haalde er een stuk of tien tussenuit.

Billy kwam weer overeind en gaf haar de papieren uit haar ordner. 'Pat, je moet zorgen dat de vloer vaker wordt gedweild. Het is smerig daarbeneden.'

Grobian sloeg zijn ogen ten hemel. 'Billy, het is je moeders keuken niet, het is een magazijn, waar gewerkt wordt. Zolang de vloer maar niet in brand vliegt, kan het me niets schelen of hij smerig is of niet.'

Een van de truckers lachte en gaf Billy een klap op zijn schouder terwijl hij de deur uit liep. 'Het wordt tijd dat jij de weg op gaat en kennismaakt met het ware leven, jongen. Dan zie je echte vuiligheid en eet je van Grobians linoleum als je terug bent.'

'Of je laat hem de vloer schoonmaken,' opperde de chauffeur die achterbleef. 'Daar knappen ze allebei van op.'

Billy bloosde, maar lachte met de mannen mee. Pat praatte even met de laatste chauffeur over de lading die hij naar de winkel aan 95th Street ging brengen. Toen de man wegging, wilde Pat Billy opdragen naar de laadplatforms te gaan, maar Billy schudde zijn hoofd. 'We moeten met mevrouw War-sha-sky praten, Pat.' Hij wendde zich tot mij, verontschuldigde zich voor de lange wachttijd en voegde eraan toe dat hij had geprobeerd uit te leggen wat ik wilde, maar vreesde dat hij daar niet erg goed in was geslaagd.

'O, ja. Liefdadigheidswerk, daar doen we al meer dan genoeg aan.' Grobians frons kwam terug. Een drukbezet man, geen tijd voor maatschappelijk werkers, nonnen en andere wereldverbete-raars.

'Ja, ik heb uw financiële gegevens bestudeerd, althans, de cijfers die u openbaar maakt.' Ik trok een stapel papieren uit mijn akte-tas, waarbij de teenslippers in hun plastic zak op de vloer vielen.

Ik gaf Grobian, Billy en tante Jacqui een visitekaartje. 'Ik ben in Zuid-Chicago opgegroeid. Ik ben nu jurist en detective, maar ik ben teruggekomen om op vrijwillige basis het basketbalteam van de Bertha Palmer-school te coachen.'

Grobian keek nadrukkelijk op zijn horloge, maar de jonge Billy zei: 'Ik ken een paar van de meisjes daar, Pat, door het uitwisse-lingsprogramma van onze kerk. Ze zingen in het koor van...'

'Ik begrijp dat u geld van ons wilt,' onderbrak Jacqui hem met haar lome stem. 'Hoeveel en waarvoor?'

Ik wierp haar een vrolijke, professionele glimlach toe en gaf haar een exemplaar van een rapport dat ik had samengesteld over de bijdragen die By-Smart aan de gemeenschap leverde. Ik gaf Grobian en Billy er ook een. 'Ik weet dat By-Smart donaties door de individuele winkels, op lokaal niveau, stimuleert, maar alleen voor kleine projecten. De winkel aan Exchange Avenue heeft drie beurzen van duizend dollar elk gegeven aan studenten van wie de ouders in de winkel werken, en de werknemers worden aange-moedigd vrijwilligerswerk te doen bij plaatselijke gaarkeukens en de opvang van daklozen. De manager van het filiaal aan Exchange Avenue heeft me verteld dat meneer Grobian verantwoordelijk is voor grotere donaties, die de hele South Side ten goede komen.'

'Dat klopt. Ik heb de leiding over het distributiecentrum en ik ben de districtsmanager voor Zuid-Chicago en het noordwes-ten van Indiana. We geven financiële steun aan de Boys and Girls Clubs, het fonds voor nabestaanden van brandweerlieden en een paar andere instellingen.'

'Wat fantastisch is,' zei ik enthousiast. 'De winst van de winkel aan Exchange Avenue was vorig jaar bijna anderhalf miljoen dol-lar, iets lager dan het landelijk gemiddelde, door de slechte econo-mische omstandigheden hier. Voor zover ik kon ontdekken, heeft de winkel negenduizend dollar weggegeven. Voor vijfenvijftigdui-zend...'

Grobian schoof mijn rapport opzij. 'Wie heeft er met u gepraat? Wie heeft u vertrouwelijke informatie over dat filiaal gegeven?'

Ik schudde mijn hoofd. 'Het staat allemaal op internet, meneer Grobian. Je moet alleen even weten waar je moet zoeken. Voor vijfenvijftigduizend dollar zou de winkel de clubtenues, toestellen voor krachttraining, ballen en een parttime coach kunnen betalen. Jullie zouden dé helden van de South Side zijn, en er natuurlijk een flink belastingvoordeel aan overhouden. Misschien kunnen jullie die toestellen zelfs wel uit eigen voorraad leveren.'

Het enige wat ik echt van By-Smart wilde, was een coach, en ik dacht dat ze voor pakweg twaalfduizend dollar wel iemand zouden kunnen vinden die die taak op zich wilde nemen. Het hoefde geen docent te zijn, als ze (of hij) het spel maar begreep en met jonge mensen overweg kon. Een postdoctoraal student die op de universiteit basketbal had gespeeld, zou goed zijn; iemand die aan een sportacademie studeerde nog beter. Door in te zetten op vier à vijf keer zo veel als ik wilde hebben, hoopte ik er in elk geval een coach uit te slepen.

Maar Grobian was nog steeds boos. Hij gooide mijn rapport in zijn prullenbak. Met een van haar lome gebaren schoof Jacqui haar papieren ook in die richting. Ze vielen ongeveer een meter voor de bak op de grond.

'Zoveel geld geven we nooit aan een individuele winkel,' zei Grobian.

'Niet aan de winkel, Pat,' bracht Billy ertegen in, terwijl hij vooroverboog om tante Jacquis papieren op te rapen. 'Aan de school. Dit is echt iets wat opa graag doet, kinderen helpen die hun best doen vooruit te komen in het leven.'

Aha, hij was een Bysen. Daarom kon hij afspraken maken met bedelaars, ook al was hij onervaren en had hij een baas die niets over de kwestie wilde horen. Dat betekende dat tante Jacqui ook een Bysen was, dus dan kon ik ophouden met mijn vraag- en antwoordspelletje.

Ik schonk Billy een warme glimlach. 'Je grootvader zat zeventig jaar geleden zelf op deze middelbare school. Vijf van de meisjes in het team hebben ouders die voor By-Smart werken, dus het zou een echte win-winsituatie zijn, zowel voor de winkel als voor de gemeenschap.' Ik huiverde toen ik hoorde met welk gemak ik dit managementjargon van mijn lippen liet rollen.

'Je grootvader gelooft er niet in dit soort bedragen aan liefdadigheid te schenken, Billy. Als je dat nu nog niet weet, heb je niet erg goed naar hem geluisterd,' zei Jacqui.

'Dat is niet eerlijk, tante Jacqui. Hoe zit het dan met de vleugel die oma en hij aan het ziekenhuis in Rolling Meadows hebben laten bouwen, en de zendingsschool die ze in Mozambique hebben gesticht?'

'Dat waren grote gebouwen waar zijn naam op staat,' zei Jacqui. 'Een onbetekenend projectje hier, waar voor hem geen eer aan te behalen is...'

'Ik praat zelf wel met hem,' zei Billy verhit. 'Ik heb een paar van die meisjes ontmoet, dat zei ik al, en als hij hun verhaal hoort...'

'Dan zullen de tranen hem in de ogen springen,' viel Jacqui hem in de rede. 'Hij zal zeggen: "Gnn, gnn, als ze iets willen bereiken, moeten ze hard werken, zoals ik heb gedaan. Niemand heeft mij ooit iets voor niks gegeven, en ik ben op dezelfde plek begonnen als zij, gnn, gnn."'

Patrick Grobian lachte, maar Billy liep rood aan en keek gekwetst. Hij geloofde in zijn grootvader. Om zich een houding te geven, begon hij de papieren te sorteren die tante Jacqui had laten vallen, waarbij hij mijn voorstel apart hield van een paar velletjes uit de fax.

'Er is hier iets van Adolpho in Matagalpa,' zei hij. 'Ik dacht dat we hadden besloten niet met hem in zee te gaan, maar hij citeert u...'

Jacqui nam de papieren van hem aan. 'Ik heb hem vorige week geschreven, Billy, maar de brief is misschien niet aangekomen. Goed dat je me erop wijst.'

'Maar zo te zien heeft hij een heel productieschema.'

Jacqui glimlachte nog eens verblindend. 'Ik denk dat je dat niet goed hebt gelezen, Billy, maar ik zal er extra goed op letten dat alles duidelijk is.'

Pat trok mijn rapport uit zijn prullenbak. 'Ik heb hier te snel over geoordeeld, Billy. Ik zal nog eens naar de bedrijfsresultaten kijken en contact opnemen met je vriendin hier. Ga jij intussen dan naar de laadplatforms en controleer of Bron inmiddels weg is bij platform tweeëndertig; hij heeft nogal de neiging om te treuzelen en tijd te verdoen met de meisjes die dienst hebben. En u, mevrouw... eh, we bellen u over een paar dagen.'

Billy keek weer naar tante Jacqui, met een verontruste frons die rimpels trok in zijn gladde jonge gezicht, maar hij stond gehoorzaam op om te gaan. Ik liep achter hem aan de kamer uit.

'Als ik extra informatie kan leveren die je grootvader misschien zou helpen een beslissing over het team te nemen, doe ik dat graag. Misschien wil je eens met hem naar een van onze trainingen komen.'

Zijn gezicht klaarde op. 'Ik denk niet dat hij dat zou willen, maar ik kan wel komen, tenminste, als ik hier eerder weg kan. Misschien als ik vroeger begin. Zijn de trainingen niet op maandag en donderdag?'

Ik was verrast en vroeg hoe hij dat wist.

Hij bloosde. 'Ik zit in het koor en in de jeugdgroep van mijn kerk, onze kerk, bedoel ik, de kerk waar mijn familie altijd komt, en we hebben soms uitwisselingsprogramma's met kerken in de binnenstad. Dan wisselen we bijvoorbeeld voorgangers uit en onze koren zingen samen, dat soort dingen. Mijn jeugdgroep heeft Mount Ararat aan 91st Street geadopteerd, en sommige kinderen van die kerk zitten op de Bertha Palmer-school. Twee van hen spelen in het basketbalteam. Josie Dorrado en Sancia Valdéz. Kent u ze?'

'Jazeker. Er zitten maar zestien meisjes in het team, en ik ken ze allemaal. Hoe komt het dat jij hier in het magazijn werkt? Zou je zelf niet moeten studeren of naar school moeten gaan?'

'Nadat ik klaar was met de middelbare school, wilde ik een jaar in dienst, zoiets als het Peace Corps, maar opa heeft me overgehaald een jaar in de South Side door te brengen. Niet dat hij ziek of stervende is, of zoiets, maar hij wilde dat ik een jaar voor het bedrijf zou werken terwijl hij er nog was om mijn vragen te beantwoorden en dat soort dingen, en intussen kon ik dan nuttige dingen doen via de kerk en zo. Daarom weet ik dat tante Jacqui alleen cynisch is. Dat is ze soms. Vaak. Soms denk ik dat ze alleen met oom Gary is getrouwd omdat ze uit was op...' Hij onderbrak zichzelf en bloosde nog dieper.

'Ik dwaal af. Ze zet zich helemaal in voor het bedrijf. Opa houdt er eigenlijk niet van dat de vrouwen van de familie voor de winkel werken, zelfs niet toen mijn zus Candace de leiding had over... Maar hoe dan ook, tante Jacqui is afgestudeerd in vormgeving, geloof ik, of textiel of zoiets, en ze heeft opa ervan overtuigd dat ze gek zou worden als ze thuis bleef zitten. Sinds zij de orders is gaan plaatsen voor handdoeken en lakens hebben we daar ieder kwartaal meer van verkocht dan de Wal-Mart, en zelfs opa is onder de indruk van haar nauwgezetheid.'

Tante Jacqui was alleen met oom Gary getrouwd omdat ze uit was op een deel van het familiefortuin van de Bysens. Ik kon de beschuldigingen bij de Bysens over de eettafel horen vliegen: Buffalo Bill was een vrek, tante Jacqui was een geldwolf. Maar de jongen was een hardwerkende idealist.

Terwijl ik met hem door de gangen naar de laadplatforms liep, hoopte ik dat ik hem kon verleiden tot verdere loslippigheid, bijvoorbeeld over Candace en waar ze de leiding over had gehad, maar hij legde alleen nog uit hoe hij aan zijn bijnaam kwam. Zijn vader was de oudste zoon, William de Tweede. 'Het is een soort familiegrapje, hoewel ik er niet veel aan vind. Iedereen noemt papa "de jonge meneer William", ook al is hij inmiddels tweeënvijftig. Dus ik kreeg de bijnaam Billy the Kid. Ze vinden dat ik te snel handel, zonder eerst na te denken, snapt u, en ik weet dat Pat dat tegen opa zal zeggen omdat ik u hier heb laten komen, maar u moet het niet opgeven, mevrouw War-sha-sky. Het lijkt me een fantastisch idee om het basketbalprogramma te steunen. Ik beloof u dat ik er met opa over zal praten.'

6 Kijvende wijven

Voor zover ik er hoogte van kreeg, ging de ruzie maandagmiddag eerst over religie en vervolgens over seks, maar het kan ook andersom zijn geweest. Toen ik de gymzaal in kwam, zaten Josie Dorrado en Sancia Valdéz, de center, op de tribune in hun Bijbels te lezen. Sancia's twee kleintjes zaten op de bank, samen met een kind van een jaar of tien: Sancia's kleine zusje, dat vandaag babysit was. April Czernin stond voor hen met een bal te stuiteren die een van de gymleraren in de zaal had laten liggen. April was katholiek, maar Josie was haar beste vriendin; ze bleef meestal een beetje in de buurt als Josie haar Bijbelstudie deed.

Celine Jackman kwam kort na mij binnen en wierp een smalende blik op haar teamgenoten. 'Zitten jullie te bidden voor een nieuwe baby in de familie of zo?'

'We bidden in elk geval,' zei Sancia. 'Die hele katholieke poppenkast zal je niet redden als je rondhangt met de Pentas. De waarheid staat in de Bijbel.' Ze sloeg met haar vuist op het boek om haar woorden kracht bij te zetten.

Celine zette haar handen in haar zij. 'Jullie denken dat katholieke meisjes als ik te dom zijn om de Bijbel te kennen, omdat we naar de mis gaan, maar je gaat wel om met April en volgens mij gaat die toch echt naar dezelfde kerk als ik, de Saint Michael and All Angels.'

April liet de bal hard stuiteren en zei tegen Celine dat ze haar mond moest houden.

Celine trok zich daar niets van aan. 'Jullie zijn van die brave meisjes die elke dag in de Bijbel lezen en precies weten wat goed en fout is, zoals jij, met je twee baby's. En ik ben dus zo stom dat ik niks van de Bijbel weet, of er iets in staat over ontucht, bijvoorbeeld.'

'De tien geboden,' zei Josie. 'En als je dat niet weet, Celine, ben je nog dommer dan je lijkt.'

Celine zwaaide haar lange kastanjebruine vlecht over haar schouder. 'Dat heb je in die Mount Ararat-kerk aan 91st Street geleerd, hè, Josie? Je moet April een keer meenemen op zondag.'

Ik pakte Celine bij de schouders en draaide haar in de richting van de kleedkamer. 'De training begint over vier minuten. Schiet op, daarheen en verkleden. Sancia, Josie, April, gaan jullie je beenspieren maar trainen, in plaats van jullie lippen.'

Ik lette erop dat Celine de zaal uit was voordat ik de bergruimte in ging om de rest van de ballen tevoorschijn te halen. Toen ik even later aan de warming-up begon, miste ik maar vier speelsters, een teken dat we elkaar langzamerhand leerden kennen. Op mijn eerste dag kwam meer dan de helft van het team te laat, maar ik had de regel ingesteld dat je doorging met grondoefeningen totdat je de tijd had ingehaald die je had gemist, ook al was de rest van het team al met ballen aan het trainen. Dat zorgde ervoor dat het grootste deel van het team op tijd kwam.

'Waar is de Engelse mevrouw die over ons schrijft?' vroeg Laetisha Vettel toen de meisjes op de grond hun hamstrings lagen te rekken.

'Dat moet je aan April vragen,' gniffelde Celine.

'Dat moet je aan mij vragen,' zei ik meteen, maar April, die voorover over haar linkerbeen gebogen had gezeten, had zich al opgericht.

'Wat moet je aan mij vragen?' vroeg ze op hoge toon.

'Waar de Engelse mevrouw is,' zei Celine. 'En als je het niet weet, vraag het dan maar aan je pa.'

'Ik heb in elk geval een pa om het aan te vragen,' riposteerde April. 'Vraag jij je ma maar eens of ze weet wie jouw pa is.'

Ik blies op mijn fluitje. 'Er is maar één vraag die jullie tweeën je moeten stellen: hoeveel push-ups moet ik straks doen als ik nu niet meteen mijn mond hou en ga stretchen.'

Mijn toon was zo dreigend dat de twee gehoorzaam hun tenen weer naar hun kin gingen trekken: linkerbeen, acht seconden vasthouden, rechterbeen, acht seconden vasthouden. Ik was moe en niet in de stemming om me begripvol te verdiepen in de psyche van de adolescent. Van Zuid-Chicago naar Morrells huis in Evanston was het ongeveer vijftig kilometer rijden, een uur op de zeldzame dagen dat de verkeersgoden me goedgezind waren, anderhalf wanneer ze dat niet waren, wat vaker voorkwam. Mijn eigen kantoor en appartement lagen er ergens tussenin. Het werk voor mijn detectivebureau, de honden uitlaten die ik met mijn benedenbuurman deel en coach McFarlane nu en dan helpen, het eiste allemaal zijn tol.

Ik had het goed aangekund totdat Marcena Love was verschenen; tot die tijd was Morrells huis een toevluchtsoord geweest waar ik me aan het eind van de dag kon ontspannen. Hoewel hij lichamelijk nog niet sterk was, was hij attent en zorgzaam voor me. Nu was ik echter zo uit mijn doen door Marcena's aanwezigheid daar dat mijn bezoek aan hem de laatste stressverhogende factor van de dag was geworden.

Als Morrell in Chicago is, is het bij hem de zoete inval. Elke maand wordt zijn logeerkamer wel door iemand gebruikt, van collega-journalisten tot vluchtelingen of kunstenaars. Meestal vind ik het leuk om zijn vrienden te ontmoeten – zo maak ik kennis met de wijde wereld die ik normaal gesproken niet zie – maar afgelopen vrijdag had ik hem botweg verteld dat ik moeite had met Marcena Love.

'Het is nog maar voor een week of twee,' had hij gezegd. 'Ik weet dat jullie elkaar niet liggen, maar Vic, je hoeft je echt geen zorgen over haar te maken. Ik hou van jou. Maar Marcena en ik kennen elkaar al twintig jaar, we hebben samen in gevaarlijke situaties gezeten, en als ze in mijn stad is, logeert ze bij mij.'

Ik ben te oud voor ruzies waarbij je je partner een ultimatum stelt en het uitmaakt, maar ik was blij dat we elke beslissing over samenwonen op de lange baan hadden geschoven.

Op zaterdagavond was Marcena niet thuisgekomen, maar de volgende dag kwam ze terug, blakend als een welgedane kat, vol enthousiasme over haar etmaal met Romeo Czernin. Ze kwam bij Morrell binnen op het ogenblik dat ik een schaal pasta op tafel zette en begon meteen te ratelen over wat ze allemaal had gezien en gehoord in de South Side. Toen ze uitriep hoe fantastisch het was om met zo'n enorme truck te rijden, vroeg Morrell hoe ze het had gevonden in vergelijking met de keer dat ze erin was geslaagd met een tank door Vukovar naar Cerska in Bosnië te rijden.

'God, wat een avond was dat, hè?' zei ze lachend, en ze wendde zich tot mij. 'Dat zou echt iets voor jou zijn geweest, Vic. We waren veel te lang gebleven en onze chauffeur was verdwenen. We dachten dat ons laatste uur had geslagen, totdat we een tank van Milosevic vonden, achtergelaten met draaiende motor – gelukkig maar, want ik heb geen idee hoe je zo'n ding zou moeten starten – en vraag me niet hoe, maar het is me gelukt met dat rotding helemaal naar de grens te rijden.'

Ik glimlachte terug; het was inderdaad iets wat ik had kunnen doen, en met hetzelfde enthousiasme. Ik voelde een steek van afgunst: muisje van het platteland ontmoet stadsmuis. De avonturen die ik beleefde waren niet bepaald tam, maar ik had nooit iets gedaan wat kon tippen aan het besturen van een tank in oorlogsgebied.

Morrell zuchtte bijna onmerkbaar van opluchting toen hij zag dat Marcena en ik voor de verandering op één lijn zaten. 'En hoe reed de truck in vergelijking met de tank?'

'O, de truck was lang niet zo opwindend, want er werd niet op ons geschoten, hoewel Bron me vertelde dat dat wel eens is gebeurd. Maar het ding is lastig te besturen. Bron wilde niet dat ik hem van het parkeerterrein reed en nadat ik bijna een keet omver had gereden, moest ik toegeven dat hij gelijk had.'

Bron. Dat was zijn echte naam. Die had me maar niet te binnen willen schieten. Ik vroeg of de Czernins een slaapplaats voor haar hadden gehad. Ik vroeg me af of April Czernins verering van de Engelse journaliste stand zou houden als ze wist dat die met haar vader sliep.

'In zekere zin,' zei ze luchtig.

'Heb je de nacht in de cabine van de truck doorgebracht?' vroeg ik. 'Die moderne dingen lijken soms bijna mini-appartementjes.'

Ze wierp me een uitdagende glimlach toe. 'Dat heb je goed geraden, Vic.'

'Denk je dat je een verhaal hebt?' kwam Morrell snel tussenbeide.

'O god, ja.' Ze haalde haar vingers door haar dikke haar, terwijl ze uitriep dat Bron de sleutel was tot een kennismaking met het authentieke Amerika. 'Ik bedoel, alles komt samen, niet speciaal door zijn toedoen, maar om hem heen: de misère, de ellende van die meisjes, die denken dat ze door middel van basketbal misschien de buurt kunnen ontvluchten, de school zelf en dan het verhaal van Bron Czernin, een vrachtwagenchauffeur die van dat salaris van hem een gezin moet onderhouden. Zijn vrouw werkt ook; ze doet iets administratiefs voor By-Smart. Mijn volgende stap is zijn firma, By-Smart, de firma waar hij voor rijdt, bedoel ik. Iedereen kent de naam natuurlijk; sinds ze drie jaar geleden hun trans-Atlantische offensief hebben gelanceerd, staan de Europese winkeliers te trillen op hun benen. Maar ik had me niet gerealiseerd dat hun hoofdkantoor hier in Chicago is, of in elk geval in een van de voorsteden. Rolling en nog iets. Fields, geloof ik.'

'Rolling Meadows,' zei ik.

'O, ja. Bron heeft me verteld dat de oude meneer Bysen ongelooflijk vroom is en dat de dag op het hoofdkantoor begint met een gebedsdienst. Onvoorstelbaar, toch? Puur victoriaans. Ik wil er dolgraag bij zijn, dus ik probeer daar een interview te regelen.'

'Misschien moet ik met je meegaan.' Ik vertelde van mijn pogingen het bedrijf als sponsor voor het team te winnen. 'Billy the Kid kan misschien een ontmoeting met zijn opa voor ons regelen.'

Ze wierp me haar enthousiaste glimlach toe. 'O, Vic, dat zou super zijn, als het lukt.'

We beëindigden de avond nog steeds in betrekkelijke harmonie, wat heel prettig was, maar toch sliep ik niet goed. Die ochtend vroeg, terwijl Morrell nog sliep, ben ik de deur uit geglipt om naar mijn eigen huis te rijden en een flink eind te gaan hardlopen met de honden voordat mijn werkdag begon. Die dag zou ik weer moeten gaan coachen op de Bertha Palmer-school en ik had Josie Dorrado beloofd na de training met haar moeder te gaan praten.

De honden en ik renden helemaal naar Oak Street en terug, meer dan tien kilometer. We hadden alle drie behoefte aan lichaamsbeweging, en ik dacht dat ik me een stuk lekkerder voelde totdat Contreras, mijn benedenbuurman, zei dat ik er belabberd uitzag.

'Ik dacht dat je wel een beetje zou opfleuren als Morrell weer thuis was, pop, maar je ziet er slechter uit dan ooit. Scheur nou niet meteen weg naar je kantoor zonder behoorlijk te ontbijten.'

Ik verzekerde hem dat het echt heel goed met me ging nu Morrell thuis was en goed herstelde, en dat mijn huidige overbelasting tijdelijk was, alleen totdat ik een echte coach vond voor de meisjes van de Bertha Palmer-school.

'En hoe ga je dat aanpakken, pop? Heb je al kandidaten?'

'Ik heb hier en daar een balletje opgegooid,' zei ik op verdedigende toon. Afgezien van mijn onderhoud met Patrick Grobian van By-Smart had ik met de vrouwen gepraat met wie ik op zaterdag geïmproviseerde wedstrijdjes speel en met een kennis die de leiding heeft over een project waarin vrijwilligers met meisjes in het Park District werken. Tot dan toe had ik geen resultaten geboekt, maar als Billy the Kid wat dollars kon losweken van opa zou een van mijn contactpersonen misschien wat enthousiaster worden.

Ik ontvluchtte het appartement voordat Contreras volledig op toeren kwam en me nog een uur zou vasthouden, en beloofde over mijn schouder dat ik echt zou ontbijten, eerlijk waar. Per slot van rekening luidt het devies van mijn familie: sla nooit een maaltijd over. Dat staat onder het wapen van de Warshawski's, een mes en vork, gekruist op een bord.

Inwendig was ik beledigd door de mededeling dat ik er slecht uitzag. Toen ik in mijn auto was gestapt, bekeek ik mijn gezicht aandachtig in de achteruitkijkspiegel. Belabberd, laat me niet lachen; ik zag er alleen interessant hologig uit. Door mijn gebrek aan slaap staken mijn jukbeenderen uit als die van een anorectisch model op de catwalk. Ter vervanging van acht uur in bed had ik een goede camouflagestift en wat foundation nodig, hoewel dat weer niet handig was als je twee uur met zestien tieners op een basketbalveld moest doorbrengen.

'Morrell vindt me mooi,' mompelde ik hardop, ook al zat Marcena Love nu tegenover hem, beminnelijk en zeer verzorgd; waarschijnlijk had haar make-up ook perfect gezeten toen ze de tank bestuurde en naar de grens reed. Ik duwde mijn veiligheidsriem zo hard dicht dat mijn duim bekneld raakte en stortte me met een slordige U-bocht in het verkeer. Als ík aan de beurt ben om een tank te kapen, zal ik ook nieuwe lippenstift opdoen.

Ik stopte bij een wegrestaurantje voor roerei, stopte bij een koffiebar voor een dubbele espresso en kwam om tien uur op kantoor aan. Ik concentreerde me op jaarverslagen van ondernemingen en controleerde of een man, die een van mijn cliënten in dienst wilde nemen, een strafblad had. Voor het eerst in een week slaagde ik erin mijn aandacht bij mijn echte werk te houden en ik rondde drie projecten af en verstuurde er zelfs de facturen voor.

Ik bedierf mijn betere humeur door te proberen Morrell te bellen terwijl ik op 87th Street voor een stoplicht stond en alleen zijn antwoordapparaat aan de lijn te krijgen. Waarschijnlijk was hij met Marcena naar de botanische tuin in Glencoe gegaan; daar hadden ze het de vorige avond over gehad. Ik had er totaal geen probleem mee. Het was geweldig dat hij zich goed genoeg voelde om eropuit te gaan. Maar de gedachte verhevigde wel de felheid waarmee ik aan het begin van de training van leer trok tegen Celine en April.

Het team was ongeveer vijf minuten stil, afgezien van het gebruikelijke getrek en geduw en het gemopper dat ze dit niet konden, dat de oefeningen te zwaar waren en dat ze die van coach McFarlane nooit hoefden te doen.

Celine, die vandaag vastbesloten leek ruzie te zoeken, verbrak de stilte met de vraag of ik *Romeo en Julia* kende. Ze stond op haar linkerbeen en trok haar gestrekte rechterbeen bij de hiel omhoog tot naast haar hoofd. Ze was bijzonder lenig; zelfs als ze me het bloed onder de nagels vandaan haalde, was ik nog steeds geboeid door de schoonheid van haar vloeiende bewegingen.

'Bedoel je de bloedige strijd waarbij twee geliefden, wier liefde onder slecht gesternte staat, zich het leven benemen?' vroeg ik voorzichtig, me afvragend waar dit heen ging. 'Niet uit mijn hoofd.'

Celine was even van haar stuk gebracht. 'Huh?'

'Shakespeare. Zo beschrijft hij Romeo en Julia.'

'Ja, het is een soort toneelstuk, Celine,' zei Laetisha Vettel. 'Als je niet altijd wegbleef bij Engels, zou je er wel van gehoord hebben. Shakespeare, die leefde duizend jaar geleden of zo en die heeft over Romeo en Julia geschreven in een toneelstuk voordat er een film van was. Voordat ze wisten hoe je films moest maken.'

Josie Dorrado herhaalde de woorden. '"Liefde onder slecht gesternte". Dat betekent dat de sterren hun niet gunstig gezind waren.'

Tot mijn verbazing gaf April haar waarschuwend een trap tegen haar been. Josie bloosde en begon in een meedogenloos tempo haar tenen aan te raken.

'Is dat wat "liefde onder slecht gesternte" betekent?' vroeg Theresa Díaz. 'Dat hebben Cleon en ik, want van mijn ma mag ik hem na het avondeten niet zien, zelfs niet als ik al heb zitten leren.'

'Dat is omdat hij bij de Pentas zit,' zei Laetisha. 'Je ma is slimmer dan jij, dus luister nou maar naar haar. Blijf bij de Pentas uit de buurt, meid, als je je volgende verjaardag nog wil meemaken.'

Celine trok haar linkerbeen omhoog en haar lange vlecht zwaaide heen en weer. 'Cleon en jij moeten doen wat Aprils pa doet. Ik hoor dat iedereen hem Romeo noemt, net als coach donderdag deed. Romeo de Veroveraar, hij heeft die Engelse mevrouw in zijn...'

April sprong op haar af voordat ze de zin had afgemaakt, maar Celine stond er klaar voor; ze liet haar linkerbeen naar beneden zwaaien en sloeg April ermee tegen de grond. Josie sprong voor April in de bres en Theresa Díaz haastte zich om Celine te helpen.

Ik greep Laetisha en Sancia vast omdat die op het punt stonden zich ermee te gaan bemoeien en nam ze mee naar de bank. 'Jullie gaan zitten en blijven zitten.'

Ik rende naar de bergruimte en pakte een emmer van de conciërge. Die stond vol smerig water, wat me prima uitkwam. Ik rolde hem de gymzaal in en keerde hem boven de meisjes om.

Het koude, vieze water was voldoende om ze proestend en vloekend te doen opspringen. Ik pakte Celine en April bij hun lange vlechten en trok er hard aan. Celine probeerde nog een stomp uit te delen. Ik liet de vlechten los, greep Celines arm, draaide die achter haar rug en drukte haar rechterschouder tegen me aan. Ik werkte mijn rechterarm onder haar kin en hield haar stevig vast terwijl ik met mijn linkerhand April weer bij haar vlecht greep. Celine gaf een schreeuw, maar die werd overstemd door het gekrijs van Sancia's kinderen en haar zusje, die alle drie brulden.

'Celine, April, ik laat jullie los, maar als jullie ook maar één verkeerde beweging maken, sla ik jullie buiten westen. Begrepen?' Ik duwde mijn onderarm harder onder Celines kin om haar te laten voelen dat ik het meende en gaf een flinke ruk aan Aprils vlecht.

De twee bleven enige tijd zwijgend staan, maar uiteindelijk gaven ze allebei nors toe. Ik liet hen los en stuurde hen naar de bank.

'Sancia, zeg tegen je zusje dat ze je kinderen meeneemt de gang op. Ik ga met het hele team praten en ik heb geen behoefte aan hun gebrul tijdens onze bespreking. Meiden, allemaal zitten. Nu. Opschieten.'

Ze vluchtten naar de bank, geschrokken van mijn machtsvertoon. Maar ik wilde helemaal geen schrikbewind voeren. Terwijl zij een plaatsje zochten, bleef ik zwijgend staan en probeerde me te concentreren, me op hen te richten en niet op mijn eigen frustraties. Ze keken me met grote ogen aan, eindelijk eens helemaal stil.

Ten slotte zei ik: 'Als ik deze vechtpartij meld bij jullie rector, zullen Theresa, Josie, Celine en April niet alleen uit het team worden gezet maar ook van school worden gestuurd, dat weten jullie heel goed. Ze hebben alle vier gevochten en...' – ik stak een hand op toen Celine begon te protesteren dat April haar had aangevallen – 'het kan me geen donder schelen wie er begonnen is. We hebben het niet over schuld, maar over verantwoordelijkheid. Willen jullie eigenlijk wel basketbal spelen? Of willen jullie dat ik de school vertel dat ik het te druk heb om een stelletje meiden te coachen dat alleen maar wil vechten?'

Er barstte een tumult los. Ze wilden spelen, en als Celine en April gingen vechten, hoorden ze niet thuis in het team. Iemand anders merkte op dat er niet veel overbleef van het team als Celine en April eruit werden gezet.

'Dan zijn ze puur egoïstisch,' riep een ander meisje. 'Als ze elkaar alleen maar af willen katten, moeten ze dat maar ergens anders doen.'

Een meisje dat meestal niet veel zei, stelde voor dat ik de twee straf zou geven maar niet uit het team zou zetten. Dat idee deed een algemeen instemmend gemompel opgaan.

'En wat voor straf stellen jullie dan voor?' vroeg ik.

Er werd druk gekibbeld en gegiecheld over mogelijke bestraffingen, totdat Laetisha zei dat de twee de vloer moesten dweilen. 'We kunnen toch niet spelen voordat de vloer is gedweild. Als ze vandaag de vloer schoonmaken, kunnen we morgen trainen.'

'Wat is hier aan de hand?'

Ik draaide me om, net zo geschrokken als mijn team toen ik een volwassene achter me zag staan. Het was Natalie Gault, de conrector die steeds mijn naam vergat.

'O, mevrouw Gault, twee van de...'

'Delia, heb ik je gevraagd verslag uit te brengen?' zei ik om de klikspaan het zwijgen op te leggen. 'Er was wat wrijving binnen het team, maar dat hebben we opgelost. Ze gaan nu naar huis, met uitzondering van vier meisjes die hier blijven om de vloer te dweilen. Want ondanks de aanwezigheid van een stokdweil en een emmer in de bergruimte en het feit dat er een conciërge is die ervoor wordt betaald, ziet de vloer eruit alsof die niet meer is schoongemaakt sinds ik mijn diploma heb gehaald, ergens in het stenen tijdperk. April, Celine, Josie en Theresa gaan aan de teamgeest werken door het vuil eraf te schrobben. We willen de gymzaal morgen graag gebruiken om de training in te halen.'

Mevrouw Gault nam me op met een blik die ik nog kende van de schoolleiding uit de tijd dat ik zelf nog op school zat, al die jaren geleden. Ik voelde mezelf ineenschrompelen, net als toen; het kostte me de grootste moeite om mijn vlotte babbel tot het eind toe vol te houden.

Gault zweeg lang genoeg om me duidelijk te maken dat ze wist dat ik een serieus probleem onder het tapijt veegde – wat vrij duidelijk bleek uit het bloed dat langs Celines been en over Aprils gezicht druppelde – maar zei uiteindelijk dat ze het zou regelen met de coach van de jongens. Als wij de gymzaal schoonmaakten, hadden wij het recht die als eersten te gebruiken. Ze zou de conciërge opdracht geven een paar extra stokdweilen en een nieuwe doos reinigingsmiddel te brengen.

Werken aan de teamgeest door het boenen van de vloer bleek een succes te zijn: aan het einde van de middag waren de boosdoeners eendrachtig in hun woede jegens mij. Pas na zessen liet ik ze eindelijk gaan. Hun sporttenue was doorweekt en ze konden niet meer op hun benen staan van vermoeidheid, maar de vloer glom zoals hij niet meer had gedaan sinds... ja, sinds een dag, zevenentwintig jaar geleden, toen mijn teamgenoten en ik hem hadden geboend. Na een incident dat heel wat ernstiger was dan een simpele vechtpartij. Het was geen periode uit mijn leven waar ik graag op terugkeek, en zelfs nu... zelfs nu wilde ik er niet over nadenken.

Ik liep de kleedkamer in toen ze zich aan het omkleden waren. Er zaten zachte, harige schimmelplekjes op de muren van de douches en bij de kastjes, er ontbraken toiletbrillen en sommige toiletpotten stonden vol gebruikt maandverband en ander bloederig afval. Misschien kon ik mevrouw Gault overhalen er bij de conciërge op aan te dringen dat hij hier ging schoonmaken, nu het team dat in de gymzaal had gedaan. Ik kneep mijn neus dicht en riep tegen Josie dat ik in de bergruimte op haar zou wachten.

7 Op elkaars lip

Josie woonde met haar moeder – en haar oudere zus, de baby van haar zus en haar twee jongere broertjes – in een oud flatgebouw aan Escanaba Avenue. Terwijl we erheen reden, smeekte Josie me haar moeder niet te vertellen dat ze straf had gekregen. 'Ma vindt dat ik moet gaan studeren en zo, en als ze weet dat ik problemen heb gehad bij basketbal zegt ze misschien dat ik niet meer mag meedoen.'

'Wil jij gaan studeren, Josie?'

Ik parkeerde achter een vrij nieuwe pick-up die voor de flat stond. Er stonden vier speakers in de laadbak en het volume was zo ver opengedraaid dat de auto zelf ervan trilde. Ik moest me naar Josie buigen om haar antwoord te verstaan.

'Ik geloof van wel. Want ik wil niet mijn hele leven zo hard moeten werken als ma doet, en als ik ga studeren, kan ik misschien lerares of coach of zo worden.' Ze peuterde aan een los velletje bij een nagelriem, staarde naar haar knieën en gooide er toen uit: 'Ik weet niet wat de universiteit is, hoe het er zal zijn, bedoel ik. Zouden ze er allemaal bekakt zijn en een hekel aan me hebben omdat, nou ja, u weet wel, omdat ik een latina ben en hier ben opgegroeid? Ik heb een paar rijke kinderen ontmoet in de kerk, en hun familie wil niet dat ze met me omgaan omdat ik hier woon. Dus ik ben bang dat de universiteit net zo is.'

Ik herinnerde me het kerkelijke uitwisselingsprogramma waar Billy the Kid het over had gehad. Zijn koor zong samen met dat van de pinksterkerk van Josie. Het leek me niet onwaarschijnlijk dat rijke families als de Bysens niet wilden dat hun kinderen te goed bevriend raakten met meisjes uit Zuid-Chicago.

'Ik ben hier ook opgegroeid, Josie,' zei ik. 'Mijn moeder was een arme immigrante, maar ik ben toch aan de Universiteit van

Chicago gaan studeren. Er waren daar natuurlijk wel idioten die dachten dat ze beter waren dan ik omdat hun ouders geld hadden en de mijne niet. Maar de meeste mensen die ik heb ontmoet, zowel studenten als docenten, waren alleen geïnteresseerd in wie ik was als mens. Als je wilt gaan studeren, zul je wel heel hard je best moeten doen met je schoolwerk en met basketbal. Maar dat weet je wel, hè?'

Ze haalde haar schouders op en knikte, maar het vertrouwelijke moment was voorbij; ze klikte haar veiligheidsgordel los en stapte uit. Toen ik achter haar aan naar de voordeur liep, zag ik vijf jongens bij de pick-up rondhangen en een stickie roken. Een van hen was de jongen die tijdens de training altijd stuurs zwijgend op de tribune zat met zijn en Sancia's kinderen. De andere vier had ik nooit eerder gezien, maar het was duidelijk dat Josie ze kende. Ze riepen iets naar haar, iets honends wat ik niet kon verstaan door het gedreun uit de speakers.

Josie gilde terug: 'Ik hoop voor je dat pastor Andrés niet langskomt, want dan verbouwt hij die kar van je, net als de vorige keer.'

De jongens schreeuwden iets terug. Toen het ernaar uitzag dat ze zou blijven hangen om een potje te gaan vechten, duwde ik haar de stoep op. De herrie was nog hoorbaar toen we de trap opliepen naar de eerste etage, en hoewel de Dorrado's aan de achterkant van het gebouw woonden, voelde ik de bassen nog in mijn maag dreunen toen Josie de voordeur opende.

De deur kwam direct uit op een woonkamer. Op de bank zat een meisje, slechts gekleed in het bovenstuk van een babydoll en een slipje. Ze ging volledig op in een tv-programma, terwijl haar hand heen en weer bewoog tussen een open zak chips op haar schoot en haar mond. Naast haar op de met plastic beklede zitting lag een baby wezenloos naar het plafond te staren. De enige decoratie van de kamer bestond uit een groot, sober kruis aan de muur, en een afbeelding van Jezus die een paar kinderen zegende.

'Julia! Coach komt met ma praten. Trek iets aan,' riep Josie. 'Wat bezielt je, om midden op de dag in je blootje te gaan zitten?'

Toen haar zus zich niet verroerde, liep Josie naar haar toe en griste de zak chips van haar schoot. 'Sta op. Kom eens uit die droomwereld van je en in de werkelijkheid. Is ma thuis?'

Julia boog zich naar voren, totdat ze haar gezicht op slechts een meter van het scherm had, waar een in het rood geklede vrouw een ziekenhuiskamer uit kwam. Een man sprak haar aan. Het gesprek, dat in het Spaans werd gevoerd, had iets te maken met de vrouw in de kamer achter hen.

Josie ging tussen de tv en haar zus staan. 'Je kan *Mujer* morgen ook weer zien, en overmorgen en de dag daarna. Ga je kleren aantrekken. Is ma thuis?'

Julia kwam met tegenzin overeind. 'Ze is in de keuken. Een flesje maken voor María Inés. Neem María Inés mee, dan trek ik mijn spijkerbroek aan.'

'Ik heb een afspraak met April. We doen samen een biologieproject, dus je moet niet denken dat ik thuisblijf om op jouw baby te passen,' zei Josie waarschuwend, en ze tilde het kind op. 'Sorry, coach,' zei ze over haar schouder tegen mij. 'Julia woont zo ongeveer in die soap. Ze heeft de baby zelfs naar een van de hoofdpersonen genoemd.'

Ik liep achter haar aan door een deur naar een kamer die dienstdeed als eet- en slaapkamer: op het ene uiteinde van een oude houten tafel lag keurig opgevouwen beddengoed, op het andere waren borden en bestek gestapeld. Onder de tafel lagen twee luchtbedden, en daar vlakbij stond een doos met Power Rangers en ander actiespeelgoed dat ongetwijfeld van Josies broertjes was.

Julia drong zich langs Josie heen en ging een kleine kamer links van ons in. Daar stonden twee keurig opgemaakte bedden. Op het opvallende, felgekleurde beddengoed was de Amerikaanse vlag gedrukt. Ik had me niet gerealiseerd dat de Dorrado's zo vaderlandslievend waren.

Aan een lijn die boven de bedden was gespannen, hing een rij babykleertjes. Aan de muur boven een van de bedden zag ik een glimp van een poster van het damesbasketbalteam van de Universeit van Illinois: Josies kant van de kamer. Zoals voor de meeste meisjes van het team gold, waren de vrouwen van de Universiteit van Illinois haar heldinnen omdat coach McFarlane daar had gestudeerd. Ondanks het feit dat de kleine woning overvol was, was alles netjes opgeruimd.

We liepen door naar de keuken, een vertrek dat precies zo groot was dat één persoon zich er kon bewegen. Zelfs hier was het gedreun uit de gigantische speakers buiten nog zacht te horen.

Josies moeder warmde een flesje op in een pan heet water. Toen Josie vertelde wie ik was, veegde haar moeder haar handen af aan haar wijde zwarte broek en verontschuldigde zich herhaaldelijk omdat ze niet in de woonkamer was geweest om me te begroeten. Ze was klein, had felrood haar en leek zo weinig op haar lange, magere dochters dat ik onbeleefd naar haar staarde.

Toen ik haar de hand schudde en haar 'mevrouw Dorrado' noemde, zei ze: 'Nee, nee, ik heet Rose. Josie heeft niet verteld dat u vandaag zou komen.'

Josie negeerde het impliciete verwijt en gaf de baby aan haar moeder. 'Ik blijf niet thuis om babysit te spelen. April en ik moesten tot laat op de training blijven en nu moeten we aan ons biologieproject werken.'

'Biologieproject?' herhaalde Rose Dorrado. 'Je weet dat ik niet wil dat je kikkers opensnijdt of dat soort dingen.'

'Nee, ma, zoiets doen we niet. Het gaat over gezondheidszorg, hoe je zorgt dat je op school niet wordt aangestoken met de griep, bijvoorbeeld. We moeten de, eh... pameters van de studie vaststellen.' Ze wierp een zijdelingse blik op me.

'Parameters,' verbeterde ik.

'Ja, dat gaan we dus doen.'

'Als je maar zorgt dat je om negen uur thuis bent,' zei haar moeder waarschuwend. 'Anders stuur ik je broertje om je te komen halen.'

'Maar, ma, we beginnen laat omdat coach ons lang heeft laten blijven,' protesteerde Josie.

'Dan werken jullie maar wat harder,' zei haar moeder vastberaden. 'En hoe moet het dan met avondeten? Je kunt niet verwachten dat mevrouw Czernin jou ook te eten geeft.'

'April heeft een extra pizza mee naar huis genomen, donderdag, toen we uit eten zijn geweest met meneer Czernin en de journaliste. Ze zei dat ze die voor ons had bewaard, voor vanavond.' Ze wachtte de reactie van haar moeder niet af en rende terug door de flat. We hoorden een extra dreun boven de bassen uit toen Josie de deur dichtsloeg.

'Wie is die journaliste?' vroeg haar moeder, terwijl ze wat melk op haar pols druppelde. 'Josie heeft donderdag iets over haar verteld, maar ik heb het niet goed gevolgd.'

Ik legde uit wie Marcena Love was en waarom ze geïnteresseerd was in het team.

'Josie is een lieve meid en ze is een grote hulp, met kleine María Inés bijvoorbeeld. Ze verdient een verzetje, zo af en toe,' zei haar moeder met een zucht. 'Doet ze het goed bij het basketbalteam? Denk je dat ze door het basketbal misschien een studiebeurs kan krijgen? Ze moet verder leren. Ik wil niet dat ze net zo eindigt als haar zus...' Haar stem stierf weg en ze klopte de baby geruststellend op haar rug, alsof ze duidelijk wilde maken dat ze haar niet verantwoordelijk hield voor haar zorgen.

'Josie werkt hard en ze doet het goed op het veld,' zei ik, zonder erbij te vertellen dat de kans om vanuit een team als dat van de Bertha Palmer-school in een universiteitsteam terecht te komen microscopisch klein was. 'Ze zei dat je me wilde spreken in verband met een probleem?'

'Laat me je eerst iets te drinken inschenken; dat praat makkelijker.'

Toen ik de keus kreeg tussen oploskoffie en sinas wilde ik eerst alles afslaan, maar ik herinnerde me net op tijd hoe belangrijk rituelen van gastvrijheid in Zuid-Chicago waren. Romeo Czernin had gelijk: ik was te lang uit de buurt weg geweest als ik mijn neus ophaalde voor oploskoffie. Niet dat mijn moeder het ooit had geserveerd – zij zou eerder op andere dingen beknibbelen dan op haar Italiaanse koffie, die ze op een markt in Taylor Street kocht – maar oploskoffie was in mijn jeugd heel gewoon in Houston Street, zoals Houston Avenue door de bewoners nog steeds werd genoemd.

Met de baby op haar arm schonk Rose Dorrado wat van het water dat ze had gekookt om het flesje te verwarmen in twee plastic mokken. Ik nam ze mee naar de woonkamer, waar Julia zich in haar spijkerbroek weer voor haar soap had geïnstalleerd. Josies twee kleine broertjes waren ook thuisgekomen en ruzieden met hun zus over het kanaal waar de tv op stond, maar hun moeder vertelde hun dat ze op de baby moesten passen als ze naar American football wilden kijken. De jongens vluchtten snel weer de straat op.

Ik nam kleine teugjes van de slappe, bittere koffie terwijl Rose haar zorgen uitsprak over de toekomst van haar zoontjes, zo zonder vader; haar broer hielp haar wel en speelde op zondag vaak met hen, maar hij moest ook aan zijn eigen gezin denken.

Ik keek op mijn horloge en probeerde Rose Dorrado zover te krijgen dat ze ter zake kwam. Toen ze het verhaal vertelde, bleek het niet om een vorm van geweld tegen haar persoonlijk te gaan, zoals ik me had voorgesteld. Rose werkte voor Fly the Flag, een bedrijfje aan 88th Street waar spandoeken en vlaggen werden gemaakt.

'Je weet wel, als je kerk of je school een groot spandoek wil voor een processie of om in de gymzaal te hangen, dan maken we dat. En we strijken ze, als je wilt. Bijvoorbeeld als je hem het hele jaar opgerold bewaart en je wilt hem gebruiken bij je diploma-uitreiking. Alleen onze werkplaats heeft machines die groot genoeg zijn om zo'n spandoek te persen. Ik werk er nu negen jaar. Ik was er al begonnen voordat mijn man me met al die kinderen liet zitten, en nu ben ik een soort cheffin, hoewel ik natuurlijk zelf ook nog naai.'

Ik knikte beleefd en sprak mijn bewondering uit, maar die wuifde ze weg en ze vervolgde haar verhaal. Fly the Flag maakte ook Amerikaanse vlaggen, maar tot 11 september 2001 hadden die slechts een klein deel van hun omzet uitgemaakt. Ze hadden altijd al de reuzenvlaggen gemaakt die scholen en andere instellingen graag over een balkon of aan een muur hangen, maar voor 11 september was de markt daarvoor beperkt.

'Nadat het World Trade Center was ingestort, was er heel veel vraag naar, begrijp je. Iedereen wilde een vlag voor zijn bedrijf, sommige chique appartementencomplexen wilden er zelfs een aan het dak hangen, en plotseling kregen we veel bestellingen, bijna te veel zelfs, we konden de vraag niet aan. Alles wordt bij ons met de hand gedaan voor die grote vlaggen, snap je, maar voor de gewone vlaggen gebruiken we machines en dus moesten we zelfs een tweede machine kopen.'

'Het klinkt fantastisch,' zei ik. 'Zuid-Chicago heeft meer van dat soort succesverhalen nodig.'

'We hebben de ondernemingen inderdaad hard nodig. Ik heb deze baan nodig: ik moet vier kinderen voeden, plus Julia's baby. Als dit bedrijf niet openblijft, weet ik niet wat ik moet beginnen.'

En nu kwam ze tot de kern van de zaak. Sinds de zomer was er veel minder werk. Fly the Flag werkte nog steeds met twee ploegen, maar meneer Zamar had elf mensen ontslagen. Josies moeder had veel dienstjaren, maar toch zag ze de toekomst met angst tegemoet.

'Het klinkt zorgelijk,' bevestigde ik, 'maar ik weet niet hoe ik u daarbij zou kunnen helpen.'

Ze lachte nerveus. 'Waarschijnlijk verbeeld ik het me allemaal. Ik pieker te veel omdat ik zoveel monden moet voeden. Ik verdien goed bij de fabriek, dertien dollar per uur. Als ze dichtgaan, als ze naar Nicaragua of China gaan, zoals sommige mensen denken, of als meneer Zamar – als er iets met het pand gebeurt – waar zou ik dan kunnen werken? Alleen bij By-Smart, en daar begin je met zeven dollar. Wie kan er zes mensen onderhouden van zeven dollar per uur? En dan de huur nog. En we betalen nog steeds voor María Inés, voor haar geboorte, bedoel ik. Het ziekenhuis rekent veel rente, en dan heeft ze nog inentingen nodig, en alle kinderen moeten schoenen hebben...' Haar stem stierf weg in een zucht.

Gedurende het hele, warrige betoog van Rose Dorrado bleef Julia naar de tv kijken alsof haar leven ervan afhing, maar de spanning in haar magere schouders verried dat ze zich zeer bewust was van haar moeders woorden. Ik dronk mijn koffie tot op de laatste onopgeloste korrel op; hier mocht je niets verspillen.

'Maar wat gebeurt er dan in de fabriek?' vroeg ik om haar weer op haar probleem te brengen.

'Het is waarschijnlijk niets,' zei ze. 'Het is misschien niets; Josie zegt steeds dat ik je er niet mee lastig moet vallen.'

Maar toen ik bleef aandringen, flapte ze er eindelijk uit dat ze de maand ervoor een keer op haar werk aankwam – en ze was er altijd vroeg, want ze vond het belangrijk een goede indruk te maken, zodat niemand van haar kon zeggen dat ze er met de pet naar gooide als er meer ontslagen moesten vallen – hoe dan ook, toen ze aankwam, ontdekte ze dat ze haar sleutel niet in het slot kreeg. Iemand had de sleutelgaten vol lijm gespoten en er was een hele werkdag verloren gegaan met wachten op een slotenmaker om ze open te boren. En een andere keer had ze de deur opengedaan en een heel vieze lucht in de fabriek geroken, en toen bleken er dode ratten in de ventilatiekanalen te liggen.

'Omdat ik er vroeg was, heb ik alle ramen opengezet en konden we toch nog wat werk doen, het was niet al te erg, maar stel je voor! We hadden geluk dat het redelijk weer was, want in november kan het ook stormen, of sneeuwen of regenen.'

'Wat zegt meneer Zamar ervan?'

Ze boog zich over de baby. 'Niets. Hij zei tegen me dat er zo vaak ongelukjes gebeuren in fabrieken.'

'Waar was hij toen de sloten dicht waren gelijmd?'

'Hoe bedoel je?' vroeg Rose.

'Ik bedoel: was het niet vreemd dat jij ontdekte dat ze dicht waren gelijmd? Waarom was hij er niet?'

'Hij begint niet vroeg omdat hij tot laat blijft, tot zeven of acht uur 's avonds, dus hij komt meestal om half negen, soms zelfs pas om negen uur.'

'Dus hij zou zelf de avond tevoren de deuren dicht gelijmd kunnen hebben, voordat hij wegging,' zei ik botweg.

Ze keek geschrokken op. 'Waarom zou hij dat doen?'

'Om te zorgen dat de fabriek moet sluiten, zodat hij het verzekeringsgeld kan opstrijken.'

'Dat zou hij nooit doen,' riep ze iets te snel. 'Dat zou gemeen zijn, en hij is echt wel een goed mens, hij doet zijn best...'

'Denk je dat een van de mensen die hij heeft ontslagen het heeft gedaan, om wraak te nemen?'

'Alles is mogelijk,' zei ze. 'Daarom dacht ik, toen Josie me vertelde dat er nu iemand van de politie coach was in plaats van mevrouw McFarlane... Kan jij niet gaan kijken wat er aan de hand is?'

'Het zou veel beter zijn als je de politie belde, de echte politie. Die kan vragen...'

'Nee!' Het kwam er zo hard uit dat de baby hikte en begon te huilen.

'Nee,' zei ze met zachtere stem, terwijl ze de baby op haar arm wiegde. 'Meneer Zamar wil er geen politie bij, ik mocht niet bellen. Maar jij, jij bent hier opgegroeid, jij zou hier en daar vragen kunnen stellen, niemand vindt het erg om vragen te beantwoorden van de mevrouw die de meisjes helpt bij basketbal.'

Ik schudde mijn hoofd. 'Ik werk helemaal alleen, en een dergelijk onderzoek kost veel tijd en dus ook veel geld.'

'Hoeveel?' vroeg ze. 'Ik kan wel iets betalen, misschien als het ziekenhuis voor Julia is afbetaald.'

Ik kon niet over mijn lippen krijgen dat mijn gebruikelijke tarief 125 dollar per uur was, niet tegen iemand die vond dat ze geluk had dat ze dertien dollar per uur verdiende om vijf kinderen te onderhouden. En ook al werk ik vaak pro Deo – te vaak, vinden mijn accountants – ik zag niet hoe ik een onderzoek kon instellen in een bedrijf waarvan de eigenaar dat niet wilde.

'Maar als je het niet uitzoekt, als we hier geen einde aan maken, zal de fabriek sluiten, zie je dat dan niet? En hoe moet het dan met mij en met mijn kinderen?' riep ze met tranen in haar ogen.

Bij haar uitbarsting dook Julia dieper weg in haar T-shirt en ging de baby harder krijsen. Ik wreef over mijn voorhoofd. De gedachte aan weer een verplichting erbij, weer een lijn die me verbond met mijn oude buurt, bezorgde me de neiging naast Julia op de bank te gaan zitten en onder te duiken in een fantasiewereld.

Met een loodzware hand trok ik mijn zakagenda uit mijn tas en keek naar mijn afspraken. 'Ik zou morgenochtend vroeg kunnen komen, maar ik zal echt met meneer Zamar moeten praten, en als hij zegt dat ik het pand moet verlaten, kan ik hem alleen maar gehoorzamen.'

Rose Dorrado keek me stralend van opluchting aan. Ze dacht waarschijnlijk dat ik het werk ook wel zou afmaken, als ik de eerste stap eenmaal had gezet. Ik hoopte vurig dat ze het mis had.

8 Gedonder in de fabriek

Ik trok mijn windjack strak om me heen en glipte door een opening in het hek van harmonicagaas. Het vale staalgrijs van een dageraad in de late herfst begon de hemel lichter te kleuren, en de
lucht was koud.

Toen ik tegen Rose Dorrado zei dat ik de volgende ochtend
langs Fly the Flag zou gaan, was ik van plan om een uur of half
negen te komen, zodat ik de werknemers wat vragen kon stellen.
Maar toen ik gisteravond met Morrell over de situatie sprak, besefte ik dat ik vroeg moest gaan; als iemand sabotage pleegde in
de fabriek voordat de ochtendploeg arriveerde, zou ik diegene op
heterdaad kunnen betrappen.

De vorige avond was het opnieuw laat geworden, doordat ik
lang op school was gebleven met mijn knokkende speelsters, bij
Rose langs was geweest en ten slotte op weg naar het noorden bij
Mary Ann McFarlane was gaan kijken. Hoewel er viermaal per
week iemand van de thuishulp kwam om de was en andere lastige klusjes te doen, was het voor mij een gewoonte geworden
haar eten te gaan brengen, soms avondeten en soms gewoon extra
traktaties, dingen die ze lekker vond maar die niemand anders speciaal ging halen.

Mary Ann woonde iets ten noorden van mijn oude buurt in
net zo'n soort appartement als het mijne, vier kamers die achter
elkaar lagen in een oud bakstenen flatgebouw van acht verdiepingen. Toen ik die avond bij haar aankwam, lag ze in bed, maar ze
riep naar me met een stem die nog krachtig genoeg was om tot de
hal te reiken. Ik riep een begroeting terug en bukte om Scurry te
aaien, haar teckel, die kronkelde van blijdschap om me te zien.

Over wat ik met de hond moest doen wanneer – als – hij een
nieuw huis nodig had, maakte ik me vaak zorgen. Ik had al een

golden retriever en haar gigantische zoon, half labrador. Met een derde hond zou ik met de gemeentelijke gezondheidsdienst te maken krijgen; niet vanwege de honden, maar om mij op te nemen in een gesloten inrichting.

Toen ik in de slaapkamer aankwam, bleek mijn oude coach zich uit bed te hebben gehesen en was ze naar de deur gekomen. Ze hield zich vast aan de rand van de toilettafel, maar ze wuifde de arm die ik aanbood weg en bleef staan hijgen totdat ze weer op adem was. In de schemerige slaapkamer zag ze er vreselijk uit, met ingevallen wangen en een huid die in plooien om haar hals viel. Ze was een stevige vrouw geweest, maar nu hadden de kanker en de chemotherapie alle leven uit haar lijf gezogen. Van de chemo was ze kaal geworden. Het haar groeide nu weer aan en haar hoofd was bedekt met een ruwe laag rode, met grijs doorschoten stoppels, maar zelfs toen ze zo kaal als Michael Jordan was, had ze geweigerd een pruik te dragen.

Toen ik haar voor het eerst zo zag, was dat een schok geweest; ik was zo gewend haar gespierd en energiek te zien, dat ik me haar niet ziek of oud kon voorstellen. En oud was ze ook niet – pas zesenzestig, had ik tot mijn verrassing ontdekt. Toen ze mijn coach was en me Latijn leerde, had ze er voor mij al net zo antiek uitgezien als haar borstbeeld van Caesar Augustus.

Ze wachtte met praten tot ze naar de keuken was gelopen en daar aan de oude emaillen tafel was gaan zitten. Scurry sprong op haar schoot. Ik zette theewater op en pakte de boodschappen uit die ik voor haar had gedaan.

'Hoe ging de training vandaag?' vroeg ze.

Ik vertelde haar over de vechtpartij. Ze knikte goedkeurend toen ze hoorde hoe ik het had aangepakt. 'Het kan de school niets schelen of die meisjes basketbal spelen of niet. Zelfs niet of ze komen opdagen. Onder het No Child Left Behind-programma haalt Celine Jackman het gemiddelde van de toetsresultaten naar beneden, dus ze vinden het allang best als je haar eruit schopt, maar basketbal is haar laatste kans. Zorg als het enigszins kan dat ze niet wordt geschorst.'

Ze zweeg om op adem te komen en vervolgde toen: 'Je maakt toch niet van die waterige troep met tofu, hè?'

'Ik zou niet durven.' Toen ik nog maar net voor haar kookte, had ik misosoep met tofu voor haar gemaakt, met de gedachte dat dat makkelijk te verteren was en dat ze er misschien een beetje van op krachten zou komen, maar ze vond het niet te eten. Ze was een uitgesproken liefhebster van aardappelen met vlees, en ook al kon ze tegenwoordig niet veel meer eten van haar gestoofde rundvlees, ze genoot er een stuk meer van dan van waterige troep met tofu.

Terwijl ze langzaam zo veel van de maaltijd at als ze kon, ging ik naar de slaapkamer om haar bed te verschonen. Ze vond het vreselijk dat ik het bloed en pus aan de lakens zag, dus we deden allebei alsof het me niet opviel. Op dagen dat ze te zwak was om uit bed te komen, was haar gêne over de staat van het beddengoed pijnlijker dan de tumoren zelf.

Ik stopte alles in een tas voor de wasserij en wierp intussen een blik op de boeken die ze las. Een in het oude Rome spelende, historische detective van Lindsey Davis. Het meest recente deel van de biografie van Lyndon B. Johnson. Een boekje met kruiswoordraadsels in het Latijn. Alle aanwijzingen waren in het Latijn, er stond geen woord Engels in. Het was alleen haar lichaam dat het liet afweten.

Toen ik weer in de keuken was, vertelde ik haar het verhaal van Rose Dorrado. 'Jij kent iedereen in Zuid-Chicago. Ken je Zamar? Is hij het type om sabotage te plegen in zijn eigen fabriek?'

'Frank Zamar?' Ze schudde haar hoofd. 'Dat soort dingen weet ik niet, Victoria. Soms worden mensen hier wanhopig en dan plegen ze wanhoopsdaden. Maar ik denk niet dat hij iemand kwaad zou doen; als hij probeert zijn eigen bedrijf te vernietigen, zal hij dat niet doen terwijl er werknemers in het pand zijn.'

'Heeft hij kinderen op de school?'

'Hij heeft geen gezin, voor zover ik weet. Woont in de East Side, vroeger samen met zijn moeder, maar die is drie, vier jaar geleden gestorven. Een rustige man, in de vijftig. Vorig jaar heeft hij het clubtenue voor het team betaald. Daar zal Josies moeder wel voor hebben gezorgd. Zo heb ik hem ook ontmoet; Rose Dorrado heeft hem gevraagd te komen kijken naar het spel van Julia. Dat is Josies zus. Ze was mijn beste speelster, misschien wel sinds jouw tijd, totdat ze een baby kreeg. Nu ligt haar leven aan puin, ze gaat niet eens meer naar school.'

Ik smeet de spons met zo'n kracht op het aanrecht dat die door de keuken stuiterde. 'Die meiden en hun baby's! Ik ben in die buurt opgegroeid, ik heb op die middelbare school gezeten, en er waren altijd wel een paar meisjes die in verwachting raakten, maar het was niet te vergelijken met wat ik nu zie gebeuren.'

Mary Ann zuchtte. 'Ik weet het. Als ik wist hoe ik het kon verhinderen, zou ik het doen. Om te beginnen waren de meisjes van jouw generatie nog niet zo jong seksueel actief, en jullie hadden een beter toekomstperspectief.'

'Ik herinner me niet dat er veel kinderen uit mijn klas gingen studeren,' zei ik.

Ze zweeg even om op adem te komen. 'Dat bedoel ik niet. De meisjes die alleen maar wilden trouwen en een gezinnetje stichten, wisten dat hun echtgenoot werk zou hebben, want er waren goede banen. Er was in elk geval werk genoeg. Nu hebben ze niet het gevoel dat ze een toekomst hebben. Mannen die dertig dollar per uur verdienden bij U.S. Steel hebben geluk als ze nu een kwart daarvan krijgen bij By-Smart.'

'Ik heb geprobeerd met je center, Sancia, over anticonceptie te praten. Ze heeft tenslotte al twee kinderen. Haar vriendje hangt op de tribune rond tijdens de training. Hij lijkt me minstens vijfentwintig, maar als hij het woord "werk" ooit heeft gehoord, zal hij het beschouwd hebben als iets uit een vreemde, waarschijnlijk in onbruik geraakte taal. Hoe dan ook, ik heb te berde gebracht dat het haar kansen op school en in het leven zou vergroten als ze niet nog meer kinderen kreeg, ook al bleef ze seksueel actief, maar de volgende dag kwam haar moeder naar me toe en vertelde me dat ze haar dochter onmiddellijk van basketbal zou halen als ik nog een keer met het team over anticonceptie sprak. Maar ik moet toch iets tegen hun onwetendheid doen?'

'Het zou me een groot plezier doen als alle kinderen op die school zich onthielden van seks, geloof me,' zei Mary Ann op barse toon, 'maar aangezien dat ongeveer even waarschijnlijk is als de terugkeer van de dinosauriërs, zouden ze betrouwbare informatie over voorbehoedsmiddelen moeten krijgen. Maar die kun je niet ongevraagd geven. Het probleem is dat Sancia's moeder naar een pinksterkerk gaat, waar men gelooft dat je in de hel komt als je anticonceptie gebruikt.'

'Maar...'

'Ga er niet over in discussie met me, en doe dat in hemelsnaam ook niet met de meiden. Ze nemen hun geloof uiterst serieus in die buurtkerkjes. Heb je gezien dat ze voor de training in de Bijbel lezen?'

'Nog iets dat veranderd is sinds mijn jeugd,' zei ik droogjes, 'de massale uittocht van latino's uit de katholieke kerk. Ik had er natuurlijk wel over gelezen, maar had het nog niet eerder gemerkt. En ze lijken er geen probleem mee te hebben te proberen andere meisjes van het team te bekeren; daar heb ik een paar keer een einde aan moeten maken.'

Mary Ann grijnsde haar sterke tanden bloot. 'Lesgeven is zwaar werk, tegenwoordig: waarover kun je praten, waarover niet, wat kan jou en de school in een rechtszaak storten. Maar Rose Dorrado is een verstandiger moeder dan die van Sancia. Sinds Julia een kind heeft gekregen, houdt Rose Josie als een havik in de gaten. Ze let op met wie ze na schooltijd omgaat en laat haar niet alleen met jongens uitgaan. Rose wil dat die meid gaat studeren. Aprils ouders zijn net zo.'

'Dat meen je niet!' protesteerde ik. 'Als Romeo – Bron – Czernin ooit een gedachte boven zijn middel heeft, dan gaat die nog alleen over hemzelf.'

'Haar moeder, dan,' gaf Mary Ann toe. 'Ze is vastbesloten dat haar dochter weg zal komen uit Zuid-Chicago. April mag van haar basketballen omdat het haar een beurs kan opleveren, maar haar moeder is een van misschien een stuk of tien ouders die er streng op toezien dat hun kinderen elke avond hun huiswerk maken.'

Het lange gesprek had mijn oude coach uitgeput. Ik hielp haar weer in bed, nam Scurry mee voor een ommetje en zette toen koers naar het noorden om voor mijn eigen honden te zorgen. Mijn benedenbuurman had ze uitgelaten, maar ik reed naar het meer om ze te laten rennen. Daarna nam ik Mitch en Peppy mee naar Morrell, waar ik ze de volgende ochtend, toen ik om vijf uur opstond om weer naar de South Side te gaan, achterliet.

De stad was nog gehuld in haar nachtelijke mantel, maar op de snelweg was het al druk... zoals altijd, eigenlijk. Vrachtwagens, gehaaste mensen die vroeg moesten beginnen en detectives op zoek naar god weet wat vulden de tien rijstroken. Pas toen ik de afrit bij 87th Street nam en naar het oosten reed, werd het rustig op straat.

Fly the Flag ligt aan South Chicago Avenue, tegen het talud van de Skyway. Er zal vast een tijd zijn geweest dat de brede straat vol stond met bedrijvige, bloeiende fabrieken en werkplaatsen, maar die tijd kon ik me niet heugen. In tegenstelling tot de hoger liggende Skyway, waar het druk was met forensen uit het noordwesten van Indiana, was de straat verlaten. Er stonden een paar auto's langs de stoeprand, maar die waren eerder achtergelaten dan geparkeerd, met open motorkap of vreemd scheefhangende assen. Ik liet mijn Mustang in een zijstraat staan, zodat hij niet zo zou opvallen tussen de wrakken, en liep twee blokken zuidwaarts naar Fly the Flag. Alleen een stadsbus, langzaam naar het noorden zwoegend als een beer die tegen de wind in sjokt, passeerde me.

Afgezien van een ijzergieterij, die op een afgesloten terrein lag, een modern, uitgestrekt bedrijf, zagen de meeste gebouwen waar ik langskwam eruit alsof alleen een koppig verzet tegen de zwaartekracht ze overeind hield. Ramen ontbraken of waren dichtgetimmerd, aluminium strips wapperden in de wind. Het was tekenend voor het grote gebrek aan werkgelegenheid in de buurt dat mensen bereid waren in zulke vervallen gebouwen te werken.

Tot mijn verrassing was er bij Fly the Flag geen sprake van het algemene verval. Het verhaal van Rose Dorrado had me er al half van overtuigd dat Frank Zamar de ondergang van zijn bedrijf zelf bewerkstelligde, maar als dat zo was, zou ik verwacht hebben dat het pand slecht onderhouden zou zijn. Veel branden ontstaan niet door daadwerkelijke brandstichting, maar door kwaadwillige veronachtzaming: meer stroom gebruiken dan de bedrading aankan, beschadigde bedrading niet repareren, afval opstapelen in strategische hoeken. Van buitenaf zag Fly the Flag er in elk geval goed uit.

Met mijn zaklantaarn in mijn hand liep ik om het gebouw heen. Het terrein was klein, groot genoeg voor een truck met oplegger om te kunnen keren, als dat nodig was, maar veel meer ook niet. Er liep een afrit naar een laadplatform op kelderniveau; op de benedenverdieping waren twee ingangen.

Ik liep om het hele gebouw heen, op zoek naar gaten in de fundering, kerven in de elektriciteitskabel en de gasleiding die naar binnen liepen en voetsporen in de vochtige grond, maar ik zag niets bijzonders. Alle ingangen zaten op slot. Ik voelde geen weerstand als ik mijn lopers in de sloten stak.

Ik keek op mijn horloge: zeven minuten over zes. Met mijn zaklantaarn op het slot gericht, maakte ik met mijn lopers de achterdeur open. Vanaf de Skyway zou ik zichtbaar zijn, maar ik betwijfelde of iemand daarboven genoeg belang stelde in het leven hierbeneden om de politie te bellen.

De indeling van de fabriek was vrij eenvoudig: een grote open ruimte waar de reusachtige snij- en persmachines stonden en lange tafels waar mensen aan naaiden, en dat alles onder de grootste Amerikaanse vlag die ik ooit had gezien. Toen ik die met mijn zaklantaarn bescheen, zagen de strepen er zo zacht en dik uit dat ik ze wilde aanraken. Door op een tafel te klimmen en mijn arm uit te strekken, kon ik net bij de onderste streep. Die voelde aan als zijdeachtig fluweel, zo zinnelijk dat ik mijn wang er wel tegenaan wilde drukken. Het zorgvuldige naaiwerk langs de strepen bewees dat de werknemers vierkant achter de slogan stonden die erboven te lezen viel: 'De vlag uit voor Fly the Flag.'

Ik sprong naar beneden en veegde mijn voetafdrukken van de tafel voordat ik verder ging rondsnuffelen. In één hoek was met pijn en moeite wat ruimte opgeofferd voor een kleine kantine, een smerig toilet en een minuscuul kantoortje waar Frank Zamar zijn administratie bijhield. In een nis naast de kantine stond een rij gebutste metalen kastjes; zo te zien aan het aantal waren ze bedoeld voor de werknemers, om hun persoonlijke eigendommen in op te bergen tijdens werktijd.

Aan de andere kant van de ruimte was een open dienstlift naar de kelder. Ik liet me met behulp van de handlier naar beneden zakken. Aan de voorkant kwam de lift uit op het laadplatform, aan de achterkant op de opslagruimte, waar rollen stof werden bewaard. Er lagen honderden rollen van verschillende kleuren en lange spoelen met band, en er stond zelfs een mand van gevlochten metaaldraad met vlaggenstokken van verschillende lengtes erin. Alles wat een vlaggenmaker maar nodig kon hebben.

Het was inmiddels over half zeven, te laat om Zamars kantoortje te doorzoeken voordat Rose Dorrado verscheen om te bewijzen dat ze een ijverige werkneemster was. Ik vroeg me even af of ze de sloten zelf had dicht gelijmd; ze wilde misschien haar onmisbaarheid aantonen door te laten zien dat ze het bedrijf tegen saboteurs beschermde. Het leek me een afschuwelijk karwei om zoveel dode ratten te verzamelen dat de stank via het hele verwarmingssysteem werd verspreid, maar het hing er vermoedelijk maar van af hoe vastbesloten je was.

Ik zag een ijzeren trap naar de begane grond en zette net mijn voet op de onderste trede toen ik een geluid boven me hoorde, het soort dreun dat een dichtslaande deur maakt. Als het Rose Dorrado was, was er niets aan de hand, maar anders... Ik deed de zaklantaarn uit, stopte hem in mijn rugzak en sloop op de tast naar boven. Ik hoorde voetstappen; toen mijn ogen op vloerniveau waren, werd mijn uitzicht belemmerd door een gigantische naaimachine, maar ik zag wel een bundel licht rond de werktafels dansen; iemand die zijn of haar weg zocht. Als het iemand was met een geldige reden om hier te zijn, zou die de tl-lampen wel aandoen.

Er verscheen een paar basketbalschoenen om de hoek van de naaimachine; de veters sloegen tegen de vloer. Een amateur. Een professional zou ze hebben gestrikt. Ik dook weg. Mijn lopers rinkelden tegen de ijzeren leuning. De voeten boven me verstarden, draaiden om en renden weg.

Ik sprong de trap op en haalde de indringer in toen hij de deur opendeed. Hij slingerde zijn zaklantaarn naar me toe. Ik dook een seconde te laat weg en wankelde toen het ding mijn hoofd raakte. Toen ik mijn evenwicht had hervonden en door de nooduitgang achter hem aan rende, was hij al over het hek heen en klauterde hij tegen het talud omhoog naar de weg. Ik ging achter hem aan, maar het had geen zin meer om over het hek te klimmen. Hij hees zich al over de betonnen muur langs de weg.

Ik hoorde getoeter en het snerpende gieren van slippende banden, en daarna het geronk van motoren toen het verkeer weer op gang kwam.

Als het hem niet was gelukt alle zes de rijstroken over te steken, zou ik zo meteen sirenes horen. Toen er een paar minuten waren verstreken zonder dat dat gebeurde, draaide ik me om en liep terug naar het gebouw. Het was nu bijna zeven uur; de ochtendploeg kon elk moment komen. Ik ploeterde door de modder en wreef gedachteloos over de pijnlijke plek waar de zaklantaarn mijn hoofd had geraakt.

Toen ik om de hoek van het gebouw kwam, op weg naar de voorkant, zag ik Rose Dorrado aan komen lopen. Haar rode haar stak als een fakkel af tegen de grauwe dag. Tegen de tijd dat ik bij de hoofdingang aankwam, had Rose de deur opengemaakt en was ze al binnen. Er liepen een paar andere mensen rustig met elkaar pratend door het hek het terrein op. Ze keken niet bijster nieuwsgierig naar me toen ze me passeerden.

Ik trof Rose bij de metalen kastjes, waar ze een blauw jasschort uit haalde en haar mantel in hing. De binnenkant van haar kastje was behangen met Bijbelverzen. Haar lippen bewogen, misschien in een gebed, en ik wachtte tot ze klaar was voordat ik op haar schouder klopte.

Ze keek me blij verrast aan. 'Jij bent vroeg! Dan kan je met mensen praten voor meneer Zamar er is.'

'Er was nog iemand vroeg, vanochtend. Een jongen. Ik heb hem niet goed gezien, maar ik schat dat hij begin twintig was. Groot, maar zijn capuchon was zo ver naar voren getrokken dat ik zijn gezicht niet kon zien. Hij had een dun snorretje.'

Rose fronste verontrust haar voorhoofd. 'Was er een man binnen die iets wilde flikken? Dat heb ik gezegd, dat is waar ik meneer Zamar voor probeerde te waarschuwen. Waarom heb je hem niet tegengehouden?'

'Dat heb ik geprobeerd, maar hij was me te snel af. We zouden de politie kunnen bellen, kijken of hij vingerafdrukken heeft achterge...'

'Alleen als meneer Zamar het goedvindt. Wat wilde die man gaan doen?'

Ik schudde mijn hoofd. 'Ook dat weet ik niet. Hij heeft me gehoord en rende weg, maar ik denk dat hij op weg was naar de keldertrap. Wat is daar te vinden, behalve alle stoffen?'

Ze was te geschrokken om zich af te vragen hoe ik wist dat de stoffen in de kelder lagen of me uit te horen over waar ik was geweest toen de indringer me hoorde. 'Alles. Je weet wel, de verwarmingsketel, de droogkamer, de stoomkamer, alles wat maar nodig is om de fabriek te laten werken is daarbeneden. *Dios*, kunnen we ons nu niet veilig meer voelen? Moeten we ons steeds afvragen of iemand hier 's ochtends een bom legt?'

9 Met een kluitje in het riet gestuurd

'Zakendoen brengt nu eenmaal risico's met zich mee. Ik kan dit prima aan zonder dat u zich ermee bemoeit.' Frank Zamars korte, dikke handen bewogen rusteloos over zijn bureau, als vogels die niet goed op een tak durven te landen.

'Volgens Rose is hier heel wat sabotage gepleegd de afgelopen weken: ratten in de ventilatiekanalen, lijm in de deursloten en nu iemand die om zes uur 's ochtends inbreekt. Maakt u zich daar geen zorgen over?'

'Rose bedoelt het goed, dat weet ik, maar ze had u er niet bij moeten halen.'

Ik keek hem geërgerd aan. 'Dus u laat uw fabriek liever in rook opgaan dan dat u uitzoekt wie dit doet, of waarom?'

'Niemand zal brandstichten in mijn fabriek.' Zijn brede gezicht stond somber en de ongeruste blik in zijn ogen klopte niet met zijn ferme taal.

'Zijn de plaatselijke bendeleiders zo pissig op u dat u ze niet durft aan te geven? Gaat het om protectiegeld, Zamar?'

'Nee, het gaat verdomme niet om protectiegeld!' Hij gaf een klap op zijn bureau om zijn woorden kracht bij te zetten, maar ik was niet overtuigd.

'Ik wil graag met uw personeel praten, om te zien of iemand de indruk wekt iets te verbergen. Of misschien heeft iemand een idee over de man die vanochtend heeft ingebroken.'

'Daar komt niets van in! Wie heeft u trouwens gevraagd zich met mijn zaken te bemoeien? Denkt u dat ik u ga betalen om in mijn fabriek rond te snuffelen?'

Hij mompelde zijn grieven, in plaats van ze uit te schreeuwen, en dat vond ik veelzeggend: een man die bang was voor wat ik zou ontdekken. Maar ik moest hem gelijk geven: niemand zou me betalen voor de tijd die ik doorbracht bij Fly the Flag.

Terwijl ik opstond om te gaan, zei ik langs mijn neus weg: 'U doet dit toch niet zelf, hè?'

'Wat, dode ratten in mijn eigen ventilatiesysteem stoppen? Je bent gek, jij, jij... bemoeiziek kreng! Waarom zou ik zoiets krankzinnigs doen?'

'U hebt dit najaar elf mensen ontslagen. Het gaat niet goed met uw bedrijf. U zou niet de eerste zijn die probeert zijn bedrijf verloren te laten gaan voor het verzekeringsgeld; het zou een hoop problemen oplossen als u door sabotage gedwongen werd te sluiten, lijkt me.'

'Ik heb mensen ontslagen vanwege de economische omstandigheden. Als het beter gaat met de economie, neem ik ze weer aan. En maak nu dat u wegkomt.'

Ik pakte een visitekaartje uit mijn tas en legde het op zijn bureau. 'Bel me als u besluit dat u me wilt vertellen voor wie u zo bang bent dat u zelfs uw eigen bedrijf niet wilt beschermen.'

Ik liep het kantoortje uit naar de plek waar Rose een ingewikkeld gouden logo op een reusachtige marineblauwe vlag zat te stikken. Ze keek op toen ik aankwam, maar bleef de zware stof door de machine bewegen. Met de naaimachines, de gigantische elektrische snijmachines en de industriële stoompersen was de herrie op de werkvloer oorverdovend. Ik ging op mijn hurken zitten zodat ik in haar oor kon schreeuwen: 'Hij beweert dat er niets aan de hand is, ondanks de bewijzen. Volgens mij is hij bang voor iets of iemand, te bang om erover te praten. Heb je enig idee wat dat kan zijn?'

Zonder haar blik af te wenden van haar werk schudde ze haar hoofd.

'Hij zegt dat hij niet wordt afgeperst door een bende. Geloof je dat?'

Ze haalde haar schouders op zonder haar handen, die de naald snel door de applicatie leidden, langzamer te gaan bewegen. 'Je kent deze buurt. Je weet dat hier veel straatbendes zijn. De Pentas, de Latin Kings, de Lions, die kunnen allemaal slechte dingen doen. Maar meestal zijn ze... gewelddadiger, ze zouden de ramen ingooien of zo, geen lijm in de sloten spuiten.'

'En hoe is die jongen vanochtend binnengekomen?' Misschien had ik de achterdeur open laten staan nadat ik naar binnen was gegaan. Ik dacht het niet, maar ik kon er geen eed op doen. 'Wie heeft er een sleutel, behalve Zamar?'

'De voormannen. Larry Ballatra is van de dagploeg, en Joey Husack van de tweede ploeg.'

'En jij, hè, omdat je vaak vroeg komt?'

Haar mond vertrok in een nerveuze glimlach. 'Ja, maar ik wil het bedrijf geen kwaad doen, ik wil het juist openhouden.'

'Of je wilt dat Zamar denkt dat je onmisbaar bent, zodat hij je bij de volgende ontslagronde niet op straat zet.'

Voor het eerst gingen haar handen langzamer bewegen en voerde ze de stof niet snel genoeg door de machine. Toen hij vastliep onder de naald, vloekte ze gedempt tegen me. 'Kijk nou eens wat je doet. En hoe kan je zoiets zeggen? Je bent Josies coach! Ze vertrouwt je. Ik vertrouwde je.'

Een hand greep me plotseling bij mijn schouder en rukte me overeind. De machines maakten zoveel herrie dat ik de voorman niet van achteren had horen naderen.

Hoewel hij mij vasthield, sprak hij tegen Rose Dorrado. 'Rose, sinds wanneer heb je het recht gasten te ontvangen op je werkplek? Laat ik niet merken dat je aan het eind van de dag te weinig productie hebt.'

'Dat zal niet gebeuren,' zei Rose, haar gezicht nog rood van woede. 'En ze is geen gast, ze is een detective.'

'Die jij hebt binnengehaald! Ze hoort hier niet. De baas heeft haar gezegd dat ze moest wegwezen, dus hoe kom je erbij om met haar te praten?' Hij schudde me door elkaar. 'De baas heeft je gezegd te gaan, en nu ga je.'

Hij duwde me voor zich uit naar de deur en slingerde me zo hard naar buiten dat ik tegen een man aan botste die over de stoep naar de voordeur liep.

'Rustig aan, rustig aan.' Hij ving me op en hield me overeind. 'Je drinkt toch niet op je werk, is het wel, zuster?'

'Nee, broeder, vandaag niet, hoewel het me op het moment geen slecht idee lijkt.' Ik stapte achteruit en klopte mijn schouders af waar de voorman ze had vastgegrepen.

Hij keek verbaasd en toen bezorgd. 'Ben je dan misschien ontslagen?'

Hij had een licht Spaans accent, maar of hij uit Mexico, Puerto Rico of misschien zelfs Spanje kwam, kon ik niet beoordelen. Zoals veel van de arbeiders was hij een tanige, zwaargebouwde man, maar zijn donkere pak en das hoorden niet in een fabriek thuis.

'Ik ben een detective die meneer Zamar niet wil inhuren en met wie hij zelfs niet wil praten. Weet u van de pogingen sabotage te plegen in de fabriek?' Toen de man knikte, vroeg ik wat hij erover wist.

'Alleen dat sommige mensen uit de buurt zich zorgen maken. Is er vandaag weer iets voorgevallen?'

Ik keek hem onderzoekend aan en vroeg me af hoe betrouwbaar hij was; maar als hij iets wist over de insluiper van die ochtend, zou hij van mij toch niets nieuws te horen krijgen. Toen ik hem vertelde wat ik had gezien, zei hij alleen dat meneer Zamar veel problemen had en dat hij het zich niet kon veroorloven de fabriek kwijt te raken.

'Waarom wil hij de politie niet inschakelen?' vroeg ik.

'Als ik dat wist, zou ik een wijs man zijn. Maar ik zal het hem vragen.'

'En als hij antwoord geeft, doet u me dan een plezier en laat mij delen in het geheim.' Ik trok een visitekaartje uit mijn tas en gaf het hem.

'V.I. Warshawski.' Hij las mijn naam aandachtig. 'En ik ben Robert Andrés. Goedendag, zuster Warshawski.'

Na zijn vreemde, vormelijke groet schudden we elkaar de hand. De rest van de dag besteedde ik aan werk voor mijn betalende cliënten, maar mijn gedachten bleven afdwalen naar Frank Zamar en Fly the Flag. Ik maakte me zorgen dat ik Rose nodeloos van me had vervreemd door te opperen dat zij de saboteur kon zijn. Voordat ik Zamar had ontmoet, had het me mogelijk geleken. Ze was zo bang haar baan te verliezen, dat ze misschien wilde bewijzen dat ze onmisbaar was: ze kwam vroeg, vond ratten in de ventilatiekanalen en riep zelfs de hulp in van een detective! Wie zou zo'n toegewijde werkneemster ontslaan?

Nu ik Zamar had gesproken, geloofde ik niet echt meer dat Rose erbij betrokken was. Deze gebeurtenissen verontrustten hem zeer. De man tegen wie ik was opgebotst bij de ingang, Robert Andrés, wist er misschien meer van; ik had zijn telefoonnummer moeten vragen. Ik had het zo druk gehad met mijn woede en gekwetste trots omdat de voorman me eruit had gegooid, dat ik de belangrijke zaken uit het oog had verloren.

Misschien was Zamar verliefd op Rose en maakte hij zich zorgen omdat hij dacht dat zij schuldig was. Of die dochter van Rose met haar baby, Julia... Hij had trainingsjasjes gegeven, hij was komen kijken als ze speelde. Zou hij de vader van de baby kunnen zijn? En zou Rose Fly the Flag vernietigen om hem daarvoor te straffen?

'Hou maar op, Warshawski,' zei ik hardop. 'Nog even en je schrijft scripts voor derderangs talkshows.'

Ik was in een westelijke voorstad op zoek naar een vrouw die verdwenen was met achterlating van een bankkluisje waarin voor acht miljoen dollar obligaties aan toonder bleken te liggen en ik moest me op dat project concentreren. Ik had haar dochter en schoonzoon opgespoord, en ik had de indruk dat die meer wisten dan ze wilden zeggen. Mijn cliënte dreef een kleine delicatessenwinkel voor de vrouw, en ze was ongerust geworden toen de eigenaresse plotseling was verdwenen. Vlak voor drieën vond ik de vrouw uiteindelijk in een verpleeghuis waarin ze tegen haar zin was opgenomen. Ik belde mijn cliënte, die haastig met een advocaat naar de voorstad kwam. Moe maar zeer tevreden reed ik zo snel mogelijk terug naar Zuid-Chicago voor de inhaaltraining van mijn team.

De meisjes speelden goed, blij met hun schone zaal. Voor het eerst gedroegen ze zich echt als een team; misschien had de vechtpartij ze echt nader tot elkaar gebracht. We speelden een kort oefenpartijtje, en ze vertrokken met geheven hoofd, triomfantelijk vanwege mijn prijzende woorden en hun plezier in hun eigen kunnen.

Op weg naar huis, toen ik muurvast zat in de spits, belde ik mijn antwoordservice om te horen of er berichten voor me waren. Tot mijn verbazing was er een van Billy the Kid. Toen ik hem op zijn mobieltje belde, stamelde hij dat hij zijn grootvader over mij en het basketbalprogramma van de Bertha Palmer-school had verteld. Als ik wilde, kon ik de volgende ochtend naar het hoofdkantoor komen en de gebedsbijeenkomst bijwonen waarmee de dag begon. 'Als opa tijd heeft, praat hij naderhand met u. Hij kon me niet beloven dat hij met u zou spreken of iets voor u zou doen, maar hij zei wel dat u mocht komen. Het enige punt is dat u er dan rond kwart over zeven moet zijn.'

'Geweldig,' zei ik met geveinsd enthousiasme. Hoewel ik vaak vroeg op ben, ben ik nooit zo'n fan van de vroege ochtend geweest als Benjamin Franklin was. Ik vroeg Billy de weg naar het kantoor in Rolling Meadows.

Hij gaf me een gedetailleerde routebeschrijving. 'Ik zal er zelf ook zijn, mevrouw War-sha-sky, want ik help een handje bij de dienst. De voorganger die de ochtenddienst leidt komt van de Mount Ararat Church of Holiness, u weet wel, waar mijn eigen kerk een uitwisselingsprogramma mee heeft. Tante Jacqui zal er waarschijnlijk ook zijn, dus u zult niet alleen vreemde gezichten zien. Ik zal Herman bellen, de bewaker die vroege dienst heeft, zodat hij weet dat hij u binnen moet laten. En ik zal het opa's secretaresse ook laten weten, voor de zekerheid, nou ja, voor het geval dat opa tijd heeft om met u te praten. Hoe gaat het met het basketbalteam?'

'Ze werken hard, Billy, maar ze gaan natuurlijk pas na Nieuwjaar tegen andere teams spelen.'

'En... Sancia, en, eh, Josie?'

'Wat is er met hen?' vroeg ik.

'Nou, weet u, ze gaan naar Mount Ararat, en, eh, hoe gaat het met ze?'

'Goed, voor zover ik weet,' zei ik langzaam, terwijl ik me afvroeg of ik Billy kon inschakelen om Josie bijlessen te geven. Als ze wilde gaan studeren, had ze extra hulp nodig. Maar ik wist niet wat voor leerling hijzelf was geweest, en het was niet het soort gesprek dat ik midden op de snelweg wilde beginnen.

'Zou ik dan een keer mogen komen kijken bij de training? Josie zei dat u heel streng bent met het toelaten van jongens.'

Ik zei dat we voor hem misschien wel een uitzondering konden maken, als hij op een middag vroeg weg kon van zijn werk, en beëindigde het gesprek door hem hartelijk te bedanken voor de moeite die hij had gedaan om me bij zijn grootvader te introduceren. Ook al betekende het dat ik opnieuw om vijf uur op moest om een lange tocht te maken door de omgeving van Chicago.

Toen hij had opgehangen, dacht ik weer aan mijn gesprek met Rose Dorrado van die ochtend. Ik had de hele situatie slecht aangepakt en ik moest haar mijn verontschuldigingen aanbieden.

Josie nam de telefoon op. Ik hoorde María Inés, de baby, vlak bij de hoorn krijsen, en voordat Josie iets in de hoorn zei, riep ze naar haar zus dat die het kind moest overnemen.

'Het is jouw kind, Julia, dus doe jij er ook maar eens iets voor... Hallo? O, coach!'

'Hallo, Josie. Is je moeder er? Ik wil haar graag even spreken.'

Ze zweeg even. 'Ze is nog niet thuis.'

Ik keek naar een aftandse Chevrolet die zich voor me wilde persen en nam wat gas terug om er ruimte voor te maken. 'Ik ben vanochtend naar de fabriek gegaan. Heeft ze je dat verteld?'

'Ik heb haar sinds het ontbijt niet meer gezien, coach, en nou moet ik bedenken hoe ik avondeten moet maken voor mijn broertjes, en zo.'

De ongeruste ondertoon in haar stem ontging me niet. 'Maak je je zorgen dat er iets met haar gebeurd is?'

'Nnnee, eigenlijk niet. Ze heb gebeld en zegt dat ze... ik bedoel, ze zei dat ze iets anders te doen had, extra werk, denk ik, maar ze zei niet wat, alleen dat ik voor de jongens moest zorgen en zo. Maar ik maak al ontbijt voor ze, omdat ma naar haar werk gaat voordat wij opstaan, en nou is de baby aan het huilen en Julia wil niet helpen, en ik heb mijn biologieproject.'

Ik zag de overvolle flat voor me. 'Josie, leg de baby in bed. Ze kan best een tijdje huilen zonder dat ze er iets van krijgt. Trek de stekker van de tv uit het stopcontact en ga in de woonkamer aan je biologieproject werken. Je broertjes zijn groot genoeg om een blik van het een of ander open te trekken, en ze kunnen in de eetkamer met hun Power Rangers spelen. Heb je een magnetron? Nee? Heb je dan een blik soep? Verwarm die op het fornuis en geef ze eten. Je schoolwerk gaat voor. Oké?'

'Eh, oké dan. Maar wat moet ik doen als dit zo blijft?'

'Gebeurt dat dan?' Een truck toeterde naar me; ik had niet goed op het verkeer gelet en voor me was een groot gat ontstaan.

'Als ze er een baantje bij heeft wel.'

'Ik zal er met je moeder over praten. Ik moet haar toch spreken. Kun je mijn nummer opschrijven? Vraag haar me te bellen als ze thuiskomt.'

Toen ze mijn mobiele nummer had herhaald, vertelde ik haar nogmaals wat mijn boodschap was. Voordat ik ophing, hoorde ik haar tegen haar zus schreeuwen dat ze zelf maar voor María Inés moest zorgen en dat Josie haar anders in bed zou leggen. Blijkbaar had ik vandaag in elk geval één goede daad gedaan. Twee, met het opsporen van de vermiste werkgeefster van mijn cliënte erbij.

Toen ik bij Morrell aankwam, sprongen de honden zo uitgelaten om me heen dat het leek alsof we elkaar twaalf maanden niet hadden gezien, in plaats van twaalf uur. Morrell vertelde me vol trots dat hij ze had meegenomen naar het meer. Een hele prestatie, want toen ik hem zeven weken geleden uit Zürich mee naar huis had genomen, kon hij de ene trap naar zijn appartement nog niet op komen. Hij liep nog steeds met een stok en Mitch had hem een paar keer bijna onderuit getrokken. Na de onderneming was hij een uur op bed gaan liggen, maar hij had de wandeling van vier blokken heen en terug zonder ongelukken volbracht en leek er niet slechter van te zijn geworden.

'Dat moeten we vieren,' zei ik enthousiast. 'Ik heb Sherlock Holmes vandaag naar de kroon gestoken, vanmiddag in elk geval, en jij Hillary op de Mount Everest. Kun je nog een uitstapje aan, of zal ik iets halen?'

Niet alleen was hij fit genoeg om uit eten te gaan, maar hij had er ook zin in; we hadden al heel lang geen avondje samen meer gehad.

Terwijl ik douchte en me verkleedde, kwam Marcena terug. Toen ik weer binnenkwam, zat ze op de bank met een flesje bier en kroelde Mitch achter zijn oren. Hij sloeg zachtjes met zijn staart op de grond toen ik de kamer in kwam, bij wijze van begroeting, maar hij bleef met een uitdrukking van stupide gelukzaligheid opkijken naar Marcena. Ik had kunnen weten dat ze met honden net zo goed zou zijn als met al het andere.

Ze stak haar bierflesje naar me op in een toost. 'Hoe gaat het met de ontluikende sportvrouwen?'

'Heel aardig. Ze hebben maandag nog gevochten vanwege jou; ze misten je. Kom je binnenkort nog eens terug?'

'Ik probeer een van de komende middagen naar de school te gaan. De afgelopen dagen heb ik research gepleegd binnen de gemeenschap.' Ze grijnsde uitdagend.

'Waarmee je het conflict op het speelveld nog verder aanwakkert,' zei ik droogjes. 'Je moet misschien weten dat Zuid-Chicago een dorp is waar iedereen zich met elkaars zaken bemoeit.'

Ze bedankte me met een spottend buiginkje.

'Marci toch,' zei Morrell, 'je wilt over die mensen schrijven. Je kunt daar de boel niet gaan opjutten en je eigen verhaal creëren, zodat je iets dramatisch hebt om over te schrijven.'

'Natuurlijk niet, lieverd, maar kan ik er iets aan doen dat ze zoveel aandacht aan me besteden? Ik probeer erachter te komen hoe de gemeenschap in elkaar zit. En ik ben ook met andere dingen bezig: ik wil het hoofdkantoor zover zien te krijgen dat ik de oude meneer Bysen mag interviewen. Hij praat nooit met de pers, vertelde zijn secretaresse, dus ik zoek een andere invalshoek. Ik heb erover gedacht jouw basketbalprogramma als binnenkomer te gebruiken, Vic.'

'Nou, mijn basketbalprogramma is voor mezelf een goede binnenkomer gebleken,' zei ik op luchtige toon. 'Ik ga morgen naar het ochtendgebed.'

Haar ogen werden groot. 'Denk je... O, help, wacht even.'

Haar mobieltje ging over. Ze viste het tussen de kussens vandaan. Mitch probeerde zijn poot op haar been te zetten, teleurgesteld dat ze hem niet meer aaide, maar ze negeerde hem.

'Ja? Ja... Deed ze dat? Stel je voor, wat een mop! Wat deed hij? O, dat is jammer. Wat ben je nu aan het doen? O, ja? Weet je zeker dat dat een goed idee is? Wat, nu? O, goed dan, waarom ook niet. Over drie kwartier, dan.'

Ze hing op en haar ogen glinsterden. 'Over Zuid-Chicago gesproken, dat was een van mijn contacten binnen de gemeenschap. Er is een bijeenkomst die ik wil bijwonen, dus ik laat jullie achter voor een gelukzalig avondje met z'n tweetjes. Maar, Vic, ik wil morgenochtend met je mee.'

'Goed,' zei ik weifelend, 'maar ik vertrek om half zeven. Ik moet er om kwart over zeven zijn en ik wil de kans om met Buffalo Bill te praten niet verspelen.'

'Buffalo Bill? Noemen ze hem zo? O, Bysen lijkt op bizon, natuurlijk. Geen probleem. Hoe laat sta je op? Zo vroeg? Als ik om zes uur nog niet hier ben, kom me dan halen, goed?'

'Er staat een wekker naast het bed,' zei ik geërgerd.

Ze wierp me een brede glimlach toe. 'Maar die hoor ik misschien niet als ik te laat thuiskom.'

Vijf minuten later was ze vertrokken. Morrell en ik gingen naar Devon Avenue om samosa's en curry te eten, maar het kostte me moeite om weer in mijn eerdere feestelijke stemming te komen.

10 Vakbonden? Over mijn lijk!

'Lieve Vader in de hemel, Uw macht vervult ons met eerbied, en toch verwaardigt U zich ons lief te hebben. Uw liefde daalt voortdurend op ons neer en als bewijs daarvan hebt U ons Uw geliefde Zoon gestuurd, een kostbaar geschenk om ons nader tot U te brengen.' De stem waarmee pastor Andrés in het openbaar sprak, was diep en dreunend. Dat in combinatie met de microfoon, die te hard stond, en zijn lichte Spaanse accent maakte hcm moeilijk te verstaan. In het begin had ik mijn best gedaan hem te volgen, maar nu dwaalden mijn gedachten af.

Toen Andrés samen met Billy the Kid de vergaderzaal was binnengestapt, was ik even wakker geschrokken: de voorganger was de man tegen wie ik gisterochtend was opgebotst bij Fly the Flag, de man die zich afvroeg of ik om negen uur 's morgens al dronken was. Zijn kerk, de Mount Ararat Church of Holiness in Zion, was de kerk waar Rose Dorrado en haar kinderen naartoe gingen. Ik wist dat de voorgangers van die orthodoxe kerkgenootschappen een enorm gezag hadden binnen de gemeente. Misschien had Rose hem haar angsten over de sabotage wel toevertrouwd. En misschien had Andrés op zijn beurt de eigenaar van de fabriek overgehaald te vertellen waarom hij de politie niet wilde inschakelen.

Het was onmogelijk me langs alle mensen te dringen die tussen mij en het voorste deel van de zaal stonden om voor de dienst met hem te praten; ik zou hem op weg naar buiten wel opvangen, na afloop. Als er tenminste ooit een einde aan de dienst kwam. Af en toe schrok ik even wakker van iets dat op een naderende climax leek, maar de diepe stem en het accent van de pastor vormden zo'n volmaakt slaapliedje dat ik daarna steeds weer wegzakte.

'Met Uw Zoon hebt U ons de weg, de waarheid en het licht getoond. Als Hij ons leidt, gaan we langs alle hindernissen van het leven naar de heerlijke plaats waar we geen hindernissen zullen kennen, geen verdriet, waar U al onze tranen zult wegwissen.'

Om me heen knikten andere hoofden voorover of gingen blikken naar horloges, zoals we op de middelbare school stiekem naar elkaars proefwerken gluurden en dachten dat niemand kon zien dat onze blik niet strak op ons eigen tafeltje was gericht.

Op de eerste rij zat tante Jacqui met haar handen vroom gevouwen, maar ik ving een glimp op van haar duimen, die over kleine toetsjes van een apparaatje bewogen. Vandaag droeg ze een sobere zwarte jurk die ondanks de kleur niet helemaal paste bij het evangelische karakter van de bijeenkomst. Er zat een strakke riem om, die haar slanke middel accentueerde, en de knopen aan de voorkant hielden ergens halverwege haar dijen op, zodat ik kon zien dat het dessin van haar panty helemaal tot boven aan toe doorliep.

Naast me zat Marcena echt te slapen. Ze blies met kleine pufjes haar adem uit, maar haar hoofd was voorovergebogen alsof ze zat te bidden, ongetwijfeld een vaardigheid die ze op haar dure meisjesschool in Engeland had ontwikkeld.

Toen we om half zeven bij Morrell waren vertrokken, was haar gezicht grauw en vermoeid geweest. Ze had zich kreunend op de passagiersstoel laten zakken. 'Niet te geloven dat ik bij het krieken van de dag naar de dienst ga terwijl ik maar drie uur heb geslapen. Het is net alsof ik weer op Queen Margaret's zit en de directrice niet mag weten dat ik de vorige avond te laat naar binnen ben geslopen. Maak me wakker als we op tien minuten van By-Smart zijn, dan kan ik me nog even opmaken.'

Ik wist hoe weinig slaap ze had gehad, want ik wist hoe laat ze was thuisgekomen: kwart over drie. En dat wist ik doordat Mitch haar komst met grote geestdrift had aangekondigd. Toen hij was gaan blaffen, was Peppy ook begonnen. Morrell en ik hadden in bed liggen kibbelen over wie er moest opstaan om ze stil te krijgen.

'Het zijn jouw honden,' zei Morrell.

'Het is jouw vriendin.'

'Ja, maar zij blaft niet.'

'Ze gedraagt zich anders wel als een jonge hond, en bovendien is zij de aanleiding,' bromde ik, maar toch was ik degene die door de gang stommelde om ze te kalmeren.

Marcena zat in de keuken een biertje te drinken en te stoeien met Mitch, die aan haar handschoenen trok. Peppy sprong eromheen en grauwde omdat ze geen deel had aan het spelletje. Marcena verontschuldigde zich dat ze ons wakker had gemaakt.

'Hou op Mitch op te hitsen, dan kan ik ze misschien zover krijgen dat ze gaan liggen en stil zijn,' snauwde ik. 'Wat voor bijeenkomst duurt er nou tot zo laat?' Ik pakte Mitch de handschoenen af en dwong de beide honden te gaan liggen en te blijven liggen.

'O, we hebben de buurt bezichtigd,' zei Marcena, en ze bewoog haar wenkbrauwen veelbetekenend. 'Hoe laat moeten we weg? Doen we er echt bijna een uur over? Als ik om zes uur nog niet op ben, wil je dan op de deur kloppen?'

'Als ik eraan denk.' Ik slofte terug naar bed, waar Morrell alweer diep in slaap was. Ik liet me hard tegen hem aan rollen, maar hij bromde alleen iets en sloeg een arm om me heen zonder wakker te worden.

Uit Marcena's suggestieve grijns maakte ik op dat de bezichtiging eruit had bestaan dat ze op stap was geweest met Romeo Czernin in zijn grote truck en dat ze hadden gevreeën bij de golfbaan naast het gemeentelijke stortterrein, of misschien op het parkeerterrein van de school. Waarom deed ze daar zo aanstellerig over? Omdat hij getrouwd was, of misschien omdat hij een gewone arbeider was? Het was alsof ze dacht dat ik een tutje was dat tegelijk gechoqueerd en opgewonden zou reageren op haar toespelingen. Misschien omdat ik haar had verteld dat de meiden over hun verhouding praatten, of hoe je het ook moest noemen.

'Laat toch gaan,' fluisterde ik in het donker tegen mezelf. 'Ontspan je en trek je er niets van aan.' Na een tijdje slaagde ik erin weer in te dommelen.

Morrell sliep nog toen ik om half zes opstond om een stukje te gaan hardlopen met de honden. Toen we terugkwamen van ons tochtje naar het meer, zette ik de deur naar de logeerkamer open zodat Mitch en Peppy Marcena wakker konden maken terwijl ik douchte. Ik trok de enige zakelijke outfit aan die ik bij Morrell had. Het was een heel aardig donkerbruin wollen pak, maar toen

Marcena verscheen in een rood geruit, zwierig jasje in A-lijn zag ik er naast haar inderdaad tuttig uit.

Er is geen gemakkelijke manier om vanaf Morrells huis bij het meer naar het uitgestrekte gebied achter O'Hare Airport te komen, waar het hoofdkantoor van By-Smart gevestigd was. Hoewel mijn eigen ogen ook bijna dichtvielen van vermoeidheid, zocht ik me een weg door zijstraten waar het zelfs om deze tijd al druk was. Ik had de radio aangezet en bleef wakker van Scarlatti en Copeland, afgewisseld met reclames en ijzingwekkende meldingen van verkeersongelukken. Marcena sliep overal doorheen: de radio, de vrouw in de Explorer die ons bijna om zeep hielp toen ze zonder te kijken haar oprit uit kwam en de man in de BMW die op Golf Road door rood reed en zijn middelvinger naar me opstak toen ik toeterde.

Ze sliep zelfs door, of deed overtuigend alsof, toen Rose Dorrado me rond kwart voor zeven terugbelde.

'Rose! Ik wil je mijn verontschuldigingen aanbieden. Het spijt me dat ik heb geopperd dat jij betrokken kon zijn bij de sabotage in de fabriek. Dat had ik niet mogen zeggen.'

'Ik trek het me niet aan, dus doe jij dat ook maar niet.' Ze mompelde en was moeilijk te verstaan boven het verkeer uit. 'Ik geloof... ik geloof dat ik me zorgen maak om niks. Een paar ongelukjes en ik denk meteen het ergste.'

Ik was zo verbluft dat ik mijn aandacht niet bij de weg hield. Een luid getoeter van de auto links van me bracht daar snel verandering in.

Ik ging langs de stoeprand staan. 'Hoe bedoel je? Lijm valt toch niet per ongeluk in sloten, en een zak vol ratten komt toch niet zomaar in een ventilatiesysteem terecht?'

'Ik heb geen verklaring voor die dingen, maar ik maak me er geen zorgen meer over, dus dank je voor de moeite, maar je moet de fabriek nu met rust laten.'

Ik had zelden iets gehoord wat zo ingestudeerd klonk, maar ze hing op voordat ik door kon vragen. Trouwens, ik kon het me niet veroorloven vandaag te laat te komen, dus Rose en Fly the Flag zouden tot later moeten wachten.

Ik klopte Marcena op de schouder. Ze kreunde weer, maar ging rechtop zitten en begon zich op te knappen. Ze maakte zich op, inclusief mascara, en viste haar onafscheidelijke rode zijden sjaal uit haar tas om onder haar kraag te knopen. Toen we het terrein van By-Smart opreden zag ze er net zo elegant uit als altijd. Ik wierp een snelle blik op mezelf in de achteruitkijkspiegel. Misschien zou mascara het rood van mijn ogen beter doen uitkomen.

Het hoofdkantoor van By-Smart was ontworpen in dezelfde praktische stijl als hun hypermarkten en leek net zo groot te zijn, een enorme doos die het piepkleine parkje eromheen in het niet deed vallen. Zoals zoveel bedrijfsparken was ook dit smakeloos. De glooiende heuvels waren van een stuk land beroofd, dat eerst was geasfalteerd en waar naderhand hier en daar een strookje gras in was geplakt. By-Smarts landschapsarchitect had ook een vijvertje aangelegd, als herinnering aan het watergebied dat hier vroeger was. Achter de strook bruin gras leek het parkeerterrein zich kilometers ver uit te strekken, het grijze wegdek flets onder de grauwe herfstlucht.

Toen we op onze hoge hakken over de parkeerplaats naar de ingang waren geklikklakt, werd duidelijk dat het pragmatisme van het gebouw zich beperkte tot de vorm ervan. Het was opgetrokken uit een lichte, goudkleurige steensoort, misschien zelfs marmer, want daar leek ook de vloer in de hal van te zijn gemaakt. De muren van de hal waren bekleed met een kostbaar ogend, roodgouden hout, met hier en daar een amberkleurig blok ertussen. Ik dacht aan de onafzienbare rijen sneeuwschoppen, vlaggen, handdoeken en pakken strooizout in het magazijn aan Crandon Avenue en aan Patrick Grobian, die hoopte vanuit zijn kleine, smoezelige kantoortje hierheen te verhuizen. Wie kon hem dat kwalijk nemen, zelfs als hij ervoor met tante Jacqui naar bed moest?

Zo vroeg op de dag zat er nog geen receptioniste achter de gigantische teakhouten balie, maar een nors kijkende bewaker stond op en vroeg wat we wilden.

'Bent u Herman?' vroeg ik. 'Billy the Ki... de jonge Billy Bysen heeft me uitgenodigd voor de gebedsbijeenkomst van vanochtend.'

'O, ja.' Hermans gezicht ontspande zich in een vaderlijke glimlach. 'Ja, hij heeft me verteld dat er een vriendin van hem naar de gebedsbijeenkomst zou komen. U kon meteen doorlopen naar de vergaderzaal, zei hij. Hoort deze dame bij u? Alstublieft, deze pasjes zijn de hele dag geldig.'

Hij gaf ons een paar grote roze badges met 'Bezoeker' en een datumstempel erop, zonder ook maar om een legitimatiebewijs met foto te vragen. Ik dacht niet dat Herman plotseling zo vriendelijk was omdat we iemand van de familie kenden, maar omdat Billy the Kid bij de mensen om hem heen een warm gevoel en een beschermende houding opriep. Dezelfde reactie had ik donderdagavond gezien bij de vrachtwagenchauffeurs die hem goedmoedig plaagden.

Herman gaf ons ook een plattegrond waarop hij de route naar de vergaderzaal voor ons aangaf. Het gebouw was opgezet zoals het Pentagon, met concentrische gangen en een wirwar van kamertjes. Hoewel er op elke hoek een plastic plaatje zat waarop de locatie was aangegeven, bleken we toch steeds weer verkeerd te zitten en terug te moeten lopen. Althans, ik bleek verkeerd te zitten; Marcena strompelde nietsziend achter me aan.

'Ben je nog van plan je een beetje te vermannen voordat we Buffalo Bill onder ogen komen?' vroeg ik vinnig.

Ze glimlachte engelachtig. 'Als de tijd daar is, ben ik er altijd klaar voor. Maar op dit moment lijkt het me nog niet nodig mijn best te doen.'

Ik slikte een gevat weerwoord in; een woordenstrijd kon ik toch niet winnen.

Ik wist dat ik op het goede spoor zat, of in de goede gang, toen we andere mensen begonnen te zien die dezelfde kant op gingen. We werden veelvuldig aangestaard: vreemden, en vrouwen nog wel, in een zee van mannen in grijze en bruine pakken. Toen ik nog even controleerde of we de goede kant op gingen, merkte ik dat men aannam dat we zakenrelaties van buiten het bedrijf waren. Ik vroeg me af of de ochtenddienst een verplicht ritueel was als je zaken wilde doen met By-Smart.

Toen we om ons heen keken op zoek naar twee plaatsen naast elkaar, fluisterde een vrouw me toe dat de eerste rij gereserveerd was voor de familie en de leidinggevenden binnen het bedrijf. Marcena vond het prima, hoe verder van het brandpunt van activiteit, hoe beter. Een rij of tien naar achteren vonden we twee stoelen naast elkaar.

Toen Billy the Kid me had uitgenodigd voor de gebedsbijeenkomst, had ik me er iets bij voorgesteld zoals de Mariakapel van een kerk waar een vriend van me pastoor is: Mariabeelden, kaarsen, kruisbeelden en een altaar. In plaats daarvan zaten we in een heel gewone zaal ergens op de derde verdieping, waar het daglicht alleen toegang had via dakramen. Later zag ik dat het een zaal was die voor meerdere doeleinden werd gebruikt, kleiner en minder formeel dan het auditorium, en dat er ook gymnastieklessen voor de werknemers werden georganiseerd, en andere activiteiten die niet direct met het werk te maken hadden.

Deze ochtend waren er stoelen in concentrische halve cirkels om een tafel van licht hout in het midden gezet. Vlak voordat de dienst begon, toen iedereen al zat, kwam de oude meneer Bysen binnen. Het was een brede man wiens buikomvang op zijn oude dag was toegenomen; hij was niet echt dik, maar wel gezet. Hij had een wandelstok bij zich maar liep energiek, waarbij hij de stok bijna gebruikte zoals bij het skiën, om zich mee naar voren te duwen. Zijn entourage bestond voornamelijk uit mannen in het alomtegenwoordige grijs of bruin, die achter hem aan dromden. De achterhoede werd gevormd door Billy the Kid, in spijkerbroek en een schoon wit overhemd, en Andrés. Billy had weer geprobeerd zijn roodbruine krullen strak tegen zijn schedel te plakken. In deze zaal vol grijs-witte mannen viel de donkere huid van Andrés op als een roos in een schaal met uien.

Behalve Marcena en ik waren er nog een paar vrouwen, en een van hen hoorde bij Bysens entourage. Ze maakte tegelijk een eerbiedige en een zelfverzekerde indruk, de perfecte persoonlijk assistente. Haar gezicht was zo plat als een pannenkoek en er zat heel toepasselijk een dikke laag pancake op. Ze had een dunne, goudkleurige map bij zich, die ze openritste en zodanig op tafel legde dat Bysen en zij hem allebei konden zien. Zij was degene die aan Bysens rechterhand ging zitten toen het groepje zich verspreidde over de gestoffeerde stoelen aan de tafel. Tante Jacqui, die een paar minuten later binnenkwam, moest zich tevredenstellen met de eerste rij.

De gebedsbijeenkomst leek de plek te zijn waar Bysen hof hield. Voordat de dienst begon, kwamen er verscheidene mensen naar hem toe om met gedempte stem met hem te praten. De vrouw met het pannenkoekengezicht luisterde elke keer aandachtig en maakte aantekeningen in de goudkleurige map.

Behalve de voorganger en Billy the Kid zaten er nog vier mannen aan de tafel. De mensen die wachtten op hun onderhoud met Bysen, spraken intussen met een of meer van de anderen, maar het viel me op dat iedereen ook een glimlach voor Billy had en een paar woorden met hem wisselde. Op een gegeven moment zag hij me in het publiek zitten; hij schonk me zijn lieve, verlegen glimlach en zwaaide snel, en even voelde ik me wat vrolijker.

Nadat hij zich een kwartiertje met zijn vazallen had beziggehouden, knikte Bysen naar de vrouw, die haar map wegborg. Dit was voor iedereen het signaal terug te keren naar zijn of haar zitplaats. Billy stond blozend van gewichtigheid op om de voorganger van Mount Ararat voor te stellen en in het kort iets te zeggen over zijn eigen betrokkenheid bij Zuid-Chicago en hoe belangrijk de Kerk en het werk van pastor Andrés voor die buurt waren. Andrés zei een openingsgebed en Billy las een passage uit de Bijbel, het stuk over de rijke man met de oneerlijke rentmeester. Toen hij daarmee klaar was, ging hij vlak bij zijn grootvader zitten.

We begonnen met gebeden voor iedereen die betrokken was bij de wijdvertakte werkzaamheden van By-Smart, smeekbeden om wijsheid voor het management, zodat het goede beslissingen zou nemen, en om kracht voor de werknemers hier en overal elders, om te doen wat er van hen werd verlangd. Terwijl pastor Andrés vorderde in zijn toespraak en de rest van ons wegdutte, luisterde Bysen aandachtig naar de voorganger en trok herhaaldelijk zijn wenkbrauwen op.

Ik was zelf weggedut toen Andrés sneller ging spreken. Zijn stem werd harder en bombastischer. Ik ging rechtop zitten om zijn conclusie te horen.

'Als Jezus het heeft over de rentmeester die de gaven van zijn meester misbruikt, heeft hij het tegen ons allen. Wij allen zijn Zijn rentmeesters, en van degenen die het meeste hebben gekregen, wordt het meeste verwacht. Lieve Vader in de hemel, U hebt dit bedrijf, de familie die het bestuurt, waarlijk zeer grote gaven geschonken. We smeken U uit naam van Uw Zoon hun in herinnering te brengen dat ze niets meer dan Uw rentmeesters zijn. Help iedereen in dit grote bedrijf zich dat te herinneren. Help hen Uw gaven wijs te gebruiken, ten bate van iedereen die voor hen werkt. Uw Zoon heeft ons geleerd te bidden "Leid ons niet in verzoeking, maar verlos ons van de boze". Het succes van By-Smart brengt grote verzoekingen met zich mee, de verzoeking te vergeten dat velen die zwoegen onder zorgen gebukt gaan, dat ze voor Uw Zoon zullen komen met vele, vele tranen voor Hem om weg te wissen. Help iedereen die bij dit mooie bedrijf werkt om de eenvoudigsten in ons midden niet te vergeten, om eraan te denken dat zij dezelfde goddelijke vonk hebben, hetzelfde recht op leven, hetzelfde recht op een billijke beloning voor de vruchten van hun arbeid...'

Ik schrok op van een harde klap. Meneer Bysen had zich opgedrukt uit zijn stoel, waardoor zijn wandelstok was verschoven en op de vloer was gekletterd. Een van de grijze mannen aan tafel sprong op en pakte de oude man bij de arm, maar Bysen schudde zich boos los en wees naar de stok. De man bukte en gaf hem aan Bysen, die met heftige passen naar de deur liep. De vrouw met het pannenkoekengezicht stak snel de goudkleurige map onder haar arm en volgde hem. Ze haalde hem in voordat hij bij de deur was.

In het publiek was iedereen wakker geworden en wat meer rechtop gaan zitten in de ongemakkelijke stoelen. Er ging een geroezemoes door de zaal, als de wind door het prairiegras. Marcena, die wakker was geschrokken door de commotie, stootte me aan en wilde weten wat er gebeurd was.

Ik haalde niet-begrijpend mijn schouders op, terwijl ik naar de man keek die Bysens stok had opgeraapt. Hij praatte kwaad tegen Billy the Kid. Pastor Andrés stond met zijn armen over elkaar nerveus maar strijdvaardig te kijken. Billy, wiens gezicht nu donkerrood was, zei iets waardoor de oudere man zijn armen geërgerd in de lucht wierp. Hij keerde Billy zijn rug toe en zei tegen de zaal dat de dienst al langer had geduurd dan anders.

'We hebben allemaal vergaderingen en andere belangrijke projecten om aan te werken, dus laten we tot besluit het hoofd een ogenblik buigen en de zegen van God vragen bij de vele uitdagingen die we moeten aangaan. Zoals pastor Andrés al zei, zijn we allemaal slechts rentmeesters van Gods grote gaven, we hebben allemaal een zware last te dragen en geen van ons kan zonder de hulp van God. Laat ons bidden.'

Ik boog gehoorzaam mijn hoofd met de anderen, maar gluurde onder mijn oogharen door naar tante Jacqui. Haar hoofd was gebogen en haar handen lagen roerloos, maar ze glimlachte geheimzinnig en vergenoegd. Omdat het haar goed uitkwam als Billy uit de gratie zou raken bij zijn grootvader? Of omdat ze gewoon van opschudding hield?

We zaten een seconde of twintig in stilte, tot de grijze man 'amen' zei en naar de deur beende. Toen hij verdwenen was, begon iedereen opgewonden te praten.

'Wie was dat?' vroeg ik aan de vrouw links van me, die op haar mobieltje keek terwijl ze opstond om te vertrekken.

'Meneer Bysen.' Mijn onwetendheid verbaasde haar zo dat ze weer ging zitten.

'Die bedoel ik niet. De man die de dienst net afsloot, die ruzie maakte met Billy the... met de jonge Billy Bysen.'

'O, dat is de jonge meneer William. Billy's vader. Ik denk dat hij niet al te blij was met de voorganger die Billy uit de South Side heeft laten komen. Ik zie dat u een bezoeker bent. Bent u een van onze leveranciers?'

Ik glimlachte en schudde mijn hoofd. 'Gewoon een kennis van Billy uit Zuid-Chicago. Hij heeft me uitgenodigd. Waarom was meneer Bysen zo verontwaardigd over wat pastor Andrés zei?'

Ze keek me argwanend aan. 'Bent u journaliste?'

'Nee. Basketbalcoach op een middelbare school in de South Side.'

Marcena boog zich voor me langs om het gesprek te volgen, met haar handige vulpen-recordertje in haar hand. Bij de vraag of we in de journalistiek zaten, glimlachte ze vals en zei: 'Ik ben maar een bezoeker uit Engeland, dus ik begreep niet veel van het hele voorval. En ik kon het accent van de voorganger slecht verstaan.'

De vrouw knikte neerbuigend. 'In Engeland zijn waarschijnlijk niet veel Mexicanen zonder papieren, maar hier hebben we er veel. Iedereen had Billy kunnen vertellen dat zijn grootvader dat verhaal niet graag zou horen, zelfs niet als de voorganger het in correct Engels had afgestoken.'

'Is hij wel Mexicaans?' vroeg ik. 'Ik kon het accent niet thuisbrengen.'

Marcena schopte me tegen mijn scheen, waarmee ze bedoelde: ze geeft ons informatie, dus strijk haar niet tegen de haren in.

Onze informante lachte vreugdeloos. 'Mexico, El Salvador, het is allemaal één pot nat: ze komen naar dit land met de gedachte dat ze alles voor niets kunnen krijgen.'

Een man die voor ons zat, draaide zich om. 'Maar Buffalo Bill zal Billy snel genoeg genezen van die onzin. Daarom heeft hij de jongen naar Zuid-Chicago gestuurd.'

'Wat voor onzin bedoelt u?' Marcena keek en klonk hopeloos onwetend; ze ging bijna zo ver dat ze verleidelijk met haar ogen knipperde. Ze was écht goed.

'Hebt u hem dan niet horen praten over arbeiders en de vruchten van hun arbeid?' vroeg de man. 'Dat klonk verdacht veel als vakbondstaal, en die wordt niet geduld bij By-Smart. Dat weet Billy net zo goed als ieder ander.'

Ik keek wat er voor in de zaal gebeurde. Andrés stond nog steeds met Billy te praten. Met zijn korte, stevige gestalte zag hij er meer uit als een bouwvakker dan als een voorganger. Hij zou best een vakbondsactivist kunnen zijn. Veel van de kleine kerkgenootschappen in de South Side kunnen geen voorganger betalen, zodat de staf doordeweeks een andere baan moet hebben.

Maar zou Billy echt geprobeerd hebben een vakbondsactivist mee te nemen naar de gebedsdienst van Buffalo Bill? Afgelopen donderdag had ik de indruk gekregen dat Billy van zijn grootvader hield en veel achting voor hem had.

Het was duidelijk dat Billy ook erg gesteld was op Andrés. Toen de zaal leegliep, was hij bij Andrés blijven staan en uit zijn houding sprak gêne en de behoefte zich te verontschuldigen. Terwijl ik toekeek, legde de pastor een hand op de schouder van de jongen en liepen ze samen naar buiten.

Plotseling herinnerde ik me dat ik Andrés nog wilde spreken. Ik riep dat ik zo terug zou zijn, baande me een weg tussen de stoelen door en sprintte achter hen aan, maar tegen de tijd dat ik bij de deur aan de andere kant van de zaal was, waren ze in de doolhof verdwenen. Ik rende de gang door en keek om verschillende hoeken, maar ik was ze kwijt.

Toen ik terugkwam in de vergaderzaal, waren een paar conciërges bezig de stoelen in te klappen en ze op pallets langs de muur te stapelen. Toen ze daarmee klaar waren, zetten ze een deur open en begonnen gymnastiekmatjes tevoorschijn te halen. Een vrouw in een gympakje en een maillot droeg een grote gettoblaster naar binnen. Tante Jacqui, die was verdwenen toen ik op zoek was naar Andrés, kwam in haar sportkleding de zaal weer in en begon rekoefeningen te doen, waardoor de soepele welving van haar billen werd benadrukt.

De man die ons had verteld dat By-Smart niets op had met vakbonden volgde mijn verbaasde blik; de zijne bleef haken aan Jacquis achterste toen ze zich diep bukte. 'Nu komt de aerobicsgroep hier bijeen. Als uw vriendin en u mee willen doen, bent u van harte welkom.'

'Dus By-Smart is van alle markten thuis,' zei Marcena lachend. 'Pastors, push-ups, alles wat de werknemers maar nodig hebben. Hoe zit het met het versterken van de inwendige mens? Kan ik hier ergens een ontbijt krijgen? Ik ben uitgehongerd.'

De man legde zijn hand op haar onderrug. 'Kom maar met me mee naar het restaurant. We worden allemaal wat hongerig tijdens de ochtenddienst.'

Toen we achter onze gids aan door de doolhof liepen, hoorden we een eentonige beat opklinken uit de gettoblaster.

11 We zijn weer thuis

'Maar, opa, ik wilde helemaal niet...'

'En dat nog wel ten overstaan van het personeel. Ik had nooit gedacht dat je zo respectloos was. Je zus, ja, maar jij, William, ik dacht dat jij waardeerde wat ik in mijn leven heb opgebouwd. Ik ben niet van plan dat te laten afbreken door een of andere bijstandsfraudeur die niet genoeg ruggengraat heeft om zichzelf en zijn gezin te onderhouden, zodat hij van mij en het mijne moet stelen.'

'Opa, hij is geen bijstands...'

'Ik snap wel hoe het gebeurd is: net als iedereen heeft hij gezien hoe goedhartig jij bent en daar heeft hij misbruik van gemaakt. Als dat de praktijken zijn bij die Mount Ararat-kerk, moet die zijn naam veranderen in Valse Rat-kerk, en jij, jongen, moet er zo ver mogelijk bij uit de buurt blijven.'

'Maar opa, zo zit het helemaal niet. Het gaat om de gemeenschap...'

Ik stond in het voorvertrek van Bysens kantoor, waar de secretaresses de toegang tot de grote man bewaakten. Een van de deuren naar de volgende ruimte was niet helemaal dicht en het gebulder van Buffalo Bill drong moeiteloos door de kier, net zo moeiteloos als het over Billy's pogingen zich te rechtvaardigen heen denderde.

Er zat niemand aan het grote bureau in het midden van de kamer en ik wilde op het wapengekletter afgaan toen er vanuit de hoek naar me werd geroepen. Het was een magere, kleurloze vrouw die aan een klein metalen bureau zat en iets op een computer deed. Ze vroeg met het scherpe, nasale accent van de vroegere bewoners van de South Side hoe ik heette en wat ik kwam doen. Toen ik zei dat Billy een afspraak voor me had gemaakt met zijn grootvader, keek ze nerveus van het kantoor naar haar computerscherm, maar ze nam de telefoon aan voordat ze mij antwoord gaf.

'Ik zie u niet in het boek staan, mevrouw, bij de afspraken van meneer Bysen.'

'Billy dacht waarschijnlijk dat hij me na de dienst meteen kon meenemen naar zijn grootvader.' Ik glimlachte ontspannen: ik ben niet bedreigend, ik ben een teamspeler.

'Een ogenblikje.' Ze nam de telefoon weer op en legde haar hand over het mondstuk om tegen mij te praten. 'U zult met Mildred moeten overleggen. Ik kan u niet tot meneer Bysen toelaten zonder haar toestemming. Gaat u maar zitten; ze is zo terug.'

De telefoon ging opnieuw. Terwijl ze mij in het oog hield, zei de assistente met haar verzorgde, nasale stemgeluid: 'Met het secretariaat van meneer Bysen... Het was echt niet zo'n belangrijk voorval, maar als u meneer Bysen wilt spreken, zal Mildred u terugbellen om een telefonische vergadering te plannen.'

Ik slenterde door de kamer en keek naar de dingen die aan de muur hingen. Anders dan in de meeste kantoren van ondernemingen hing er vrijwel geen kunst, alleen foto's van Bysen. Hij begroette de president van de Verenigde Staten, hij legde de eerste steen voor de honderdste vestiging van By-Smart, hij stond naast een vliegtuig van een type dat in de Tweede Wereldoorlog werd gebruikt. Tenminste, ik nam aan dat het Bysen was; het was een jongeman met een leren helm en een vliegbril op, die zijn hand op een van de motoren liet rusten. Ik keek strak naar hem terwijl ik mijn best deed de woordenwisseling in het kantoor te volgen.

'Billy, er zijn miljoenen zielige verhalen te vertellen en er lopen miljoenen zwendelaars rond op de wereld. Als je je plaats gaat innemen binnen dit bedrijf, moet je leren die te herkennen en ermee om te gaan.' Nu was de spreker de nasale, kregelige bariton die het einde van de gebedsdienst had aangekondigd: meneer William, die zijn impulsieve zoon streng toesprak. Ik keek verlangend naar de kier van de deur, maar de vrouw in de hoek leek klaar om op te springen en me te tackelen als ik één verkeerde beweging maakte.

Ik wilde naar binnen voordat Marcena haar ontbijt ophad en

zich bij me voegde, want ik wilde niet dat haar verlangen naar een interview met Bysen mijn eigen wensen doorkruiste. En ze was er zo goed in te zorgen dat mensen haar opmerkten, dat ik geen schijn van kans zou hebben om Bysens aandacht vast te houden als zij erbij was. Dat had ze een paar minuten geleden weer laten zien, toen ik haar in het restaurant achterliet: ze had de man met wie we in gesprek waren geraakt overgehaald samen mét haar een uitgebreid ontbijt te nemen. Net als bij de meisjes van het basketbalteam had Marcena precies geweten hoe ze de man ('Zeg maar Pete, hoor; ik ben van de inkoop en ik kan alles voor je krijgen wat je hartje begeert, ha, ha, ha.') het gevoel moest geven dat ze de perfecte meevoelende luisteraar was. Toen ze bij de roereieren stonden, had ze hem al zover dat hij vertelde over By-Smarts verleden met de vakbond. Ik kon nog iets van haar leren over ondervragingstechnieken.

Ik had een smachtende blik op de eieren geworpen maar een bakje yoghurt genomen, dat ik op weg naar Buffalo Bills kantoor kon eten. Niet alleen wilde ik hem alleen spreken, maar ik wilde hem ook treffen terwijl de jonge Billy nog in het gebouw was. Ik hoopte dat opa zo veel om zijn kleinzoon gaf dat hij hem de betreurenswaardige misser van de voorganger zou vergeven, en ik wist dat ik meer kans had bij de oude man als de jongen erbij was.

Zo te horen was het geen goede dag om geld los te krijgen van opa. Als een voorganger die sprak over billijk loon naar werken een bijstandsfraudeur was, wilde ik niet graag horen hoe hij meisjes zou betitelen die hun eigen coach niet konden betalen. De aanval van de nasale bariton op Billy leek de oude man echter te kalmeren. Ik hoorde hem grommen: 'Grobian kan een vent van Billy maken; daarom werkt hij in het magazijn.'

'Dat verandert er niets aan, vader. Als hij zo naïef is dat een voorganger misbruik van hem kan maken, moet hij niet in z'n eentje losgelaten worden op de werkvloer,' zei meneer William.

Toen vielen er zoveel stemmen tegelijk in dat ik niemand meer kon verstaan. Achter me ging steeds opnieuw de telefoon; de opschudding tijdens de dienst ging blijkbaar als een lopend vuurtje door de onderneming. Terwijl de assistente herhaalde dat er echt niets bijzonders aan de hand was, liepen er twee mannen met grote passen het kantoor binnen.

'Mildred?' riep de grootste en oudste van de twee.

'Ze is binnen, bij meneer Bysen, meneer Rankin. Goedemorgen, meneer Roger. Wilt u koffie?'

'We lopen meteen door.' De kleinste en jongste van de twee, meneer Roger, was duidelijk ook een Bysen. In tegenstelling tot meneer William leek hij sprekend op Buffalo Bill: dezelfde gedrongen gestalte, dezelfde dikke wenkbrauwen en dezelfde haakneus.

Toen de twee de deur naar het kantoor openduwden, liep ik achter hen aan, een geagiteerd protest uit de hoek negerend. Bysen stond voor zijn bureau met Billy, de jonge meneer William en Mildred, de vrouw met het pannenkoekengezicht uit de vergaderzaal. Er was nog een andere man, net zo lang en mager als meneer William, maar de twee die binnenkwamen negeerden iedereen behalve Bysen en Billy.

'Goedemorgen, vader. Billy, hoe haal je het in je hoofd om een opruier mee te nemen naar de gebedsbijeenkomst?'

Opnieuw bracht een aanval op Billy door een van zijn volwassen zoons Bysen ertoe de jongen te verdedigen. 'Zo erg is het nou ook weer niet, Roger. We zullen de rest van de ochtend brandjes moeten blussen, dat is alles; de halve raad van bestuur heeft het al gehoord. Stelletje stomme ouwe wijven: de koers is twee vijftig gedaald door het gerucht dat we de vakbond toelaten.' Hij gaf zijn kleinzoon een tikje tegen zijn hoofd. 'Een zootje jongens met meer ijver dan verstand, dat is alles. Billy zegt dat die rotlati... Mexicaanse voorganger helemaal geen vakbondsman is.'

Billy had grote ogen van emotie. 'Pastor Andrés geeft alleen om het welzijn van de gemeenschap, oom Roger. De werkloosheid is daar veertig procent, dus de mensen moeten baantjes aannemen...'

'Daar hebben we het nu niet over,' zei William. 'Vader, u zou het Billy nog vergeven als hij een moord had gepleegd. Als Roger, Gary of ik iets zouden doen waar de koers zo van kelderde, zou u...'

'Ach, die gaat wel weer omhoog, dat komt wel goed. Linus, heb je de afdeling communicatie te pakken gekregen? Staan ze in de startblokken? Wie is dit? Een van de speechschrijvers?'

Iedereen draaide zich naar me om: de vrouw met het pannen-koekengezicht, die bij Bysens bureau stond met een geopende laptop voor zich, de twee zoons en de man die Linus heette.

Ik glimlachte zonnig. 'Ik ben V. I. Warshawski. Goedemorgen, Billy.'

Voor het eerst sinds zijn grootvader uit de bijeenkomst was gestormd, ontspanden Billy's trekken zich. 'Mevrouw War-sha-sky, het spijt me dat ik u was vergeten. Ik had op u moeten wachten na de bijeenkomst, maar ik wilde pastor Andrés vergezellen naar het parkeerterrein. Opa, vader, dit is de mevrouw over wie ik jullie heb verteld.'

'Dus u bent de sociaal werkster van die middelbare school, gnn?' Buffalo Bill boog zijn hoofd in mijn richting als een stier die op het punt staat aan te vallen.

'Ik ben net als u, meneer Bysen: ik ben opgegroeid in de oude South Side, maar ik woon er al heel lang niet meer,' zei ik kalm. 'Toen ik er tijdelijk als basketbalcoach voor het meisjesteam ging werken, was ik verbijsterd over de schrikbarende veranderingen in de buurt en op de Bertha Palmer-school. Wanneer bent u voor het laatst op de school geweest?'

'Niet zo lang geleden dat ik niet weet dat die kinderen verwachten dat de regering ze alles op een presenteerblaadje aanbiedt. Toen ik op school zat, werkten we voor...'

'Dat weet ik, meneer. Uw vlijt is onovertroffen en uw energie is spreekwoordelijk.' Hij was zo verrast over mijn instemming met zijn tirade, dat hij me met open mond aanstaarde. 'Toen ik in het team van de Bertha Palmer-school speelde, kon de school een coach betalen, en ons clubtenue, en muziekonderwijs, dat door mijn eigen moeder werd gegeven, en jongens als u konden met een beurs van de regering gaan studeren.'

Ik zweeg even, in de hoop dat hij een minieme link zou leggen tussen zijn eigen door de regering bekostigde opleiding en de kinderen in de South Side, maar ik zag geen spoor van medeleven op zijn gezicht verschijnen. 'Nu kan de school dat allemaal niet meer betalen. Basketbal is een van de dingen...'

'Ik zit niet te wachten op een preek van u of van wie dan ook over wat kinderen wel of niet nodig hebben, jongedame. Ik heb er zelf zes grootgebracht zonder enige hulp van de overheid, gnn, gnn, en zonder liefdadigheid, gnn, en als die kinderen ook maar een beetje ruggengraat hadden, zouden ze hetzelfde doen als ik. In plaats van de South Side te bedelven onder baby's waar ze geen eten voor kunnen bekostigen en dan van mij te verwachten dat ik basketbalschoenen voor ze koop.'

De aanvechting hem een klap in zijn gezicht te geven was zo groot dat ik hem mijn rug toekeerde en mijn handen in de zakken van mijn jasje stak.

'Zo zijn ze helemaal niet, opa,' zei Billy achter me. 'Deze meisjes werken hard, ze pakken de baantjes aan die ze daar kunnen krijgen, bij McDonald's of bij onze eigen winkel aan 95th Street. Veel werken er dertig uur per week om hun familie te helpen, en dan moeten ze ook nog proberen op school mee te komen. Ik weet zeker dat u onder de indruk zou zijn als u ze zou zien. En ze zijn gek op mevrouw War-sha-sky, maar zij kan daar geen coach blijven.'

Gek op mij? Was dat wat de meisjes van Mount Ararat zeiden of was het Billy's interpretatie? Ik draaide me weer om.

'Billy, je steekt steeds weer je naïeve neus in dingen waar je geen lor van weet.' De man die samen met meneer William in de kamer was geweest toen we binnenkwamen, nam voor het eerst het woord. 'Jacqui heeft me verteld dat je het idiote idee had dat vader jouw troetelproject zou financieren. Ze zegt dat ze je heeft gewaarschuwd dat hij daar geen enkele interesse voor zou hebben, en uitgerekend vandaag, nu je je uiterste best hebt gedaan onze goede naam bij onze aandeelhouders om zeep te helpen, verspil je nog meer kostbare tijd door deze sociaal werkster aan te moedigen hierheen te komen.'

'Tante Jacqui wilde niet eens luisteren naar mevrouw War-sha-sky, oom Gary, dus ik snap niet hoe zij kan weten of het een goed voorstel is of niet. Ze heeft haar rapport weggegooid zonder er ook maar één blik op te werpen.'

'Het geeft niet, Billy,' zei ik. 'Begrijpt je familie dat ik geen sociaal werkster ben? Ik doe vrijwilligerswerk waar ik niet voor ben opgeleid. En waar ik geen tijd voor heb. Aangezien de regering, in de vorm van de Onderwijsraad, de meisjes van de Bertha Palmer-school niet de hulp kan bieden die ze nodig hebben, hoop ik dat de particuliere sector de leemte kan vullen. By-Smart is de grootste werkgever in de buurt, u hebt in het verleden vaker hulp geboden, en ik wil u graag in overweging geven het meisjesbasketbalteam tot een van uw projecten te maken. Ik zal u met plezier meenemen naar een van onze trainingen.'

'Mijn eigen dochters doen vrijwilligerswerk,' merkte Bysen op. 'Dat is goed voor hen en goed voor de gemeenschap. Het is vast ook goed voor u, gnn?'

'En uw zonen?' Ik kon het niet laten de vraag te stellen.

'Die hebben het te druk met dit bedrijf.'

Ik glimlachte opgewekt. 'Mijn probleem in een notendop, meneer Bysen. Ook ik heb een bedrijf, en daar heb ik het te druk mee om een goede vrijwilliger te kunnen zijn. Laat me u een keer meenemen, zodat u kunt zien wat we doen. Ik weet zeker dat de school het prachtig zou vinden als hun beroemdste oud-leerling terugkwam voor een bezoekje.'

'Ja, opa, u moet met me meekomen. Als u de meisjes ontmoet...'

'Dat zou alleen maar verwachtingen wekken,' zei oom Gary. 'En eerlijk gezegd hebben we geen tijd voor liefdadigheidswerk nu we de brand moeten blussen die Billy heeft gesticht.'

'Kunt u daar nou niet even over ophouden?' riep Billy uit, en zijn ogen glinsterden van niet-vergoten tranen. 'Pastor Andrés is geen vakbondsactivist. Hij maakt zich alleen zorgen over alle mensen in zijn gemeente die dingen niet kunnen die wij vanzelfsprekend vinden, zoals schoenen kopen voor hun kinderen. En ze werken hard, dat weet ik, ik zie ze iedere dag in het magazijn. Tante Jacqui en Pat zitten in dat kantoortje op ze te schelden, maar die mensen werken vijftig of zestig uur per week en we zouden ze best wat beter kunnen behandelen.'

'Het was een vergissing om je zo betrokken te laten raken bij die kerk daar, Billy,' zei de oude Bysen. 'Ze zien hoe goedhartig je bent en daar spelen ze op in, ze vertellen je dingen over ons, over het bedrijf en over hun eigen leven die verdraaiingen van de waarheid zijn. Ze zijn niet zoals wij, ze geloven niet in hard werken, zoals wij, en daarom zijn ze van ons afhankelijk voor hun baan. Als wij er niet voor zorgden dat ze een salaris kregen, zouden ze in de bijstand rondlummelen of de hele dag zitten gokken.'

'Wat ze waarschijnlijk toch wel doen,' voegde meneer Roger eraan toe. 'Misschien mocten we Billy weghalen bij het magazijn en hem naar de winkel in Westchester of Northlake sturen.'

'Ik ga niet weg uit Zuid-Chicago,' zei Billy. 'Jullie doen allemaal alsof ik negen ben, in plaats van negentien, en jullie zijn niet eens beleefd genoeg om met mijn gast te praten of haar een stoel of koffie aan te bieden. Ik weet niet wat oma daarvan zou zeggen, maar het is niet wat ze mij al die jaren heeft geleerd. Het enige waar jullie om geven is de aandelenkoers, jullie geven niets om de mensen die ons bedrijf in stand houden. Als we voor God moeten verschijnen, oordeelt Hij niet op grond van de aandelenkoers, dat kan ik jullie verzekeren.'

Hij drong zich langs zijn grootvader en ooms heen en bleef even staan om mij de hand te schudden en me te beloven dat hij in elk geval nog met me zou spreken. 'Ik heb zelf ook vermogen, mevrouw War-sha-sky, en ik vind dat basketbalteam heel belangrijk.'

'Jij hebt vermogen waar je niet aan kunt komen voordat je zevenentwintig bent, en als je zo doorgaat, maken we daar vijfendertig van,' schreeuwde zijn vader.

'Best. Denk je dat dat mij wat kan schelen? Ik kan van mijn salaris leven, net als iedereen in de South Side.' Billy stormde het kantoor uit.

'Wat hebben Annie Lisa en jij jullie kinderen te eten gegeven, William?' vroeg oom Gary. 'Candace is een junkie en Billy een overspannen baby.'

'Annie Lisa heeft in elk geval een gezin grootgebracht. Ze verdoet haar leven niet voor een spiegel met het passen van outfits van vijfduizend dollar.'

'Bewaar dat maar voor de concurrentie, jongens,' bromde Buffalo Bill. 'Billy is een idealist. Die energie moet alleen in de juiste banen worden geleid. Maar je moet hem niet met dreigementen over zijn vermogen om de oren slaan, William. Zolang ik op aarde rondloop, zal ik ervoor zorgen dat de jongen zijn rechtmatige deel krijgt. Als ik voor God moet verschijnen, zal Hij zeker willen weten hoe ik mijn eigen kleinzoon heb behandeld, gnn, gnn, gnn.'

'Ja, wat ik ook zeg of doe, ik kan er altijd op rekenen dat jij het ondergraaft,' zei William koel. Hij wendde zich tot mij. 'En u, wie u ook bent, ik denk dat u hier nu wel lang genoeg hebt rondgehangen.'

'Als ze een van de mensen uit die buurt is die Billy beïnvloedt, kunnen we misschien maar beter weten wie ze is en wat ze hem vertelt,' zei meneer Roger.

'Mildred? Hebben we hier tijd voor?'

Zijn assistente keek naar de laptop en tikte op een paar toetsen. 'U hebt eigenlijk geen tijd, meneer B., en al helemaal niet als u moet telefoneren met de raad van bestuur.'

'Tien minuten dan, we kunnen wel tien minuutjes missen. William kan het bestuur terugbellen, je hoeft geen genie te zijn om ze te vertellen dat ze zich laten meesleuren door de geruchtenstroom.'

William kreeg roze vlekken op zijn wangen. 'Als het zo'n triviaal probleem is, laat Mildred het dan maar afhandelen. Ik had al een volle agenda vandaag, ook zonder de uitslaande brand die Billy heeft veroorzaakt.'

'Ach, vat die dingen toch niet zo persoonlijk op, William. Je bent veel te snel op je teentjes getrapt, je hele leven al. Wat was uw naam ook weer, jongedame?'

Ik herhaalde mijn naam en gaf iedereen een visitekaartje.

'Detective? Detective? Hoe komt Billy in hemelsnaam in contact met een detective? Praten Annie Lisa en jij wel eens met die jongen?' wilde Roger weten.

William negeerde hem en zei tegen mij: 'Wat moet u met mijn zoon? En probeer er maar niet omheen te draaien met leugens over meisjesbasketbal.'

'Ik vertel alleen de waarheid over meisjesbasketbal,' zei ik. 'Ik heb uw zoon afgelopen donderdag voor het eerst ontmoet, toen ik naar het magazijn ging om met Pat Grobian te praten over de mogelijkheid dat By-Smart het team zou sponsoren. Billy was enthousiast, zoals u weet, en heeft me hier uitgenodigd.'

Buffalo Bill keek me van onder zijn zware wenkbrauwen strak aan en wendde zich toen tot de man die hij Linus had genoemd. 'Laat iemand uitzoeken wie ze is en wat ze hier doet. En terwijl jij je telefoontjes pleegt, bespreken we dit verder in de vergaderkamer. Mildred, verbind die lui uit Birmingham maar door, ik neem ze daar wel.'

12 Bedrijfscultuur

In de vergaderkamer stelde het gezelschap zich ruwweg hetzelfde op als tijdens de gebedsdienst, met Bysen aan het hoofd van de tafel en Mildred aan zijn rechterhand. De zonen en Linus Rankin zaten aan de lange zijden. Mildreds assistente, de nerveuze vrouw die in de hoek van het secretariaat had gezeten, kwam binnen met een stapel telefoonnotities, die Mildred onder de mannen verdeelde.

Ik gaf Mildred het rapport dat ik voor mijn bespreking in het magazijn had gemaakt. Toen ik haar vertelde dat ik maar twee exemplaren bij me had, stuurde ze haar assistente weg om er snel wat kopieën van te maken. De assistente kwam na korte tijd terug en slaagde erin een stapel kopieën en een dienblad met koffie, blikjes fris en water in evenwicht te houden.

Terwijl we op haar wachtten, hadden de mannen allemaal hun mobieltje getrokken. Linus vroeg iemand mijn achtergrond na te trekken en William werkte zich door zijn deel van de berichten heen en belde bestuursleden om hen ervan te overtuigen dat By-Smart geen duimbreed toe zou geven aan de vakbonden. Roger hield zich bezig met een leverancier die niet dacht dat hij kon leveren voor de door By-Smart gewenste prijs. Gary voerde een geanimeerd gesprek over een probleem met een winkel waar de nachtploeg was ingesloten; iemand had een epileptische aanval gehad, meende ik te kunnen afluisteren, en had haar tong afgebeten doordat niemand de deur open kon krijgen om het ambulancepersoneel binnen te laten.

'Ingesloten?' riep ik uit toen hij ophing, want ik vergat even dat ik al die Bysen-mannen met fluwelen handschoentjes wilde aanpakken.

'Dat zijn uw zaken niet, jongedame,' zei Buffalo Bill kortaf.

'Maar als een winkel in een gevaarlijke buurt ligt, ga ik het leven van onze werknemers niet op het spel zetten door ze bloot te stellen aan iedere drugsverslaafde die maar langs komt wandelen. Gary, bel hun manager. Hij moet een vervanger hebben die de mensen in noodgevallen altijd naar buiten kan laten. Linus, zijn we wettelijk aansprakelijk?'

Ik beet bijna mijn eigen tong af om te voorkomen dat ik nog iets zei, terwijl Rankin een aantekening maakte. Blijkbaar was hij de juridisch adviseur.

Roger smeet vol afkeer zijn mobieltje neer en wendde zich tot William. 'Dankzij die idiote zoon van jou hebben we nu drie leveranciers die denken dat ze onder hun contract uit kunnen komen omdat onze arbeidskosten uiteraard zullen stijgen, geloof het of niet, en we begrijpen natuurlijk wel dat ze dan niet meer aan onze prijsnormen kunnen voldoen, tenzij ze de tent sluiten en naar Birma of Nicaragua verkassen.'

'Onzin,' zei de oude man. 'Dat heeft niets met Billy te maken, dat is het gebruikelijke gejeremieer. Sommige mensen vinden het nou eenmaal leuk om ons uit te proberen. Jullie zijn allemaal watjes. Ik weet niet wat er van dit bedrijf moet worden als ik er niet meer elke dag ben om de kastanjes voor jullie uit het vuur te halen.'

Mildred fluisterde iets in Bysens oor. Hij maakte zijn snuivende 'gnn, gnn'-geluid en keek naar mij. 'Goed, jongedame, kom ter zake, kom ter zake.'

Ik legde mijn handen gevouwen op tafel en keek hem in de ogen, althans, voor zover ik zijn ogen kon zien onder zijn overhangende wenkbrauwen. 'Zoals ik al vertelde, meneer Bysen, ben ik opgegroeid in Zuid-Chicago en heb ik op de Bertha Palmerschool gezeten. Doordat ik op de middelbare school in een team had gespeeld dat kampioen werd, kon ik met een beurs aan de Universiteit van Chicago gaan studeren. Toen u op de Bertha Palmer-school zat, en later, in mijn tijd, bood de school een lesprogramma voor...'

'Het droevige verhaal van de neergang van de buurt kennen we allemaal,' snauwde William. 'En we weten allemaal dat u hier bent gekomen omdat u wilt dat wij aalmoezen gaan uitdelen aan mensen die niet werken voor hun brood.'

Ik voelde het bloed naar mijn wangen stijgen en vergat dat ik me netjes moest gedragen. 'Ik weet niet of u dat echt gelooft of dat u dat steeds zegt om niet te hoeven nadenken over hoe het zou zijn om een gezin te moeten onderhouden van zeven dollar per uur. Het zou voor iedereen aan deze tafel een goed idee zijn dat een maand lang te proberen alvorens de inwoners van Zuid-Chicago te veroordelen. Veel meisjes in mijn team komen uit een gezin waarvan de moeder voor dat salaris zestig uur per week werkt, zonder dat ze overwerk krijgt uitbetaald. Ze werken misschien in uw magazijn of uw winkel aan 95th Street, meneer Bysen, of bij de McDonald's, maar ik verzeker u dat ze hard werken, harder dan u of ik. Ze staan niet op straathoeken om aalmoezen te vragen.'

William wilde me onderbreken, maar ik keek hem minstens zo dreigend aan als zijn vader ooit had gedaan. 'Laat me uitspreken, dan zal ik daarna naar uw tegenwerpingen luisteren. Deze vrouwen willen hun kinderen een kans op een beter leven bieden. Een goede opleiding is dan heel belangrijk, en sport is cruciaal om ze op school te houden en misschien zelfs de kans te geven te gaan studeren. Als u een programma zou financieren dat mijn zestien tieners zou voorzien van goed materiaal, een goede coach en een zaal waar ze geen gebroken been riskeren elke keer als ze een snelle aanval wagen, zou dat een zeer goede daad zijn. Voor uw winkel in Zuid-Chicago zouden de kosten marginaal zijn en het bedrijf als geheel zou het niet eens merken, maar het zou geweldige publiciteit opleveren. Ik hoorde meneer Roger Bysen net een leverancier "overhalen" iets voor zes cent per stuk minder te leveren dan hij eigenlijk wilde. Meneer Gary Bysen is geïrriteerd omdat een werkneemster haar tong heeft afgebeten toen ze een nacht was ingesloten. Als die dingen algemeen bekend worden, staat u te kijk als de grootste vrekken van Noord-Amerika, maar als u het initiatief neemt voor een belangrijk project in meneer Bysens eigen buurt, op zijn eigen middelbare school, zult u worden gezien als helden.'

'U hebt een hoop lef, dat moet ik u nageven,' zei William met zijn nasale bariton.

Bysens dikke wenkbrauwen raakten elkaar boven zijn neus, zo diep fronste hij. 'En u denkt dat vijfenvijftigduizend dollar "marginaal" is, gnn, jongedame? Uw eigen bedrijf moet wel erg succesvol zijn als u dat een triviaal bedrag vindt.'

Ik krabbelde wat berekeningen op het vel papier dat voor me lag. 'Linus hier zal u ongetwijfeld van de resultaten van mijn bedrijf op de hoogte stellen, dus ik zal zelf niet in details treden, maar als je een dollar in veertigduizend stukjes kon verdelen, zou een van die veertigduizend stukjes in mijn onderneming het equivalent zijn van vijfenvijftigduizend dollar in de uwe. Dat noem ik triviaal. En dan heb ik nog niet eens rekening gehouden met het belastingvoordeel of met het immateriële voordeel, de goede publiciteit.'

Gary en William wilden tegelijk iets zeggen, Linus Rankins mobieltje ging over en Bysen zelf begon net te bulderen toen Marcena de deur van de vergaderkamer opende en kwiek naar binnen stapte.

Ze wierp me een snelle knipoog toe, subtiel bedoeld, zodat het de mannen niet zou opvallen, en wendde zich tot Bysen. 'Ik hoor bij mevrouw Warshawski: Marcena Love. Uw Pete Boyland heeft met me over de inkoop gesproken en daardoor ben ik een beetje laat. Bent u dat, bij die Thunderbolt, op de foto aan de muur? Mijn vader heeft in Hurricanes gevlogen, vanaf Wattisham.'

Buffalo Bill brak een van zijn snuifgeluiden af. 'Wattisham? Daar heb ik anderhalf jaar gezeten. De Hurricane was een goeie kist, een goeie kist, daar is niet voldoende erkenning voor. Hoe heette uw vader?'

'Julian Love. Het zeventigste squadron, de Tigers.'

'Gnn, gnn, u en ik moeten eens praten, jongedame. Werkt u samen met dat basketbalvrouwtje?'

'Nee, meneer. Ik kom uit Londen en ik bezoek de stad. Ik heb rondgekeken in Zuid-Chicago, samen met een van uw vrachtwagenchauffeurs. Truckers, bedoel ik. Sorry, ik moet nog aan het Amerikaans wennen.'

Sinds Marcena was binnengekomen, was haar Britse accent steeds uitgesprokener geworden. Bysen genoot ervan, maar zijn zonen waren minder enthousiast.

'Wie heeft u toegelaten in de cabine van een van onze trucks?' vroeg William op hoge toon. 'Dat is niet alleen tegen de bedrijfsregels, maar ook tegen de wet.'

Marcena stak haar hand op. 'Het spijt me, gaat u over de trucks? Ik wist niet dat ik de wet overtrad.'

'Toch wil ik zijn naam weten,' zei William.

Ze trok een zielig gezicht. 'Ik heb iets doms gedaan, hè? Ik wil niemand in de problemen brengen, dus laat me plechtig beloven dat ik het nooit meer zal doen. Meneer Bysen, zouden we misschien eens iets kunnen afspreken voordat ik terugga naar Engeland? Ik ben opgegroeid met mijn vaders verhalen over luchtslagen en ik zou dolgraag uw ervaringen uit die jaren horen; mijn vader zou het prachtig vinden als hij wist dat ik een van zijn oude oorlogsmakkers had ontmoet.'

Bysen streek zijn revers glad en gnuifde wat, en droeg Mildred toen op ergens in de komende week een gaatje te zoeken, voordat hij zich omdraaide en mij streng aankeek. 'En u, jongedame, met uw fraaie idee om dollarbiljetten in veertigduizend stukjes te delen, u hoort nog van ons.'

Linus had tijdens Marcena's voorstelling aan de telefoon gezeten. Nu stond hij op en gaf Bysen een vel papier. De oude man liet zijn blik erover glijden en keek me toen nog strenger aan.

'Ik zie dat u een aantal belangrijke bedrijven hebt geruïneerd, jongedame, en dat u zich hebt bemoeid met zaken die u niets aangingen. Steekt u altijd uw neus in dingen op plekken waar u niet gewenst bent, gnn?'

'Billy wil wel dat ik me met het basketbalteam bemoei, meneer Bysen, en dat is genoeg voor mij. Hij wil vast graag horen hoe ons gesprek is verlopen.'

Bysen keek me een ogenblik strak aan, alsof hij Billy's behoeften afwoog tegen mijn bemoeizucht. 'We zijn uitgepraat, jongedame. William, Roger, breng mevrouw naar buiten.'

William zei tegen zijn broer dat hij dat wel zou doen. Toen we de vergaderkamer uit liepen, hij met zijn hand op mijn onderrug, zei hij: 'Eigenlijk is mijn zoon een goeie knul.'

'Dat geloof ik onmiddellijk. Ik heb hem in het magazijn gezien en ik was onder de indruk van de manier waarop de mannen op hem reageerden.'

'Het probleem is dat hij te goed van vertrouwen is. Mensen maken misbruik van hem. Daar komt nog bij dat mijn vader altijd zo toegeeflijk voor hem is geweest dat hij niet goed weet hoe de wereld werkelijk in elkaar zit.'

Ik wist niet waar hij heen wilde, dus ik zei voorzichtig: 'Dat is een veelvoorkomend probleem met mannen die zich op eigen kracht hebben opgewerkt, zoals uw vader: ze zijn overdreven streng voor hun eigen kinderen, maar de derde generatie krijgt al die beperkingen niet opgelegd.'

Hij keek verbluft, alsof ik een subtiele waarheid over zijn leven had ontdekt. 'Dus u hebt gemerkt hoe de oude man hem behandelt? Zo gaat het al sinds Billy's geboorte: elke keer dat ik als ouder ook maar iets van grenzen probeer te stellen – en dan bedoel ik lang niet zulke strenge regels als pap ons oplegde – ondermijnt hij mijn gezag en dan verwijt hij mij... Maar daar hebben we het nu niet over. Ik ben financieel directeur van deze onderneming.'

'En u bent duidelijk heel goed, gezien de winstcijfers.' We waren zo lief tegen elkaar dat ik het maar eens met stroop wilde proberen.

'Als ik het echt voor het zeggen had, zouden we Wal-Mart achter ons kunnen laten, dat weet ik zeker, maar met mijn zakelijke beslissingen gaat het al net als met mijn ouderlijke... Hoe dan ook, ik wil weten wanneer u Billy spreekt en wat u tegen hem gaat zeggen.'

'Ik zal hem precies vertellen wat er tijdens onze bespreking is gezegd en hem vragen dat voor me te interpreteren. Ik ken u geen van allen, dus ik weet niet wat u bedoelt met de dingen die u zegt.'

'Dat is het nou juist,' zei William. 'We zeggen allemaal van alles, maar als familie werken we samen. Ik bedoel, mijn broers en ik hebben ons hele leven ruziegemaakt en vader vond dat we daar harder van werden, maar we besturen dit bedrijf als één familie. En tegenover concurrenten vormen we één front.'

Het was dus niet de bedoeling dat ik meningsverschillen tussen de broers openbaar maakte. Ik had een paar belangrijke bedrijven geruïneerd met mijn bemoeizucht, maar ik moest weten dat By-Smart me hard zou aanpakken als ik iets tegen ze ondernam.

'Woont Billy in Zuid-Chicago?'

'Natuurlijk niet. Hij mag dan wel dwepen met die voorganger

van dat buurtkerkje, maar 's avonds komt hij gewoon naar zijn moeder thuis. Kijk uit met wat u tegen hem zegt, mevrouw... eh... want we houden u in de gaten.'

Ons moment van vertrouwelijkheid was blijkbaar voorbij. 'Warshawski. Ik geloof u onmiddellijk, want ik heb alle bewakingscamera's in het magazijn gezien. Ik zal op mijn woorden passen, voor het geval u er een in mijn auto hebt gemonteerd.'

Hij lachte geforceerd. Waren we dan toch nog vriendjes? Ik wachtte tot hij ter zake kwam en trok een neutraal gezicht om eruit te zien als een discreet toehoorder, en niet als de vrouw die de ondergang van Gustav Humboldt is geweest.

'Ik moet weten met wie die Engelse vrouw in Zuid-Chicago meerijdt. Het zou schadelijk voor ons kunnen zijn, vanuit het oogpunt van aansprakelijkheid bedoel ik, als ze gewond raakt.'

Ik schudde met een spijtig gezicht mijn hoofd. 'Ze heeft me niet verteld wie ze heeft leren kennen of hoe dat is gebeurd. Ze heeft veel vrienden en ze maakt makkelijk nieuwe, zoals u net hebt gezien bij uw vader. Het zou bijna iedereen kunnen zijn, misschien zelfs Patrick Grobian, want ze zorgt er graag voor dat ze de topman aan haar kant heeft.'

Dat ik Grobians naam noemde leek hem te hinderen, of in elk geval uit zijn evenwicht te brengen. Hij trommelde met zijn vingers op de deurpost. Blijkbaar wilde hij nog iets vragen, maar wist hij niet hoe hij het moest formuleren. Voordat hij dat had bedacht, vroeg Mildreds nerveuze assistente zijn aandacht: een van zijn bestuursleden had teruggebeld.

Hij liep naar Mildreds bureau om de telefoon te beantwoorden. Ik wandelde naar de foto van Buffalo Bill bij het vliegtuig. Als ik op mijn tenen ging staan en schuin naar beneden keek, kon ik onder de rand van de sierlijst de naam van een fotostudio en een adres in Wattisham lezen. Marcena was niet alleen een betere ondervrager, maar ook een slimmere speurder. Het was deprimerend.

William was nog aan het bellen toen Buffalo Bill met Marcena de vergaderkamer uit kwam, zijn hand rustend op haar middel. Hij fronste zijn wenkbrauwen toen hij zag dat ik er nog was, maar hij praatte tegen Marcena. 'Niet zonder die foto's van je vader komen, hoor, jongedame!'

'Absoluut niet. Hij zal het prachtig vinden dat ik u heb ontmoet.'

Terwijl ze een gecompliceerd afscheidsritueel uitvoerden, legde William zijn hand over het mondstuk en wenkte me. 'Zoek uit met wie die meid meerijdt, oké, en bel me.'

'In ruil voor financiering van mijn project?' vroeg ik opgewekt.

Hij verstijfde. 'In ruil voor het openhouden van die mogelijkheid, in elk geval.'

Ik keek bedroefd. 'Dat is geen aanbod waarvoor ik me buitensporig ga inspannen, meneer William.'

De Bysens waren er niet aan gewend zo te worden toegesproken door arme sloebers. 'En met die houding hoeft u zeker geen inspanning van mij te verwachten, jonge...'

'Warshawski is de naam. Zo kunt u me noemen.'

Marcena was klaar met Buffalo Bill. Ik keerde de jonge meneer William mijn rug toe en liep met haar de gang in. Toen we uit het zicht van het kantoor waren, liet ze haar schouders hangen en verdween haar opgewekte grijns.

'Ik ben afgepeigerd!' zei ze.

'Geen wonder, je hebt een volledige dagtaak verzet in het afgelopen uur, met Pete en Buffalo Bill. Ik ben zelf ook bekaf. Bestaat er echt een Julian Love die in de oorlog met Hurricanes heeft gevlogen?'

Ze glimlachte schalks. 'Niet echt. Maar mijn vaders mentor van Cambridge vloog wel, en toen ik daar studeerde, dronk ik eenof tweemaal per semester thee met hem. Ik heb alle verhalen gehoord, dus ik denk dat ik me er wel doorheen kan bluffen.'

'Hij vloog zeker ook niet vanuit Wattisham?'

'Het was Nacton, maar Buffalo Bill zal zich na al die jaren echt niet meer herinneren hoe al die vliegvelden er precies uitzagen. Ik bedoel, hij denkt dat ik oud genoeg ben om een vader te hebben die vlieger was in de oorlog!'

'En de foto's van je vader zullen zoekraken in de post, neem ik aan. Wat droevig is, want ze zijn van vóór de digitale fotografie en kunnen dus niet worden bijgemaakt.'

Ze stootte zo'n luide lach uit dat enkele mensen ons aanstaarden. 'Zoiets, Vic, zoiets, gnn, gnn.'

13 Opeens ben je nodig

De donderdag begon vroeg, met een telefoontje van mijn antwoordservice. Ik genoot van een ochtend alleen met Morrell; sinds ik Marcena de vorige dag na de gebedsdienst had afgezet, had ik haar niet meer gezien. Ik was opgestaan om Morrells luxe espressoapparaat aan te zetten. Ik draaide pirouettes in de gang, blij om naakt te kunnen rondlopen, toen ik de beltoon hoorde van mijn mobieltje, dat in mijn aktetas zat.

Ik weet niet waarom ik het niet gewoon liet overgaan; de bekende pavlovreactie op een bel, vermoed ik. Christie Weddington, de telefoniste van mijn antwoordservice die me het langste kent, vond dat ze reden had streng te zijn.

'Het is iemand van de familie Bysen, Vic. Hij heeft al driemaal gebeld.'

Ik hield op met dansen. 'Het is twee minuten voor acht, Christie. Wie van de hoge heren is het?'

Het was William Bysen, die ik in gedachten 'mama Beer' noemde, klem tussen Buffalo Bill en Billy the Kid. Ik had de pest in dat ik zo vroeg werd gestoord, maar ik hoopte dat het goed nieuws zou zijn: mevrouw Warshawski, uw onverschrokkenheid en uw briljante voorstel hebben ons ertoe bewogen een van onze miljarden in veertigduizend kleine stukjes te scheuren voor de Bertha Palmer-school.

Christie gaf me het nummer van Williams kantoor. Zijn secretaresse was uiteraard al op haar post: als het kanon vroeg gaat vuren, moeten de onderknuppels klaarstaan om het te laden.

'Spreek ik met mevrouw Warshawski? Ja? Laat u mensen altijd zo lang wachten voordat u terugbelt?'

Dat klonk niet echt als de opmaat naar een heuglijke tijding. 'Eerlijk gezegd heb ik het meestal te druk om zo snel terug te bellen, meneer Bysen. Wat is er aan de hand?'

'Mijn zoon is gisteravond niet thuisgekomen.'

Schokkend, voor een jongen van negentien. Maar ik zei op neutrale toon: 'O' en wachtte af.

'Ik wil weten waar hij is.'

'Wilt u me inhuren om hem te zoeken? Zo ja, dan fax ik u een contract ter ondertekening en ga ik u daarna een rits vragen stellen. Dat moet telefonisch, want ik heb vandaag en morgen een volle agenda.'

Overdonderd sputterde hij tegen, en toen vroeg hij waar Billy was.

Ik kreeg het koud, in mijn blootje in de woonkamer. Ik pakte de wollen sprei van Morrells bank en sloeg die om mijn schouders. 'Ik weet het niet, meneer Bysen. Als dat alles is... Ik ben in vergadering.'

'Is hij bij die voorganger?'

'Meneer Bysen, als u wilt dat ik naar hem op zoek ga, fax ik u een contract en bel ik u later met een lijst vragen. Als u wilt weten of hij bij pastor Andrés is, raad ik u aan de pastor te bellen.'

Hij kuchte, schraapte aarzelend zijn keel en vroeg uiteindelijk wat mijn tarief was.

'Honderdvijfentwintig per uur, met een minimum van vier uur, plus onkosten.'

'Als u zaken wilt doen met By-Smart, moet u dat tarief maar eens heroverwegen.'

'Praat ik tegen een ingesproken bandje? Wil de bezorgde vader onderhandelen over mijn honorarium?' Ik barstte in lachen uit en bedacht toen plotseling dat hij misschien op geraffineerde wijze een voorstel deed. 'Bedoelt u dat By-Smart mijn basketbalproject financiert als ik voor een lager tarief eens rondvraag over uw zoon?'

'Het is mogelijk dat we uw voorstel in overweging nemen als u Billy kunt vinden.'

'Dat is niet genoeg, meneer Bysen. Geef me uw faxnummer, dan stuur ik u een contract. Als ik dat ondertekend terugkrijg, praten we verder.'

Hij wist niet zeker of hij dat wel wilde. Ik hing op en liep de keuken in om het espressoapparaat aan te zetten. Mijn mobieltje ging toen ik terugliep door de gang: mijn antwoordservice met het faxnummer van Bysen. Kijk eens aan. Ik maakte een tussenstop in het slaapkamertje dat Morrell als werkkamer gebruikt en verzond een contract. Deze keer zette ik mijn telefoon uit voordat ik terugging naar bed.

'Wie was dat, zo vroeg? Je hebt een hele tijd met hem gepraat. Moet ik me zorgen maken?' vroeg Morrell, terwijl hij me naast zich naar beneden trok.

'Jazeker. Ik heb zijn vader en zijn zoon al ontmoet. Jouw familie heb ik nog nooit gezien, en we kennen elkaar nu al bijna drie jaar.'

Hij beet in mijn oorlelletje. 'O ja, mijn zoon, een kleinigheidje dat ik je nog moest vertellen. Trouwens, je maakt toch kennis met mijn vrienden? Heb je zijn vrienden al ontmoet?'

'Ik geloof niet dat hij die heeft, niet zulke interessante als Marcena, in elk geval.'

Toen ik even voor tienen eindelijk op kantoor kwam, lag er een fax van William op me te wachten. Hij had het contract getekend, maar hij had een paar bepalingen doorgehaald, waaronder die over het minimum van vier uur en de onkostenvergoeding.

Fluitend tussen mijn tanden stuurde ik hem een e-mail: ik betreur het geen zaken met u te kunnen doen, maar ben ten volle bereid in de toekomst met u te spreken over uw behoefte aan een privédetective. Niet dat ik nooit over mijn tarief onderhandel, maar niet met een bedrijf met een omzet van tweehonderd miljard dollar per jaar.

Omdat ik toch online was, keek ik wat de aandelenkoers van By-Smart deed. Die was in de loop van de vorige dag tien punten gekelderd en die ochtend was hij nog een punt gezakt. De vraag of By-Smart de deuren open zou zetten voor de vakbonden had CNN's banner met het laatste nieuws op mijn homepage gehaald. Geen wonder dat ze in Rolling Meadows tandenknarsten over Billy.

Om elf uur was mama Beer tot het besluit gekomen dat hij mijn voorwaarden zou accepteren. Toen wilde hij dat ik alles uit mijn handen zou laten vallen om me naar Rolling Meadows te spoeden. By-Smart was zo gewend aan een stoet van leveranciers die alles, inclusief hun eerstgeborenen, wilden geven voor de kans zaken te doen met de kolos, dat de jonge meneer William echt niet kon begrijpen dat er iemand bestond die misschien niet naar zijn pijpen wilde dansen. Uiteindelijk, na een tijdverslindende woordenwisseling en nadat ik één keer had opgehangen en er nog twee keer mee had gedreigd, beantwoordde hij mijn vragen.

Ze hadden Billy niet meer gezien sinds hij gisteren na de gebedsbijeenkomst was vertrokken. Volgens Grobian was Billy naar het magazijn gekomen, had acht uur gewerkt en was verdwenen. Meestal kwam hij op zijn laatst om zeven uur thuis in het Bysencomplex in Barrington Hills, maar gisteravond was hij niet verschenen, had zijn mobieltje niet opgenomen en had zijn moeder niet gebeld. Toen ze om zes uur opstonden, ontdekten ze dat hij niet was thuisgekomen. Toen had mama Beer me voor het eerst gebeld. Goddank had ik mijn telefoon in de woonkamer achtergelaten.

'Hij is negentien, meneer Bysen. De meeste jongeren van die leeftijd zitten op de universiteit, als ze niet al werken, en zelfs als ze thuis wonen hebben ze hun eigen leven, hun eigen vrienden. Hun eigen vriendinnetjes.'

'Zo'n soort jongen is Billy niet,' zei zijn vader. 'Hij zit in True Love Waits en zijn moeder heeft hem haar eigen Bijbel en verlovingsring gegeven om zijn geloften mee te bezegelen. Hij zou nooit met een meisje uitgaan als hij niet van plan was met haar te trouwen.'

Ik hield de opmerking voor me dat er bij tieners die kuisheidsgeloften afleggen net zoveel seksueel overdraagbare ziektes voorkomen als bij degenen die dat niet doen. In plaats daarvan vroeg ik of Billy al eens eerder de nacht elders had doorgebracht.

'Natuurlijk, als hij op kamp ging of logeerde bij zijn tante in Californië of...'

'Nee, meneer Bysen, ik bedoel op deze manier, zonder het u te vertellen. Of zijn moeder.'

'Nee, natuurlijk niet. Billy is heel betrouwbaar. Maar we zijn bang dat hij te veel onder invloed staat van die Mexicaanse voorganger die hier gisteren is geweest, en omdat u veel tijd in Zuid-

Chicago doorbrengt, vonden we dat u de aangewezen persoon was om inlichtingen voor ons in te winnen.'

'We,' herhaalde ik. 'Bedoelt u daarmee uw vrouw en u? Uw broers en u? Uw vader en u?'

'Ik... U stelt te veel vragen. Ik wil dat u naar hem op zoek gaat.'

'Ik zal wel met uw vrouw moeten praten,' zei ik, 'dus ik heb haar telefoonnummer nodig, thuis, op haar werk of mobiel, dat maakt me niet uit.'

Opnieuw sputterde hij tegen; ik werkte voor hem, zijn vrouw maakte zich al genoeg zorgen.

'U hebt toch de verkeerde te pakken, u hebt een smeris nodig die jullie in je zak hebben,' sneerde ik. 'Daar lopen er in de stad en de voorsteden bij elkaar vast wel vijftig à zestig van rond. Ik zal het contract verscheuren en per koerier naar u toe sturen.'

Hij gaf me het telefoonnummer bij hem thuis en droeg me op om twaalf uur verslag uit te brengen.

'Ik heb ook nog andere cliënten, meneer Bysen, die al veel langer op hulp wachten dan u. Als u denkt dat het leven van uw zoon direct gevaar loopt, moet u de FBI of de politie bellen. Anders breng ik verslag uit als ik iets weet.' Ik heb er echt een bloedhekel aan om voor de machtigen te werken. Ze denken dat ze de baas over de hele wereld kunnen spelen, zoals we vroeger in Zuid-Chicago zeiden, en daarmee ook over jou.

Terwijl ik met Bysen belde, had Morrell een cappuccino en een pitabroodje met hummus en olijven voor me gemaakt. Ik at het op aan zijn bureau terwijl ik met Bysens vrouw praatte. Met een zacht, bijna kleinemeisjesstemmetje vertelde Annie Lisa Bysen me niets: o, ja, Billy had vrienden, ze zaten allemaal samen in de jongerengroep van de kerk en soms gingen ze samen kamperen, maar nooit zonder dat hij haar dat vertelde. Nee, hij had geen vriendinnetje. Ze herhaalde dat hij bij True Love Waits zat en vertelde hoe trots ze op Billy waren, na hun ervaringen met hun dochter. Nee, ze wist niet waarom hij niet was thuisgekomen, hij had niet met haar gepraat, maar 'mijn man' wist zeker dat hij bij die pastor in Zuid-Chicago was. Ze hadden hun eigen voorganger, meneer Larchmont, gevraagd de kerk in de South Side te bellen, maar hij had nog niemand kunnen bereiken.

'Het was waarschijnlijk toch geen goed idee, dat uitwisselings-programma met de kerken in de binnenstad. Er zijn daar te veel slechte kinderen die Billy kunnen beïnvloeden. Hij is zo ontvankelijk, zo idealistisch, maar papa Bysen wilde dat Billy in het magazijn ging werken. Daar is hij zijn bedrijf begonnen, en alle mannen van de familie moeten daar een tijdje meedraaien. Ik heb tegen William gezegd dat we Billy gewoon naar de universiteit moesten laten gaan, zoals hij wilde, maar je kunt net zo goed tegen de Niagara Falls praten als proberen papa Bysen op andere gedachten te brengen. William heeft dus geen enkele poging gedaan en Billy er gewoon heen gestuurd, en sinds die tijd was het pastor Andrés voor en na, alsof Billy uit de Bijbel zelf citeerde.'

'En uw dochter, Billy's zus... Weet zij waar hij is?'

Een lange stilte aan de andere kant. 'Candace... Candace is in Korea. En zelfs als ze niet zo moeilijk te bereiken was, zou Billy geen contact met haar hebben; hij weet hoezeer zijn vader... hoezeer wij daar op tegen zijn.'

Ik wilde dat ik tijd had om naar South Barrington te rijden, naar de Bysen-enclave. Je kunt uit lichaamstaal zo veel opmaken wat je door de telefoon niet te weten komt. Geloofde ze echt dat haar zoon zijn zus zou mijden omdat zijn ouders dat wilden, en dat terwijl hij was weggelopen? Deed Annie Lisa alles wat papa Bysen zei? Of bood ze lijdelijk verzet?

Ik probeerde het e-mailadres van Candace los te krijgen, of een telefoonnummer, maar Annie Lisa weigerde zelfs maar op die vraag te reageren. 'En uw schoonzus, Jacqui Bysen. Heeft Billy haar gisteren in het magazijn nog gesproken?'

'Jacqui?' Annie Lisa herhaalde de naam aarzelend, alsof het een woord uit een vreemde taal was, Albanees misschien, dat ze nooit eerder had gehoord. 'Het is eerlijk gezegd niet bij me opgekomen haar dat te vragen.'

'Dat doe ik dan wel, mevrouw Bysen.' Ik noteerde de namen van de twee jongens van wie ze dacht dat ze zijn beste vrienden waren, maar ik vermoedde dat de Bysens gelijk hadden: papa en mama Beer hadden iemand beledigd tegen wie Billy opkeek, en baby Beer was waarschijnlijk naar hem gevlucht om zich te verschuilen. En als dat niet zo was, kon ik aan het vervelende karweitje beginnen Candace Bysen op te sporen. Ik zou ook de ziekenhuizen in de omgeving bellen, want je weet nooit; ook de kinderen van Amerika's rijksten kunnen een ongeluk krijgen. Ik maakte hier allemaal aantekeningen van, want ik had tot mijn schade ondervonden dat ik al die details niet kan onthouden.

Ik moest voor een paar belangrijke cliënten in de Loop zijn, maar daar was ik voor enen klaar en ik reed vroeg naar de South Side. Ik ging eerst langs het magazijn om met Patrick Grobian te praten. Tante Jacqui en hij waren druk in gesprek over linnengoed; geen van tweeën had Billy vandaag gezien.

'Als hij geen Bysen was, zou hij op straat staan, geloof mij maar,' zei Grobian kortaf. 'Niemand die een baan bij By-Smart wil, kan komen en gaan wanneer het hem belieft.'

Tante Jacqui rekte zich uit als een kat en had dezelfde schalkse trek rond haar mond die ik de dag ervoor had gezien, tijdens de opschudding op de gebedsbijeenkomst. 'Billy is een heilige. Je zult hem waarschijnlijk ergens in een grot vinden, waar hij honing en sprinkhanen zit te eten. Misschien zelfs wel onder de dozen in de kelder, want hij is altijd tegen Pat en mij aan het preken over de werkomstandigheden hier.'

'Waarom?' Ik zette grote ogen op, de onschuld zelve. 'Is er dan iets mis met de werkomstandigheden hier?'

'Het is een magazijn,' zei Grobian, 'geen klooster. Billy kent het verschil niet. De werkomstandigheden zijn in overeenstemming met alle Arbowetten die ooit hebben bestaan.'

Daar ging ik maar niet op in. 'Zou hij naar zijn zus gaan, denkt u?'

'Naar Candace?' Jacqui trok haar zorgvuldig geëpileerde wenkbrauwen op tot haar haargrens. 'Niemand zou naar Candace gaan, behalve voor een wip of een trip.'

Ik vertrok terwijl Grobian en zij samenzweerderig lachten om die gevatheid. Ik moest om drie uur op school zijn voor de basketbaltraining, precies het tijdstip waarop Rose uit haar werk kwam. Ik kon de meisjes niet laten wachten, dus dat betekende dat ik terug moest naar de fabriek als ik Rose wilde spreken.

14 En opeens ben je het zat

Halverwege de middag zag het fabrieksterrein er anders uit dan om zes uur 's ochtends. Er stonden een stuk of vijf auto's geparkeerd langs de met onkruid begroeide berm, op de oprit stond een bestelwagen die me gedeeltelijk de weg versperde en er liepen een paar mannen met rollen stof te sjouwen, intussen in het Spaans tegen elkaar schreeuwend. Ik zette de Mustang tussen het onkruid, naast een vrij nieuwe Saturn.

De voordeuren van de fabriek stonden open, maar ik liep naar het laadplatform, waar een tweede bestelwagen met lopende motor tegenaan stond. Ik liep erlangs en hees mezelf op het platform, in de hoop zowel de voorman als Zamar te ontlopen. Ik grijnsde en wuifde snel naar de mannen, die waren blijven staan en me aanstaarden. Ze hadden een vorkheftruck bij de achterkant van de bestelwagen gezet en laadden dozen in, die ze haastig met een zeil afdekten toen ze me zagen kijken. Ik tuitte mijn lippen en vroeg me af wat ze te verbergen hadden. Misschien waren ze wel met smokkelwaar bezig, misschien was dat wat er achter de pogingen tot sabotage zat. Ze staarden me zo vijandig aan dat ik maar doorliep, de fabriek in.

Aan één kant van de ruimte was een groep vrouwen vlaggen aan het opvouwen en verpakken in kisten. Toevallig stond Larry Ballatra, de voorman, recht voor me. Hij brulde bevelen naar de vrouwen. Ik passeerde hem zonder te blijven staan en liep recht naar de ijzeren trap. Hij wierp een blik op me maar leek me niet echt te zien, en ik rende naar de werkvloer.

Rose zat op haar plek en werkte deze keer aan een bijzonder grote Amerikaanse vlag, zoals de vlag die in de werkplaats aan de muur hing. De zachte stof viel van haar machine in een houten kist, want de Amerikaanse vlag mag de grond niet raken. Ik ging op mijn hurken naast haar zitten, zodat ze mijn gezicht kon zien.

Haar mond viel open en ze verbleekte. 'Wat doe jij hier?'

'Ik maak me zorgen, Rose. Over jou en over Josie. Ze zei dat je er een baan bij hebt moeten nemen en dat zij voor de jongens en de baby moet zorgen.'

'Iemand moet thuis helpen. Denk je dat Julia dat kan? Ze verdomt het gewoon.'

'Je zei dat je wilt dat Josie gaat studeren. De verantwoordelijkheid is te groot voor haar, als vijftienjarige, en bovendien is het voor haar moeilijker om haar huiswerk te doen.'

Ze klemde haar lippen boos op elkaar. 'Je bedoelt het vast goed, maar je weet niks over het leven hier. En vertel nou niet weer dat je hier opgegroeid bent, want je weet helemaal niks, punt uit.'

'Misschien niet, Rose, maar ik weet wel wat ervoor nodig is om hiervandaan naar de universiteit te gaan. Als jij niet bij Josie kunt zijn om ervoor te zorgen dat ze haar huiswerk maakt, wat zal ze dan gaan doen? Als de verantwoordelijkheid haar te veel wordt, gaat ze misschien op straat rondhangen en komt ze straks thuis met weer een baby waar jij voor moet zorgen. Welke baan is daar belangrijk genoeg voor?'

Woede en angst streden om voorrang op haar gezicht. 'Denk je dat ik dat niet weet? Denk je dat ik geen moederhart heb? Ik moet die andere baan wel nemen. Ik kan niet anders. En als meneer Zamar je hier ziet, zal hij me zeker ontslaan en dan heb ik niks meer voor mijn kinderen, dus ga nou maar voordat je mijn hele leven verwoest.'

'Rose, wat is er ineens veranderd? Maandag had je me nodig om de saboteurs te vinden en vandaag ben je bang voor me.'

Ze trok een gekweld gezicht, maar haar handen bleven gestaag stof door de machine voeren. 'Ga weg! Anders roep ik om hulp.'

Ik kon niet anders dan vertrekken. Toen ik weer in mijn auto zat, reed ik niet meteen weg. Wat was er in drie dagen veranderd? Dat ik haar had beledigd zou nooit zo'n getourmenteerde uitbarsting hebben veroorzaakt. Er moest iets anders zijn, een dreigement dat Zamar of de voorman tegen haar had geuit.

Waar dwongen ze haar toe? Ik kon me er niets bij voorstellen, althans, ik kon me wel lugubere dingen voorstellen, maar geen waarschijnlijke; gedwongen prostitutie en dat soort ellende. Maar wat voor macht hadden ze over Rose Dorrado? Het feit dat ze haar baan nodig had, vermoedelijk. Misschien was er een verband met de dozen die in de bestelwagen werden geladen, maar die was weggereden terwijl ik in de fabriek was en ik zou niet weten hoe ik hem zou moeten opsporen.

Uiteindelijk startte ik de auto en reed langzaam door de straat naar de Mount Ararat Church of Holiness op de hoek van 91st Street en Houston Avenue, maar één straat ten zuiden van waar ik was opgegroeid. Ik reed door 91st Street naar de kerk, want ik wilde de vernielde boom in mijn moeders voortuin niet nog eens zien.

In een buurt waar twintig mensen met Bijbels en een lege winkelruimte een kerk vormen, had ik niet geweten wat ik moest verwachten, maar Mount Ararat was zo groot dat er een echt kerkgebouw was, met een torenspits en een paar glas-in-loodramen. De kerk zat op slot, maar op een bordje op de deur stond een weekprogramma (woensdag oefende het koor, donderdagavond was er Bijbelstudie, vrijdag bijeenkomsten van de AA en zondag de zondagsschool en de kerkdienst) en waren de telefoonnummers van pastor Robert Andrés vermeld.

Het eerste nummer bleek van zijn huis te zijn, waar ik een antwoordapparaat aan de lijn kreeg. Het tweede nummer was tot mijn verrassing van een aannemer. Ik vroeg enigszins aarzelend naar Andrés en kreeg te horen dat hij op karwei was.

'Heeft hij een begrafenis?'

'Een bouwklus. Hij werkt drie dagen per week voor ons. Als u hem wilt spreken, kan ik de voorman uw telefoonnummer geven.'

De vrouw wilde me niet doorverbinden met de bouwplaats, dus gaf ik haar mijn mobiele nummer. Een paar minuten later belde Andrés terug. Bouwgeluiden aan zijn kant van de lijn maakten het gesprek moeizaam. Het duurde een tijdje voordat hij begreep wie ik was en wat ik wilde, maar 'Billy the Kid', 'Josie Dorrado' en 'meisjesbasketbal' leken door te dringen, en hij gaf me het adres waar hij werkte, op de hoek van 89th Street en Buffalo Avenue.

Midden op een lang, leeg perceel werden vier rijtjeshuizen gebouwd. De kleine dozen die oprezen uit het puin van de buurt, straalden een fier optimisme uit, lichtpuntjes van hoop tegen een overwegend grauwe achtergrond.

Eén huis leek bijna af te zijn. Het houtwerk werd geschilderd en er waren een paar mannen op het dak bezig. Ik pakte een veiligheidshelm uit mijn kofferbak – die heb ik altijd bij me, omdat ik zo vaak op bedrijfsterreinen kom – en liep naar de schilder. Hij keek niet op van zijn werk tot ik naar hem riep. Toen ik naar Robert Andrés vroeg, wees hij met zijn kwast naar het volgende huis en werkte verder zonder een woord te zeggen.

Bij het tweede huis was niemand te zien, maar ik hoorde vanbinnen het geluid van een cirkelzaag en hard geschreeuw komen. Ik zocht voorzichtig mijn weg om roestige leidingen en stukken beton heen, de verbrokkelde resten van wat hier ooit had gestaan, en stapte over de dorpel door het open gat waar de voordeur zou komen.

Voor me rees een trap op, de stootborden nog maar pas gezaagd, de spijkerkoppen nieuw en glanzend. Ik hoorde onregelmatig gehamer uit de kamer verderop, maar ik ging op het geluid van het geschreeuw af, dat van boven kwam. Overal om me heen zag ik open dwarsbalken, het skelet van het huis. Boven stonden drie mannen op het punt een grote wandplaat op zijn plaats te tillen. Ze bukten zich en telden gelijktijdig af in het Spaans. Bij *cero* tilden ze de wandplaat op en liepen ermee naar zijn plek. Het was zwaar werk; zelfs bij deze sterke mannen zag ik de nekspieren trillen. Zodra de plaat op zijn plek zat, sprongen er twee andere mannen toe om hem aan weerszijden vast te spijkeren. Pas toen stapte ik naar voren en vroeg naar pastor Andrés.

'Roberto,' brulde een van de mannen, 'er is hier een dame die naar je vraagt.'

Andrés stapte door een opening waar later ook een wand zou komen. Ik zou hem niet herkend hebben met zijn veiligheidshelm en gereedschapsgordel, maar blijkbaar herinnerde hij zich mij van dinsdag, toen we elkaar tegen het lijf waren gelopen voor Fly the Flag. Toen hij me zag, draaide hij zich onmiddellijk om en liep terug de andere kamer in. Eerst dacht ik dat hij voor me wegliep, maar blijkbaar was hij alleen tegen de voorman gaan zeggen dat hij even pauze nam, want een minuut later was hij terug zonder de gordel en gebaarde hij me de trap af te gaan.

Op Buffalo Avenue was het tamelijk stil, zo midden op de middag. Een vrouw met een stel peuters, die een winkelwagentje vol wasgoed duwde, kwam onze kant op, en op de hoek in de verte hadden twee mannen een verhitte woordenwisseling. Ze wankelden zo vervaarlijk dat ik niet verwachtte dat ze elkaar zouden raken als ze op de vuist gingen. Voor de echte actie moet je na zonsondergang naar Zuid-Chicago komen.

'U bent de detective, geloof ik, maar ik ben uw naam vergeten.' Als je hem alleen sprak, had Andrés een zachte stem en was zijn accent nauwelijks hoorbaar.

'V.I. Warshawski. Doet u aan hulpverlening op bouwplaatsen in de buurt, pastor?'

Hij haalde zijn schouders op. 'Zo'n kleine kerk als de mijne kan een voorganger geen volledig salaris betalen, dus heb ik een bijbaantje als elektricien om de eindjes aan elkaar te knopen. Jezus was timmerman en ik ben blij dat ik in Zijn voetsporen mag treden.'

'Ik was gisteren bij By-Smart en heb de dienst bijgewoond. Uw preek heeft de toehoorders in elk geval een schok bezorgd. Wilde u Billy's grootvader een lesje leren over vakbonden?'

Andrés glimlachte. 'Als ik over vakbonden ga preken, krijg ik straks te horen dat ik acties heb georganiseerd op bouwplaatsen als deze. Maar ik weet dat de oude man dat denkt en dat die arme Billy, die alleen maar het beste met iedereen voorheeft, ruzie met zijn familie heeft gehad door wat ik heb gezegd. Ik heb geprobeerd de grootvader te bellen, maar hij wil me niet spreken.'

'Waar ging uw preek dan over?' vroeg ik.

Hij spreidde zijn handen. 'Alleen over wat ik zei: dat alle mensen met respect behandeld willen worden. Ik dacht dat dat een veilige en eenvoudige boodschap was voor dit soort mannen, maar dat is kennelijk niet zo. Deze buurt lijdt, zuster Warshawski, ze is als het dal vol dorre beenderen. We hebben de Heilige Geest nodig om op ons neer te dalen, vlees op ons te doen komen en geest in ons te brengen, maar de mensenkinderen moeten hun aandeel leveren.'

Hij sprak de woorden op normale conversatietoon. Dit was

geen gebed, preek of publieke vertoning, maar een weergave van de feiten zoals hij ze zag.

'Daar ben ik het mee eens. Maar wat moeten de mensenkinderen concreet doen?'

Hij tuitte nadenkend zijn lippen. 'Mensen die werk nodig hebben een baan geven. Arbeiders met respect behandelen. Ze een salaris betalen waarvan ze kunnen leven. Het is eigenlijk heel eenvoudig. Bent u daarom vandaag gekomen? Omdat Billy's vader en grootvader op zoek zijn naar een verborgen betekenis? Ik ben niet ontwikkeld genoeg om in codes of raadselen te spreken.'

'Billy was gisterochtend erg geschokt door de manier waarop zijn vader en grootvader op u reageerden. Hij is gisteravond niet thuisgekomen. Zijn vader wilde weten of Billy bij u logeert.'

'Dus u werkt nu voor de familie, voor de familie Bysen?'

Ik wilde het automatisch gaan ontkennen en besefte toen dat ik natuurlijk inderdaad voor ze werkte. Waarom zou ik me daarvoor schamen? Als het zo doorging, zou binnen tien jaar het hele land voor By-Smart werken.

'Ik heb tegen Billy's vader gezegd dat ik zou proberen hem hier te vinden, ja.'

Andrés schudde zijn hoofd. 'Als Billy op dit moment niet met zijn vader wil praten, is dat zijn goed recht, vind ik. Hij probeert volwassen te worden en zichzelf te zien als een man, niet als een jongen. Zijn ouders zullen er niets van krijgen als hij een paar nachten van huis wegblijft.'

'Logeert hij bij u?' vroeg ik hem op de man af.

Toen Andrés zich omdraaide alsof hij weer het huis in wilde lopen, vervolgde ik snel: 'Ik zal het de familie niet vertellen als hij echt niet wil dat ze het weten, maar dat zou ik wel graag eerst uit zijn eigen mond willen horen. Bovendien denken ze dat hij naar u is gegaan. Of ik hun nou vertel dat ik hem niet kan vinden of dat hij veilig is maar met rust gelaten wil worden, ze hebben de middelen om u het leven zuur te maken.'

Hij keek me over zijn schouder aan. 'Jezus vond dat geen reden om op zijn schreden terug te keren toen Hij op weg was naar het kruis, en ik heb lang geleden de gelofte afgelegd in Zijn voetsporen te treden.'

'Dat is heel mooi, maar als ze de politie van Chicago, de FBI of een particuliere beveiligingsfirma op u af sturen om uw deur open te breken, is dat dan in het belang van Billy of van de leden van uw kerk, die op u rekenen?'

Nu draaide hij zich met een zweem van een glimlach helemaal naar me om. 'Zuster Warshawski, u kunt goed discussiëren, u hebt een punt. Misschien weet ik waar Billy is maar misschien ook niet, en als ik het weet, kan ik het niet vertellen aan iemand die voor zijn vader werkt, omdat mijn verplichting bij Billy ligt. Maar als de FBI om vijf uur mijn deur openbreekt, zullen ze alleen mijn kat Lazarus vinden.'

'Ik heb nog van alles te doen tussen nu en vijf uur, dus ik zal er zeker niet toe komen de familie voor die tijd te bellen.'

Hij knikte beleefd en liep weer naar het huis. Ik liep met hem mee. 'Kunt u me voor u weer naar binnen gaat nog iets vertellen over Fly the Flag? Heeft Frank Zamar u uitgelegd waarom hij de politie niet wilde bellen over de sabotage in zijn fabriek?'

Andrés schudde opnieuw zijn hoofd. 'Het zou goed zijn als u zich bezighield met de meisjes en hun basketbal, in plaats van met al die andere zaken.'

Dat was een venijnige klap in mijn gezicht. 'Al die andere zaken hebben rechtstreeks met de meisjes en hun basketbal te maken, pastor. Rose Dorrado is lid van uw kerk, dus u weet vast wel hoe bang ze is haar baan kwijt te raken. Haar dochter Josie zit in mijn team, en zij heeft me mee naar huis genomen om met haar moeder te praten, die me vroeg de sabotage te onderzoeken. Het is een heel simpel verhaal, pastor.'

'Zuid-Chicago is vol simpele verhalen, vindt u niet, die allemaal in armoede beginnen en in de dood eindigen.' Nu klonk hij pretentieus, niet poëtisch of natuurlijk. Ik negeerde de opmerking. 'En nu is er nog iets gebeurd. Rose heeft er een tweede baan bijgenomen, waardoor ze 's avonds niet bij haar kinderen kan zijn. Niet alleen hebben haar kinderen haar nodig, maar ik heb het gevoel dat ze onder druk is gezet om dat baantje te nemen, wat het ook is. U bent haar pastor, kunt u er niet achter komen wat het probleem is?'

'Ik kan niemand dwingen me tegen haar zin in vertrouwen te nemen. En ze heeft twee dochters die oud genoeg zijn om op het huis te passen. Ik weet dat meisjes van vijftien en zestien in de ideale wereld waarin u leeft het toezicht van hun moeder nodig hebben, maar hier worden meisjes van die leeftijd als volwassenen beschouwd.'

Ik begon het spuugzat te worden dat iedereen deed alsof Zuid-Chicago een andere planeet was, waar ik onmogelijk iets van kon begrijpen. 'Meisjes van vijftien zouden nog geen moeder moeten worden, of ze nou in Zuid-Chicago of in Barrington Hills wonen. Weet u dat met elk kind dat een tienermoeder krijgt, het bedrag dat ze in haar hele leven zal verdienen gehalveerd wordt? Julia heeft al een kind. Ik denk niet dat zij, Rose of Josie zelf er beter van zal worden als Josie op straat gaat rondhangen en er ook een krijgt.'

'Die meisjes moeten hun vertrouwen in Jezus stellen en een rein leven leiden voor hun toekomstige echtgenoten.'

'Het zou prachtig zijn als ze dat deden, maar dat doen ze niet. En aangezien u dat net zo goed weet als ik, zou het fantastisch zijn als u ze niet langer vertelde dat ze geen voorbehoedsmiddelen mogen gebruiken.'

Zijn mond verstrakte. 'Kinderen zijn een geschenk van de Heer. U bedoelt het misschien goed, maar uw ideeën komen voort uit een verkeerde denkwijze. U bent een vrouw en ongetrouwd, dus u weet niets van deze zaken. Concentreert u zich er nou maar op de meisjes basketbal te leren en breng hun ziel geen schade toe. Ik denk dat het beter is...'

Hij onderbrak zichzelf om over mijn schouder naar iemand anders te kijken. Ik draaide me om en zag een jongeman over 91st Street in onze richting kuieren. Ik herkende zijn stuurse mooiejongensgezicht niet, maar er was iets aan hem wat me vaag bekend voorkwam. Het was duidelijk dat Andrés hem kende: de pastor riep iets in het Spaans, zo snel dat ik het niet kon volgen, maar ik hoorde wel dat hij vroeg 'waarom' en hem zei dat hij hier niet mocht komen, dat hij weg moest gaan. De jongen keek Andrés nors aan, maar haalde uiteindelijk zijn schouders op en slenterde terug in de richting waaruit hij gekomen was.

'*Chavo banda!*' mompelde Andrés.

Dat verstond ik uit de tijd dat ik bij een advocaat had gewerkt.

138

'Is hij een boef? Ik heb hem wel eens gezien, maar ik kan me niet herinneren waar. Hoe heet hij?'

'Zijn naam doet er niet toe, want dat is ook alles wat hij is, een kleine boef, een stuk tuig dat je hier en daar ziet, dat van bouwplaatsen steelt of klusjes opknapt voor groter tuig. Ik wil hem niet op deze bouwplaats hebben. En nu moet ik weer aan het werk.'

'Vraag Billy me te bellen,' riep ik tegen zijn rug. 'Voor het einde van de dag, zodat ik zijn boodschap kan doorgeven aan zijn ouders.' Hoewel ik het op dat moment eerlijk gezegd niet erg had gevonden als de politie de deur van die verdomde voorganger zou openbreken.

Hij stak in een wuivend gebaar een hand naar me op – instemmend, wegwuivend, ik wist het niet, want hij liep meteen door het huis in, een effectieve manier om me af te poeieren. Hij wist veel, pastor Andrés, over Billy, over de chavos banda van de buurt, over Fly the Flag, maar vooral over goed en kwaad. Het was beter voor me als ik me met mijn eigen zaken bemoeide, had hij gezegd, en niet overal mijn neus in stak, wat volgens mij betekende dat hij wist waarom Frank Zamar de politie niet wilde betrekken bij de sabotage in de fabriek.

Ik liep terug naar mijn auto. Moest ik het bijltje erbij neergooien? Ja. Ik had de tijd noch de behoefte om er dieper op in te gaan. En als Andrés niet tegen me had gezegd dat een ongetrouwde vrouw niets van seks hoorde te weten en er niet over mocht praten, zou ik het hierbij hebben gelaten. Ik struikelde over een stuk beton en maakte een soort radslag om niet echt te vallen.

Ik wilde dat mijn Spaans beter was. Het heeft overeenkomsten met Italiaans, dus ik kan het volgen, maar ik spreek tegenwoordig niet vaak genoeg Italiaans om mijn kennis op peil te houden. Ik had het gevoel dat Andrés deze chavo banda beter kende dan iemand die hij af en toe in de buurt zag. Ik had het gevoel dat Andrés niet wilde dat ik hem met deze chavo zag. Volgende week zou ik proberen uit te zoeken wie die knul was.

Op de training van die middag lukte het me niet de aandacht van de meisjes bij het spel te houden. Vooral Josie was vreselijk onrustig. Ik nam aan dat alle huishoudelijke verantwoordelijkheden die haar moeder op haar schouders had geladen haar te veel werden, maar dat maakte het werken met haar er niet gemakkelijker op. Ik maakte twintig minuten eerder dan anders een eind aan de training en kon nauwelijks wachten tot ze de douches uit waren voordat ik zelf vertrok.

Billy the Kid belde me toen ik bij coach McFarlane wegging. Hij wilde me niet vertellen waar hij was; sterker nog, hij wilde eigenlijk nauwelijks met me praten.

'Ik dacht dat ik u kon vertrouwen, mevrouw War-sha-sky, maar dan gaat u opeens voor mijn vader werken en valt u ook nog eens pastor Andrés lastig. Ik ben volwassen, ik kan voor mezelf zorgen. U moet me beloven dat u niet meer naar me zult zoeken.'

'Zo'n veelomvattende belofte kan ik niet doen, Billy. Dat je niet wilt dat je vader weet waar je bent, lijkt me een redelijk verlangen, maar dan moet ik hem wel kunnen verzekeren dat je niet tegen je zin ergens wordt vastgehouden.'

Zijn ademhaling klonk zwaar. 'Ik ben niet ontvoerd of zoiets. Beloof het me.'

'Ik ben alle Bysens zo beu dat ik zo zoetjes aan bereid ben een advertentie in de *Herald-Star* te zetten waarin ik beloof nooit meer met iemand van de familie te praten over andere familieleden of over wat dan ook.'

'Moet dat een grapje voorstellen? Ik vind het niet erg grappig. Ik wil dat u mijn vader vertelt dat ik bij vrienden logeer, en als hij iemand anders stuurt om me te zoeken, ga ik aandeelhouders bellen.'

'Aandeelhouders bellen?' herhaalde ik wezenloos. 'Wat bedoel je daar nou mee?'

'Dat is mijn hele boodschap.'

'Voordat je ophangt, even een waarschuwing over je mobieltje: het zendt een gps-signaal uit. Een groter, rijker detectivebureau dan het mijne heeft ongetwijfeld apparatuur om je op te sporen. En dat geldt ook voor de FBI.'

Hij zweeg even. Op de achtergrond hoorde ik sirenes en een huilende baby: de geluiden van de South Side.

'Dank u voor de tip, mevrouw War-sha-sky,' zei hij uiteindelijk op behoedzame toon. 'Misschien heb ik u verkeerd beoordeeld.'

'Misschien,' zei ik. 'Wil je...' Maar hij hing op voordat ik hem kon vragen of hij wilde instemmen met een ontmoeting.

Ik parkeerde langs de stoep om Billy's boodschap door te geven aan zijn vader. Het was logisch dat meneer William niet blij was, maar zijn reactie nam de vorm aan van een ongeduldig gebulder. ('Is dat alles? Denk je dat ik je betaal om me zo'n onbeschaamde boodschap door te geven? Ik wil nú mijn zoon terug.') Toen ik hem echter meedeelde dat ik van de opdracht moest afzien, hield hij op met klagen over de boodschap en eiste dat ik weer aan het werk ging.

'Dat kan niet, meneer William, want ik heb Billy beloofd dat ik niet meer naar hem zou zoeken.'

'Wat heeft dat er nou mee te maken?' Hij was stomverbaasd. 'Dat was een goede truc. Nu zal hij je niet meer wantrouwen.'

'Ik heb hem mijn woord gegeven, meneer William. Ik heb geen drieduizend winkels om op terug te vallen in slechte tijden. Mijn reputatie van betrouwbaarheid is mijn enige bezit. Als ik die kwijtraak, is dat voor mij een grotere ramp dan het kwijtraken van al die winkels voor u zou zijn, want ik zou geen kapitaal hebben om opnieuw te beginnen.'

Hij leek het nog steeds niet te begrijpen. Hij was bereid mijn aanmatigende toon door de vingers te zien, maar hij wilde ogenblikkelijk zijn zoon terug.

'Barst, verrek, verrot, verteer,' mompelde ik, terwijl ik de auto in zijn versnelling ramde. Halverwege Lake Shore Drive, op weg naar Morrell, besloot ik alles te laten voor wat het was, de Bysens, de South Side, zelfs mijn belangrijke, betalende cliënten en mijn ingewikkelde liefdesleven. Ik had tijd alleen nodig, tijd voor mezelf. Ik ging naar mijn eigen huis en haalde de honden op. Toen Morrell de telefoon niet opnam, liet ik een bericht achter op zijn voicemail, vertelde een verbaasde Contreras dat ik zondagavond laat terug zou zijn en reed de stad uit. Ik kwam in een hotelletje in Michigan terecht, waar ik de honden meenam voor wandelingen van vijftien kilometer langs het meer en een van de spitsvondige boeken van Paula Sharpe las. Heel af en toe dacht ik aan Morrell, met Marcena in zijn logeerkamer, maar zelfs die gedachten konden mijn plezier in mijn privéweekend niet vergallen.

15 Hartstilstand

Mijn tevreden stemming hield stand tot maandagmiddag, toen April Czernin halverwege de training in elkaar zakte. Eerst dacht ik dat Celine Jackman haar had uitgeschakeld als volgende stap in hun aanhoudende vete, maar Celine was achter in het veld. April was naar de basket aan het dribbelen toen ze als een lappenpop neerzeeg, alsof ze was neergeschoten.

Ik blies op mijn fluitje om de training stil te leggen en rende naar haar toe. Ze zag blauw rond haar mond en ik voelde geen hartslag. Ik begon reanimatie toe te passen en probeerde mijn eigen paniek te onderdrukken, zodat mijn geschrokken team niet volledig door het lint zou gaan.

De meisjes dromden om ons heen.

'Coach, wat is er gebeurd?'

'Coach, is ze dood?'

'Heeft iemand haar doodgeschoten?'

Josies gezicht dook vlak bij het mijne op. 'Coach, wat is er aan de hand?'

'Ik weet het niet,' bracht ik hijgend uit. 'Weet... jij... van problemen... problemen met Aprils gezondheid?'

'Nee, helemaal niet, zoiets is nog nooit gebeurd.' Josie was wit weggetrokken van angst; ze kon nauwelijks uit haar woorden komen.

'Josie,' – ik bleef op Aprils middenrif drukken – 'mijn mobieltje zit in mijn tas, en die ligt in het bureau in de bergruimte.'

Ik trok mijn handen even weg van April om Josie de sleutel van de bergruimte te geven. 'Pak het telefoontje, bel 911 en vertel ze precies waar we zijn. Herhaal wat ik heb gezegd!'

Toen ze mijn instructies had herhaald, zei ik dat ze moest opschieten. Ze rende struikelend naar de bergruimte. Sancia ging achter haar aan, smeekbeden tot Jezus mompelend.

Celine stuurde ik naar het kantoor van de rector. Ze mocht dan een bendeleider zijn, maar ze was het best in staat haar hoofd koel te houden. Misschien was de schoolverpleegkundige er nog en misschien wist die iets over Aprils geschiedenis. Josie kwam terug met de telefoon, haar gezicht gespannen en bleek. Ze was zo nerveus dat het haar niet lukte het toestel te bedienen. Ik loodste haar stap voor stap door de commando's terwijl ik ritmisch op Aprils borst bleef duwen en liet haar het toestel tegen mijn oor houden, zodat ik zelf met de telefonist van de alarmcentrale kon praten. Ik wachtte tot die onze locatie had herhaald en gaf Josie toen opdracht te proberen Aprils ouders te bellen.

'Die zijn allebei op hun werk, coach, en ik weet niet hoe ik ze moet bereiken. Aprils moeder zit achter de kassa bij de By-Smart in 95th Street en haar vader, nou ja, dat weet u wel, hij rijdt met die truck. Ik weet niet waar hij is.' Haar stem sloeg over.

'Goed, meisje, het is al goed. Toets... dit nummer in en druk op de beltoets.' Ik kneep mijn ogen halfdicht en probeerde genoeg te kalmeren om me het nummer van Morrell te herinneren. Toen ik het eindelijk had, liet ik Josie het intoetsen en de telefoon tegen mijn oor drukken.

'V.I.,' zei ik, terwijl ik doorging Aprils borst te bewerken. 'Een noodgeval, met de dochter van Romeo... Moet Romeo te pakken krijgen. Vraag... Marcena, oké? Als ze... hem kan vinden... laat hem me dan mobiel bellen.'

Zijn jaren in oorlogsgebieden zorgden ervoor dat Morrell zonder tijd te verspillen aan nodeloze vragen meteen accepteerde wat ik zei. Hij antwoordde alleen dat hij erachteraan ging en liet me verdergaan met mijn werk. Ik wist niet wat ik anders moest doen totdat de ambulance kwam, dus ik bleef op Aprils borst duwen en lucht in haar longen blazen.

Natalie Gault, de conrector, kwam met opgestoken zeilen de zaal in. De meisjes gingen met tegenzin opzij om haar erdoor te laten.

'Wat is hier gebeurd? Weer een vechtpartij?'

'Nee. April... Czernin... is in elkaar gezakt. Heb je iets... in haar dossier... over haar medische achtergrond?' Het zweet liep langs mijn nek en mijn rug was al nat.

'Daar heb ik niet naar gekeken... Ik dacht dat dit weer een bende-oorlog was.'

Ik had niet de energie om die aan woede te verspillen. 'Nee. Het werk van de natuur. Ik ben bang... dat het haar hart is. Kijk in haar dossier, bel... haar moeder.'

Gault keek op me neer alsof ze zich afvroeg of ze wel bevelen van mij kon aannemen. Gelukkig gebeurde er op dat moment iets wat een groot wonder mocht heten in de South Side: het ambulancepersoneel kwam binnen, en dat in nog geen vier minuten. Ik kwam dankbaar overeind en wiste het zweet uit mijn ogen.

Terwijl ik de verpleegkundigen in het kort vertelde wat er was gebeurd, gingen ze naast April zitten met een draagbare defibrillator. Ze schoven haar op een brancard en trokken haar klamme t-shirt omhoog om de contacten aan te brengen, een onder haar linkerborst en een op haar rechterschouder. De meisjes dromden eromheen, tegelijk ongerust en opgewonden. Alsof we in een film zaten, zeiden de verpleegkundigen tegen ons dat we afstand moesten houden. Ik trok de meisjes weg terwijl de mannen het apparaat bedienden. Er ging een schok door haar heen, net als in de film. Ze keken bezorgd naar hun monitor: geen hartslag. Ze moesten haar nog tweemaal een schok toedienen voordat de spier weer tot leven kwam en traag begon te kloppen, als een motor die langzaam op gang komt op een koude dag. Toen ze zeker wisten dat ze ademhaalde, pakten ze hun apparatuur in en renden door de gymzaal weg met de brancard.

Ik liep haastig mee. 'Waar brengt u haar naartoe?'

'De Universiteit van Chicago, het dichtstbijzijnde ziekenhuis met een afdeling pediatrie. Er moet wel een volwassene bij zijn om haar op te laten nemen.'

'De school probeert de ouders te bereiken,' zei ik.

'Bent u bevoegd om toestemming te geven voor medische behandeling?'

'Dat weet ik niet. Ik ben de basketbalcoach. Ze is tijdens de training in elkaar gezakt, maar ik denk niet dat ik daar wettelijke rechten aan kan ontlenen.'

'Dat is uw zaak, maar het meisje heeft een volwassene als begeleider nodig.'

We waren inmiddels buiten. Er stond een menigte om de ambulance heen, maar de leerlingen gingen eerbiedig achteruit toen de verpleegkundigen de deur openden en April naar binnen schoven. Ik kon haar niet alleen laten gaan, dat was duidelijk.

Ik klom de auto in en pakte haar hand. 'Het is goed, lieverd, alles komt goed, dat zul je zien,' mompelde ik steeds, en ik kneep in haar hand terwijl ze daar lag, half buiten bewustzijn, met haar ogen weggedraaid en niet helemaal gesloten.

Het geluid van de hartmonitor was het hardste ter wereld, harder dan de sirene en harder dan mijn mobieltje, dat overging zonder dat ik het hoorde, totdat het ambulancepersoneel me opdroeg het uit te zetten omdat het storend kon werken op hun instrumenten. Het onregelmatige gepiep stuiterde door mijn hoofd als een basketbal. *A-pril leeft nog maar is niet stabiel, A-pril leeft nog maar is niet stabiel.* Het overstemde alle andere gedachten, over By-Smart of Andrés of waar Romeo Czernin kon zijn. Er leek geen einde te komen aan het geluid, en toen we bij het ziekenhuis aankwamen ontdekte ik tot mijn verrassing dat we de elf kilometer door de stad in twaalf minuten hadden afgelegd.

Zodra we bij de ambulance-ingang waren, brachten de verpleegkundigen April haastig naar de spoedeisende hulp en lieten mij achter om met het papierwerk te worstelen, een frustrerende bureaucratische strijd, aangezien ik geen idee had wat voor verzekering haar ouders hadden. De school had een beperkte polis voor de sporters, maar alleen voor verwondingen die bij het sporten waren opgelopen. Als ze een hartafwijking had, zou die polis dit niet dekken.

Toen het personeel van de spoedeisende hulp zag dat ik niet genoeg wist om de formulieren in te vullen, stuurden ze me naar een piepklein kantoortje om mijn krachten te meten met een functionaris die over de opname ging. Na bijna drie kwartier voelde ik me als een bokser die dertien ronden lang klappen heeft gekregen en nog net overeind staat. Omdat April was binnengekomen als een noodgeval voor pediatrie, werd ze behandeld, maar er was toestemming van de ouders nodig en er moest betaald worden... Niet noodzakelijkerwijs in die volgorde, maar dat is eigenlijk een overbodige toevoeging.

Ik kon niet garant staan voor de betaling en ik was volgens de wet niet in de positie om toestemming te geven, dus probeerde ik Aprils moeder op haar werk te bereiken, wat op zich al een nachtmerrie van bureaucratie was: het kostte me negen minuten om iemand te vinden die bevoegd was om een boodschap over te brengen aan een medewerker op de werkvloer, maar diegene zei dat mevrouw Czernin tot vier uur had gewerkt en niet meer in de winkel was. Ze was ook niet thuis, maar de Czernins hadden wel een antwoordapparaat, met een meldtekst die was ingesproken op de aarzelende toon van iemand die zich niet op haar gemak voelt met machines.

Ik belde Morrell weer. Hij had Marcena niet kunnen bereiken. Alleen omdat ik niets anders meer kon bedenken, belde ik Mary Ann McFarlane.

Mijn oude coach schrok toen ze hoorde wat er was gebeurd. Ze was er niet van op de hoogte dat April gezondheidsproblemen zou hebben en zoiets was in elk geval nooit eerder gebeurd. In het afgelopen jaar was ze wel een paar keer plotseling uitgeput geweest tijdens de training, maar dat had Mary Ann aan een slechte conditie geweten. De coach wist ook niets over haar ziektekostenverzekering. Ze vermoedde dat de meeste meisjes in het team een permanente verblijfsvergunning hadden, waarmee ze recht hadden op Medicaid, maar ze had het nooit hoeven controleren. En Aprils ouders werkten natuurlijk allebei, dus de Czernins kwamen waarschijnlijk niet in aanmerking voor overheidssteun.

Toen ik had opgehangen, zei de vrouw die over de opname ging dat ze April naar het Cook County Hospital zouden moeten brengen als het me niet lukte een bevoegde volwassene te vinden. We ruzieden er een paar minuten over en ik eiste net een gesprek met haar superieur toen er een vrouw binnenstormde.

'Tori Warshawski, ik had het kunnen weten. Wat heb je met mijn dochter gedaan? Waar is mijn April?'

Het drong niet meteen tot me door dat ze Boom-Booms oude naam voor mij gebruikte. 'Hebt u het bericht gehoord dat ik op uw antwoordapparaat heb ingesproken? Het spijt me dat ik u op die manier op de hoogte moest stellen, mevrouw Czernin. April is tijdens de training in elkaar gezakt. We konden haar reanimeren, maar niemand weet wat er mis is. En hier hebben ze informatie over haar verzekering nodig, vrees ik.'

'Hou op met dat "mevrouw Czernin", Tori Warshawski. Als je mijn dochter iets hebt aangedaan, zul je daarvoor boeten met de laatste druppel bloed in je lijf.'

Ik staarde haar wezenloos aan. Het was een magere vrouw, maar niet met de zorgvuldig gehandhaafde slankheid van tante Jacqui, Marcena of andere rijken. Ze had pezen als staalkabels in haar hals en diepe groeven rond haar mond van het roken of het piekeren, of allebei. Haar haar was gebleekt en strak achterovergekamd in golven zo stijf als stalen veren. Ze zag eruit alsof ze oud genoeg was om Aprils oma te zijn, in plaats van haar moeder, en ik pijnigde mijn vermoeide hersens om te bedenken waar we elkaar eerder hadden ontmoet.

'Ken je me niet meer?' vroeg ze fel. 'Vroeger heette ik Sandra Zoltak.'

Onwillekeurig steeg het bloed naar mijn wangen. Sandy Zoltak. De laatste keer dat ik haar had gezien, had ze zachte blonde lokken gehad en een mollig, zacht lijf als van een Perzische kat, maar ook een geniepige glimlach en de neiging op te duiken als je haar niet verwachtte of in de buurt wilde hebben. Ze had op de middelbare school bij Boom-Boom in de klas gezeten, een jaar boven mij, maar ik had haar wel gekend. En óf ik haar had gekend.

'Sandy, het spijt me dat ik je niet herkende. En het spijt me van April. Ze is tijdens de training plotseling in elkaar gezakt. Mankeert ze iets aan haar hart?' Mijn toon was ruwer dan mijn bedoeling was, maar Sandra leek het niet te merken.

'Nee, tenzij jij haar iets hebt aangedaan. Toen Bron me vertelde dat je inviel voor McFarlane, heb ik tegen April gezegd dat ze moest uitkijken omdat jij een loeder kan zijn, maar ik had nooit verwacht...'

'Sandy, ze ging op de basket af en haar hart bleef stilstaan.'

Ik praatte langzaam en met luide stem om haar te dwingen naar me te luisteren. Ze had zichzelf natuurlijk gek van ongerustheid gemaakt, onderweg naar het ziekenhuis, piekerend over haar kind. Ze had iemand nodig om zich op af te reageren en wie was daar geschikter voor dan ik: ik was een vijand van vroeger, uit een buurt waar grieven werden bewaard als noodrantsoenen in een schuilkelder.

Ik probeerde haar te vertellen wat we hadden gedaan om April te helpen en wat het probleem hier in het ziekenhuis was, maar ze overlaadde me met woedende beschuldigingen over mijn onachtzaamheid, mijn gekoeioneer en mijn verlangen wraak op haar te nemen via haar dochter.

'Sandy, nee, Sandy, alsjeblieft, dat ligt allemaal achter ons. April is een fantastische meid, ze is zo ongeveer de beste van het team, en ik wil dat ze gezond en gelukkig is. Maar ik moet weten, het ziekenhuis moet weten of ze een of andere hartafwijking heeft.'

'Dames,' zei de vrouw van de opnameafdeling op gezaghebbende toon, 'bewaart u de ruzies maar voor thuis. Het enige wat ik nu wil weten, is wie er voor dit kind gaat betalen.'

'Uiteraard,' antwoordde ik vinnig. 'Geld gaat voor gezondheidszorg in Amerikaanse ziekenhuizen. Waarom vertelt u mevrouw Czernin niet hoe het met haar dochter is? Ik denk niet dat ze antwoord kan geven op vragen over de rekening voordat ze weet hoe April eraan toe is.'

De administratrice klemde haar lippen op elkaar, maar keerde zich naar haar telefoon en belde iemand. Sandy hield op met schreeuwen en luisterde gespannen toe, maar de vrouw sprak zo zacht dat we haar niet konden verstaan. Binnen een paar minuten verscheen er een verpleegster van de afdeling spoedeisende hulp. Aprils toestand was stabiel. Haar reflexen waren goed en haar geheugen was niet aangetast. Ze kon weliswaar de naam van de burgemeester en de gouverneur niet noemen, maar dat had ze vanochtend waarschijnlijk ook niet gekund. Ze kende wel de namen van haar teamgenoten en wist het telefoonnummer van haar ouders, maar het ziekenhuis wilde haar toch een nachtje houden, misschien zelfs wel een paar dagen, om onderzoeken te doen en om er zeker van te zijn dat haar toestand stabiel was.

'Ik wil haar zien. Ik wil bij haar zijn.' Sandra's stem was hard en schor.

'Zodra u hier klaar bent met de formaliteiten, neem ik u mee,' beloofde de verpleegster. 'We hebben haar verteld dat u er bent en ze wil u heel graag zien.'

Als ik vijftien was geweest, had ik onder deze omstandigheden ongetwijfeld ook naar mijn moeder verlangd, maar het was moeilijk me voor te stellen dat Sandy Zoltak met de liefde en bezorgdheid aan iemand dacht die mijn moeder voor mij had gevoeld. Ik merkte dat ik tranen moest wegknipperen, tranen van frustratie, vermoeidheid of verlangen naar mijn moeder, dat wist ik niet.

Ik liep snel weg en hing rond in de hal tot ik Sandra van de spoedeisende hulp zag terugkomen naar de opnamebalie. Toen ik erheen liep, viste ze net een verzekeringspasje uit haar portefeuille. Er stond met grote letters By-Smart op. Ik was opgelucht maar verbaasd, want ik had gelezen dat het bedrijf de caissières geen ziektekostenverzekering bood. Maar Romeo was natuurlijk chauffeur; misschien had hij wel goede arbeidsvoorwaarden. Toen Sandra de formulieren had ingevuld, vroeg ik of ze wilde dat ik op haar wachtte.

Haar mond vertrok. 'Jij? Ik heb jouw hulp helemaal nergens bij nodig, Victoria Juffie-Geniaal Warshawski. Je kon geen man krijgen, je kon geen kind krijgen, en nu probeer je binnen te dringen in mijn gezin? Rot nou gauw op!'

Ik was die afgezaagde oude scheldnaam vergeten, die de kinderen op school vroeger voor me gebruikten. Mijn tweede naam, Iphigenia, een nagel aan mijn doodskist – wie had ervoor gezorgd dat die bekend werd op het schoolplein? En dan mijn moeders wens dat ik ging studeren, de steun van docenten als Mary Ann McFarlane, mijn eigen ambitie... Sommige kinderen vonden me bekakt, een stuudje, iemand die zichzelf geniaal vindt. Dat ik Boom-Booms nichtje en maatje was, maakte veel goed op de middelbare school, maar al die pesterijen konden best eens de reden zijn dat ik bepaalde dingen had gedaan. Misschien wilde ik de rest van de school bewijzen dat ik niet alleen een studiehoofd was, dat ik net zo'n grote idioot kon zijn als elke andere adolescent.

Ondanks haar hatelijkheid gaf ik Sandra een visitekaartje. 'Mijn mobiele nummer staat erop. Bel me als je van gedachten verandert.'

Het was pas zes uur toen ik het ziekenhuis uit liep. Ik kon nauwelijks geloven dat het zo vroeg was, want ik had het gevoel dat ik de hele avond had gewerkt, zo uitgeput was ik. Ik keek zoekend om me heen op Cottage Grove Avenue en vroeg me af of ik vergeten was het alarm van mijn auto in te schakelen, tot ik me herinnerde dat die nog bij de school stond; ik was in de ambulance meegereden naar Hyde Park.

Bij de standplaats aan de overkant stapte ik in een taxi, en met een grote mond kreeg ik de chauffeur zover dat hij me naar het zuiden bracht. De hele tijd dat we over Route 41 reden, bleef hij tekeergaan over hoe gevaarlijk het was en wie zijn rit terug naar het noorden moest betalen.

Ik weigerde vandaag nog een keer ruzie te gaan maken en leunde met gesloten ogen achterover in de stoel, in de hoop dat de chauffeur dan zijn mond zou houden. Misschien is hij wel doorgegaan met klagen, maar ik viel in slaap en werd pas op het parkeerterrein van de school weer wakker.

Met meer geluk dan wijsheid vond ik mijn weg naar huis en daar zonk ik onmiddellijk weer weg in een diepe slaap. Mijn dromen waren niet vredig. Ik was weer in de gymzaal, vijftien jaar oud. Het was donker, maar ik wist dat ik er was met Sylvia, Jennie en de rest van mijn oude basketbalteam. We hadden zo vaak door de zaal gerend dat we de scherpe hoeken van de tribune, en de bok en de horden die tegen de muur stonden automatisch ontweken. We wisten waar de ladders waren en om welke daarvan de klimtouwen in een lus gedrapeerd hingen.

Ik was de sterkste, dus ik klom de smalle stalen ladder op en haakte de touwen los. Sylvia was als een eekhoorn in de touwen. Ze klemde zich met haar dijen vast en hees de onderbroeken en het bord omhoog. Jennie hield zwetend van angst de wacht bij de deuren van de gymzaal.

De volgende avond was de jaarlijkse reünie, en de droom schakelde daarnaar over. Zelfs in mijn droom zat ik vol wrok jegens Boom-Boom: hij had beloofd me mee te nemen en nu deed hij het niet. Wat zag hij trouwens in die Sandy?

Ik werd wakker van de dreigende ontknoping, die vlak om de hoek in mijn geest op de loer lag. Ik was niet van plan mezelf de droom tot aan het einde te laten dromen, tot aan Boom-Booms woede en mijn eigen diepe gêne. Ik zat zwetend en hijgend rechtop in bed en zag weer voor me hoe Sandy Zoltak toen was – zacht, mollig, met een geniepige glimlach voor de meisjes en een geile voor de jongens, in haar glanzende satijnen jurk van dezelfde kleur blauw als haar ogen – en hoe ze aan de arm van Boom-Boom de gymzaal was binnengelopen... Ik verdrong de herinnering met de gedachte dat ik Sandy vandaag niet zou hebben herkend als ik haar op straat was tegengekomen. In het ziekenhuis was het me in elk geval niet gelukt.

Het moet die toevallige gedachte zijn geweest waardoor ik plotseling weer aan het stuk tuig dacht dat ik op straat had gezien toen ik met pastor Andrés had staan praten, de 'chavo banda' die door Andrés was uitgekafferd omdat hij bij de bouwplaats verscheen.

Natuurlijk had ik hem eerder gezien: hij was afgelopen dinsdagochtend bij Fly the Flag geweest. 'Een stuk tuig dat je hier en daar ziet, dat van bouwplaatsen steelt of klusjes opknapt voor groter tuig,' had Andrés gezegd.

Iemand had hem ingehuurd om vernielingen te plegen bij Fly the Flag. Was het Andrés, Zamar, of iemand die Andrés kende? Het was vier uur 's nachts. Ik was niet van plan helemaal naar Zuid-Chicago te rijden om te zien of de chavo een hernieuwde aanval op Fly the Flag ging wagen. Maar de gedachte liet me de rest van mijn onrustige nacht niet meer los. De volgende dag had ik het druk met mijn werk, maar ik bleef denken aan de chavo en de vlaggenfabriek, en aan de dozen die ze uit de fabriek hadden gehaald en die ik niet had mogen zien, de vorige keer dat ik er was.

's Avonds, toen ik klaar was met mijn echte werk, kon ik het niet laten weer naar Fly the Flag te gaan om met eigen ogen te zien wat er gebeurde. En toen ik in het donker om de fabriek heen sloop, zag ik die in vlammen opgaan.

Dat was in grote lijnen het verhaal dat ik Conrad vertelde. Toen ik uitgepraat was, was het laat in de middag. Door het verdovingsmiddel dat nog in mijn lijf zat, was ik nog steeds suf en af en toe sukkelde ik in slaap. Eenmaal werd ik wakker en toen lag Conrad languit op de grond te slapen. Contreras was zo barmhartig geweest een kussen onder zijn hoofd te leggen, zag ik enigszins geamuseerd. Mijn buurman was weggegaan toen we allebei sliepen, maar een halfuur later kwam hij terug met een grote schaal spaghetti.

In het begin had Conrad steeds de neiging me tegen te spreken. Hij vond het lastig dat hij me moest ondervragen, was gespannen en bozig en viel me om de paar zinnen in de rede. Ik was te moe en had te veel pijn om met hem in discussie te gaan. Als hij me onderbrak, wachtte ik tot hij was uitgepraat en ging dan verder waar ik was gebleven. Uiteindelijk kalmeerde hij en voer niet eens meer tegen me uit als ik mijn telefoon opnam, hoewel hij de kamer uitging tijdens mijn lange gesprek met Morrell. Conrad werd zelf natuurlijk ook gebeld, door de lijkschouwer, zijn secretaresse, de afgevaardigde van het tiende kiesdistrict en een paar kranten en tv-zenders.

Terwijl hij met de media sprak, waste ik me en trok ik schone kleren aan, wat nog niet zo eenvoudig was met de pijn die vanuit mijn schouder door mijn linkerarm trok. Op het gevaar af dat het verband nat werd, waste ik mijn haar, want het stonk naar rook. Toen ik al het vuil van me af had gespoeld, voelde ik me beter.

Ik praatte tot ik schor was. Niet dat ik Conrad elk detail vertelde; hij hoefde niets te weten over mijn privéleven of mijn gecompliceerde reactie op Marcena Love. Hij hoefde ook mijn verleden met Bron Czernin en Sandy Zoltak niet te kennen, en ik bood hem Billy the Kid en pastor Andrés niet op een presenteer-blaadje aan. Maar ik deed verslag van alle essentiële zaken en vertelde hem heel wat meer over het basketbalprogramma van de Bertha Palmer-school dan hij wilde horen, waarna ik opperde dat het Fourth Police District het team zou kunnen adopteren in het kader van het verbeteren van hun contacten met de gemeenschap.

Ik hield niets achter van wat ik bij Fly the Flag te weten was gekomen, zelfs niet dat ik er een week geleden zelf was binnengedrongen, dat ik de chavo banda had betrapt en dat Frank Zamar toen weigerde me de politie te laten bellen. Ik vertelde Conrad dat Rose Dorrado degene was geweest die me had gevraagd naar de vlaggenfabriek te komen en dat ze me er later juist had weggestuurd. En ik vertelde hem dat Andrés de chavo van gezicht kende.

'En dat is de hele waarheid, Ms. W., zo waarlijk helpe u God?' vroeg Rawlings toen ik klaar was.

'Er doen tegenwoordig te veel mensen rare dingen uit naam van God,' bromde ik. 'Laten we zeggen dat ik je een eerlijk en feitelijk verslag heb gegeven.'

'En hoe past die Marcena Love in het verhaal?'

'Ik geloof niet dat ze dat doet,' zei ik. 'Ik heb haar in elk geval nog nooit in de buurt van de fabriek gezien, en er is ook geen verband tussen Czernin en de fabriek. Ze zou iets gehoord kunnen hebben, want ze zwerft door de South Side rond, maar dat is alles. Ik vermoed dat één blik op Zamars boekhouding jullie meer antwoorden zal verschaffen.'

'Je bedoelt?'

'Ik bedoel dat ik me afvraag of de man in de penarie zat en onder druk werd gezet. Rose Dorrado zei dat hij een dure nieuwe machine had gekocht die hij ternauwernood kon afbetalen. Stel dat Zamar niet reageerde, of niet kón reageren, toen zijn schuldeisers dode ratten in zijn ventilatiesysteem stopten. Daar zijn ze misschien zo nijdig over geworden dat ze tot het uiterste zijn gegaan en zijn fabriek en hemzelf in één klap hebben uitgeschakeld.'

Conrad knikte en zette zijn recorder uit. 'Het is een goede theorie. Misschien zit er wel iets in; het is in elk geval de moeite waard om te onderzoeken. Maar ik wil dat je me een plezier doet. Nee, dat zeg ik verkeerd: ik wil dat je me iets belooft.'

Mijn wenkbrauwen schoten omhoog. 'En dat is?'

'Dat je geen onderzoek meer doet in mijn wijk. Ik zal onze forensisch accountants op de boekhouding van Zamar af sturen, maar dan wil ik niet ontdekken dat jij er al bent geweest en zijn dossiers hebt meegenomen.'

'Ik beloof je dat ik geen enkel dossier van Zamar zal meenemen. Ik heb trouwens zo'n gevoel dat die verkoold zijn.'

'Ik wil meer, Vic. Ik wil niet dat je misdrijven onderzoekt in mijn district, punt uit.'

'Als iemand in Zuid-Chicago me inhuurt, Conrad, zal ik naar eer en geweten onderzoek plegen.' Ondanks mijn opkomende woede moest ik bijna lachen. Ik had niet weer betrokken willen raken bij Zuid-Chicago, maar als iemand tegen me zei dat ik er weg moest blijven, gingen mijn nekharen overeind staan en hield ik mijn poot stijf.

'Gelijk heb je, snoes,' merkte Contreras op. 'Je kunt je niet door anderen laten voorschrijven wat je wel of niet mag doen om je brood te verdienen.'

Conrad wierp de man een boze blik toe, maar sprak tegen mij. 'Jouw onderzoekingen zijn als Shermans mars door Georgia: je komt wel waar je wezen moet, maar God helpe iedereen binnen een straal van vijf kilometer om je heen. Er is al genoeg dood en verderf in Zuid-Chicago zonder dat jij je speurwerk loslaat op mijn oorlogsgebied.'

'Je hebt dan wel een insigne en een revolver, maar daarom is de South Side nog niet van jou,' begon ik met brandende ogen. 'Je kunt gewoon de herinnering niet verdragen...'

De deurbel ging voordat ik mijn kwetsende repliek kon afmaken. Peppy en Mitch begonnen oorverdovend te blaffen en in rondjes om me heen te rennen om me te laten weten dat er iemand naderde. Contreras, altijd in zijn element als ik in de lappenmand ben, haastte zich naar de voordeur en de honden renden achter hem aan.

De onderbreking gaf me gelegenheid op adem te komen. 'Conrad, je bent een te goede politieman om je bedreigd te voelen door wat ik doe of laat. Ik weet dat je niet bang bent dat ik met de eer ga strijken die jou toekomt als ik iets ontdek dat je helpt een zaak op te lossen. En je hebt er geen moeite mee met vrouwen samen te werken. Dus je reactie slaat alleen maar op jou en mij. Denk je dat ik...'

Ik onderbrak mezelf toen ik de expeditie de trap naar de tweede etage hoorde beklimmen: de honden die op en neer renden terwijl Contreras langzaam en puffend naar boven kwam, en het holle gebonk van een wandelstok op de harde traploper.

Morrell kwam op bezoek. Het was de eerste keer sinds zijn terugkeer uit Afghanistan dat hij zo ver van huis was, en ik was geroerd en dolblij, dus waarom voelde ik me dan slecht op mijn gemak? Niet omdat Morrell me met Conrad zou zien... en al helemaal niet omdat Conrad me met Morrell zou zien. Het kwam er dus op neer dat ik bloosde zonder goede reden.

Toen hoorde ik boven het geluid van de stok en de zware stap van Contreras uit de lichte, hoge stem van Marcena, en mijn gêne veranderde in ergernis. Waarom moest ze het weer voor me bederven? Moest ze zo langzamerhand niet terug naar Engeland, of Falluja?

Ik keerde mijn rug naar de deur en bleef hardnekkig tegen Conrad praten. 'Als je al vier jaar rancune voelt, dan vind ik dat heel naar. Maar je vraagt me iets waar je het recht niet toe hebt, wettelijk gezien, iets waarvan je weet dat ik er niet mee zal instemmen, zelfs niet om een einde te maken aan je bitterheid jegens mij.'

Conrad keek me met samengeknepen lippen aan en probeerde te bedenken wat hij zou zeggen. De honden renden naar binnen voordat hij een besluit had genomen en sprongen met wapperende staarten om me heen: ze hadden gezelschap voor me meegebracht en wilden geaaid en geprezen worden om hun slimheid.

Achter ze hoorde ik Marcena tegen Contreras zeggen: 'Ik ben dol op paardenrennen. Ik had geen idee dat je daar in Chicago ook naartoe kon. Voordat ik naar huis ga, moet u me eens meenemen naar de renbaan. Hebt u vaak geluk met gokken? Nee? Ik ook niet, maar ik kan het niet laten.'

Dus nu liet ze haar charmes los op mijn buurman. Ik stond op toen zij en Contreras door mijn kleine vestibule liepen.

'Marcena! Wat leuk je te zien. En paardenrennen, natuurlijk, weer een passie van je waar ik nooit iets van heb geweten, net als gevechtsvliegtuigen uit de Tweede Wereldoorlog! Kom kennismaken met inspecteur Rawlings en vertel hem hoe dol je bent op speelgoedtreintjes en hoe je oom Julian – of was het je oom Sacheverel? – je met kerst met zijn modelspoorbaan liet spelen.' Conrad had een onverwachte hobby: modeltreinen. In zijn woonkamer had hij een ingewikkelde opstelling waar hij zich mee bezighield als hij zich wilde ontspannen, en hij had een werkplaatsje in zijn garage, waar hij huisjes en landschapselementen maakte.

Conrad schudde een paar keer in een reflex zijn hoofd, geschrokken van mijn plotselinge, opgewekte uitbarsting, en Marcena keek me met samengeknepen ogen aan. Ik stelde ze aan elkaar voor en liep de overloop op om Morrell te verwelkomen. Hij had de trap bedwongen, maar stond op adem te komen voordat hij wilde binnenkomen om iedereen te begroeten. Peppy kwam naar buiten om te zien wat we deden, maar Mitch was ook voor Marcena gevallen en bleef bij haar in de buurt.

'Dus je bent weer ten strijde getrokken, dappere amazone van me?' Morrell trok me tegen zich aan en kuste me. 'Ik dacht dat de huisregel was dat maar een van ons tegelijk gewond mocht zijn.'

'Het is maar een vleeswond,' zei ik bruusk. 'Het doet nu vreselijk pijn, maar het is niet ernstig. Fijn dat je er bent. Ik ben net klaar met de politie; inspecteur Rawlings wilde alles van a tot z weten.'

'Ik had wel eerder willen komen, maar Marcena kwam pas om twaalf uur thuis en ze moest uitrusten voor ze weer op pad kon. Het spijt me dat ik haar heb meegenomen, lieverd, maar ik vertrouw mezelf nog niet achter het stuur in het stadsverkeer.'

Een van de kogels had Morrell in zijn rechterheup geraakt, precies op de plek waar de grote beenzenuw uit het ruggenmerg komt. De zenuw was beschadigd en het was nog niet duidelijk of die volledig zou herstellen. Zijn fysiotherapeut had hem aangespoord te gaan leren rijden met handbediening, maar daar verzette hij zich tegen, want hij wilde zich er niet bij neerleggen dat hij zijn been misschien nooit meer helemaal normaal zou kunnen gebruiken. Ik sloeg mijn arm om hem heen en we liepen mijn flat in, waar Marcena Mitch aaide en Conrad naar zijn werk vroeg.

Conrad gaf kort en bondig antwoord. Zijn kaak was gespannen en toen hij me samen met Morrell zag binnenkomen, stopte hij midden in een zin. Ik stelde de twee mannen aan elkaar voor en plofte weer op de bank. Ik was doodmoe van alle commotie.

'Je bent neergeschoten, hè?' zei Conrad tegen Morrell. 'Je hebt toch niet per ongeluk een kogel opgevangen die voor Vic bedoeld was, hè?'

'Nee, deze waren allemaal voor mij bedoeld,' zei Morrell. 'Of voor mensen die die dag Mazar-e-Sharif in wilden, in elk geval. Dat heeft het leger me tenminste verteld; zelf weet ik er niets meer van.'

'Rot voor je, man. Ik heb er zelf in Vietnam een paar opgevangen.'

Het bracht Conrad van zijn stuk dat hij zich door zijn gevoelens voor mij liet verleiden tot pure, regelrechte lompheid. Een paar minuten lang wisselden hij en Morrell en Contreras oorlogsverhalen uit. Mijn buurman had kans gezien een van de bloedigste veldslagen van de Tweede Wereldoorlog te overleven zonder gewond te raken, maar hij had veel doden en gewonden gezien. Marcena had haar eigen voorraad oorlogsanekdotes om uit te putten. Als straatvechter uit de South Side heb ik natuurlijk ook mijn portie akelige vechtpartijen gezien, maar die waren allemaal kleinschalig en persoonlijk, dus hield ik ze maar voor me.

'"De oorlog is zoet voor wie hem niet kent,"' zei Morrell, en tegen mij vervolgde hij: 'Erasmus, geloof ik. Je moet maar eens aan coach McFarlane vragen hoe hij dat in het Latijn zei.' Met zijn woorden verbrak hij de keten van opgehaalde herinneringen.

Conrad wendde zich tot Marcena. 'Vic vertelde me dat u hebt rondgekeken in de South Side, mevrouw Love. Hebt u dat in uw eentje gedaan?'

Marcena keek me verwijtend aan: ik had me niet als een trouw kameraadje gedragen, want ik had over haar geklikt bij de politie.

'Je bent er de laatste tijd vaak geweest, je hebt veel van de buurt gezien en de mensen praten makkelijk tegen je,' zei ik. 'Dat heb ik inspecteur Rawlings verteld, omdat je misschien iets gezien of gehoord kunt hebben waar hij iets aan heeft.'

'Dank je, Vic, maar ik kan mijn eigen vragen stellen. En kun je ophouden met het waarschuwen van getuigen? Misschien moeten mevrouw Love en ik maar ergens koffie gaan drinken en jullie tweeën alleen laten.'

'Absoluut,' zei Marcena. 'Morrell, bel me maar op mijn mobiel als je wilt dat ik je terugrijd naar Evanston. Dat is een fantastisch idee, inspecteur. Ik moet toch nog met iemand van de politie praten om mijn beeld van Zuid-Chicago te completeren. Ik heb de indruk dat een groot deel van de buurt permanent wordt bewaakt.'

Conrad negeerde haar en kwam voor me staan. 'Vic, ik meende wat ik zei over de puinhoop die jij er in mijn wijk van maakt. Hou je bezig met het basketbalteam. Reken af met de zwendelaars in La Salle Street. Laat het Fourth District aan mij over.'

17 Een kikker in mijn broek

'Wat heb je gedaan om een politiechef zo nijdig te maken, Kruid-je-roer-me-niet?' vroeg Morrell.

'Niets waar hij over een jaar of twintig niet overheen zal zijn.' Ik leunde tegen hem aan en deed mijn ogen dicht.

'Hij denkt dat het haar schuld is dat hij vier jaar geleden is neergeschoten,' meldde Contreras. 'Terwijl het zijn eigen stomme schuld was, omdat hij niet naar haar had geluisterd. En het was maar goed ook, als je het mij vraagt, want het heeft hem...'

'Het is nooit goed om neergeschoten te worden.' Ik kon er niet tegen dat Contreras zich positief uitliet over de breuk tussen Conrad en mij, vooral niet in het bijzijn van Morrell. 'En misschien had ik die kogel moeten opvangen, in zijn plaats. Hoe dan ook, Marcena zal zijn slechte humeur wel verdrijven met haar charmes.'

'Waarschijnlijk wel,' beaamde mijn immer loyale vriend. 'Ze heeft de energie van een hele ploeg cheerleaders.'

Morrell lachte. 'Ze is een bekroond journaliste. Ik betwijfel of ze graag wordt vergeleken met een cheerleader.'

'Maar ze zit wel vol pit,' mompelde ik, 'en ze weet hoe ze met iedereen op goede voet moet komen.'

'Behalve met jou,' zei Morrell.

'Ik ben dan ook een Kruidje-roer-me-niet, geen allemansvriend.'

Hij trok me dichter tegen zich aan. 'Ik hou meer van flink gekruid dan van allesbinder, oké?'

'Ja, maar snoes, je zou wel iets van haar kunnen leren,' zei Contreras, zijn bruine ogen vol bekommernis. 'Kijk eens hoe Conrad Rawlings uit haar hand at, nadat hij tegen jou zo dreigend deed.'

Ik verstijfde, maar zei niets. De oude man had me de hele dag zo gesteund dat het gemeen zou zijn om hem aan te vallen, en bovendien zou het bewijzen dat hij gelijk had. Ik keek op en zag Morrell naar me grijnzen, alsof hij mijn gedachten kon lezen. Ik stompte hem tussen zijn ribben, maar liet me daarna weer tegen zijn schouder zakken.

Nadat hij nog een paar minuten door de woonkamer had gescharreld, kondigde mijn buurman uiteindelijk aan dat hij de honden ging uitlaten. 'Jullie tweeën zijn toch niet in staat tot iets anders dan slapen, op het moment,' zei hij, en hij kleurde dieprood toen de insinuatie tot hem doordrong.

'Het geeft niet, slapen is inderdaad het enige waartoe ik in staat ben.' Ik bedankte hem voor al zijn hulp. 'Vooral de spaghetti; die zou een dode nog tot leven wekken.'

'Clara's oude recept voor de gehaktballetjes,' zei hij stralend.

Hij had nog tien minuten nodig om kritiek te leveren op Conrad, goede raad te geven voor mijn herstel en te beloven Marcena op te vangen, zodat ze ons niet wakker zou maken als ze terugkwam.

'Goed idee,' zei ik. 'Bedenken jullie maar een strategie voor de renbaan van Arlington waardoor je de rest van je leven in luxe kunt doorbrengen, dan ontwerpen Morrell en ik een strategie om onze gehavende lijven te genezen.'

We sliepen bijna het klokje rond, met korte onderbrekingen. Ik stond even op om met Marcena te praten, die ondanks de pogingen van Contreras haar bij ons weg te houden toch de trap op kwam om Morrell op te halen. Morrell kwam in enkel zijn spijkerbroek tevoorschijn om te zeggen dat hij bij me zou blijven totdat ik hem zelf naar huis kon brengen.

Marcena bleef nog even in de deuropening staan om verslag uit te brengen van de geweldige tijd die ze met Conrad had gehad. Hij had haar beloofd dat ze volgende week een dagje met hem mocht meerijden om haar beeld van de South Side compleet te maken. Ze zou een echt kogelvrij vest aan mogen, net alsof ze weer in Kosovo was.

Ik had het gevoel dat mijn huid vlam zou vatten door de energie die ze uitstraalde, of misschien door mijn eigen jaloezie. 'Kon je hem nog iets bruikbaars vertellen, dankzij je nachtelijke uitstapjes?'

Ze grijnsde. 'Ik heb de straten niet zo heel goed in de gaten ge-houden, Vic, maar ik wilde je wel bedanken dat je Bron niet hebt verraden. Als ze bij By-Smart horen dat hij me meeneemt in zijn truck, kan dat hem zijn baan kosten.'

Er ging een schok door me heen: ongelooflijk dat ik April Czer-nin volledig was vergeten. 'Wanneer heb je Bron voor het laatst gesproken? Na gisteren nog? Weet hij het, van April?'

'O ja, zijn dochter, dat heeft Morrell me verteld. Hij kan geen privégesprekken ontvangen op zijn mobieltje. Dat is eigendom van het bedrijf, en ze luisteren alle inkomende en uitgaande ge-sprekken af, dus ik heb niet geprobeerd hem te bereiken. Boven-dien was hij op weg naar huis, dus zijn vrouw heeft het hem vast wel verteld.'

'Je hebt zelf niet geprobeerd hem te bereiken?' Ik kon een mis-prijzende toon niet onderdrukken. 'Terwijl je had gehoord dat zijn dochter tussen leven en dood zweefde?'

'Ik denk niet dat hij het prettig zou hebben gevonden om dat uit de vierde hand te horen, van het ziekenhuis via jou, Morrell en mij. Of zijn vrouw, als ze mij aan de telefoon had gekregen.' Ze klonk laatdunkend, als de juf die zich ergert aan het slechte werk van een zeer middelmatige leerling, maar in elk geval straalde ze niet meer als een verblindende koplamp.

'Geen wonder dat Sandra Czernin zo dol op me is. Ik ben dege-ne die hem heeft voorgesteld aan de vrouw met wie hij alle leuke plekjes verkent.'

Ik deed de deur voor haar neus dicht, maar moest die een se-conde later weer opendoen: Peppy en Mitch waren met Marcena mee naar boven gekomen, en hoewel Mitch, zoals elke man die ik kende, liever bij Marcena bleef, wilde Peppy binnen worden gela-ten. Ik wierp een boze blik op de verdwijnende staart van Mitch en liep stampvoetend naar de telefoon.

Opnieuw hoorde ik de gekunstelde stem van Sandra op haar antwoordapparaat. Dan was zij blijkbaar in het ziekenhuis, waar Bron dan ook mocht zijn. Ik liet een boodschap achter waarin ik vertelde dat ik gewond was geraakt bij de explosie van Fly the Flag en Sandra vroeg me te bellen om te vertellen hoe het met April ging.

Ik was nog duf van de verdoving en mijn lange dag met Conrad, maar Morrell zei dat hij voorlopig genoeg geslapen had. Hij installeerde zich op de bank met Peppy en zijn nieuwe laptop. Hij werkte aan het boek waar hij research voor aan het plegen was toen hij werd neergeschoten. Zijn vorige laptop was gestolen toen hij bloedend op een modderig pad in Afghanistan lag. Van de meeste bestanden had hij back-ups gemaakt op een USB-stick, maar er was ook materiaal dat hij probeerde te reconstrueren, aantekeningen die hij had gemaakt kort voordat hij was geraakt en die hij nog niet had geordend of gekopieerd.

Ik ging weer naar bed maar sliep onrustig, want als ik me in mijn slaap omdraaide, schrok ik elke keer wakker van de pijn in mijn schouder. Om half twee werd ik wakker in een leeg bed: Morrell zat nog te werken. Ik pakte twee van mijn moeders rode Venetiaanse glazen en schonk voor ons allebei armagnac in. Morrell bedankte me, maar keek niet lang op van zijn scherm. Hij werd volledig in beslag genomen door zijn reconstructiewerk. Terwijl hij schreef, keek ik naar William Powell en Myrna Loy, die met veel elan misdrijven oplosten in San Francisco, samen met hun trouwe terriër Asta.

'Myrna Loy loste misdrijven op in een avondjurk en op hoge hakken... Misschien is dat mijn probleem: ik loop te vaak in een spijkerbroek en op sportschoenen rond.'

Morrell glimlachte afwezig naar me. 'Je zou er fantastisch uitzien in zo'n jarenveertigjurk, Vic, maar je zou waarschijnlijk wel vaak struikelen bij achtervolgingen door donkere steegjes.'

'En Asta,' vervolgde ik. 'Hoe komt het dat Mitch en Peppy nooit slim met aanwijzingen komen aandragen die mensen door het raam naar binnen hebben gegooid?'

'Je moet ze maar niet aanmoedigen,' mompelde hij, terwijl hij met een frons naar zijn beeldscherm keek.

Ik dronk mijn armagnac op en ging weer naar bed. Toen ik opnieuw wakker werd, was het negen uur en lag Morrell naast me, diep in slaap. Zijn linkerarm lag boven het dekbed en ik zat een tijdje te kijken naar het kartelige, verse litteken over zijn schouder, waar een van de kogels naar binnen was gegaan. Conrad had ook zulke littekens, maar ouder, minder vurig: één onder zijn ribbenkast en één in zijn onderbuik. Daar had ik ook vaak naar gekeken als hij sliep.

Ik stond abrupt op en wankelde even toen de pijn toesloeg, maar haalde de badkamer zonder te vallen. Ik sloeg de instructies van de jonge chirurg in de wind en ging onder een warme douche staan, maar ik beschermde de wond wel door een zak van de stomerij om mijn schouder te slaan. Ik realiseerde me dat ik mijn eigen kartelige littekentje zou krijgen, discreet uit het zicht op mijn schouderblad. Een bevallig, damesachtig litteken, waarmee Myrna Loy er nog steeds sexy had kunnen uitzien in haar jurken met laag uitgesneden rug.

Peppy trippelde achter me aan toen ik met pijn en moeite een beha en een blouse ging aantrekken. Ik liet haar door de achterdeur naar buiten voordat ik probeerde een ontbijt klaar te maken. Ik was van plan geweest vanochtend boodschappen te gaan doen. Geen brood. Geen fruit, zelfs geen oude appel. Geen yoghurt. Een restje melk dat rook alsof het gisteren op had moeten zijn. Ik spoelde het door de gootsteen en maakte in mijn espressopotje op het fornuis een kop koffie, die ik op de achterveranda opdronk, met mijn armen dicht tegen me aan tegen de kille grijze lucht. Ik at er wat knäckebröd bij om iets in mijn maag te hebben.

Het grootste deel van de dag lummelde ik rond, belde cliënten en deed wat ik vanuit huis op mijn laptop kon doen, en uiteindelijk ging ik laat in de middag boodschappen doen. Ik had gehoopt naar de Bertha Palmer-school te kunnen gaan voor de basketbaltraining, maar ik moest afbellen. Tot mijn ergernis had ik vrijdag nog steeds zoveel verdovingsmiddel in mijn lijf dat ik te duf was om veel te doen, maar zaterdag werd ik vroeg wakker. De gedachte nog een dag in huis te moeten rondhangen was onverdraaglijk.

Morrell sliep nog. Ik kleedde me aan, hing mijn arm in een mitella die ik van het ziekenhuis had meegekregen toen ik naar huis mocht, en krabbelde een briefje dat ik op Morrells laptop legde.

Toen ik beneden kwam, was Contreras blij me te zien, maar die blijdschap verdween toen ik aankondigde dat ik een tijdje op stap ging met Peppy. Hoewel ze zo goed afgericht is dat ze vlak naast me blijft lopen zonder aan haar riem te trekken, vond hij dat ik het weekend in bed moest blijven.

'Ik zal echt niets doms doen, maar ik word gek als ik thuisblijf. Ik heb al bijna drie dagen in bed gelegen, dus ik heb mijn lanterfantgrens al ruimschoots bereikt.'

'Ja, je hebt nog nooit geluisterd naar één woord van wat ik zeg, dus waarom zou je dat vandaag wel doen? Maar wat moet je beginnen als je op de Tollway zit en je door die schouder een of andere idioot niet kunt ontwijken?'

Ik sloeg mijn goede arm om zijn schouders. 'Ik ga niet over de Tollway. Alleen naar de Universiteit van Chicago, goed? Ik zal niet harder dan zeventig rijden en het hele eind heen en terug in de rechterstrook blijven.'

Hij liet zich slechts gedeeltelijk vermurwen door mijn goede voornemens, maar hij wist dat ik toch zou gaan, ongeacht zijn gemor. Hij mompelde dat hij Mitch zou uitlaten en sloeg zijn deur achter me dicht.

Ik was halverwege de stoep toen me te binnen schoot dat mijn auto nog in Zuid-Chicago stond. Ik belde bijna weer aan om Contreras te vragen Peppy ook mee te nemen, maar ik dacht niet dat ik het aankon hem vandaag nog een keer te spreken. Honden waren niet toegestaan in het openbaar vervoer. Ik liep naar Belmont Avenue om te kijken of ik een taxi kon krijgen. De vierde die ik aanhield, was bereid me met mijn hond diep de South Side in te brengen. De chauffeur kwam uit Senegal, vertelde hij tijdens de lange rit, en hij had een rottweiler om hem gezelschap te houden, dus hij vond het niet erg dat Peppy's goudblonde haren over zijn hele bekleding kwamen. Hij vroeg naar de mitella en maakte afkeurende tss-geluiden toen ik vertelde wat er was gebeurd. Ik op mijn beurt vroeg hem hoe hij in Chicago terecht was gekomen en hoorde een lang verhaal over zijn familie en hun optimistische hoop dat zijn aanwezigheid hier hun voorspoed zou brengen.

Mijn Mustang stond nog op Yates Avenue, waar ik hem dinsdagavond had geparkeerd. Dat was mijn gelukje van die week: hij had alle vier de wielen nog en alle portieren en ramen waren intact. De taxichauffeur was zo aardig om te wachten tot Peppy in de auto zat en de motor liep voordat hij wegreed.

Ik reed naar South Chicago Avenue om bij de resten van Fly the Flag te gaan kijken. De voorgevel was nog min of meer intact, maar een groot deel van de achtermuur ontbrak. Overal lagen stukken van bouwblokken, alsof een dronken reus een hand door het raam had gestoken en stukken van het gebouw had losgetrokken. Ik gleed uit over lange slierten as, de restanten van lappen kunstzijde en canvas die in de vuurzee van dinsdag verkoold waren. Met je arm in een mitella is het lastig je evenwicht te bewaren, en ten slotte struikelde ik over een stuk wapening en viel hard op mijn goede schouder. Tranen van pijn sprongen me in de ogen. Als ik mijn rechterarm blesseerde, zou ik niet kunnen rijden en dan zou Contreras de dag van zijn leven hebben, of waarschijnlijk de maand van zijn leven, omdat hij steeds kon herhalen: 'Ik heb het je toch gezegd?'

Ik lag tussen het puin, keek naar de lage, grijze hemel en bewoog mijn rechterarm en -schouder. Alleen een kneuzing, die ik kon negeren als ik mijn best deed. Ik draaide me om, ging op een stuk van een bouwblok zitten en doorzocht afwezig de restanten om me heen. Scherven van ruiten, een hele rol goudgalon die op wonderbaarlijke wijze onbeschadigd was gebleven, verwrongen stukken metaal die spoelen geweest konden zijn en een aluminium zeepbakje in de vorm van een kikker.

Dat was een vreemd voorwerp om op een plek als deze te vinden, tenzij de wc aan stukken was geblazen en dit naar beneden was gevallen in de opslagruimte voor de stoffen. Maar de wc was een vies, kaal hok geweest, en ik herinnerde me niet dat ik er zoiets frivools als een kikker had gezien. Ik stopte hem in de zak van mijn jopper en duwde mezelf overeind. Maar goed dat ik een spijkerbroek en sportschoenen droeg, en geen avondjurk met een laag uitgesneden rug: de spijkerbroek kon gewoon in de wasmachine.

Ik liep tot aan de achtermuur, maar de puinhoop binnen zag er niet solide genoeg uit om verder te onderzoeken. De voorgevel was intact, maar de brand was dan ook aan de achterkant begonnen, aan de kant van de Skyway, onzichtbaar vanaf de straat. Ik had naar binnen kunnen gaan via het laadplatform, maar dan moest ik mezelf ophijsen en mijn schouder stribbelde ernstig tegen toen ik dat probeerde.

Ik liep terug naar mijn auto, gefrustreerd door mijn beperkte mobiliteit, en zette koers naar het noorden. Ik reed in een kalm tempo, zodat ik met één hand kon sturen. Toen we bij Hyde Park waren, parkeerde ik aan de buitenrand van de campus van de Universiteit van Chicago en liet Peppy een tijdje achter eekhoorns aan jagen. Ondanks de kou zaten er studenten buiten met koffie en studieboeken. Peppy ging ze allemaal af en keek ze aan met de gevoelvolle blik die betekent: je kunt de bladzijde omslaan, maar je kunt er ook voor kiezen deze hond iets te eten te geven. Ze slaagde erin een halve boterham met pindakaas te bietsen voordat ik haar op scherpe toon bij me riep.

Nadat ik haar weer in de Mustang had gezet, liep ik het oude gebouw van sociale wetenschappen in om het ergste vuil van mijn kleren en handen te schrobben. Ik kon niet bij April op bezoek gaan terwijl ik eruitzag als een Halloween-monster. Toen ik me omdraaide om weg te lopen, zag ik de jaap in de schouder van mijn jas, waar ze die hadden opengesneden op de spoedeisende hulp. Ik zag er niet uit als een monster, maar als een zwerfster.

18 Bezoekuur

Langs de muren van de versleten gangen van het kinderziekenhuis zaten speelgoedbeesten en hingen ballonnen, wanhopige offergaven aan de grillige goden die met het menselijk geluk spelen. Op mijn weg door gangen en over trappen kwam ik langs nisjes waar ouders zwijgend en roerloos zaten te wachten. Ik passeerde ziekenkamers en hoorde flarden overdreven vrolijk gepraat, moeders die al hun energie inzetten om hun kinderen over te halen weer gezond te worden.

Toen ik de derde verdieping bereikte, hoefde ik niet lang te zoeken naar Aprils kamer: Bron en Sandra Czernin-Zoltak stonden in een nis ertegenover ruzie te maken.

'Jij maakte een wip met een of andere hoer terwijl je dochter op sterven lag. Zeg nou niet dat je van haar houdt!' Sandra probeerde te fluisteren, maar haar stem was tot achter mij hoorbaar. Een vrouw die met een klein kind aan een infuus door de gang liep, keek nerveus naar hen en deed pogingen haar dreumes buiten gehoorsafstand te houden. 'Het was bijna middernacht toen je eindelijk in het ziekenhuis was.'

'Meteen toen ik het had gehoord, ben ik hierheen gekomen. Ben ik het ziekenhuis daarna nog één seconde uit geweest? Je weet verdomd goed dat ik geen privégesprekken kan ontvangen op de telefoon in de truck, en toen ik thuiskwam waren April en jij allebei weg, en er was geen boodschap van jou. Ik dacht dat je haar had meegenomen om allerlei troep te gaan kopen waar we geen geld voor hebben, zoals je altijd doet. Voor jou besta ik niet. Ik ben alleen maar het salaris om de rekeningen mee te betalen waar je zelf geen geld voor hebt. Je had niet eens het gezonde verstand of het fatsoen om me te bellen, haar eigen vader, nota bene. Ik moest het nieuws van het antwoordapparaat horen, en niet omdat jij belde, maar dat godvergeten kreng van een Warshawski. Zo kom ik erachter dat mijn dochter ziek is, niet van mijn eigen vrouw, de IJskoningin in eigen persoon. De Heilige Maagd had van jou nog wat kunnen leren op het gebied van kuisheid, en dan vraag je je af waarom ik elders op zoek ga naar een mens van vlees en bloed.'

'Jij weet in elk geval zeker dat April je dochter is, en dat is meer dan Jesse Navarro of Lech Bukowski over hun kinderen kunnen zeggen, met alle tijd die jij met hun vrouw hebt doorgebracht, en nou zeggen ze dat April iets aan haar hart heeft en dat ze geen basketbal meer kan spelen.' Sandra's magere, ouder wordende gezicht was vertrokken van verdriet.

'Basketbal? Ze is zo ziek als een hond en jij maakt je druk omdat ze dat stomme spelletje niet meer kan spelen? Wat mankeert je?' Bron sloeg met zijn handpalm tegen de muur.

Een verpleegkundige die haar ronde maakte, bleef naast me staan om het niveau van woede in de nis te peilen, schudde toen haar hoofd en liep door.

'Het gaat me niet om dat stomme spelletje!' Sandra's stem werd schril. 'Het is Aprils kans om te gaan studeren, jij... mislukkeling. Je weet verdomd goed dat dat van jouw salaris niet kan. Ik wil niet dat ze wordt zoals ik en haar leven moet doorbrengen met een gluiperd die zijn broek niet dicht kan houden, terwijl zij zich uit de naad werkt bij By-Smart omdat ze niets beters kan krijgen. Moet je mij zien, ik zie er net zo oud uit als je moeder, en als we het nou toch over de hoogverheven moeder van God hebben: zo ziet jouw moeder jou, als een god, en ik word geacht op mijn knieen te vallen van dankbaarheid omdat ik met jou getrouwd ben, een vent die zijn eigen kind niet eens kan onderhouden.'

'Hoe bedoel je, niet kan onderhouden? Krijg de klere, kreng! Is ze ooit met honger naar school gegaan of...'

'Heb je eigenlijk wel naar de dokter geluisterd? Het gaat honderdduizend dollar kosten om haar hart te repareren, afgezien van de medicijnen, en de verzekering betaalt er tienduizend dollar van. Waar ga je het geld vandaan halen, vertel me dat eens? Het geld dat we hadden kunnen sparen als jij het niet had uitgegeven aan rondjes voor je maten en aan de hoeren die je neukt, en...'

Brons hoofd leek op te zwellen van woede. 'Ik zal het geld vinden om April te helpen! Ik laat je niet beweren dat ik niet van mijn eigen dochter hou.'

De vrouw met het kleine kind kwam bedeesd op hen af. 'Kunt u alstublieft iets zachter praten? Mijn dochtertje moet huilen van uw geschreeuw.'

Sandra en Bron keken naar haar. Het kleine meisje aan het infuus huilde met geluidloze, hortende snikken, verontrustender dan een luid gekrijs zou zijn. Bron en Sandra wendden hun gezicht af, en op dat moment zag Bron mij.

'Daar is die kloterige Tori Warshawski. Wat bezielt je, verdomme, om mijn dochter zo op haar nek te zitten dat ze is ingestort?' Hij schreeuwde nu zo hard dat er verpleeghulpen en ouders de gang op kwamen hollen.

'Hallo Bron, ha Sandra, hoe gaat het met haar?' vroeg ik.

Sandra keerde me haar rug toe, maar Bron stoof de nis uit en gaf me zo'n harde duw dat ik tegen een muur viel. 'Je hebt mijn dochter kwaad gedaan! Ik heb je gewaarschuwd, Warshawski, ik heb je gewaarschuwd dat je met mij te maken zou krijgen als je April iets flikte!'

De mensen keken verschrikt toe hoe ik voorzichtig overeind kwam. Er sprongen tranen in mijn ogen van de pijn die door mijn linkerarm trok, maar ik knipperde ze weg. Ik was niet van plan met hem te gaan vechten, niet in een ziekenhuis, niet met mijn linkerarm in een mitella, en zeker niet met een man die zo bang en machteloos was dat hij ruzie zocht met iedereen die hem maar aankeek. Maar ik zou hem ook niet laten merken dat ik huilde.

'Ja, ik heb je gehoord. Ik kan me niet herinneren wat je zei dat je zou doen als ik haar leven redde.'

Bron stompte met zijn vuist in zijn handpalm. 'Als je haar leven redde. Als je haar leven redde, maak het nou.'

Ik wendde me tot Sandra. 'Ik hoorde je zeggen dat het haar hart is. Wat is er gebeurd? Ik heb haar op de training nooit moe of kortademig meegemaakt.'

'Het is logisch dat je dat zegt, hè?' zei Sandra. 'Jij zou alles zeggen om je hachje te redden. Er is iets mis met haar hart, een afwijking waar ze mee geboren is, maar jij hebt haar te hard laten rennen, daardoor is ze in elkaar gezakt.'

Ik kreeg het koud van angst, een angst die Bron niet in me had wakker geroepen. Dit klonk als de opmaat tot een rechtszaak. Aprils behandeling zou meer dan honderdduizend dollar kosten; ze hadden geld nodig, en ze konden mij voor het gerecht slepen. Ik had het niet breed, maar breder dan de Czernins.

'Als ze met die afwijking is geboren, had het overal en op elk moment kunnen gebeuren, Sandra,' zei ik, en ik probeerde kalm te blijven klinken. 'Wat zeggen de artsen voor haar te kunnen doen?'

'Niets. Rusten, dat is alles, tenzij we het geld bij elkaar kunnen krijgen om hun rekeningen te betalen. Al die zwarten hebben het makkelijk, die hoeven alleen hun bijstandspasjes te laten zien en hun kinderen krijgen wat ze nodig hebben, maar mensen zoals wij, mensen die altijd hard hebben gewerkt, wat hebben wij er nou helemaal aan overgehouden?'

Sandra wierp een lelijke blik door de gang op de vrouw met het kleine kind, dat toevallig zwart was, alsof de vierjarige hoogstpersoonlijk verantwoordelijk was voor het beleid van de bedrijven in de zorgsector die bepaalden welke geneeskundige zorg Amerikanen konden krijgen. Een verpleegkundige die uit een van de ziekenkamers was gekomen, stapte naar voren en wilde tussenbeide komen, maar de Czernins bevonden zich in hun eigen universum, de wereld van de woede, en daar lieten ze verder niemand toe. De verpleegkundige ging weer verder met haar werk, maar ik bleef op het slagveld.

'En ik ben getrouwd met de prins op het witte paard hier, die de hele week nog geen nacht thuis is geweest en nu doet alsof hij de heilige Jozef is, de beste vader die er bestaat.' Sandra wendde haar verbitterde gezicht weer naar Bron. 'Het verbaast me dat je nog weet hoe je dochter heet, want je bent haar verjaardag dit jaar vergeten omdat je uit was met dat Engelse kreng, of was het Danuta Tomzak uit Lazinski's bar?'

Bron greep Sandra bij haar magere schouders en schudde haar door elkaar. 'Ik hou van mijn dochter, stomme trut! Waag het eens iets anders te beweren, hier of waar dan ook. En ik zal verdomme zorgen dat ik dat geld voor haar hart bij elkaar krijg. Zeg maar tegen die klootzak van een dokter dat ze hier moet blijven, dat hij haar niet naar huis moet sturen, en dat ik het geld dinsdag voor hem heb.'

Hij stormde de gang door en denderde door een klapdeur naar een trappenhuis. Sandra's mond was een dun, verbeten lijntje.

'Maria Magdalena had haar superster, ik heb een superlul.' Ze richtte haar kwade blik op mij. 'Gaat hij die Engelse vrouw die hij naait om geld vragen?'

Ik schudde mijn hoofd. 'Ik weet het niet. Ik weet niet of ze dat heeft.'

En wie telt er honderdduizend dollar neer voor de dochter van een man die niet meer voor je betekent dan een sterk verhaal om je vrienden thuis te vertellen? Dat zei ik maar niet. Sandra klampte zich vast aan een strohalm; ze had op het moment geen flauw benul, totaal geen besef van wat er mogelijk was en wat niet.

'Je zei dat de verzekering maar tienduizend dollar dekt. Is dat jouw verzekering?'

Ze schudde haar hoofd en zei met strakke mond: 'Ik kan geen verzekering krijgen omdat ik maar vierendertig uur per week werk. Volgens By-Smart is dat niet fulltime, dat is veertig uur per week. Dus betaalt Bron de verzekering voor hem en April – we hebben besloten dat het te duur is om mij ook te verzekeren – en toen het ziekenhuis gisteren met de maatschappij belde, bleek dat zij voor maximaal tienduizend dollar is verzekerd. En dat terwijl we godbetert zesentwintighonderd dollar per jaar betalen. Als ik het geweten had, had ik al dat geld voor April op een spaarrekening gezet.'

'Wat mankeert April precies?' vroeg ik.

Sandra wrong haar handen. 'Ik weet het niet, de dokters gebruiken moeilijke woorden zodat je niet weet of ze wel het goede doen met je kind. Liet je haar te hard werken omdat ze mijn dochter is?'

Ik wilde dat ik naar Contreras had geluisterd en thuis was gebleven. Het enige verlangen dat ik had, was wegkruipen in een holletje en slapen tot het voorjaar was.

'Kunnen we een arts spreken? Als ik weet wat de diagnose is, kan ik misschien helpen een behandeling te vinden.' Ik dacht aan mijn vriendin Lotty Herschel, die chirurg is in het Beth Israel Hospital aan de noordkant van Chicago. Lotty behandelt ook een aantal minvermogende patiënten, en misschien zou zij de Czernins kunnen helpen een weg rond het verzekeringsstelsel te vinden.

'Ze is een keer flauwgevallen, de afgelopen zomer, toen ze op basketbalkamp was geweest, maar ik heb me er geen zorgen over gemaakt. Meisjes vallen de hele tijd flauw, ik in elk geval wel toen ik haar leeftijd had. Ik wilde haar zo veel mogelijk kansen geven, ik was niet van plan jou de baas over haar te laten spelen zoals je dat over mij deed.'

Ik knipperde met mijn ogen, duizelend van de woordenvloed en alle tegenstrijdige ideeën die vochten om een plaatsje onder de zon. Ik wilde al protesteren dat ik nooit de baas over haar had gespeeld, maar toen ik me onze gezamenlijke geschiedenis herinnerde, voelde ik dat ik bloosde. Als ik één avond van mijn leven kon veranderen, zou het de avond voor de reünie zijn... of misschien die avond dat ik een halve liter whisky uit Lazinski's bar had gepikt, net nadat mijn moeder was overleden... genoeg. Ik had genoeg slechte herinneringen om me de hele dag akelig te voelen als ik eraan bleef denken.

De verpleegkundige die tussenbeide had willen komen toen Sandra en Bron ruziemaakten, was nog in de buurt. Ze was bereid een arts op te piepen om in Aprils kamer met de familie te komen praten. Terwijl we wachtten, stak ik de gang over naar Aprils kamer. Sandra liep zonder te protesteren achter me aan.

April lag in een kamer met drie andere kinderen. Toen we binnenkwamen, lag ze tv te kijken. Haar gezicht was opgezet van de medicijnen die ze kreeg. Naast haar in bed zat een reusachtige, gloednieuwe teddybeer met een ballon waar 'van harte beterschap' op stond.

April richtte haar versufte blik van *Soul Train* op haar moeder, maar haar gezicht klaarde op toen ze mij zag. 'Coach! Echt cool dat u bij me op bezoek komt. Mag ik terugkomen in het team, ook als ik volgende week mis?'

'Je mag terugkomen zo gauw de dokters en je moeder zeggen dat je weer kunt spelen. Wat een fantastische beer; hoe kom je daaraan?'

'Van papa.' Ze wierp een behoedzame blik op haar moeder:

waarschijnlijk was de beer al de inzet van een ruzie geweest, maar ik vond het roerend dat Bron iets voor zijn dochter had willen kopen en met dit gigantische speelgoedbeest was aangekomen.

We praatten een tijdje over basketbal en over school, wat ze miste met biologie, terwijl Sandra haar kussens opschudde, de lakens rechttrok en April aanmoedigde wat sap te drinken ('Je weet dat de dokter heeft gezegd dat je veel moet drinken bij je medicijnen').

Na enige tijd kwam er een jonge arts-assistent binnen. Hij had een rond, engelachtig gezicht, compleet met een omlijsting van zachte, donkere krullen, maar hij had een ongedwongen manier van doen en kletste ontspannen met April terwijl hij haar hartslag controleerde en vroeg hoeveel ze at en dronk.

'Je hebt die grote beer daar nou wel zitten om me weg te jagen, maar ik ben niet zo snel bang. Hou hem maar uit de buurt van je vriendje, want jongens van jouw leeftijd kunnen nog niet tegen beren op.'

Na een paar minuten nam hij met een knikje en een knipoog afscheid van haar en ging hij Sandra en mij voor de gang in, buiten gehoorsafstand van April. Ik stelde me voor en vertelde welke rol ik speelde in Aprils leven.

'O, u bent de heldin die haar leven heeft gered. Hebt u daarbij uw arm bezeerd?'

Ik hoopte dat Sandra beter over me zou denken nu ze hoorde dat de dokter me een heldin noemde. Ik vertelde kort hoe ik aan mijn verwonding was gekomen en vroeg wat er precies met April aan de hand was.

'Ze heeft iets wat we het lange QT-syndroom noemen. Ik zou u een ecg kunnen laten zien en uitleggen hoe we dat weten en waarom we het zo noemen, maar het komt erop neer dat het een soort hartritmestoornis is. Met de juiste behandeling kan ze zonder meer een normaal, productief leven leiden, maar ze moet absoluut stoppen met basketbal. Het spijt me dat ik het zo ronduit zeg, mevrouw Czernin, maar als ze blijft spelen, zou het wel eens helemaal verkeerd kunnen aflopen.'

Sandra knikte somber. Ze wrong haar handen weer, en drukte met haar duimen zo hard tegen de ruggen van haar handen dat er paarsrode vlekken ontstonden. Ik vroeg de arts-assistent wat de juiste behandeling inhield.

'We geven haar nu bètablokkers om haar hart stabiel te krijgen.' Hij gaf een langdurige uitleg over de opeenhoping van natrium-ionen in de hartkamer en de functie die bètablokkers hadden bij het stabiliseren van het ionenevenwicht, en vervolgde toen: 'Ze zou eigenlijk een pacemaker moeten krijgen, een implanteerbare cardioverter en defibrillator. Anders vrees ik dat het slechts een kwestie van tijd is voordat het opnieuw misgaat.'

Zijn pieper ging. 'Als er nog iets is, laat u me dan alstublieft oppiepen. Ik kan u op elk gewenst moment te woord staan. Als Aprils hart stabiel is, ontslaan we haar maandag en houden we haar voorlopig op de bètablokkers.'

'Alsof ik dat kan betalen,' mompelde Sandra. 'Zelfs met mijn werknemerskorting kosten die medicijnen nog vijftig dollar per week. Wat denken ze in dit land, dat alleen rijke mensen ziek worden?'

Ik wilde iets meelevends zeggen, maar ze keerde zich weer tegen me. Ons korte ogenblik van harmonie was voorbij. Er was een grens aan hoe lang ik als boksbal voor haar wilde fungeren, en die was enige tijd geleden overschreden. Ik zei tegen haar dat ik contact zou opnemen en liep door de gang naar het trappenhuis.

Toen ik de hoofdingang van het ziekenhuis uit wilde lopen, botste ik bijna tegen een lange tiener op, die vanaf Maryland Avenue binnenkwam. Ik was in gedachten verzonken en keek pas naar haar toen ze uitriep: 'Coach!'

Ik bleef staan. 'Josie Dorrado! Wat fijn dat je bij April op bezoek komt. Ze zal veel steun nodig hebben in de komende weken.'

Tot mijn verbazing gaf ze geen antwoord, maar werd ze diep-rood en liet de pot margrieten vallen die ze in haar handen had. Ze deed de deur half open en maakte een wapperend gebaar met haar rechterarm, om iemand buiten duidelijk te maken dat hij of zij moest wegwezen. Ik stapte over de plant en aarde heen en duwde de deur open.

Josie greep me bij mijn pijnlijke linkerarm en probeerde me weer naar binnen te trekken. Ik gaf een gil die zo hard was dat ze me losliet en drong me ruw langs haar heen om de straat te zien.

Er reed een nachtblauwe Mazda Miata weg over Maryland Avenue, maar het zicht op de nummerplaat werd me benomen door een paar gezette vrouwen, die langzaam overstaken.

Ik wendde me weer tot Josie. 'Wie heeft je gebracht? Wie van de mensen die jij kent kan zich een dergelijke sportwagen veroorloven?'

'Ik ben met de bus gekomen,' zei ze snel.

'O? Welke?'

'De... eh... de... ik heb niet op het nummer gelet, ik heb alleen aan de chauffeur gevraagd...'

'Om je af te zetten voor de ingang van het ziekenhuis. Josie, ik vind het beschamend dat je tegen me liegt. Je zit in mijn team, ik moet je kunnen vertrouwen.'

'O, coach, u begrijpt het niet. Het is niet wat u denkt, eerlijk niet!'

'Neemt u ons niet kwalijk.' De drie gezette vrouwen die net op straat hadden gelopen, namen ons nu met een strenge frons op. 'Kunt u uw troep opruimen? We willen graag het ziekenhuis in.'

We hurkten neer om de bloemen op te ruimen. De pot was van plastic en had de val overleefd. Met enige hulp van de bewaker bij de receptie, die een stoffer voor me wist te vinden, kregen we de meeste aarde terug in de pot en we zetten de plant er weer in. Zo te zien was hij halfdood, maar ik zag aan de prijssticker dat Josie hem voor één dollar negenennegentig bij By-Smart had gekocht, en voor twee dollar kun je geen verse, levendige bloemen verwachten.

Toen we klaar waren, keek ik naar haar magere gezicht. 'Josie, ik kan niet beloven dat ik het je moeder niet vertel als je uitgaat met een oudere man die ze niet kent of niet geschikt voor je vindt.'

'Ze kent hem en ze vindt hem aardig, maar ze kan niet... Ik kan u niet vertellen... U moet beloven...'

'Ga je met hem naar bed?' vroeg ik botweg, terwijl de ene onvoltooide zin over de andere buitelde.

Haar wangen werden weer rood. 'Absoluut niet!'

Ik perste mijn lippen op elkaar en dacht aan haar situatie thuis, de tweede baan van haar moeder, waarmee ze het gezin zou moeten onderhouden nu Fly the Flag er niet meer was, de baby van haar zus, en aan pastor Andrés die voorbehoedsmiddelen afkeurde. 'Josie, ik zal beloven voorlopig niets tegen je moeder te zeggen, als jij mij ook iets belooft.'

'Wat dan?' vroeg ze achterdochtig.

'Als je met hem of met een andere jongen naar bed gaat, moet je zorgen dat hij een condoom gebruikt.'

Ze werd nog roder. 'Maar, coach, ik kan niet... Hoe kunt u... En de mevrouw van de onthouding zegt dat ze niet eens werken.'

'Dan heeft ze je slecht voorgelicht, Josie. Ze zijn niet honderd procent betrouwbaar, maar meestal werken ze wel. Wil je net zo worden als je zus Julia en de hele dag voor de tv hangen? Of wil je proberen meer uit het leven te halen dan baby's en de kassa van By-Smart?'

Haar ogen waren groot en angstig, alsof ik haar voor de keuze had gesteld: haar hoofd afhakken of ik zou met haar moeder praten. Ze had waarschijnlijk gedroomd van hartstochtelijke omhelzingen en een bruiloft, van alles behalve wat het betekende om met een jongen naar bed te gaan. Ze keek naar de deur, naar de grond, en stormde toen plotseling de trap op het ziekenhuis in. Ik keek toe hoe een bewaker bij de ingang haar tegenhield, maar toen ze omkeek, kon ik de angst op haar gezicht niet verdragen. Ik draaide me om en liep de koude middag in.

19 De gastvrije meneer Contreras

Ik liet Peppy weer uit de auto om eekhoorns over de campus te jagen en ging zelf op het bordes van de Bond-kapel zitten, met mijn knieën hoog opgetrokken en mijn pijnlijke rug tegen de rode deuren. Er dwarrelden een paar sneeuwvlokken uit de loodgrijze lucht. De studenten waren nergens meer te bekennen. Ik trok de kraag van mijn marineblauwe jopper rond mijn oren omhoog, maar er drong kou naar binnen door de snee in de schouder.

Wat voor signalen had ik vóór maandag bij April moeten opmerken? Liepen anderen in mijn team gevaar? Ik wist niet eens of de school de leerlingen die wilden sporten lichamelijk onderzocht, maar als ze te arm waren voor een coach en ballen, hadden ze waarschijnlijk ook geen budget voor ecg's en röntgenfoto's.

Als Sandra besloot me aan te klagen, zou ik dat ook wel weer overleven, maar dan moest ik wel meteen een paar dingen op papier zetten, nu ze me nog duidelijk bijstonden. Dat April afgelopen zomer was flauwgevallen, bijvoorbeeld, en Sandra's eigen verleden. 'Meisjes vallen de hele tijd flauw,' had ze gezegd; zij in elk geval wel, hoewel ik me niet herinnerde dat ik dat ooit had meegemaakt. Misschien was ze in zwijm gevallen in Boom-Booms armen... Toch was hij vast niet met haar naar bed geweest. Alleen al de gedachte aan die mogelijkheid maakte me razend. Maar waarom wilde ik een heilige van hem maken? Al die jaren had ik aangenomen dat hij haar had meegenomen naar het feest om mij te straffen, maar dat was omdat ik er nooit aan had gewild dat hij een leven had los van het mijne. Sandra deed het met Jan en alleman, dat wist iedereen, dus waarom niet met Boom-Boom? En hij was een sportheld die niet bepaald celibatair leefde.

Peppy kwam aan me snuffelen, ongerust over mijn lethargie. Ik stond op en gooide zo goed en zo kwaad als het ging een stok voor haar weg. Ze was tevreden; ze nam de stok mee naar het grasveld om erop te kauwen.

Ik besefte dat ik net zo afgemat was door de hatelijkheden tussen Bron en Sandra als door mijn lichamelijke klachten. Was er ooit een tijd geweest dat ze met hun armen om elkaar heen gevoelvol in elkaars ogen hadden gekeken? Sandra had April gekregen toen ze dertig was, dus ze waren niet door een tienerzwangerschap naar het altaar gedwongen. Door iets anders, maar ik had geen vrienden in de oude buurt die me konden vertellen wat. Had hij andere vrouwen omdat ze op hem neerkeek? Minachtte ze hem omdat hij andere vrouwen had? Wat was de kip en wat was het ei in die intense vijandschap?

Ik kwam langzaam overeind en riep Peppy. Ze kwam met haar roze tong uit haar bek naar me toe rennen, grijnzend van plezier. Ik haalde mijn vingers door haar zijdezachte, goudblonde haar en probeerde iets van haar pure vreugde over de wereld om haar heen over te nemen voordat ik mijn vermoeide lijf weer in beweging bracht.

Op mijn kantoor bekeek ik wie er de vorige dag allemaal hadden gebeld. Een paar cliënten met wie ik contact had moeten opnemen. Drie berichten van meneer William, die zijn zoon terug wilde, en twee van Murray Ryerson van de *Herald-Star*, die wilde weten of er een goed verhaal in Fly the Flag zat. Een brand is in Chicago een alledaagse gebeurtenis. Het verhaal had maar één alineaatje gekregen tussen het stadsnieuws in de plaatselijke kranten, en Murray was voor zover ik wist de enige journalist die mijn naam had opgemerkt in de kleine lettertjes (verkeerd gespeld en verkeerd benoemd als 'brigadier van politie van Chicago I.V. Warshacky', maar daar had Murray zich niet door in de war laten brengen).

Eerst belde ik Morrell. Contreras en hij hadden Thais eten besteld voor de lunch en gin rummy gespeeld. Mijn buurman was weggegaan, maar Morrell kon zich niet op zijn schrijfwerk concentreren; misschien had hij de afgelopen dagen te veel gedaan. Toen ik vertelde dat ik wat werk op kantoor ging doen en daarna bij Lotty zou langsgaan, zei Morrell dat hij graag mee wilde, als ze thuis was. Hij begon gek te worden van het binnen zitten.

Lotty was thuis. Anders dan Murray nam ze de kranten niet door op nieuws over misdrijven, dus ze was verrast en bezorgd toen ze hoorde dat ik bij mijn werk gewond was geraakt. 'Natuurlijk kun je langskomen, lieverd. Ik ga even boodschappen doen, maar vanmiddag blijf ik thuis. Een uur of half vier dan?'

Nadat ik wat gegevens over mijn ontmoeting met Sandra en Bron had gedicteerd, praatte ik even met Murray: er zat geen groot verhaal in Fly the Flag, tenzij je wilde ingaan op de ramp die dit betekende voor mensen als Rose Dorrado. Hij luisterde een paar minuten naar mijn gepassioneerde beschrijving van haar leven voordat hij me onderbrak om te zeggen dat hij zou kijken of hij de redacteur van *ChicagoBeat* warm kon krijgen voor een verhaal over de menselijke achtergronden in die buurt.

'En de man die dood in het gebouw is gevonden?' vroeg ik. 'Is hij al geïdentificeerd? Was het Frank Zamar?'

Ik hoorde Murrays vingers tikken op zijn toetsenbord. 'Ja, eh, Zamar, dat klopt. Er waren een alarm en een sprinklerinstallatie aanwezig. De technische recherche denkt dat het alarm is afgegaan en dat hij is gaan kijken wat er aan de hand was. Er is een flinke droogruimte achter in de fabriek, met een groot heteluchtkanon dat op propaan werkt. De stof moet zijn gaan smeulen en de propaan tot ontploffing hebben gebracht op het moment dat hij beneden kwam. Het lijkt erop dat hij heeft geprobeerd weg te rennen maar door het vuur is ingehaald.'

Ik liet de telefoon vallen. Ik was buiten geweest en had spionnetje gespeeld terwijl Frank Zamar een vuurzee in was gelopen. Ik werd me bewust van Murray's stem, die blikkerig klonk ter hoogte van mijn rechterknie. Ik pakte de hoorn op.

'Het spijt me, Murray. Ik was erbij, vandaar. Ik had binnen moeten zijn, om er rond te kijken. Ik had er een paar dagen eerder iemand gezien, ik had binnen moeten zijn.' Mijn stem werd hoog van paniek en ik bleef hetzelfde zinnetje herhalen: 'Ik had binnen moeten zijn.'

'Hé, Warshawski, kalm aan een beetje. Zou hij je binnen hebben gelaten? Je zei dat hij niet met je wilde praten toen je er vorige week was. Waar ben je? Op kantoor? Wil je dat ik naar je toe kom?'

Ik slikte mijn hysterie weg en zei beverig: 'Ik denk dat ik gewoon iets moet eten. Dat is al een tijd geleden.'

Nadat hij nogmaals zijn hulp had aangeboden en me op het hart had gedrukt iets te eten en rust te nemen, hing hij op met de belofte dat hij zou kijken of hij een verhaal kon plaatsen over Rose en een paar andere mensen die bij Fly the Flag hadden gewerkt.

Ik liep naar La Llorona, een Mexicaans eettentje dat nog op het nippertje de huur kan betalen. Mijn kantoor is in een buurt die zo snel in opkomst is dat de huren met de dag lijken te verdubbelen. Na twee kommen kiptortillasoep van mevrouw Aguilar en een dutje op de stretcher in het achterkamertje van mijn kantoor pleegde ik de rest van mijn telefoontjes.

Ik liet berichten achter op de voicemail van mijn ongeduldige cliënten. Ik vertelde hun niet dat ik laat was doordat ik gewond was geraakt, want het maakt geen goede indruk als je jezelf lek laat steken of omver laat schieten terwijl zij verwachten dat je over hun problemen nadenkt. Ik zei alleen dat ik voorlopige rapporten voor hen had, wat morgen aan het eind van de dag waar zou zijn, als ik met mijn schouder de hele middag kon typen. Ik deed niet eens een poging meneer William te bereiken; wat hij ook op zijn lever had, ik kon de familie Bysen vandaag niet aan.

Mitch blafte achter Contreras' deur toen ik thuiskwam, maar mijn buurman was ofwel met iets bezig, of hij was nog beledigd omdat ik zijn raad die ochtend niet had opgevolgd. Toen hij niet naar buiten kwam om me te begroeten, nam ik Peppy mee naar boven, naar mijn eigen huis.

Morrell was blij me te zien. Hij was zijn boek beu, hij was mijn kleine ruimte beu en hij was het zat om op tweehoog te zitten terwijl de trappen een vrijwel onneembare hindernis voor hem waren, zodat hij zich opgesloten voelde. Hij hinkte langzaam met me naar beneden voor het ritje naar Lotty.

Vroeger woonde Lotty in een huis van twee verdiepingen vlak bij haar kliniek, maar een paar jaar geleden was ze verhuisd naar een van de stijlvolle oude gebouwen aan Lake Shore Drive. 's Zomers is het onmogelijk om bij haar in de buurt te parkeren, maar op deze koude novembermiddag, terwijl de grijze dag overging in het donker van de vroege avond, vonden we zonder al te veel moeite een plaats.

Ze begroette ons hartelijk, maar verspilde geen tijd aan gekeuvel. In een achterkamer met uitzicht over het Michiganmeer trok ze met snelle, vakkundige gebaren mijn verband los. Ze klakte geergerd met haar tong, gedeeltelijk vanwege mij, omdat ik het verband nat had laten worden in de douche, en gedeeltelijk vanwege de chirurg die me had dichtgenaaid. Slordig gedaan, vond ze, en ze vervolgde dat we naar haar kliniek zouden gaan, waar ze me weer netjes in elkaar zou zetten; anders zou ik vergroeiingen krijgen waar maar lastig iets aan te doen zou zijn als de wond was geheeld.

We hadden een korte woordenwisseling over wie er zou rijden. Lotty dacht niet dat ik met maar één bruikbare arm goed kon rijden, en ik dacht niet dat zij goed kon rijden, punt uit. Ze denkt dat ze Stirling Moss is die de Grand Prix rijdt, maar de enige overeenkomsten die ik kan ontdekken, zijn haar snelheid en haar overtuiging dat er niemand voor haar op de weg mag rijden. Morrell lachte om ons gekibbel maar stemde voor Lotty: als ik na de behandeling liever niet meer reed, zou zij in mijn auto terug moeten rijden, wat lastig was.

Uiteindelijk was noch de rit noch het opnieuw hechten zo erg als ik had gevreesd; dat eerste kwam doordat het in de hoofdstraten zo druk was met mensen die de zaterdagboodschappen in huis wilden halen dat zelfs Lotty langzaam moest rijden. In haar kliniek, een winkelruimte ongeveer anderhalve kilometer ten westen van mijn appartement, in een meertalige buurt grenzend aan de nieuwbouw van de North Side, spoot ze novocaïne in mijn schouder. Het was een trekkerig gevoel toen ze de oude hechtingen losknipte en de nieuwe aanbracht, maar of het nu door haar vakkundigheid of door het verdovingsmiddel kwam, ik kon mijn arm vrij gemakkelijk bewegen toen ze klaar was.

Toen Lotty achterovergeleund in een fauteuil in haar kantoortje zat, kwamen we eindelijk aan de narigheid van April Czernin toe. Lotty luisterde aandachtig en schudde spijtig haar hoofd over de beperkte hulp die de Czernins konden krijgen.

'Betaalt de verzekering echt maar tienduizend dollar voor haar behandeling? Dat is schandalig. Maar het is kenmerkend voor de problemen waar onze patiënten tegenwoordig tegen aanlopen. Ze worden gedwongen beslissingen van levensbelang te nemen op grond van wat de verzekering wel of niet betaalt.

Maar we kunnen dat meisje van je niet opnemen als Medicaid-patiënte omdat haar ouders allebei werken. Als de factureerafdeling ontdekt dat ze verzekerd is, doen ze precies wat de universiteit deed: ze bellen de verzekering en horen dat de polis de pacemaker niet dekt. Het enige wat ik kan bedenken is dat ze proberen haar in een experimenteel programma te krijgen, maar de behandeling van het lange QT-syndroom is op het moment tamelijk standaard en het zou moeilijk kunnen zijn een behandelgroep te vinden op een dusdanige afstand dat ze zich de reis kunnen veroorloven.'

'Ik denk dat voor Sandra Czernin geen reis te ver is als ze denkt dat April erbij gebaat is. Lotty, ik blijf maar denken dat ik iets had moeten merken voordat ze in elkaar zakte.'

Ze schudde haar hoofd. 'Soms is iemand al eens flauwgevallen – je zei dat dat volgens de moeder van de zomer is gebeurd – maar vaak komt zo'n instorting als een donderslag bij heldere hemel, zonder waarschuwing.'

'Ik zie er huizenhoog tegen op om naar school te gaan, maandag,' bekende ik. 'Ik durf de meisjes niet te vragen om door de zaal heen en weer te rennen. Stel je voor dat er nog een is met een tijdbom in haar borst of in haar hoofd?'

Morrell kneep in mijn hand. 'Zeg tegen de schoolleiding dat ze de meisjes moeten laten onderzoeken voordat je verdergaat met de trainingen. De moeders zullen het zeker met je eens zijn, of in elk geval genoeg van hen om de school te dwingen actie te ondernemen.'

'Breng ze maar naar de kliniek, dan maak ik ecg's van ze, of anders doet Lucy dat,' bood Lotty aan.

Ze had afgesproken om met Max Loewenthal uit eten te gaan en ze nodigde Morrell en mij uit mee te komen, wat ons allebei een welkome afleiding leek. We gingen naar een van de bistrootjes die in de North Side als paddestoelen uit de grond zijn gerezen, een met een wijnkaart die Max aanstond, en bleven tot laat zitten op een fles Côtes-du-Rhône. Ondanks mijn zorgen en verwondingen was het de aangenaamste avond die ik had gehad sinds Marcena op het toneel was verschenen.

In de taxi naar huis viel ik tegen Morrells schouder in slaap. Toen we bij mijn huis aankwamen, stond ik te suffen op de stoep en hield zijn wandelstok vast terwijl hij de chauffeur betaalde. Zoals dingen niet echt tot je doordringen als je doezelig bent, zag ik aan de overkant van de straat een Bentley staan met een man in een chauffeursuniform achter het stuur. Ik zag licht branden in mijn woonkamer en dacht er niet over na, maar toen we langzaam de trap hadden beklommen en ik de deur van mijn flat op een kier zag staan, werd ik heel snel wakker.

'Ik ga naar binnen,' fluisterde ik tegen Morrell. 'Bel 911 als ik over twee minuten niet terug ben.'

Hij begon een discussie over wie van ons de held mocht uithangen, of de idioot, maar hij moest toegeven dat ik met mijn verwondingen nog altijd in een betere conditie was dan hij met de zijne... en ik was degene met de behendigheid van de straatvechter.

Voordat een van ons iets heldhaftigs of onbezonnens kon ondernemen, begonnen Peppy en Mitch aan de andere kant van mijn deur te blaffen en te janken. Ik trapte de deur wijd open en drukte me plat tegen de muur. De twee honden sprongen naar buiten om ons te begroeten. Ik perste mijn lippen op elkaar, inmiddels meer van ergernis dan van angst, en liep achter de honden aan naar binnen.

20 Leuk dat jullie er ook zijn

Contreras zat in de leunstoel in mijn woonkamer. Tegenover hem, op de bank, zaten Buffalo Bill Bysen en Mildred, zijn persoonlijk assistente. Zelfs op zaterdagavond om tien uur was ze nog zwaar opgemaakt. Contreras keek naar me op met dezelfde tegelijk schuldbewuste en uitdagende blik die de honden hebben als ze de tuin hebben omgegraven.

'Dus daarom staat er een Bentley op Belmont Avenue. Die staat te wachten op de baas van een van de grootste bedrijven ter wereld, die mij met zijn bezoek vereert.' Ik wreef me quasi-enthousiast in mijn handen. 'Enig dat u even komt aanwippen, maar ik vrees dat ik naar bed ga. Neem iets te drinken uit de drankkast, maar zet de muziek niet te hard; de buren zijn lastig.'

Ik ging naar de voordeur om Morrell te vertellen dat de kust niet bepaald veilig was, maar dat hij binnen kon komen.

'Het spijt me, pop.' Contreras was achter me aan gelopen. 'Toen ze aan de deur stonden en zeiden dat ze je moesten spreken, nou ja, je zegt altijd tegen me dat ik me nergens mee moet bemoeien, dus ik wilde geen nee zeggen voor het geval je het had afgesproken. Je wilde me vandaag niets vertellen over je plannen.'

Ik ontblootte mijn tanden en grijnsde hem gemeen toe. 'Wat attent van je. Hoe lang zijn ze hier al?'

'Ongeveer een uur, misschien iets langer.'

'Ik heb een mobiele telefoon, weet je, en ik heb je het nummer gegeven.'

'Mag ik even?' Mildred kwam naar de gang gelopen. 'Meneer Bysens dag begint morgen weer vroeg. Dit moet afgehandeld worden, zodat we terug kunnen naar Barrington.'

'Uiteraard. Morrell, dit is Mildred – ik ben bang dat ik haar achternaam niet ken. Ze is Buffalo Bill Bysens duvelstoejager. Mildred, dit is Morrell. Hij gebruikt zijn voornaam nooit.'

Morrell stak zijn hand uit, maar Mildred knikte alleen vluchtig, draaide zich om en ging ons voor naar binnen.

'Mildred en Buffalo Bill zitten al een uur in de woonkamer,' zei ik tegen Morrell. 'Contreras heeft ze binnengelaten omdat hij dacht dat het een noodgeval was toen ze ongeïnviteerd op de stoep stonden, en nu zijn ze heel boos dat we niet hebben aangevoeld dat ze hier zaten en alles uit onze handen hebben laten vallen om ons hierheen te spoeden en voor ze te zorgen.'

'Voor u heet hij meneer Bysen,' zei Mildred met strakke mond. 'Als u al uw cliënten zo onbehoorlijk behandelt, verbaast het me dat u nog klandizie hebt.'

Ik keek haar nadenkend aan. 'Bent u een cliënte, Mildred? Of Buffalo Bill? Ik kan me niet herinneren dat jullie me hebben ingehuurd. Ik kan me trouwens ook niet herinneren dat ik jullie mijn adres heb gegeven.'

'Menéér Bysen,' zei ze nadrukkelijk, 'zal wel uitleggen wat u voor hem moet doen.'

Toen we allemaal weer binnen waren, stelde ik Bysen aan Morrell voor en bood ik iedereen iets te drinken aan.

'Dit is geen gezelligheidsbezoekje, jongedame,' zei Bysen. 'Ik wil weten waar mijn kleinzoon is.'

Ik schudde mijn hoofd. 'Dat weet ik niet. Als dat alles was, had u zich de rit uit Barrington kunnen besparen door de telefoon te pakken.'

Mildred ging weer naast Bysen op de bank zitten, sloeg haar goudkleurige leren map open en hield haar pen in de aanslag, klaar om zonder tijdverspilling een aantekening te maken of opdracht te geven voor een executie.

'Hij heeft u donderdag gesproken. U hebt hem gebeld en hij heeft met u gepraat. Vertel me nu maar waar hij is.'

'Billy heeft mij gebeld, niet andersom. Ik weet niet waar hij is en ik heb zijn mobiele nummer niet. En ik heb hem beloofd niet naar hem op zoek te gaan zolang ik geloof dat hij veilig is en niet tegen zijn wil wordt vastgehouden.'

'Nou, dat is dan mooi. U spreekt de jongen aan de telefoon en weet dat hij gezond en wel is, gnn? U hebt hem tweemaal ontmoet en u kent hem zo goed dat u aan zijn stem kunt horen dat alles in orde is? Weet u hoe blij een kidnapper zou zijn als hij een van mijn kleinkinderen in handen kreeg? Weet u wat hij waard is? Gnn? Gnn?'

Ik drukte mijn rechterwijsvinger en -duim tegen mijn neusbrug alsof ik zo gedachten mijn hersens in kon duwen. 'Nee, dat weet ik niet. Ik vermoed dat het bedrijf ongeveer vierhonderd miljard waard is, en als je dat eerlijk verdeelt... U hebt zes kinderen? Dat is dus zevenenzestig miljard per stuk, en als meneer William dat weer eerlijk over zijn kinderen verdeelt, komt dat op...'

'Dit is geen grapje,' brulde Buffalo Bill terwijl hij zichzelf overeind duwde. 'Als u hem morgen om deze tijd niet bij me hebt teruggebracht, dan...'

'Wat dan? Dan houdt u mijn zakgeld in? Het mag dan geen grapje zijn, u maakt er een regelrechte klucht van. Uw zoon heeft me ingehuurd om naar Billy te zoeken en daar heb ik gedachteloos ja op gezegd. Toen Billy dat van iemand in de South Side hoorde, heeft hij me gebeld en me verteld tegen meneer William te zeggen op te houden met zoeken, omdat hij, Billy, anders aandeelhouders zou gaan bellen.'

Buffalo Bill fronste zijn voorhoofd en ging weer zitten. 'Gnn. Wat bedoelde hij daarmee?'

Mijn lippen plooiden zich in een onaangename glimlach. 'Het leek uw zoon iets te zeggen, dus neem ik aan dat het u ook iets zegt.'

'Het kan van alles betekenen. Wat maakte u eruit op? Gnn? Hebt u hem niet gevraagd wat hij de aandeelhouders zou gaan vertellen?'

Was dit de werkelijke reden van dit absurde uitstapje van de zwaarbeveiligde pracht en praal van Barrington Hills naar mijn bescheiden vierkamerappartement? 'Als u dit met mij wilde bespreken, waarom hebt u me dan niet gewoon gebeld of me gevraagd naar uw kantoor te komen? Ik weet niet hoe het met u zit, maar ik heb een zeer lange dag achter de rug en ik wil eigenlijk wel naar bed.'

Bysens frons werd dieper, zodat ik zijn ogen onder zijn zware wenkbrauwen niet meer kon zien. 'Grobian heeft gisteren gebeld uit het magazijn. Hij zei dat hij Billy had zien lopen in 92nd Street, met zijn arm om een of ander Mexicaans meisje heen.'

'Dan weet u dus dat alles goed met hem is.'

'Dat weet ik helemaal niet. Ik wil weten wie die Mexicaanse is. Ik ben niet van plan toe te zien hoe mijn kleinzoon zich laat inpalmen door een illegaaltje met een zielig verhaal, met haar trouwt en haar diamanten belooft, of wat ze ook maar denkt los te kunnen krijgen uit het fortuin van zijn opa. U hebt Billy ontmoet, u weet hoe hij is, hij laat zich volledig inpakken door mensen met problemen. De jongen geeft zelfs dollarbiljetten aan bedelaars met het daklozenkrantje. Werken kunnen ze niet, maar wel dollarbiljetten aftroggelen van naïeve jongens als Billy.'

Ik ademde diep in. Uit mijn ooghoek zag ik dat Morrell bijna onmerkbaar zijn hoofd schudde. Een waarschuwing: rustig aan, V.I., vlieg de man niet naar de strot.

'Onverstandige huwelijken zijn aan de orde van de dag. Als Billy omgaat met iemand die niet geschikt voor hem is, denk ik niet dat ik hem kan tegenhouden, meneer Bysen. Maar hij lijkt de religieuze waarden van zijn grootmoeder te hebben overgenomen. Als hij een vriendinnetje krijgt, is dat vermoedelijk een kerkse jonge vrouw. Ook al is ze arm, ze zal waarschijnlijk geen profiteur zijn.'

'Vergeet dat maar. Kijk maar naar dat mens dat Gary mee naar huis heeft genomen en dat beweerde christelijk te zijn. We hadden hem nooit zo ver weg moeten laten studeren, maar Duke leek ons een universiteit met veel goed christelijke jongens en meisjes, en zij was nota bene lid van de christelijke studentenvereniging.'

Mildred mompelde iets tegen hem en hij onderbrak zichzelf en wierp mij weer een lelijke blik toe. 'Ik wil weten wie dat meisje is, dat meisje dat aan Billy klit.'

Ik onderdrukte een geeuw. 'U hebt zoveel middelen dat u mijn hulp helemaal niet nodig hebt. Kijk maar hoe makkelijk u me hebt opgespoord. Ik heb een geheim telefoonnummer en ik laat al mijn rekeningen naar mijn kantooradres sturen, zodat mijn thuisadres niet in Lexis staat, maar u hebt me toch gevonden. Iemand bij u op de loonlijst kent vast wel iemand die bij de telefoonmaatschappij of het bevolkingsregister werkt, en die bereid is de wet te overtreden om u te helpen. Laat hen maar uitzoeken met wie Billy omgaat.'

'Maar hij kent u, hij vertrouwt u, en u voelt zich daar thuis. Als ik een van onze veiligheidsmensen naar die buurt stuur om hem te zoeken, weet hij meteen dat die door mij is gestuurd en dan... Nou ja, dat zou hem overstuur maken. Ik betaal u hetzelfde als wat William met u heeft afgesproken.'

'Het spijt me, meneer Bysen. Ik heb uw zoon verteld dat ik ermee ophield, ik heb uitgelegd waarom en ik heb hem een aangetekende brief gestuurd waarin het nog eens haarfijn wordt uitgelegd. Ik heb Billy beloofd dat ik hem met rust zou laten, en dat doe ik dus.'

Bysen stond weer op en leunde op zijn wandelstok. 'U begaat een ernstige vergissing, jongedame. Ik heb u een redelijk aanbod gedaan, meer dan redelijk, om ongezien en zonder onderhandelen het honorarium te betalen dat u van William zou krijgen. Als u me niet wilt helpen, kan ik het u moeilijk maken, zeer moeilijk. Denkt u dat ik niet weet hoe hoog uw hypotheek is? Wat zou u doen als ik ervoor zorgde dat al uw cliënten wegliepen naar een andere detective, gnn? Stel dat ik het u zo moeilijk maak dat u kruipend bij me moet komen om me te smeken u tegen welk honorarium dan ook in te huren, gnn?'

Contreras schoot overeind en Mitch, gealarmeerd door Bysens toon, begon laag en diep in zijn keel te grommen, zoals een hond doet als het hem menens is. Ik sprong op en legde een hand op zijn halsband.

'Waag het niet haar te bedreigen,' riep Contreras uit. 'Ze heeft gezegd dat ze niet voor u wil werken en dat zult u moeten accepteren. Het is niet het einde van de wereld. U hoeft haar niet in uw zak te hebben, net als de rest van de wereld.'

'Juist wel, juist wel. Dat is het enige wat hem gaande houdt, ons allemaal opslokken alsof we garnaaltjes op een buffet zijn.' Ik moest oprecht geamuseerd om dat beeld lachen, maar toen keek ik verwonderd naar Bysen. 'Hoe voelt het om een vraatzucht te hebben die door niets bevredigd kan worden? Hebben uw zoons dat ook? Zal William dezelfde enorme behoefte hebben uw imperium groter te maken als u er niet meer bent?'

'William!' Vol afschuw gooide Bysen de naam van zijn zoon eruit. 'Zeurderig oud wijf. Nee, dan die gewiekste intrigante van een Jacqui, die zou een veel betere...'

Opnieuw onderbrak Mildred hem met een eerbiedig gemompel in zijn oor, en ze vervolgde tegen mij: 'Mevrouw Bysen is ziek van ongerustheid over Billy. Ze is tweeëntachtig en dit is niet goed voor haar. Als u weet waar Billy is en het ons niet vertelt, zou dat haar dood kunnen zijn. Misschien kunnen we u zelfs wel aanklagen als medeplichtige aan zijn ontvoering.'

'Ach, schiet toch op,' zei ik. 'Jullie zijn gewend dat mensen jullie zo hard nodig hebben dat ze alles pikken om maar goede maatjes te blijven. Als jullie iemand tegenkomen die geen zaken met jullie moet of wil doen, weten jullie niet hoe jullie moeten reageren: me overhalen door me te vertellen dat dit het hart van zijn oma breekt, of dreigen me aan te klagen. Ga terug naar jullie buitenwijk en bedenk een serieuze benadering voordat jullie nog een keer met me komen praten.'

Ik wachtte een reactie van mijn bezoekers niet af, maar trok aan de halsband van Mitch om te zorgen dat hij zich omdraaide. Ik riep Peppy en nam de honden mee naar de keuken, waar ik ze de achtertrap af stuurde naar de tuin om hun behoefte te doen.

Ik leunde met gesloten ogen tegen de balustrade van de veranda en probeerde mijn nek en schouders te ontspannen. Mijn wond klopte, maar door het werk van Lotty was de pijn gezakt tot een niveau waarmee ik kon leven. De honden kwamen de trap weer op om zich ervan te vergewissen dat alles goed met me was, na de dreigementen van Bysen. Ik liet mijn vingers door hun vacht glijden en bleef op de veranda staan luisteren naar de zwakke geluiden van de stad om me heen: het gerommel van de trein een paar straten verder, een sirene in de verte, gelach uit een naburig appartement... mijn eigen slaapliedje.

Na een tijdje kwam Morrell naar buiten gehinkt. Ik leunde tegen zijn borst en trok zijn armen om me heen. 'Zijn ze weg?'

Hij lachte zacht. 'Je buurman heeft ruziegemaakt met Buffalo Bill. Ik denk dat Contreras dusdanig werd verteerd door schuldgevoel omdat hij ze binnen had gelaten, dat hij dat op Bysen moest afreageren. Mildred probeerde ze steeds te laten ophouden, maar toen Contreras zei dat Bysen een lafaard was, om een alleenstaande jonge vrouw als jij aan te vallen, werd Bysen woedend en haalde zijn oorlogsverleden erbij, en toen moest Contreras daar natuurlijk weer overheen met zijn herinneringen aan de invasie in Anzio, en toen vond ik het moment gekomen om iedereen eruit te zetten.'

'Zelfs Contreras?'

'Hij wilde blijven om te horen of je niet boos meer op hem was, maar ik heb hem verzekerd dat je dat niet was, alleen moe, en dat je morgenochtend met hem zou praten.'

'Zal ik doen,' zei ik gedwee.

We gingen naar binnen. Toen ik me uitkleedde, vond ik in mijn jaszak het zeepbakje in de vorm van een kikker. Ik haalde het eruit en keek er weer naar. 'Wie ben je? Wat deed je daar?' vroeg ik het ding.

Morrell kwam kijken wat ik in mijn hand had. Hij neuriede een paar regels uit *Doctor Dolittle*: '*She walks with the animals, talks with the animals*', maar toen ik vertelde wat het was en waar ik het had gevonden, raadde hij me aan het in een plastic zakje te doen.

'Misschien is het bewijsmateriaal. En dan veeg je mogelijke vingerafdrukken weg door eraan te zitten.'

'Daar had ik aan moeten denken. Verdomme, het zit al de hele dag in mijn jaszak.' Ik zou het aan Conrad moeten geven, voor zijn technische team. Maar Conrad was onvriendelijk tegen me geweest. Maandag zou ik het naar een particulier forensisch laboratorium sturen waar ik vaker zaken mee doe.

Toen we in het donker in bed lagen, vroeg Morrell of ik echt niet wist waar Billy was.

'Nee, maar Grobian – dat is de manager van het magazijn van By-Smart aan 103rd Street – als Grobian hem echt met een Mexicaans meisje heeft gezien, denk ik dat het iemand is die Billy in de Mount Ararat-kerk heeft ontmoet, want daar zingt hij in het koor. Dus misschien ga ik morgenochtend wel naar de kerk.'

21 Er stampt een Bysen door de kerk

Een stuk of tien kinderen in het wit en marineblauw – rokken voor de meisjes en broeken voor de jongens – deden een synchrone dans in het gangpad toen ik de volgende ochtend de Mount Ararat-kerk binnenglipte. Volgens het mededelingenbord aan de buitenmuur begon de kerkdienst officieel om tien uur. Het was rond elven. Ik was met opzet laat gekomen, in de hoop dat de dienst op zijn eind zou lopen. In plaats daarvan leek die nog maar net te zijn begonnen.

Ik had Morrell met de auto naar zijn eigen huis in Evanston gebracht voordat ik hierheen was gekomen. Hij zei dat hij bij me in Chicago was gebleven omdat hij dacht dat ik wel een poosje binnen zou moeten blijven met mijn schouderwond, niet omdat hij het zo leuk vond om opgesloten te zitten met Contreras en de honden. Ik begreep hem wel, maar ik voelde me toch ongelukkig. Ik zette hem voor zijn deur af zonder mee naar binnen te gaan. Als Marcena zich op de bank voor de tv had genesteld, kon ik daar toch niets aan doen.

Toen ik naar het zuiden reed, begon het te sneeuwen. Tegen de tijd dat ik bij de kerk aankwam, lag er een dun laagje op de grond. Het was twee weken voor Thanksgiving Day. Het jaar was bijna voorbij en de wolken hingen zo laag dat het leek alsof ze me aanspoorden plat te gaan liggen en een winterslaap te houden. Ik parkeerde in 91st Street en haastte me de kerk in; ik had besloten dat Mount Ararat een rok verdiende, of in elk geval verwachtte, en de koude wind blies door mijn panty en langs mijn dijen omhoog.

Toen ik binnen was, bleef ik staan om me te oriënteren. Het was warm in het gebouw, en er was een duizelingwekkende stortvloed aan geluid en beweging. De dansende kinderen waren niet de enigen in de gangpaden, maar wel de enigen die iets georganiseerds deden. Terwijl ik toekeek, sprongen er mensen met een hand in de lucht het gangpad in en bleven daar een tijdje staan voordat ze terugkeerden naar hun bank.

De kinderen droegen t-shirts met lange mouwen en rode vuurtongen op de voorkant, en op de achterkant het motto 'Mount Ararat-troepen marcheren voor Jezus'. Ze voerden met meer enthousiasme dan vaardigheid een dansje uit waarin geschopt, geklapt en gestampt werd, maar de gemeente applaudisseerde en riep aanmoedigingen. Een elektrisch versterkte band begeleidde hen op harmonium, gitaar en drums.

De koordirigent, een imposante vrouw in een helderrode jurk, zong en bewoog met een opzwepende energie. Ze stond tussen de gemeente en de voorkant van een podium dat werd gedeeld door het koor, de geestelijken en de band. Zowel zij als de band werden zo hard versterkt dat ik haar woorden niet kon verstaan en zelfs niet kon horen in welke taal ze zong.

Achter haar stonden houten leunstoelen in twee halve cirkels. In het midden zat pastor Andrés, die een marineblauw gewaad met een lichtblauwe stool droeg. Er zaten vijf mannen om hem heen, onder wie een stokoude man wiens kale hoofd gevaarlijk op een dun nekje wiebelde, als een grote zonnebloem op een steel die te dun is om haar te dragen.

De koorleden stonden in twee rijen achter de mannen opeengepakt en zongen mee met de koordirigent, sloegen op tamboerijnen en tolden om hun as als ze daar zin in hadden. Er werd zo veel gedraaid en met armen gezwaaid dat het moeilijk was individuele gezichten te onderscheiden.

Uiteindelijk ontdekte ik Billy in de achterste rij. Hij werd grotendeels aan het oog onttrokken door de wirwar van kabels die tussen de microfoons van de voorganger en de band kronkelden en door een omvangrijke vrouw voor hem, die zo hartstochtelijk bewoog dat hij maar af en toe zichtbaar was, een beetje zoals de maan die nu en dan vanachter een dikke wolk te voorschijn piept. Hij viel vooral op doordat hij het enige koorlid was dat stilstond.

Josie herkende ik makkelijker, doordat ze aan het uiteinde van de eerste rij van het koor stond. Haar magere gezicht straalde en ze schudde haar tamboerijn met een overgave die ze op het basketbalveld nooit vertoonde.

Ik liet mijn blik over het koor en over de gemeente gaan, op zoek naar andere leden van mijn team. De enige die ik zag was Sancia, mijn center, die bijna achter in de kerk zat met haar twee kindertjes, haar moeder en haar zussen. Sancia staarde afwezig voor zich uit; ik had niet de indruk dat ze me had gezien.

Toen ik ging zitten, in een bank ergens halverwege de rechterkant, draaide een verzorgde vrouw in een zwart mantelpak zich om om mijn hand te pakken en me welkom te heten. Een andere vrouw haastte zich van achter in de kerk naar me toe om me een programma en een collecte-envelop te geven en me te zeggen dat ik zeer welkom was.

'Is het uw eerste keer hier, zuster?' vroeg ze met een zwaar Spaans accent.

Ik knikte en vertelde haar hoe ik heette. 'Ik ben basketbalcoach op de Bertha Palmer-school. Een paar meisjes uit het team komen hier.'

'O, dat is geweldig, zuster Warshawski, u doet echt iets voor die meisjes. We zijn u dankbaar.'

Binnen een paar minuten ging het als een lopend vuurtje door de hele gemeente. Het gefluister kwam niet boven de muziek uit, maar mensen stootten elkaar aan en draaiden hun hoofd om: *el coche* gaf zo veel om de kinderen dat ze naar hun kerk kwam. Sancia en haar familie vingen het gerucht op en draaiden zich om, verbluft om me te zien op een plek waar ze me totaal niet verwachtten. Sancia wist een flauwe glimlach op te brengen toen ze zag dat ik naar haar keek.

Ik kreeg ook Rose Dorrado in het oog, toen ze zich omdraaide in een bank aan de andere kant van het gangpad om naar me te kijken. Ik glimlachte en zwaaide. Ze perste haar lippen opeen en keerde zich weer om, terwijl ze haar twee zoontjes dicht tegen zich aan drukte.

Roses uiterlijke verandering was schokkend. Ze had er altijd zeer verzorgd uitgezien en een waardige houding gehad, en zelfs als ze boos op me was, was haar gezicht vol leven geweest. Vandaag had ze nauwelijks de moeite genomen haar haar te kammen en hield ze haar hoofd als een schildpad tussen haar schouders getrokken. Ze was kapot van het verlies van Fly the Flag.

De kinderen die marcheerden of liever gezegd stampten voor Jezus waren klaar met hun dansje en gingen op een rij klapstoelen voor het koor zitten. Daarna stond de man met het kale, wiebelende hoofd op en las met onvaste stem een lang gebed in het Spaans, regelmatig benadrukt door een paar akkoorden van het harmonium en 'amens' van de gemeente. Hij gebruikte een microfoon, maar zijn stem was zo beverig dat ik maar hier en daar een woord opving.

Toen hij eindelijk ging zitten, volgde er opnieuw een hymne en liepen er twee vrouwen tussen de mensen door met collectemandjes. Ik legde er een biljet van twintig in en de vrouwen keken me verbijsterd aan.

'We kunnen op dit moment nog niet wisselen,' zei een van hen bezorgd. 'Vertrouwt u het ons toe tot het einde van de dienst?'

'Wisselen?' vroeg ik verbaasd. 'Ik hoef geen wisselgeld.'

Ze bedankten me keer op keer. De vrouw die voor me zat en me welkom had geheten, had zich omgedraaid om te kijken en fluisterde nu weer iets over me tegen de mensen om haar heen. Mijn wangen kleurden rood. Het was niet mijn bedoeling geweest indruk te maken. Ik had in mijn onwetendheid totaal niet beseft hoe arm de mensen in de kerk eigenlijk waren. Misschien had iedereen die zei dat ik de South Side niet meer begreep wel gelijk.

Na de collecte en nog een hymne begon Andrés aan zijn preek. Hij sprak Spaans, maar zo langzaam en eenvoudig dat ik er veel van kon volgen. Hij las uit de Bijbel, een passage over de arbeider die zijn salaris verdiende, althans, ik ving de woorden *digno* en *su salario* op en vermoedde dat *obrero* arbeider betekende; ik kende het woord niet. Daarna praatte hij over criminelen in ons midden, criminelen die banen van ons stalen en onze fabrieken vernielden. Ik nam aan dat hij het over de brand bij Fly the Flag had. Het harmonium begon een opdringerige begeleidingsdeun bij de preek te spelen, wat het voor mij moeilijker maakte iets te verstaan, maar ik dacht dat Andrés de mensen die waren benadeeld door de criminelen *en nuestro medio* moed insprak.

Moed, ja, je had wel moed nodig om je niet te laten verpletteren door alle ellende die de buurt te verduren kreeg, maar Rose Dorrado had moed genoeg; wat zij nodig had, was een baan. Als ik dacht aan de last die ze droeg, al die kinderen, en nu het wegvallen van de fabriek, gingen mijn eigen schouders ook hangen.

De mensen namen actief deel aan de preek en riepen regelmatig 'amen' of '*sí, señor*', wat ik eerst interpreteerde als instemming met Andrés, voordat ik besefte dat ze God aanriepen. Sommigen gingen in de banken staan of sprongen de gangpaden in en staken een hand op naar de hemel, anderen riepen Bijbelverzen.

Toen de preek een minuut of twintig bezig was, begon mijn aandacht ernstig te verslappen. De houten bank drukte door mijn jas en mijn gebreide trui tegen mijn schouder en mijn bekken begon pijn te doen. Ik begon te hopen dat ook ik de geest zou krijgen en zou opspringen.

Het was bijna twaalf uur. Ik bedacht net dat ik een boek had moeten meenemen, toen ik merkte dat de mensen in de banken schoven en draaiden om te kijken naar iemand die zojuist was binnengekomen. Ook ik keek over mijn schouder.

Tot mijn verbazing zag ik Buffalo Bill door het gangpad klossen, met zijn wandelstok in zijn hand. Achter hem liep meneer William, die een oude vrouw in een bontjas aan de arm had. Ondanks die jas en de druppelvormige diamanten in haar oren had ze het ronde, gemoedelijke gezicht van een oma op een ansichtkaart. Dat moest May Irene Bysen zijn, de oma die Billy zijn manieren en zijn geloof had bijgebracht. Op dit ogenblik zag ze er een beetje angstig uit, een beetje overdonderd door de herrie en de vreemde omgeving: ze had haar ronde kin naar voren gestoken en hield zich stevig vast aan haar zoon, maar ze keek rond om haar kleinzoon te ontdekken, net als ik had gedaan toen ik binnenkwam.

De stoet werd gecompleteerd door tante Jacqui, die haar gehandschoende hand op oom Gary's arm liet rusten. In plaats van een jas droeg Jacqui een lang vest met vleermuismouwen. Misschien had ze haar dikke maillot en de laarzen, die tot boven haar knieën kwamen, gekozen om Buffalo Bill of haar schoonmoeder te verzoenen met haar minirok. Het effect was opvallend genoeg om te zorgen voor een korte onderbreking van de elektrische lading die door de gemeente leek te gaan nu de preek van Andrés een climax naderde.

Een vierde man, met de brede bouw van een politieman buiten dienst, vormde de achterhoede van de optocht. Waarschijnlijk Buffalo Bills lijfwacht. Ik vroeg me af of ze zelf hadden gereden of dat er nog iemand in de Bentley zat. Misschien hadden ze een andere auto voor de South Side, een gepantserde Hummer of zoiets.

Bysen drong zich tussen de mensen in de gangpaden door zonder me te zien. Hij vond een gedeeltelijk lege bank vrij ver vooraan. Zonder om te kijken om te zien of zijn vrouw en kinderen hem volgden ging hij zitten, met zijn handen op zijn knieën, en hij keek dreigend naar Andrés. Jacqui en Gary vonden een plek in de bank achter Buffalo Bill, maar meneer William leidde zijn moeder naar de plaats naast zijn vader. De lijfwacht betrok een post tegen de zijmuur ter hoogte van de bank, waar hij de menigte in de gaten kon houden of dat in elk geval kon proberen.

De voorganger haperde geen moment. Sterker nog, met alle commotie in de gangpaden, mensen die gingen staan of zitten, dansten en Jezus aanriepen, was het heel goed mogelijk dat hij niet eens had gemerkt dat de Bysens waren binnengekomen. Zijn preek werd steeds vuriger.

'Si hay un criminal entre nosotros, si él es suficientemente fuerte para dar un paso adelante y confesar sus pecados a Jesús, los brazos de Jesús, lo sacarán adelante...'

Andrés stond daar als de profeet Jesaja, met luide stem en vlammende blik. De gemeente reageerde met een vervoering die zo sterk was dat ik erdoor werd meegesleurd. Hij herhaalde zijn oproep met zo'n luide, jubelende stem dat zelfs ik die kon volgen: 'Als er een crimineel onder ons is, als hij sterk genoeg is om naar voren te komen en zijn zonden aan Jezus te bekennen, zijn de armen van Jezus sterk genoeg om hem te ondersteunen. Jezus zal hem dragen. Kom tot mij, allen die zwoegen en onder zorgen gebukt gaan, dat zijn de woorden die onze Redder heeft gesproken. Allen die zwoegen en onder zorgen gebukt gaan, leg die last neer – entréguenselas a Jesús, dénselas a Jesús, vengan a Jesús – geef die aan Jezus, breng die naar Jezus, kom tot Jezus!'

'Vengan a Jesús!' riep de gemeente. 'Vengan a Jesús!'

Het harmonium produceerde hardere, langgerekte, indringende akkoorden en een vrouw strompelde naar voren. Ze wierp zich snikkend aan de voeten van Andrés. De mannen die om hem heen zaten, kwamen overeind en gingen met hun handen boven haar hoofd hardop staan bidden. Een andere vrouw wankelde door het gangpad naar voren en liet zich naast haar op de grond vallen, en een paar minuten later voegde zich een man bij hen. De band stampte er iets met een discobeat uit en het koor zong, deinde op en neer en schreeuwde. Zelfs Billy was eindelijk in beweging gekomen. En de gemeente riep steeds: 'Vengan a Jesús! Vengan a Jesús!'

De intense emotie hamerde tegen mijn borst. Ik transpireerde en kon nauwelijks ademhalen. Net toen ik dacht dat ik er niet meer tegen kon, zakte er in het gangpad een vrouw in elkaar. Hoewel mijn eigen hoofd ook tolde, kwam ik half overeind om haar te gaan helpen, maar twee vrouwen in verpleegstersuniform schoten te hulp en hielden vlugzout onder haar neus. Toen de vrouw weer kon zitten, namen ze haar mee naar het achtergedeelte van de kerk en legden haar op een bank.

Toen ik zag dat ze een glas water voor haar inschonken, liep ik erheen om zelf ook een glas te vragen. De verpleegsters wilden me hun vlugzout onder de neus duwen, maar ik zei dat ik alleen water en wat frisse lucht nodig had. Ze maakten ruimte voor me op de achterste bank; dat ik me slap voelde, betekende dat ik een van de geredden was. Na een tijdje, toen ik dacht dat ik kon opstaan zonder flauw te vallen, ging ik naar buiten: ik had koelte en stilte nodig.

Ik leunde tegen de kerkdeur en zoog gretig de lucht naar binnen. Aan de overkant van de straat stond een gigantische Cadillac met de omvang en het model van een slagschip. De motor draaide. Bysens chauffeur zat achter het stuur en op het dashboard voor hem stond een tv-scherm, misschien van een dvd-speler. In zekere zin was deze auto misschien nog wel opvallender dan de Bentley, maar ik verwachtte niet echt dat een slagschip dat op zondagmiddag voor een kerk geparkeerd stond het doelwit zou worden van boefjes.

Ik bleef buiten tot de kou door mijn jas en panty was gedrongen en mijn tanden klapperden. Toen ik weer binnenkwam, had ik de indruk dat de emoties eindelijk iets waren bedaard. De mensen bij het altaar waren rustiger en er leek niemand meer naar voren te willen komen. Het harmonium produceerde een paar verwachtingsvolle akkoorden en Andrés stak zijn armen uit naar de gemeente, maar niemand kwam in beweging. Andrés ging net weer zitten toen Buffalo Bill overeind kwam. Mevrouw Bysen greep hem bij zijn arm, maar hij schudde haar af.

De organist speelde een paar hoopvolle akkoorden toen Bysen door het gangpad naar voren stormde. De koordirigent, die was gaan zitten en zichzelf koelte toewuifde, nam snel een slok water en liep terug naar haar plaats voor het podium. De gemeente begon weer te klappen, bereid de hele middag te blijven als er nog een zondaar tot God kwam.

Bysen knielde niet neer op het podium. Zo te zien schreeuwde hij tegen Andrés, maar het was natuurlijk onmogelijk iets te horen boven de muziek uit. In de tweede rij van het koor stond Billy stokstijf en wit weggetrokken te kijken.

Ik baande me een weg door de menigte in het middenpad naar de linkerkant van de kerk, die leeg was, en draafde naar voren. De band stond ook aan deze kant. De koordirigent en de musici leken door te hebben dat er iets mis was, want de organist schakelde van de onophoudelijke discobeat die hoorde bij de aansporing zich te laten redden over op iets zwaarmoedigers en de vrouw begon erbij te neuriën, op zoek naar een gepast lied. Welke hymne was geschikt voor topindustriëlen die voorgangers de les lazen gedurende de dienst?

Ik zocht voorzichtig een weg naar het koor door de kluwen van elektriciteitssnoeren. De kinderen die voor Jezus hadden gemarcheerd toen ik aankwam, schopten nu verveeld met hun hakken tegen hun stoelen en twee jongens zaten elkaar stiekem te knijpen. De organist keek me met een frons aan en de man met de akoestische gitaar zette zijn instrument neer om naar me toe te komen.

'U mag hier niet komen, mevrouw,' zei hij.

'Sorry. Ik ging net weg.' Ik wierp hem een glimlach toe en liep achter de marcherende troepen voor Jezus langs, voorbij de volumineuze vrouw die voor Billy stond, naar the Kid zelf.

Hij keek strak naar zijn grootvader, maar toen ik zijn mouw aanraakte, draaide hij zich naar mij om. 'Waarom hebt u hem hierheen gebracht?' vroeg hij verontwaardigd. 'Ik dacht dat ik u kon vertrouwen!'

'Ik heb hem niet gebracht. Het was niet moeilijk te bedenken dat je hier zou zijn: je ging al een tijdje naar deze kerk, je bewondert Andrés en je zingt in het koor. En Grobian heeft iemand verteld dat hij je met een meisje heeft gezien in 92nd Street.'

'O, waarom bemoeit iedereen zich niet met zijn eigen zaken? Over de hele wereld lopen elke dag jongens met meisjes over straat! Moet het op de website van By-Smart worden gezet omdat ik het ben?'

We hadden de hele tijd tegen elkaar staan sissen, zodat de anderen ons niet zouden horen boven de harde muziek uit, maar nu zwol zijn stem aan tot een gejammer. Josie keek naar ons, net als de rest van het koor, maar terwijl de anderen oprecht nieuwsgierig leken, oogde zij nerveus.

'En wat doet hij nou weer?' vroeg Billy.

Ik keek om. Buffalo Bill probeerde bij zijn kleinzoon te komen, maar de vijf mannen die hadden geholpen bij de dienst versperden hem de weg. Bysen deed zelfs een poging een van hen een klap te verkopen met zijn wandelstok, maar de mannen gingen in een kring om hem heen staan en dwongen hem van het podium af. Zelfs de oude man met het wiebelende hoofd en de bevende stem schuifelde mee, met één hand op Bysens schouder.

Mevrouw Bysen baande zich een weg de bank uit, haar armen uitgestrekt naar haar kleinzoon. Ik zag dat Jacqui bleef zitten waar ze zat, met de katachtige glimlach van boosaardig genoegen die ze reserveerde voor gelegenheden waarbij de familie Bysen een nederlaag leed. Maar meneer William en oom Gary kenden hun plicht en voegden zich bij de lijfwacht in het gangpad. Even leek het erop dat er een veldslag zou uitbreken tussen de Bysen-mannen en de geestelijken van Mount Ararat. Mevrouw Bysen werd gevaarlijk heen en weer geduwd in het strijdgewoel. Ze wilde naar haar kleinzoon toe, maar werd bijna gemangeld tussen de geestelijken en haar zonen.

Billy keek met een wit gezicht naar zijn familie. Hij maakte een hulpeloos gebaar naar zijn grootmoeder, sprong van de verhoging af en verdween achter een tussenschot. Ik klauterde van het podium af om achter hem aan te gaan.

Het schot scheidde het centrale deel van de kerk af van een smalle ruimte die uitkwam op een kleedkamer. Ik rende door de kamer terwijl de deur aan de andere kant ervan dichtzwaaide. Toen ik die openduwde, bevond ik me in een grote zaal waar vrouwen druk in de weer waren met koffiepotten en kannen limonade. Peuters kropen vrijelijk rond aan hun voeten en sabbelden op koekjes of plastic speelgoed.

'Waar is Billy?' vroeg ik, en toen zag ik aan de andere kant van de zaal een rode flits en een deur die dichtging.

Ik sprintte door de zaal en door de deur naar buiten. Ik was net op tijd om Billy in een nachtblauwe Miata te zien springen en over Houston Avenue naar het zuiden te zien scheuren.

22 De draaikolk van de armoede

'Billy heeft hier geslapen.' Mijn toon was stellig, niet vragend.

Josie Dorrado zat op de bank met haar zus en María Inés, de baby. De tv stond aan. Ik had het geluid uitgezet toen ik binnen-kwam, maar deze ene keer leek Julia meer geïnteresseerd in het drama van haar familieleven dan in wat er op het scherm gebeur-de.

Josie beet nerveus op haar lip en trok een velletje los. 'Hij is hier niet geweest. Er mogen geen jongens blijven slapen van onze ma.'

Ik was vanuit de kerk rechtstreeks naar de flat van de Dorrado's gereden, had buiten in mijn auto zitten wachten tot Rose met haar kinderen de straat in was gekomen en was toen achter haar aan gelopen naar hun voordeur.

'Jij,' zei Rose mat toen ze me zag. 'Ik had het kunnen weten. Wat bezielde me op de dag dat ik Josie vroeg jou hier te laten komen? Sinds die dag is het niets dan ongeluk, niets dan ongeluk.'

Het is altijd prettig om een buitenstaander de schuld te kun-nen geven van je problemen. 'Ja, Rose, de verwoesting van de fa-briek is een vreselijke klap. Ik wou dat jij of Frank Zamar me eer-lijk had verteld wat er aan de hand was. Weet je wie de brand heeft gesticht?'

'Wat kan jou dat schelen? Krijg ik er mijn baan mee terug, of Frank zijn leven, als je erachter komt?'

Ik haalde het zeepbakje uit mijn schoudertas. Ik had het in een plastic zak gestopt, dus ik gaf het met zak en al aan Rose en ik vroeg haar of ze het herkende.

Ze keek er nauwelijks naar voordat ze haar hoofd schudde.

'Stond het niet in het personeelstoilet in de fabriek?'

'Wat? Zoiets? We hadden een dispenser aan de muur.'

Ik wendde me tot Josie, die over haar moeders schouder naar het kikkertje had getuurd.

'Herken jij dit, Josie?'

Ze ging van de ene voet op de andere staan en keek nerveus om naar de woonkamer, waar Julia op de bank zat. 'Nee, coach.'

Een van de jongetjes sprong op en neer. 'Weet je niet meer, Josie, we zagen ze, hun bij de winkel hadden ze, en...'

'Stil, Betto, je moet je er niet mee bemoeien als coach met me praat. We hebben ze wel gezien, hun bij... ze hadden ze bij By-Smart, vorig jaar kerst.'

'Heb je er een gekocht?' drong ik aan, achterdochtig vanwege haar zenuwachtigheid.

'Nee, coach, echt niet.'

'Julia wel,' riep Betto uit. 'Julia heeft het gekocht, ze wilde het aan...'

'Ze heeft het voor Sancia gekocht,' viel Josie hem snel in de rede. 'Sancia en zij waren vriendinnen, voordat María Inés kwam.'

'Is dat zo?' vroeg ik aan de jongen.

Hij haalde zijn schouders op. 'Kweenie. Zal wel.'

'Betto?' Ik ging op mijn hurken zitten, zodat ik hem recht kon aankijken. 'Jij dacht dat Julia het voor iemand anders had gekocht, hè, niet voor Sancia?'

'Ik weet het niet meer,' zei hij met gebogen hoofd.

'Laat hem met rust,' zei Rose. 'Je bent Frank Zamar gaan lastigvallen en hij is levend verbrand. Ga je nu mijn kinderen lastigvallen om te zien wat voor nare dingen hun overkomen?'

Ze greep zijn hand en trok hem mee naar binnen. De andere jongen liep achter hen aan en wierp me een doodsbenauwde blik toe. Fantastisch. Nu beschouwden de jongens me als een kwade geest, die ervoor kon zorgen dat ze omkwamen in een brand als ze met me praatten.

Ik duwde Josie de flat in. 'Jij en ik moeten praten.'

Ze ging op de bank zitten; de baby lag tussen haar en haar zus in. Het was duidelijk dat Julia ons gesprek bij de deur had gevolgd. Ze zat gespannen en alert naar Josie te kijken.

Verderop, in de eetkamer, zag ik de twee jongens zachtjes huilend onder de tafel zitten. Rose was verdwenen, de slaapkamer of de keuken in. Ik bedacht dat de bank haar bed moest zijn, want de vorige keer dat ik hier was, had ik de twee bedden van Josie en Julia gezien, en de luchtbedden voor de jongens in de eetkamer. Er was geen kamer over in de flat voor Rose.

'Waar heeft Billy geslapen?' vroeg ik. 'In deze kamer?'

'Hij is hier niet geweest,' zei Josie snel.

'Doe niet zo raar,' zei ik. 'Hij moest toch ergens heen nadat hij bij pastor Andrés was weggegaan? Hij heeft je gisteren naar het ziekenhuis gebracht. Ik weet dat jullie met elkaar omgaan. Waar heeft hij geslapen?'

Julia schudde haar lange haar naar achteren. 'Josie en ik hebben in één bed geslapen, en Billy in het andere.'

'Waarom moet je dat nou verraden?' vroeg Josie verontwaardigd.

'Waarom moet jij die rijke gringo hier in je bed laten logeren terwijl hij een heel huis kan kopen als hij een slaapplaats nodig heeft?' riposteerde Julia.

De kleine María Inés begon onrustig te draaien op de bank, maar geen van beide zussen besteedde aandacht aan haar.

'En vond je moeder dat goed?' vroeg ik ongelovig.

'Ze weet het niet, u mag het haar niet vertellen.' Josie keek nerveus naar de eetkamer, waar haar broertjes onze kant op staarden. 'De eerste keer was ze op haar werk, haar tweede baan, en kwam ze pas om één uur 's nachts thuis, en daarna, gisteravond en vrijdag, is Billy door de keukendeur binnengesluipt – binnengeslopen – toen ze in bed lag.'

'En Betto en je andere broertje zullen het haar niet vertellen, en ze zal het niet merken? Jullie zijn gek. Hoe lang hebben Billy en jij al verkering?'

'We hebben geen verkering. Van ma mag ik geen verkering hebben omdat Julia een baby heeft.' Josie keek boos naar haar zus.

'Nou, de Bysens willen toch niet dat Billy verkering krijgt met een latina,' wierp Julia tegen.

'Billy vindt het niet erg dat ik Mexicaans ben. Je bent alleen maar jaloers omdat een aardige blanke jongen me leuk vindt, en niet een of andere chavo, zoals jij hebt opgepikt!'

'Ja, maar zijn opa heeft pastor Andrés gebeld en gezegd dat hij de pastor zou aangeven bij de immigratiedienst als hij zou horen dat Billy omging met Mexicaanse meisjes van de kerk,' reageerde Julia fel. 'Illegalen, noemde hij ons, dat kan je aan iedereen vragen, vraag maar aan Freddy, hij was erbij toen Billy's grootvader belde. En hoe lang duurde het toen niet voordat hij jou belde?'

'Hij hoeft me niet te bellen, want hij ziet me elke woensdag bij de repetitie van het koor.'

De baby ging harder huilen. Toen haar moeder en haar tante haar bleven negeren, pakte ik haar op en klopte haar op haar ruggetje.

'En nu?' vroeg ik. 'Nu hij niet meer thuis woont? Belt Billy je nu?'

'Ja, hij heb – heeft – één keer gebeld, om te vragen of hij hier kon komen, maar toen heb – heeft – hij zijn mobieltje weggegeven, omdat er iets in zat, zei hij, waarmee een detective hem kon vinden,' mompelde Josie, terwijl ze naar haar knieën staarde.

Dus hij had mijn waarschuwing over het gps-signaal ter harte genomen. 'Waarom wil hij niet naar huis?'

Julia glimlachte zoetsappig. 'Hij is verliefd op dat kleine illegaaltje hier.'

Josie gaf haar zus een klap en Julia trok Josie aan haar haar. Ik legde de baby neer en trok de zussen uit elkaar. Ze keken elkaar woedend aan, maar toen ik hen losliet, haalden ze niet naar elkaar uit. Ik pakte de baby weer op en ging in kleermakerszit op de grond zitten.

'Billy's familie heeft zich lomp gedragen tegen pastor Andrés,' zei Josie. 'Billy geeft echt om deze buurt, of de mensen een baan en genoeg te eten hebben, dat soort dingen, en zijn familie wil ons alleen maar uitbuiten.'

Billy had een preek afgestoken tegen zijn kleine illegaaltje, dat was zeker, en zij had goed opgelet. De baby graaide naar mijn oorbellen. Ik vouwde haar vuistje open en pakte mijn autosleutels, zodat ze daarmee kon spelen. Ze gooide ze met een opgewonden, vrolijk gekraai op de grond.

'Wie is Freddy?' vroeg ik.

De zussen keken elkaar aan en Julia zei: 'Zomaar een jongen die naar Mount Ararat gaat, het is een kleine kerk, we kunnen mekaar allemaal al sinds we klein waren.'

'We kénnen elkaar,' verbeterde Josie.

'Als jij netjes wil praten, ga je je gang maar. Ik ben maar een tienermoeder en ik hoef niks te weten.'

'Je moeder en je tante kunnen heel slecht liegen. Ja, daar moet je om huilen, maar het is echt waar,' zei ik tegen de baby, en ik blies tegen haar buik. 'Zeg op, wie is die Freddy echt?'

'Gewoon een jongen die naar Mount Ararat gaat, echt waar.' Julia staarde me uitdagend aan. 'Vraag maar aan pastor Andrés, die zal dat ook zeggen.'

Ik zuchtte. 'Oké, misschien, misschien. Maar er is iets met hem wat ik niet mag weten. Het is toch niet zijn DNA, hè?'

'Zijn wat?' vroeg Julia.

'DNA,' zei Josie. 'Dat hebben we bij biologie gehad, wat je zou weten als je af en toe naar school ging. Daaraan kan je zien wie... O.' Ze keek me aan. 'U denkt dat hij de vader van María Inés is, of zoiets.'

'Zoiets,' zei ik.

Julia sprak met haar kaken op elkaar geklemd. 'Het is gewoon een jongen van de kerk, ik ken hem nauwelijks, behalve dat ik hem in de kerk wel eens spreek.'

'Maar die oppervlakkige kennis heeft je verteld dat hij heeft gehoord hoe de oude meneer Bysen de kerk heeft gebeld en de pastor met deportatie heeft bedreigd?'

'Eh... hij vond dat we dat moesten weten,' stamelde Julia.

Josie bloosde diep. 'Billy heb... Billy zingt in de kerk sinds augustus of zo, en hij en ik zijn een keer een colaatje gaan drinken na de repetitie, ik denk in september, en meneer Grobian, die is eigenlijk Billy's baas in het magazijn, die heeft ons gezien en ons verraden, alsof het een misdaad was dat Billy me meenam voor een colaatje, en toen heeft ma het gehoord en ze heb... heeft gezegd dat ik hem niet mag zien zonder Betto en Sammy erbij. Dus ik moet eigenlijk babysitten als ik hem wil zien, wat een ramp is als je een afspraakje hebt, om je broertjes bij je te hebben, maar ziet u, zijn ma, zijn moeder, zij wil niet dat hij met me uitgaat, dus hebben we nooit echt een afspraakje gehad. Behalve gisteren, toen hij me naar het ziekenhuis heb... heeft gebracht om bij April op bezoek te gaan.'

Dus Billy was verliefd geworden op Josie, zo verliefd dat hij haar netjes leerde praten. En het was wederzijds, want zij deed haar best. En dat was de reden dat Billy niet terug wilde naar Barrington. Misschien speelden zijn idealen ook een rol, maar het draaide voornamelijk om dat slechte gesternte, dat de geliefden weer eens parten speelde. Ik dacht aan mijn eigen jaloerse ongerustheid over Morrell en Marcena Love; je hoeft geen vijftien te zijn om in een soap te leven.

'U vertelt het toch niet aan ma, hè, coach?' vroeg Josie.

'Ik kan me niet voorstellen dat je moeder het niet al weet,' zei ik. 'Je moet wel hersendood zijn om het niet in de gaten te hebben als er zich één persoon meer in deze flat bevindt. Waarschijnlijk is ze op het moment gewoon te neerslachtig over de brand bij Fly the Flag om de situatie met Billy en jou aan te kunnen. Over de brand gesproken: hoe zit het met dat zeepbakje? Wie van jullie heeft het gekocht?'

'Ik heb het bij By-Smart gekocht,' zei Julia snel. 'Wat Josie al zei, ik heb het als kerstcadeautje voor Sancia gekocht. Ze zijn echt leuk, die kikkers, en ze kosten bijna niks. Maar ze hadden er wel honderd van, dus hoe moet ik weten of dit het bakje is dat ik heb gekocht of niet? Waar hebt u het trouwens gevonden?'

'Buiten bij Fly the Flag. Tussen al het puin uit het gebouw.'

'Bij het werk van ma? Hoe kwam het daar nou?' Julia's verbazing leek oprecht. Haar zus en zij keken elkaar aan alsof ze zich afvroegen of de ander iets wist wat ze verzweeg.

'Dat weet ik niet. Misschien is het helemaal niet belangrijk, maar het is mijn enige aanwijzing. Betto dacht trouwens dat je het voor iemand anders had gekocht, Julia.'

'Ja, nou ja, hij was afgelopen kerst zes, dus ik weet niet hoe hij zou moeten weten voor wie ik cadeautjes heb gekocht.' Julia keek me strak en hooghartig aan. 'Het enige waar hij zich druk om maakte was of hij zijn nieuwe Power Ranger zou krijgen.'

'Het klinkt allemaal heel overtuigend, maar ik moet zeggen dat ik jullie niet geloof. Ik breng dit naar een forensisch laboratorium. Daar kijken ze of er vingerafdrukken op staan en of er chemicaliën aan zitten, en dan vertellen ze me wat het bij de fabriek deed en wie het heeft aangeraakt.'

'Nou en?' De zussen keken me koppig aan, in grote eensgezindheid over deze ene kwestie.

'Wat nou en?' zei ik. 'Weten jullie dat er geen vingerafdrukken op staan of kan het jullie niet schelen wie ze heeft achtergelaten?'

'Als Sancia het aan iemand anders heeft gegeven, kan ik daar niks aan doen,' zei Julia.

'Coach McFarlane zegt dat jij de beste speelster was die ze in tientallen jaren in het team had gehad, misschien wel de beste sinds het begin,' zei ik tegen Julia. 'Waarom ga je niet terug naar school om je hersens voor je eigen toekomst te gebruiken, in plaats van leugens te verzinnen voor volwassenen zoals ik? Je zou weer kunnen gaan basketballen. Dat doet Sancia ook, met haar twee kindertjes.'

'Ja, maar haar ma en zussen helpen haar. Wie gaat mij helpen? Niemand.'

'Dat is niet eerlijk!' riep Josie uit. 'Ik heb je niet zwanger gemaakt, maar omdat jij een baby hebt gehad, moet ik nu rondsluipen als een misdadiger als ik een jongen wil zien! En ik help je de hele tijd met María Inés, zo!'

Ik gaf María Inés aan Julia. 'Speel met haar, praat tegen haar. Geef haar een kans, zelfs als je die zelf niet wilt. En als een van jullie besluit de waarheid te gaan vertellen, bel me dan.'

Ik gaf ze allebei een visitekaartje en stopte de kikker weer in mijn tas. Toen ze me sprakeloos aanstaarden, stond ik op en liep de eetkamer in om Rose te zoeken. Betto en Sammy kropen dieper weg onder de tafel toen ik eraan kwam: ik was de vrouw die ze levend kon roosteren als ze met me praatten.

Rose lag op Josies bed in de slaapkamer van de meisjes. Ik dook onder de waslijn door waar kleertjes van María Inés aan hingen en keek naar haar, terwijl ik me afvroeg of ik iets te vragen had wat belangrijk genoeg was om haar voor wakker te maken. Haar felrode haar vloekte bij het rood van de Amerikaanse vlag op het kussensloop; het damesteam van Illinois keek glimlachend op haar neer.

'Ik weet dat je daar staat,' zei ze met doffe stem zonder haar ogen te openen. 'Wat wil je?'

'Ik ben alleen naar Fly the Flag gegaan omdat jij wilde dat ik de sabotage zou onderzoeken die daar werd gepleegd. Daarna heb je me gezegd dat ik me er niet mee mocht bemoeien. Waarom veranderde je van gedachten?' Ik zorgde dat mijn toon vriendelijk was.

'Het draait allemaal om mijn baan,' zei ze. 'Ik dacht... Ik weet eigenlijk niet eens meer wat ik dacht. Frank... hij heeft het me gezegd. Hij heeft me gevraagd je weg te sturen.'

'Waarom?'

'Dat weet ik niet. Ik weet alleen dat hij zei dat het me mijn baan kon kosten, een detective in het gebouw. Maar nu ben ik mijn baan toch kwijt. En Frank was een fatsoenlijk mens, hij betaalde goed, hij deed wat hij kon voor de mensen, en nu is hij dood. En ik vraag me af of dat komt doordat ik een detective heb binnengehaald.'

'Dat geloof je toch niet echt, Rose? Het was niet omdat ik er was, dat iemand ratten in de ventilatiekanalen heeft gestopt of de deuren dicht heeft gelijmd.'

Ik ging op Julia's bed zitten. Het rook flauw naar de luiers van María Inés. Ondanks het feit dat de Dorrado's lid waren van een pinksterkerk, stond er een kleine Maagd van Guadeloupe op de gammele ladekast tussen de twee bedden. Iedereen heeft een moeder nodig, neem ik aan, hoe je ook over God denkt.

Rose draaide langzaam haar hoofd op het kussen en keek me aan. 'Maar misschien waren ze bang, de mensen die dit hebben gedaan, bedoel ik, misschien zijn ze bang geworden toen ze zagen dat er een detective rondliep en hebben ze daarom de fabriek in brand gestoken.'

Dat was natuurlijk een mogelijkheid. Ik werd misselijk bij de gedachte, maar ik zei kalm: 'En je hebt geen idee wie het geweest is?'

Ze schudde langzaam haar hoofd, alsof het heel zwaar was en ze het nauwelijks kon bewegen.

'De tweede baan die je hebt aangenomen, verdien je daar genoeg mee om de kinderen te onderhouden?'

'De tweede baan?' Ze stootte een krassend geluid uit dat klonk alsof er een kraai lachte. 'Die was ook voor Frank Zamar. Zijn tweede bedrijf, dat hij aan het opstarten was. Nu... O, Dios, Dios, morgenochtend ga ik naar By-Smart om net als alle andere dames van de kerk zware dozen in trucks te laden. Wat maakt het uit? Door dat werk zal ik sneller slijten en eerder doodgaan, en dan heb ik eindelijk rust.'

'Waar was de tweede fabriek? Waarom liet hij niet gewoon een extra ploeg draaien bij Fly the Flag?' vroeg ik.

'Het was ook daar. Het was ander werk, maar hij liet ons inderdaad een extra dienst draaien, midden in de nacht. Dinsdagnacht kwam ik aan vlak voordat ik moest beginnen, en de fabriek was uitgebrand. Ik kon mijn ogen niet geloven. De andere vrouwen en ik stonden daar en geloofden het niet, totdat er een politieman naar ons toe kwam en ons naar huis stuurde.'

Josie verscheen in de deuropening. 'Ma, Sammy en Betto hebben honger. Wat eten we vanmiddag?'

'Niks,' zei Rose. 'Er is niks te eten en geen geld om eten te kopen. We slaan het middageten over vandaag.'

Achter hun zus begonnen de jongens weer te huilen, ditmaal hardop. Rose kneep haar ogen dicht. Ze bleef even roerloos liggen, leek zelfs geen adem te halen, en kwam toen overeind op bed.

'Nee, *mis queridos*, natuurlijk is er eten, natuurlijk zal ik jullie eten geven, zolang er bloed door mijn lijf stroomt zal ik jullie eten geven.'

23 Liefde onder een slecht gesternte

Toen ik buitenkwam, sneeuwde het niet meer. In november stellen de sneeuwbuien meestal niet veel voor, ze zijn alleen nog maar een waarschuwing aan de stad voor wat er komen gaat, en deze had een karige centimeter sneeuw opgeleverd. Het was een fijn, droog poeder dat door de wind over de trottoirs werd geblazen, een teleurstelling voor een groepje kinderen op het braakliggende terrein naast me, dat probeerde er sneeuwballen van te maken.

Ik ging in mijn auto zitten met de motor en de verwarming aan, en probeerde aantekeningen te maken nu het gesprek met de Dorrado's nog min of meer vers in mijn geheugen lag, hoewel ik geen touw kon vastknopen aan wat ik net allemaal had gehoord.

BILLY, schreef ik in blokletters in mijn notitieboekje, en ik bleef naar de naam staren, niet in staat iets te bedenken om erbij te schrijven. Wat was er met hem aan de hand? Toen we elkaar donderdag spraken, had hij gezegd dat ik zijn vader moest vertellen dat hij de aandeelhouders van de onderneming zou bellen als de familie hem niet met rust liet. Was dat de reden dat Buffalo Bill gisteren bij me op bezoek was gekomen? En zo ja, wat mochten de aandeelhouders van de Bysens niet te weten komen? In mijn ogen deed het bedrijf een heleboel schandelijke dingen – werknemers 's nachts opsluiten, slecht betalen, vakbonden weren, gezinnen als de Czernins in de steek laten als het op de ziektekostenverzekering aankwam – maar dat zouden de aandeelhouders vast wel weten. Wat kon er zo afschuwelijk zijn dat het de aandeelhouders zou afschrikken?

Ik dacht terug aan de gebedsbijeenkomst in het hoofdkantoor van By-Smart. De aandelenkoers was gedaald vanwege het gerucht dat By-Smart vakbondsactivisten ging toelaten. Misschien betekende Billy's dreigement alleen dat hij ging bellen en zeggen dat dat inderdaad zou gebeuren. Maar wat was de aanleiding?

Waarom precies was Billy van huis weggelopen? Omdat hij verliefd was op Josie, omdat de zakelijke praktijken van zijn familie hem dwarszaten of vanwege zijn grote betrokkenheid bij de South Side? Het was duidelijk dat hij pastor Andrés bewonderde, maar waarom zou hij zich aan de kant van de voorganger en tegen zijn familie opstellen?

Wat me bij de voorganger zelf bracht, die door Buffalo Bill met uitzetting was bedreigd. Nou strooide de Buffalo natuurlijk met dreigementen zoals een boerin met het voer voor de kippen. Gisteravond had hij gedreigd te zorgen dat de bank mijn hypotheek zou beëindigen en dat ik failliet zou gaan als ik niet deed wat hij wilde. Misschien was het een vorm van verbale incontinentie; Mildred had hem steeds op een vriendelijke, eerbiedige manier de mond gesnoerd.

Aan de andere kant hadden de Bysens echt een enorm grote macht, groter dan ik me kon voorstellen. Als je de scepter zwaaide over een kolos als By-Smart, met zijn wereldwijde bereik en een jaarlijkse omzet die groter was dan het bruto binnenlands product van de meeste landen, kon je leden van het Congres en immigratieambtenaren zo ongeveer laten doen wat je wilde. Stel dat pastor Andrés een permanente verblijfsvergunning had, dan zouden de Bysens die waarschijnlijk met één telefoontje kunnen laten intrekken. Wie weet, als hij genaturaliseerd was, kon hem mogelijk zelfs zijn staatsburgerschap worden afgenomen. Wellicht zou dat drie telefoontjes vergen in plaats van één, maar het zou me niets verbazen als ze het deden.

Ik schreef ANDRÉS op de volgende bladzijde. Zijn banden met Billy interesseerden me niet zo, maar wat wist hij over de brand bij Fly the Flag? Hij had tien dagen geleden met Frank Zamar gepraat, de dag dat ik die knul in de kelder had betrapt.

Dat stuk tuig! Door Aprils hartstilstand en de aanblik van de fabriek die in vlammen opging, was ik hem totaal vergeten. Andrés wist wie hij was. Een chavo banda, die je hier en daar zag en die stal van bouwplaatsen, had Andrés gezegd, en hij had hem weggestuurd uit de straat waar we hadden staan praten. Misschien had

Andrés alleen zijn bouwplaats beschermd, maar het kon ook zijn dat hij meer wist over die chavo.

ZOEK DE CHAVO, schreef ik op, en daarnaast: FREDDY?? Speelde hij een rol in het geheel? Toen ik zijn naam naast 'zoek de chavo' zag staan, vroeg ik me af of hij die chavo was. Maar wat moest zo'n stuk tuig in het kantoor van Andrés, waar hij had gehoord dat Buffalo Bill de pastor bedreigde? Of, of, of. Mijn brein werkte niet. Ondanks de verwarming begonnen mijn voeten te bevriezen en ik voelde mijn wond dof kloppen. Ik stopte het notitieboekje terug in mijn tas.

Ik wilde net wegrijden toen er een nachtblauwe Miata met het nummerbord 'The Kid 1' voor het flatgebouw van de Dorrado's stopte. Zo'n frivool grapje had ik niet van Billy verwacht. Ik aarzelde even, zette toen de motor van de Mustang uit, stapte uit en stak de straat over.

Ik boog me over het portier aan de bestuurderskant toen Billy uit de auto wilde komen. 'Je auto is ongeveer honderd maal zo makkelijk op te sporen als je mobieltje, Billy, vooral met dat speciale nummerbord. Zelfs ik zou je kunnen vinden, als ik dat wilde. Voor de grote bureaus waar je vader en je grootvader zaken mee doen is het kinderspel. Wil je dat ze bij Josie en haar familie binnenvallen?'

Hij verbleekte. 'Volgt u me? Voor hen?'

'Nee. Ik ben bij Josie en haar moeder langs geweest. En ik weet nu dat jij hier hebt geslapen. Dat vind ik geen goed idee, om allerlei redenen, onder andere omdat ik niet wil dat Josie een kind krijgt.'

'Ik... Dat zouden we nooit doen, dat doen we niet, ik respecteer haar. Ik ben lid van True Love Waits.'

'Dat kan wel wezen, maar tieners die de hele nacht bij elkaar in één slaapkamer zijn... Aan respect komt ook een eind. Bovendien hebben ze geen geld. Mevrouw Dorrado is haar baan kwijt, en het is een last voor haar als ze een mond extra moet voeden.'

'Ik heb geen eten van ze aangenomen. Maar u hebt gelijk, ik moet eigenlijk boodschappen voor ze gaan kopen.' Hij bloosde. 'Alleen heb ik dat nog nooit gedaan, voor een gezin, bedoel ik. Ik ben natuurlijk wel eens in een winkel geweest, maar ik weet niet wat je moet kopen als je een maaltijd wilt klaarmaken. Er zijn zoveel alledaagse dingen die ik niet weet.'

Hij was aandoenlijk in zijn ernst. 'Waarom wil je niet naar huis?'

'Ik moet wat dingen uitzoeken. Dingen over mijn familie.' Daarna hield hij zijn mond stijf dicht.

'Wat bedoelde je met die boodschap aan je vader, over het bellen van de aandeelhouders als hij naar je bleef zoeken? Ik geloof dat hij en je grootvader er nogal geschokt door waren.'

'Dat is een van de dingen die ik moet uitzoeken.'

'Dreigde je met het bellen van jullie belangrijkste aandeelhouders om ze te vertellen dat By-Smart vakbondsactiviteiten ging toestaan?'

Zijn zachte gezicht verhardde van verontwaardiging. 'Dat zou een leugen zijn. Ik vertel geen leugens en zeker niet zo'n leugen, die mijn grootvader zou schaden.'

'Wat dan wel?' Ik probeerde innemend te glimlachen. 'Ik bied graag een luisterend oor, als je je verhaal aan iemand kwijt wilt.'

Hij schudde zijn hoofd en zijn mond vormde een dunne lijn. 'U bedoelt het misschien goed, mevrouw War-sha-sky, maar ik weet het even niet. Ik weet niet wie ik kan vertrouwen, behalve pastor Andrés, en die is een grote steun, dus dank u voor het aanbod maar ik red het wel.'

'Bel me als je van gedachten verandert; ik zal graag met je praten. En ik zou je echt niet verraden aan je familie.' Ik gaf hem een visitekaartje. 'Maar doe Josie een plezier en zoek een ander logeeradres. Ook al gaan jullie niet met elkaar naar bed, je grootvader zal je hier zeker vinden, vooral als je in zo'n opvallende auto rondrijdt. De mensen in deze buurt zien alles en er zijn er zat die bereid zullen zijn je vader of grootvader te vertellen dat ze je hier hebben gesignaleerd. Buffalo Bill... je grootvader is boos. Ik weet dat je weet dat hij de pastor met uitzetting heeft gedreigd, enkel en alleen omdat Josie en jij samen een colaatje hebben gedronken. Hij zou Rose Dorrado heel wat problemen kunnen bezorgen, en wat ze op dit moment nodig heeft is een baan, niet nog meer problemen.'

'O. Nu Fly the Flag er niet meer is... Daar had ik niet eens aan gedacht.' Hij zuchtte. 'Ik dacht alleen: wat maakt het uit? Maar het maakt natuurlijk heel veel uit voor de mensen die er werkten. Bedankt dat u me daaraan herinnert, mevrouw War-sha-sky.'

'Je dacht alleen: wat maakt het uit?' herhaalde ik op scherpe toon. 'Wat bedoel je daarmee?'

Hij maakte een vaag armgebaar waarmee hij de South Side om hem heen leek aan te duiden, of misschien de wereld om hem heen, en schudde met een ongelukkig gezicht zijn hoofd.

Ik draaide me om en wilde de straat oversteken, maar herinnerde me toen het kikkervormige zeepbakje. Ik trok de plastic zak weer uit mijn tas en liet hem de kikker zien.

Hij schudde opnieuw zijn hoofd. 'Wat is dat?'

'Het lijkt me een zeepbakje in de vorm van een kikker. Julia Dorrado zegt dat ze dit of in elk geval eenzelfde zeepbakje afgelopen kerst bij By-Smart heeft gekocht.'

'We verkopen zoveel spullen, ik ken niet ons hele assortiment. En ik heb Josie pas afgelopen zomer ontmoet, door het uitwisselingsprogramma van mijn kerk. Waar hebt u het gevonden? Ik hoop niet dat u wilt beweren dat we spullen verkopen die zo vuil zijn.'

Hij was altijd zo serieus dat het even duurde voordat ik besefte dat dat als grapje bedoeld was. Eerst het nummerbord en nu een grapje: the Kid had verborgen kanten die ik niet achter hem had gezocht. Ik glimlachte plichtmatig en vertelde waar ik het bakje had gevonden.

Hij haalde zijn schouders op. 'Misschien heeft iemand het daar laten vallen. Er ligt altijd veel troep om die oude gebouwen.'

'Misschien,' zei ik instemmend. 'Maar de plek waar het lag toen ik het opraapte, doet vermoeden dat het naar buiten is gevlogen toen de ramen van de droogkamer uit de sponningen werden geblazen. Dus ik denk dat het zich in de fabriek bevond.'

Hij draaide de plastic zak een paar keer om in zijn handen. 'Misschien wilde iemand het als versiering op een vlaggenstok hebben, of zo. Of het was een mascotte van een van de dames die er werkten. Dat zie ik hier vaak, dat mensen rare dingen als mascotte hebben.'

'Bederf het nou niet voor me,' zei ik. 'Het is mijn enige spoor, dus dat moet ik enthousiast volgen.'

'En wat dan? Stel dat het naar een arme drommel leidt die al zijn of haar hele leven door de politie wordt lastiggevallen?'

Ik kneep mijn ogen tot spleetjes. 'Weet je wie dit heeft meegenomen naar de fabriek, of waarom?'

'Nee, maar u doet alsof het een spelletje is, zoiets als Cluedo. En de mensen hier...'

'Hou nou eens op over "de mensen hier", beet ik hem toe. 'Ik ben in deze buurt opgegroeid. Voor jou is dít misschien wel een spelletje, tussen de inboorlingen leven, maar voor mensen zoals ik, die nooit een stuiver hebben uitgegeven waar we niet keihard voor hebben gewerkt, is dit geen romantische buurt. Uit wanhoop en armoede gaan mensen gemene, rancuneuze, verachtelijke en zelfs wrede dingen doen. Frank Zamar is omgekomen bij die brand. Als iemand die heeft aangestoken, zal ik hem met genoegen aan de politie uitleveren. Of haar.'

Zijn zachte jonge gezicht verstrakte weer. 'Nou, mensen die stinkend rijk zijn, doen ook gemene en verachtelijke en... en wrede dingen. Dit is voor mij echt geen spelletje. Het is het meest serieuze wat ooit in mijn leven is gebeurd. En als u mijn opa vertelt waar u me hebt gezien, is dat... gemeen en wreed. En verachtelijk.'

'Rustig maar, Galahad, ik zal je niet verlinken. Maar hij heeft je vanochtend zelf in de kerk gevonden, en het zal hem niet veel moeite kosten je hier te vinden.'

Hij knikte weer en zijn woede werd getemperd door zijn zeer goede manieren. 'U geeft me goede raad, mevrouw War-sha-sky. Dat waardeer ik. En als ze mijn auto zo makkelijk kunnen opsporen als u zegt, kan ik hier maar beter niet blijven.'

Hij keek enige tijd ongelukkig naar het armoedige flatgebouw, klom toen weer in zijn kleine sportwagentje en reed weg. Ik keek omhoog naar het appartement en vroeg me af of Romeo was gesignaleerd door zijn Julia. Ik kwam in de verleiding weer naar binnen te gaan en haar gerust te stellen: hij kwam voor jou, maar een van de Capulets was in de buurt. Het was een dom idee; met de geldproblemen van Rose, de familie Bysen, pastor Andrés en al die opspelende hormonen kon ik me er maar beter niet mee bemoeien.

Ik stak de straat over naar mijn eigen auto toen de enorme Cadillac de bocht om kwam en in zuidelijke richting over Escanaba Avenue reed. De chauffeur maakte een moeizame U-bocht en stopte voor het flatgebouw van de Dorrado's. De jonge Montague was op het nippertje ontkomen.

De chauffeur zette zijn pet op en opende het middelste portier om meneer Bysen van de achterbank te helpen. Meneer William, die op de derde bank van voren had gezeten, stapte uit om zijn moeder te assisteren.

Ik stak Escanaba Avenue over naar het monster. 'Hallo, meneer Bysen. Geweldige dienst, hè? Pastor Andrés is een bezield prediker.'

Buffalo Bill trok zijn wandelstok van de middelste bank, ging rechtop staan en blies puffend uit. 'Wat doet u hier?'

Ik glimlachte. ''s Zondags na de kerk gaat men van oudsher op visite. Dat doet u toch ook?'

Ik hoorde een kabbelend, boosaardig gelach en tuurde de Cadillac in. Jacqui zat voorin. Haar man, die op de derde bank zat, riep haar scherp tot de orde, maar ze lachte opnieuw en zei: 'Ik heb nooit geweten dat een christelijke dienst zo theatraal kon zijn.'

'Roep je vrouw tot de orde,' beet William oom Gary toe.

'O, ja,' zei Jacqui, '"zoals de kerk ondergeschikt is aan Christus, zo dient de vrouw in alles ondergeschikt te zijn aan haar man." Dat heb ik vaker gehoord, Willie, heel wat vaker. Maar omdat je vader en jij dat willen, is het nog niet automatisch waar.'

Buffalo Bill haakte het handvat van zijn stok over mijn schouder en gaf een ruk, zodat ik naar hem toe draaide. 'Let niet op al dat gekibbel. Ik ben op zoek naar mijn kleinzoon. Is hij hier?'

Ik pakte de stok beet en trok hem uit zijn hand. 'Er zijn makkelijker manieren om u van mijn aandacht en mijn goede wil te verzekeren, meneer Bysen.'

Hij keek me dreigend aan. 'Ik heb u iets gevraagd en ik verwacht een antwoord.'

'O, Bill, doe niet zo moeilijk.' Mevrouw Bysen was om de achterkant van de Cadillac heen naar ons toe gelopen. Ze praatte tegen haar man, maar keek naar mij. 'Wij hebben elkaar nog niet ontmoet, maar William heeft me verteld dat u de detective bent die hij had ingehuurd om onze Billy te zoeken. Weet u waar hij is? Woont dat Mexicaanse meisje hier? Jacqui denkt dat zij iets weet, dus heeft ze een van onze mensen opdracht gegeven uit te zoeken wat haar naam en adres is.'

'Ik ben V. I. Warshawski, mevrouw Bysen. Het spijt me, maar ik weet niet waar Billy is. De familie Dorrado woont hier. Een van de meisjes zit in mijn basketbalteam. Ze hebben het op het moment erg moeilijk, want de fabriek waar de moeder werkte is vorige week afgebrand en ze moet vijf kinderen te eten geven. Ik vrees dat ze wel wat anders aan hun hoofd hebben dan Billy.'

'Billy is niet goed bij zijn verstand,' gromde Bysen. 'Als ze hem een zielig verhaal vertellen, valt hij er als een blok voor.'

'Billy is een goede jongen,' zei zijn vrouw berispend. 'Als hij mensen in nood helpt, is hij een goed christen en daar ben ik trots op.'

'Ach, hou toch op met die onzin. Ik ga naar boven om zelf met dat meisje te praten. Als ze moet worden afgekocht, nou...'

'We laten ons niet chanteren door bijstandsfraudeurs,' onderbrak meneer William zijn vader. 'Billy moet maar eens een paar dingen over het leven leren. Als het een harde leerschool is, blijven de lessen hem langer bij.'

'Dat is nog eens de houding van een goede vader,' zei ik prijzend. 'Geen wonder dat allebei uw kinderen van huis zijn weggelopen.'

Jacqui lachte opnieuw, verrukt over mijn sarcasme. Buffalo Bill griste zijn stok uit mijn hand en liep klossend over het slecht onderhouden trottoir naar de voordeur. Zijn vrouw gaf me een stevige hand voordat ze hem volgde en meneer William nam haar weer bij de arm. De chauffeur hield de deur van het gebouw voor hen open en ging toen tegen de muur geleund een sigaret staan roken.

Ik ging op de middelste bank zitten, achter Jacqui. 'Dus u hebt Patrick Grobian van het magazijn gebeld om het adres van de Dorrado's te achterhalen? Waar kent hij ze van?'

'Niet dat het u iets aangaat, maar iedereen die hogerop wil komen binnen het Bysen-concern moet in de gaten houden wat belangrijk is voor de grote Buffalo. Pat heeft het meisje in september met Billy een colaatje zien drinken, dus hij wist dat de ouwe informatie over haar zou willen hebben. Hij heeft uitgezocht wie ze was. Dus hij weet natuurlijk ook waar ze woont.'

'Niemand kan verwachten erg hoog op de ladder van By-Smart te stijgen als hij geen familie is,' zei ik.

'In een bedrijf van deze omvang hoef je geen algemeen directeur te zijn om veel macht te hebben en veel geld te verdienen. Dat weet Pat, en hij is een streber. Als hij een Bysen was, zou hij de meute aanvoeren. Zoals de zaken nu staan, krijgt hij waarschijnlijk een hoge positie op het hoofdkantoor als de oude man er niet meer is.'

'Als jíj het voor het zeggen hebt,' zei haar man van achter in de Cadillac. 'Maar, mijn liefste Jacqueline, dat zal niet het geval zijn. William zal de baas zijn, en die mag jou niet.'

'We leven niet in middeleeuws Engeland,' zei Jacqui. 'Dat hij de oudste is, betekent niet automatisch dat Willie op de troon komt. Hoewel hij wel een beetje op die arme prins Charles lijkt, die moet afwachten tot zijn moeder eindelijk doodgaat, vinden jullie niet? Behalve dat Willie wacht tot pappie sterft. Het verbaast me soms dat hij niet...'

'Jacqui.' Gary's stem klonk waarschuwend. 'Niet iedereen heeft jouw gevoel voor humor. Als je het werk wilt blijven doen dat je doet, moet je leren wat beter met William om te gaan, dat is alles wat ik erover zal zeggen.'

Jacqui draaide zich om op haar stoel voorin en knipperde met haar onwaarschijnlijk lange wimpers. 'Schat, ik doe alles wat ik kan om William te helpen. Gewoonweg álles. Vraag hem maar hoeveel hij dezer dagen aan me te danken heeft en je zult paf staan van de verandering in zijn houding. Hij ziet eindelijk in hoe ongelooflijk nuttig ik me kan maken.'

'Misschien,' mompelde Gary. 'Misschien.'

Ik keek naar de flat en bedacht dat ik beter naar boven kon gaan om Rose een handje te helpen. Ze had niet de kracht om in haar eentje tegen de Bysens op te kunnen. Maar voordat ik bij de voordeur was, verscheen het trio alweer.

'Wisten ze iets over Billy?' vroeg ik aan mevrouw Bysen.

Ze schudde somber haar hoofd. 'Ik weet het niet zeker. Ik heb als moeder en grootmoeder een beroep gedaan op de vrouw – ik kan zien hoeveel ze van die kinderen houdt en hoe hard ze werkt om ze fatsoenlijk groot te brengen – maar ze zei dat ze hem alleen wel eens in de Mount Ararat-kerk ziet, en de meisjes zeiden hetzelfde. Denkt u dat ze de waarheid spreken?'

'Dat soort mensen weet het verschil tussen de waarheid en de leugen niet, moeder,' zei meneer William. 'Het is wel duidelijk van wie Billy zijn goedgelovigheid heeft.'

'Zo spreek je niet tegen je moeder zolang ik er nog ben, Willie. Er is niets mis mee dat Billy het lieve karakter van je moeder heeft. De rest van jullie is een troep hyena's die wacht tot ik dood ben, zodat jullie het bedrijf kunnen opeten dat ik heb opgebouwd.' Hij keek me kwaad aan. 'Als ik merk dat u weet waar mijn kleinzoon is en het me niet vertelt...'

'Ik weet het,' zei ik vermoeid. 'Dan breekt u me als vermicelli voor in uw soep.'

Ik stak met boze stappen de straat weer over en keerde mijn auto om naar huis te gaan.

24 Weer een kind vermist

De volgende ochtend ging ik vroeg naar mijn kantoor, pakte de metalen kikker in en liet de doos door een koeriersdienst naar Cheviot brengen, het forensisch onderzoekslaboratorium dat ik gebruik. Ik vertelde Sanford Rieff, de deskundige met wie ik meestal werk, dat ik niet wist waar ik naar op zoek was, en vroeg hem daarom een volledig verslag uit te brengen over het bakje. Wie het had gemaakt, wiens vingerafdrukken erop stonden, chemische resten, alles. Toen hij belde om te vragen hoe groot de haast was, aarzelde ik en keek naar mijn boekhouding van die maand. Niemand betaalde me en ik wist zelfs niet of het bakje iets met de brand te maken had. Het was, zoals ik gisteren tegen Billy had gezegd, mijn enige spoor, dus deed ik er enthousiast over.

'Geen haastklus; dat kan ik me niet veroorloven.'

De rest van de ochtend besteedde ik grotendeels aan werk voor mensen die me betaalden om vragen voor hen te stellen, maar ik nam ook even tijd om te zien wat voor informatie ik over de familie Bysen kon verzamelen. Ik wist al dat ze rijk waren, maar mijn ogen werden groot toen ik hun geschiedenis bekeek in een van de databases die ik kan gebruiken. Ik kwam vingers en tenen tekort om de nullen van hun vermogen te tellen. Een groot deel daarvan zat natuurlijk vast in verscheidene trusts. Er was een stichting die een hele reeks evangelische projecten steunde, veel geld gaf aan de antiabortusbeweging en de evangelische zending, maar ook bibliotheken en musea hielp.

Drie van Buffalo Bills vier zonen en een van zijn dochters woonden met hem op een omheind landgoed in Barrington Hills. Ze hadden aparte huizen, maar die stonden allemaal in dezelfde gelukkige, patriarchale enclave. De tweede dochter woonde in Santiago met haar man, die aan het hoofd van de Zuid-Amerikaanse poot stond, en de vierde zoon zat in Singapore en had de leiding over de zaken in het Verre Oosten. Dus er was niemand van papa weggelopen. Dat leek me veelzeggend, hoewel ik niet wist wat het zei.

Gary en Jacqui hadden geen kinderen, maar de andere vijf hadden er in totaal zestien op de wereld gezet. De voorliefde van de Bysens voor traditionele familieverhoudingen werkte ook door in hun verdeling van de bezittingen: voor zover ik kon zien, was elk van de zonen en kleinzonen begunstigde van een vermogen dat ongeveer driemaal zo hoog was als wat de meisjes in de familie kregen.

Ik vroeg me af of dit het aspect was waar Billy over moest nadenken, maar dat betwijfelde ik eigenlijk. Niemand is tegenwoordig nog erg geïnteresseerd in emancipatiezaken, zelfs jonge vrouwen niet. Ik vermoedde dat het feit dat zijn zus veel minder zou krijgen dan hij iets was wat Billy voetstoots zou aanvaarden. Jacqui was het enige familielid dat ik had ontmoet dat er misschien anders over dacht, maar zij was getrouwd met een van de mannen, een van de hoofdprijswinnaars, en ze leek me niet iemand die iets gaf om andermans erfenis, zolang zij de hare maar kreeg.

Billy's zus, Candace, was nu eenentwintig. Wat ze ook gedaan had dat de familie had genoopt haar naar Korea te sturen, ze stond nog steeds in het testament, dus wat dat betreft waren ze in elk geval rechtvaardig geweest. Ik zocht naar meer bijzonderheden over Candace, maar kon niets vinden. Ik maakte een uitdraai van de interessantste dossiers en sloot daarna mijn kantoor af. Ik wilde op weg naar de Bertha Palmer-school even bij het ziekenhuis langs, want ik dacht dat het team wel graag zou willen horen hoe het met April Czernin ging.

Maar toen ik bij het ziekenhuis kwam, bleek April die ochtend vroeg ontslagen te zijn. Ik belde Sandra Czernin vanuit mijn auto, maar ze gedroeg zich als een stekelvarken dat een hond ziet en hem stekels in zijn bek schiet.

Ze herhaalde haar beschuldigingen dat Aprils hartstilstand mijn schuld was. 'Je hebt al die jaren gewacht tot je het me betaald kon zetten, van Boom-Boom, dus heb je ervoor gezorgd dat Bron dat Engelse kreng ontmoette. Zonder jou zou hij nu thuis zijn, waar hij hoort.'

'Of op stap met iemand uit de buurt,' zei ik. Ik had er spijt van zodra ik het eruit had geflapt en bood zelfs mijn excuses aan, maar het verbaasde me niet dat ik April niet te spreken kreeg.

'Enig idee wanneer ze weer naar school kan?' drong ik aan. 'Dat willen de meisjes vast weten.'

'Dan kunnen hun moeders me bellen om het te vragen.'

'Zelfs als ik na al die jaren nog wrok koesterde, zou ik je dochter daar niet het slachtoffer van maken, Sandra,' riep ik, maar ik hoorde dat ze de hoorn op de haak gooide.

Ach, ze kon naar de hel lopen. Ik startte de auto en bedacht dat onze jaloezie op Marcena Sandra en mij dichter bij elkaar had kunnen brengen. Daar moest ik onwillekeurig om grinniken en met een beter humeur reed ik verder naar het zuiden.

Ik was vroeg genoeg voor de training om binnen te lopen in het kantoortje van de conrector en met Natalie Gault te praten. Toen ik haar vroeg wat voor lichamelijk onderzoek de meisjes kregen voordat ze mee mochten doen aan basketbal, sloeg ze haar ogen ten hemel alsof ik achterlijk was.

'We doen hier geen gezondheidsonderzoek. Ze moeten een door een ouder getekend toestemmingsbriefje meenemen. Daarop staat dat de ouder weet dat het beoefenen van de sport risico's met zich meebrengt en dat hun kind gezond genoeg is om mee te doen. Dat doen we voor basketbal, voetbal, honkbal, al onze sporten. Dat document vrijwaart de school tegen aansprakelijkheid in geval van ziekte of verwonding die het kind door het sporten oploopt.'

'Sandra Czernin is kwaad en bang. Ze heeft honderdduizend dollar nodig om Aprils behandeling te betalen, voorlopig althans. Als het bij haar opkomt de school aan te klagen, zal ze makkelijk een advocaat kunnen vinden die jullie voor het gerecht daagt. Een jury laat niets heel van zo'n toestemmingsbriefje. Zou het geen goed idee zijn om ecg's van de rest van het team te laten maken? Dan is het net alsof het jullie iets kan schelen, dat zal iedereen gunstig stemmen.'

Ik zei niets over Lotty's aanbod de ecg's te maken; de schoolleiding mocht het wel even benauwd hebben. Bovendien had ik nog geen oplossing voor het logistieke probleem van vijftien tieners die heen en terug naar de kliniek moesten worden gebracht. Gault zei dat ze het met de rector zou bespreken en contact met me zou opnemen.

Ik liep naar de gymzaal, waar ik een gedecimeerd team aantrof. Josie Dorrado ontbrak, net als Sancia, mijn center. Celine Jackman, mijn jonge bendeleider, was er wel, met haar twee maatjes, maar zelfs zij leek stiller dan anders.

Ik vertelde de negen aanwezige meisjes wat ik over April wist. 'Het ziekenhuis heeft haar vandaag naar huis gestuurd. Ze mag niet meer basketballen, want er is iets mis met haar hart en de trainingen voor teamsporten zijn te inspannend voor haar. Maar ze komt wel weer terug op school, en dan kun je nergens aan merken dat er iets mis met haar is. Waar zijn Josie en Sancia?'

'Josie was vandaag niet op school,' zei Laetisha uit eigen beweging. 'We dachten dat ze misschien hetzelfde had opgelopen als April, omdat hun altijd samen zijn.'

'Je kunt niet oplopen wat April heeft; het is een afwijking waarmee je geboren wordt.' Ik pakte mijn viltstiftbord en probeerde een schema voor ze te tekenen om duidelijk te maken dat je een besmettelijke ziekte 'oploopt', de waterpokken of aids bijvoorbeeld, en dat je daarentegen met een bepaalde afwijking geboren kunt worden.

'Dus een van ons zou hetzelfde kunnen hebben zonder het te weten.' Dat was Delia, een van de stillere meisjes, die zich nooit erg inspande bij het sporten.

'Jíj zou het in elk geval niet merken,' zei Celine. 'Jij bent zo langzaam dat iedereen denkt dat je hart sowieso stilstaat.'

Ik zei er niets van. Ik wilde ze het gevoel geven dat het leven weer normaal was, ook als normaal betekende dat je werd uitgescholden. Ik liet ze een korte reeks rekoefeningen doen en daarna meteen een oefenwedstrijdje, vijf tegen vier, met de zwakste speelsters in het kleinste team. Ik speelde met de zwakkere meisjes mee als point guard, vuurde mijn team aan, fungeerde als spelverdeelster, gaf de tegenstanders een paar tips en zette alles op alles in mijn rechtstreekse duels met Celine. Na korte tijd vergaten ze allemaal, zelfs Delia, dat hun hart het kon begeven en begonnen ze voluit te spelen. Ik sloofde me uit, stuiterde de bal tussen mijn benen door naar iemand in de hoek, sprong op om schoten te blokkeren en zat Celine op de huid alsof ik haar ondergoed was, en de meisjes lachten en juichten, en renden harder dan ik ze ooit had zien doen. Celine ging nog wat meer haar best doen en begon schijnbewegingen te maken en zo trefzeker te schieten als Tamika Williams.

Toen ik de training om vier uur beëindigde, smeekten drie van de meisjes te mogen blijven om hun vrije worpen te oefenen. Ik zei dat ik ze tien minuten kon geven, en toen gilde een van de meisjes opeens: 'O, coach, uw rug! Celine, wat heb je met coach gedaan?'

Ik raakte mijn schouder aan en voelde dat ik nat was van iets wat warmer was dan zweet: mijn wond was opengegaan. 'Niets aan de hand,' zei ik. 'Die wond heb ik bij de fabriek opgelopen, jullie weten wel, Fly the Flag, toen die vorige week de lucht in vloog. Jullie waren fantastisch, vanmiddag. Ik moet nu naar de dokter om me weer dicht te laten naaien, maar iedereen die vandaag heeft gespeeld, gaat donderdag na de training met me mee om pizza te eten.'

Toen ze hadden gedoucht en ik de gymzaal had afgesloten, reed ik naar Lotty's kliniek, nog tevreden nagloeiend van de training. Het was de eerste keer dat ik de school met een prettig gevoel verliet sinds... sinds onheuglijke tijden. Sinds mijn team al die jaren geleden kampioen van de staat werd, hoewel zelfs toen... toen lag mijn moeder op sterven. Ik was dronken geworden met Sylvia en de anderen, zodat ik niet aan Gabriella hoefde te denken in haar ziekenhuisbed, met slangetjes en monitors om haar heen alsof ze een gemummificeerde vlieg midden in een spinnenweb was.

De herinnering temperde mijn goede humeur. Toen ik bij de kliniek aankwam, meldde ik me aanzienlijk somberder bij mevrouw Coltrain, Lotty's receptioniste. Er zaten een stuk of tien mensen in de wachtkamer, dus het zou minstens een uur duren. Maar toen ik me omdraaide en mevrouw Coltrain het bloed langs mijn rug zag lopen, stuurde ze me als eerste naar binnen. Lotty was in het ziekenhuis, maar haar assistente, Lucy, een praktijkverpleegkundige, hechtte mijn schouder.

'Je kunt niet springen met die hechtingen, V.I.,' zei ze, net zo streng als Lotty gedaan zou hebben. 'De wond moet tijd hebben om te helen. Je stinkt naar zweet, maar je mag die wond niet weer nat laten worden onder de douche. Was je maar met een spons, en je haar kun je boven de gootsteen doen. Begrepen?'

'Begrepen,' zei ik gedwee.

Toen ik thuiskwam, liet ik snel de honden uit en volgde daarna Lucy's instructies op. Dat betekende dat ik eerst moest afwassen, want de vuile vaat had zich weer eens opgestapeld. Zelfs de Venetiaanse wijnglazen van mijn moeder, die ik vorige week voor Morrell tevoorschijn had gehaald, had ik nog niet afgewassen. Mijn eigen nalatigheid verbijsterde me: mijn moeder had ze meegenomen toen ze uit Italië naar Amerika kwam en ze waren haar enige aandenken geweest aan het vaderland dat ze had moeten ontvluchten. Ik had er een paar jaar geleden twee gebroken en ik zou het vreselijk vinden als ik er nog meer kwijtraakte.

Ik spoelde ze voorzichtig om en droogde ze af, maar ik hield er een apart om een glas Torgiano te drinken. Normaal neem ik gewone glazen voor alledaags gebruik, maar mijn eerdere herinneringen hadden me nog niet losgelaten, waardoor ik me graag dicht bij Gabriella wilde voelen.

Ik belde Morrell en vertelde hem dat ik te moe was om die avond nog naar Evanston te komen. 'Marcena mag je amuseren met haar elegante luchthartigheden.'

'Dat zou kunnen als ze hier was, lieverd, maar ze is weer verdwenen. Iemand heeft haar vanmiddag gebeld met de belofte van meer avonturen in de South Side, en ze is op pad gegaan.'

Ik dacht aan Sandra's verbitterde opmerking over Bron en het Engelse kreng. 'Romeo Czernin.'

'Zou kunnen. Ik heb er niet zo op gelet. Wanneer zie ik jou weer? Kan ik je morgen mee uit eten nemen? Je verzadigen met biologische producten en imponeren met mijn eigen elegante luchthartigheden? Ik weet dat je de pest in hebt omdat ik gisteren naar huis ben gegaan.'

Ik lachte aarzelend. 'O, ja, dat is waar ook; subtiliteit is niet mijn sterkste kant. Ik wil wel uit eten, maar alleen met luchthartigheden.'

We spraken een tijd af en ik ging de keuken in om eten klaar te maken voor die avond. Ik had eindelijk boodschappen gedaan, op weg naar huis van Lotty's kliniek, en had van alles ingeslagen, van yoghurt tot zeep, plus verse vis en groenten.

Ik grilde tonijnsteaks met knoflook en olijven voor Contreras en mezelf. We nestelden ons gezellig in de woonkamer om te eten en samen naar *Monday Night Football* te kijken, New England tegen de Chiefs, ik met mijn wijn en mijn buurman met een biertje. Contreras, die vaak op de uitslagen wedt, probeerde me over te halen een gokje te wagen.

'Niet om wie de eerste terreinwinst maakt, of de beste tackle,' protesteerde ik. 'Vijf dollar op de eindstand, verder ga ik niet.'

'Kom op, pop, een dollar als de Chiefs als eerste scoren, een dollar als ze als eerste de quarterback neerhalen.' Hij somde een stuk of tien dingen op waar ik op kon wedden en zei toen smalend: 'En dat durft te beweren dat ze lef heeft.'

'Jij kunt makkelijk lef hebben, met een pensioen van je vakbond,' bromde ik. 'Ik heb alleen een pensioenspaarrekening waar ik het afgelopen jaar niet eens een storting op heb kunnen doen.' Maar ik ging akkoord met zijn voorstel en legde vijftien briefjes van een dollar op de salontafel.

Rose Dorrado belde net toen de Chiefs aan het eind van de eerste helft een heroïsche aanval inzetten. Ik was inmiddels al zes dollar kwijt. Ik nam de telefoon mee naar de gang om geen last te hebben van het geluid van de tv.

'Josie is vandaag niet thuisgekomen uit school,' zei Rose plompverloren.

'Ze is vandaag helemaal niet op school geweest, volgens de meisjes van het team.'

'Niet op school geweest? Maar ze is vanochtend gewoon op tijd vertrokken! Waar is ze dan gebleven? O nee, o Dios, heeft iemand mijn kindje geroofd?' Haar stem werd schril.

Er flitsten beelden door mijn hoofd van de donkere stegen en verlaten gebouwen in de South Side en van de meisjes die in deze stad zijn gemolesteerd en vermoord. Het was mogelijk, maar ik dacht niet dat er zoiets met Josie was gebeurd.

'Heb je Sandra Czernin gebeld? Ze zou bij April kunnen zijn.'

'Dat dacht ik ook, en ik heb Sandra gesproken, maar zij had niets van mijn meisje gehoord, niet sinds zaterdag, toen Josie April in het ziekenhuis heeft bezocht. Wat heb jij gisteren tegen haar gezegd? Heb je haar zo bang gemaakt dat ze bij me is weggelopen?'

'Ik heb haar gezegd dat het me geen goed idee leek als Billy en zij met elkaar naar bed gingen. Weet je waar hij is?'

Ze hapte naar adem. 'Denk je dat ze er met hem vandoor is? Maar waarom? Waarheen?'

'Ik denk nog helemaal niets, Rose. Maar als ik jou was, zou ik wel met Billy praten voordat ik de politie belde.'

'O, ik dacht dat mijn baan kwijtraken het ergste was wat me kon overkomen, maar nu dit, dit! Hoe zou ik die Billy kunnen vinden?'

Ik probeerde te bedenken waar hij kon zijn. Ik verwachtte niet dat hij naar huis was gegaan, in elk geval niet uit vrije wil. Het was natuurlijk mogelijk dat zijn grootvader hem had laten oppakken, want Buffalo Bill was blijkbaar tot alles in staat. Billy had zijn mobiele telefoon weggegeven, zei Josie. Mijn opmerking over de gps-chip had hem kennelijk voorzichtig gemaakt. Ik vroeg me af of hij de Miata ook aan de kant had gezet.

'Bel pastor Andrés,' zei ik uiteindelijk. 'Hij is de enige met wie Billy dezer dagen praat. Als je Billy kunt vinden, zul je Josie vinden, denk ik, en anders weet Billy waarschijnlijk wel waar ze is.'

Tien minuten later belde Rose terug. 'Pastor Andrés zegt dat hij niet weet waar Billy is. Hij heeft hem sinds de kerkdienst van gisteren niet meer gezien. Je moet hierheen komen en me helpen zoeken naar Josie. Wie kan ik het anders vragen? Wie zou me kunnen helpen?'

'De politie,' opperde ik. 'Zij weten hoe ze vermiste personen moeten opsporen.'

'De politie,' snoof ze spottend. 'Denk je dat het ze iets kan schelen, als ze al naar me willen luisteren?'

'Ik ken de wachtcommandant daar. Ik zou hem kunnen bellen,' bood ik aan.

'Kom alsjeblieft hierheen, V. I. War... War...'

Ik besefte dat ze voorlas van een van de visitekaartjes die ik haar dochters had gegeven, dat ze mijn naam helemaal niet kende. Toen ik die voor haar uitsprak, drong ze er opnieuw op aan dat ik naar haar toe zou komen. De politie zou niet naar haar luisteren, daar wist ze alles van. Ik was detective, ik kende de buurt, ze smeekte het me, het werd haar allemaal te veel, de fabriek die was afgebrand, zonder werk zitten, al die kinderen, en nu dit...

Ik was moe en had twee glazen zware Italiaanse rode wijn op. En ik was vandaag al een keer in Zuid-Chicago geweest, het was veertig kilometer rijden en ik had vanmiddag mijn schouder opengescheurd... Ik zei tegen haar dat ik er zo snel mogelijk zou zijn.

25 Verhaaltjes voor het slapengaan

Het was bijna elf uur toen we voor het flatgebouw van de Dorrado's aan Escanaba Avenue stopten. Contreras was bij me en we hadden Mitch ook meegenomen. Wie weet, misschien had hij aan zijn jagersafkomst een fijne neus voor sporen overgehouden.

Mijn buurman had uiteraard geërgerd gereageerd op het nieuws dat ik weer de deur uitging, maar ik had de eenvoudigste weg gekozen en hem het zwijgen opgelegd door hem mee te vragen. 'Ik weet dat het laat is en ik ben met je eens dat ik eigenlijk niet zou moeten rijden. Als je wilt meerijden en me helpt wakker te blijven, zou dat fantastisch zijn.'

'Natuurlijk, pop, natuurlijk.' Hij was aandoenlijk blij.

Ik ging naar mijn slaapkamer en trok een spijkerbroek en een paar wijde gebreide truien aan onder mijn marineblauwe jopper. Ik pakte mijn revolver uit de muurkluis. Ik verwachtte geen vuurgevecht met Billy als Josie en hij inderdaad samen waren weggelopen, maar schietpartijen waren akelig alledaags in mijn oude buurt, en ik wilde niet op de grond van een verlaten pakhuis eindigen met de verdwaalde kogel van een verdwaald boefje in mijn rug, alleen omdat ik er niet op voorbereid was. Dat was ook de werkelijke reden dat we Mitch meenamen: de meeste bendeleden hebben respect voor een grote hond.

Voordat we weggingen, belde ik Billy's moeder. Haar telefoon werd opgenomen door een soort butler of secretaris, in elk geval iemand die haar afschermde voor bellers. Hij toonde weinig bereidheid mevrouw William te storen, en toen ik hem eindelijk had overgehaald haar aan de lijn te laten komen, bleek waarom: Annie Lisa verkeerde in een roes, en dat kwam niet door de schoonheid van het leven. Of het iets moderns en respectabels was, zoals Xanax, of iets ouderwets en betrouwbaars, zoals Jack Daniels, er zat in elk geval een vertraging in haar antwoorden, alsof ik met iemand aan de andere kant van de wereld belde.

Ik sprak langzaam en geduldig, alsof ik het tegen een kind had, en bracht haar in herinnering dat ik de detective was die naar Billy zocht. 'Wanneer hebt u voor het laatst iets van hem gehoord, mevrouw Bysen?'

'Van hem gehoord?' echode ze.

'Heeft Billy u vandaag gebeld?'

'Billy? Billy is er niet. William, William is boos.'

'En waarom is William boos, mevrouw?'

'Dat weet ik niet.' Ze was onzeker en weidde erover uit. 'Billy ging naar zijn werk, hij ging naar het magazijn, dat is wat een fatsoenlijke jongen doet, hij werkt hard voor zijn dagelijks brood, dat is wat papa Bysen ons altijd heeft voorgehouden, dus waarom wordt William daar boos over? Behalve misschien omdat Billy doet wat papa Bysen zegt, William vindt het altijd vreselijk als Billy de voorschriften van papa Bysen volgt, maar William houdt ook van kinderen die hard werken. Kinderen die rondhangen, drugs gebruiken en zwanger raken worden weggestuurd, dus hij zou blij moeten zijn dat Billy weer naar het magazijn ging.'

'Ja, mevrouw,' zei ik. 'Diep in zijn hart is hij vast opgetogen, maar dat verbergt hij voor u.'

Ironie was niet aan haar besteed: ze dacht dat ik bedoelde dat William Billy voor haar verborg. Ik onderbrak haar vragen en vroeg naar het telefoonnummer van Billy's zus.

'Candace is in Korea. Ze doet zendingswerk, en we zijn trots dat ze haar leven een nieuwe wending geeft.' Annie Lisa sprak de zinnen uit als een onervaren nieuwslezer die naar de autocue kijkt.

'Dat is fijn. Maar kunt u me haar telefoonnummer geven, voor het geval dat Billy zijn zus heeft gebeld en haar heeft verteld wat hij van plan was?'

'Dat zou hij niet doen. Hij weet dat William dan heel boos zou worden.'

'En haar e-mailadres?'

Dat wist ze niet of wilde ze niet geven. Ik drong erop aan, voor zover dat mogelijk was zonder haar tegen me in het harnas te jagen, maar ze gaf niet toe. Candace was verboden terrein totdat ze haar straf had uitgezeten.

'Zou Billy zich tot zijn tantes of ooms hebben gewend?' Ik zag voor me hoe hij tante Jacqui in vertrouwen nam, terwijl zij zelfgenoegzaam glimlachte.

'Niemand begrijpt Billy beter dan ik. Hij is heel gevoelig, net als ik... Hij lijkt niet op de Bysens. Geen van hen heeft hem ooit echt begrepen.'

Toen leek de grens wel bereikt te zijn, zowel die van wat ik los kon krijgen als van wat ik kon verdragen. Contreras, die naar zijn eigen huis was gegaan om een parka en een pijptang te halen, stond onder aan de trap te wachten met Mitch. Toen we weggingen, hoorden we Peppy eenzaam janken achter de voordeur.

Het flatgebouw van de Dorrado's bruiste van het leven, zoals grootsteedse flatgebouwen altijd lijken te doen. Terwijl we de drie trappen beklommen, hoorden we krijsende baby's, stereo-installaties die zo hard stonden dat de trapleuningen ervan trilden, mensen die in allerlei talen schreeuwden en zelfs een stel dat zich uitleefde in de geslachtsdaad. De nekharen van Mitch stonden overeind en Contreras hield zijn riem stevig vast.

Ik vond het een beetje dwaas om met een oude man, een hond en een revolver aan te komen, hoewel de revolver in elk geval netjes was weggeborgen in mijn vest met donsvoering. Maar de hond en de man waren voor iedereen duidelijk zichtbaar. Ze brachten Rose in elk geval van haar stuk.

'Een hond? Nee toch, die eet de baby op. Wie is dit? Je vader? Wat doen ze hier?'

Achter haar hoorde ik María Inés brullen. 'Ik bind de hond wel hier in de hal vast. We dachten dat hij misschien kon helpen Josie op te sporen, als we tenminste genoeg aanwijzingen hebben om te weten waar we moeten gaan zoeken.'

Daarna stelde ik Contreras voor, zonder onze relatie precies uit te leggen; die was zo ingewikkeld dat ik niet dacht die in één zin te kunnen samenvatten. Mijn buurman verbaasde me door langs Rose te lopen en de huilende baby op te pakken. Misschien was het zijn diepe, zachte stem, of misschien alleen het feit dat hij kalm was – Rose stond onder hoogspanning, ze had de hele

South Side van stroom kunnen voorzien en dan was er nog genoeg over geweest voor Indiana – maar binnen een paar minuten had Contreras de baby stil. Ze lag tegen zijn flanellen overhemd en knipperde slaperig met haar ogen. Ik wist dat hij een dochter had grootgebracht en twee kleinzonen had, maar ik had hem nog nooit met een baby in actie gezien.

De bank waarop Julia de hele dag tv zat te kijken, was uitgeklapt en vormde nu Roses bed. Verderop, in de eetkamer, zag ik Betto en Sammy op hun luchtbedden onder de eettafel liggen. Ze verroerden zich niet, maar ik zag het licht uit de woonkamer glinsteren in hun ogen; ze waren wakker en keken toe. Rose ijsbeerde door de nauwe ruimte tussen het bed en de deur, wrong haar handen en riep klaaglijk allerlei onsamenhangende en tegenstrijdige dingen.

Ik pakte haar bij de arm en dwong haar mee te komen naar het bed. 'Ga zitten en probeer rustig na te denken. Wanneer heb je Josie voor het laatst gezien?'

'Vanochtend. Ze was zich aan het aankleden voor school toen ik de deur uitging. Ik ben naar ons raadslid geweest, dat is een goed mens en ik dacht dat hij misschien wist waar ik een baantje zou kunnen krijgen, iets wat beter betaalt dan By-Smart. Ik ben naar twee adressen geweest, maar ze namen geen mensen aan, en toen ben ik naar huis gegaan om middageten te maken voor Betto en Sammy, want die komen thuis eten. Maar Josie eet op school, dus dat was het, sinds die tijd heb ik haar niet meer gezien, sinds vanochtend.'

'Hebben jullie ergens ruzie over gemaakt? Over Billy, misschien?'

'Ik was heel kwaad dat ze die jongen hier liet slapen. Ik zou bij elke jongen kwaad zijn geweest, maar deze jongen, met zo'n rijke familie, hoe komt ze erbij? Ze zouden ons wel iets kunnen aandoen. Iedereen weet dat ze niet willen dat hun zoon met een Mexicaans meisje omgaat en iedereen weet dat ze naar de kerk zijn gegaan en pastor Andrés hebben bedreigd.'

Rose was zo geagiteerd dat ze weer overeind sprong. Van schrik begon de baby zachtjes te jammeren. Contreras onderbrak Rose om naar het flesje van María Inés te vragen.

Rose tastte ernaar op de grond naast het bed, terwijl ze verder praatte: 'Ik vroeg haar of ze zo was opgevoed, om een jongen bij haar te laten slapen. Of ze een baby wilde, net als Julia. Of ze haar leven wilde verpesten voor een jongen, en dan nog wel zo'n rijke jongen, die zich nergens zorgen om hoeft te maken. Hij zegt dat hij christelijk is, maar bij de eerste problemen gaan ze er snel vandoor, die blanke jongens. Het is de bedoeling dat ze gaat studeren, dat zeg ik steeds tegen haar en dat wil ze ook, samen met April. Dan hoeft ze niet te worden zoals ik, niet te smeken om een baantje zonder te worden aangenomen.'

'Heeft ze iets teruggezegd, gedreigd met weglopen of zoiets?'

Ze schudde haar hoofd. 'Dit hebben we allemaal besproken nadat de familie van die jongen hier was geweest. Ze beschuldigden haar, ze scholden haar voor van alles uit, en – moge God het me vergeven – we hebben allemaal gelogen, we hebben allemaal gezegd: nee, Billy komt hier nooit. De grootvader was net de politie, hij luisterde nergens naar, naar niks van wat ik zei, en hij ging zelfs in de slaapkamer en de badkamer kijken of er iets van Billy was. Hij zegt dat hij me zal laten deporteren als Billy hier komt, als ik hem verberg. Probeer het maar niet, heb ik hem gezegd, want ik ben net zo goed een Amerikaans staatsburger als u, ik hoor net zo goed in dit land thuis. En de zoon, Billy's vader, is nog erger. Hij zocht in mijn Bijbel en keek in de boeken van de kinderen alsof we misschien geld van hem gestolen hadden. Hij pakte zelfs mijn Bijbel en schudde die boven de vloer uit, zodat al mijn bladwijzers eruit vielen, maar toen ze weg waren, Dios, wat een ruzie heb ik toen met Josie gehad. Hoe kan ze ons allemaal zo in gevaar brengen voor een jongen. Het zijn net bussen, heb ik tegen haar gezegd, er komt altijd wel weer een andere. Verpest je leven niet, zoals Julia heeft gedaan. Ze ruziede, ze schreeuwde, ze krijste, maar ze heeft niks gezegd over weglopen. Toen kwam 's middags die jongen, die Billy, met een doos boodschappen, en Josie deed alsof hij de aartsengel Michaël was die was neergedaald uit de hemel, alleen ging hij toen weer weg, zonder haar, en toen heeft ze de hele dag net als Julia voor de tv gezeten en naar soaps gekeken.'

Ik wreef over mijn voorhoofd en probeerde de stroom informatie te verwerken. 'En Julia? Wat zegt zij?'

'Dat ze niks weet. Die twee maken tegenwoordig dag en nacht

233

ruzie, het is niet meer zoals vroeger, vóór María Inés, toen ze zo dik met elkaar waren dat je af en toe dacht dat ze een en dezelfde persoon waren. Als Josie een geheim heeft, zal ze dat niet aan Julia vertellen.'

'Dat wil ik haar graag zelf vragen.'

Rose protesteerde zwakjes: Julia sliep en ze was toch te boos op Josie om iets te weten.

Contreras klopte haar op haar hand. 'Victoria hier zal niets zeggen waar uw dochter overstuur van raakt. Ze is gewend met jonge mensen om te gaan. Gaat u nou maar zitten en vertel me eens over dit prachtige kleine meisje. Het is uw kleindochter, hè? Ze heeft uw mooie ogen, hebt u dat gezien?'

Ik hoorde zijn geruststellende gemompel achter me terwijl ik me een weg baande door de volgestouwde eetkamer naar de slaapkamer van de meisjes. De ogen van de twee jongens die onder de tafel lagen, prikten in mijn rug.

De slaapkamer keek uit op een luchtschacht en door het dunne gordijn viel licht van aangrenzende flats naar binnen. Toen ik onder de kleertjes aan de lijn door dook, zag ik Julia's gezicht; haar lange wimpers trilden tegen haar wangen. Ik zag aan haar dichtgeknepen oogleden dat ze, net als haar kleine broertjes, alleen maar deed alsof ze sliep. Ik ging op de rand van het bed zitten, want er was in het kleine kamertje geen ruimte voor een stoel.

Julia ademde snel en oppervlakkig, maar ze bleef roerloos liggen om de indruk te wekken dat ze sliep.

'Sinds María Inés geboren is, ben je boos op Josie,' stelde ik nuchter vast. 'Zij gaat naar school, ze speelt basketbal, ze doet alles wat jij vroeger ook deed, voordat je María Inés kreeg. Het is niet eerlijk, hè?'

Ze lag als verstard, boos zwijgend, maar toen ik niets meer zei, barstte ze na een paar minuten los: 'Ik heb het maar één keer gedaan, toen ma op haar werk was en Josie en de jongens naar school waren. Hij zei dat een maagd niet zwanger kon raken. Ik wist het niet eens totdat... Ik dacht dat ik doodging, ik dacht dat ik een gezwel had. Ik wilde geen baby, ik wilde ervan af, maar de pastor en ma zeiden dat dat een zonde is, dat je dan naar de hel gaat. En op de dag dat hij met me naar bed ging, kwam Josie vroeg uit school.

Ze zag me en ging meteen van: "Hoe kan je dat nou doen? Je bent een hoer." We waren altijd de beste vriendinnen, ook toen Sancia en ik vriendinnen waren, maar als ik nu over María Inés klaag, is het van: "Dan had je maar niet de hoer moeten spelen." April en zij zeggen dat ze naar de universiteit gaan, dat ze door basketbal te spelen naar de universiteit kunnen. Nou, dat zei coach McFarlane ook altijd tegen mij. Dus toen Billy hier donderdag kwam en smeekte of hij mocht blijven slapen, heb ik hem binnen gevraagd. Ik dacht: doe het maar met Josie, zorg dat ze een baby krijgt, dan piept ze wel anders!'

Ze zweeg buiten adem, alsof ze verwachtte dat ik haar zou bekritiseren, maar het hele verhaal was zo droevig dat ik er wel om kon huilen. Ik stak mijn hand onder de dekens en kneep zachtjes in een van haar gebalde vuisten.

'Julia, ik zou je dolgraag basketbal zien spelen. Wat je zus ook zegt, of je moeder of zelfs je pastor, wat je hebt gedaan is geen zonde, met een jongen naar bed gaan en in verwachting raken. Wat zonde is, is dat die jongen tegen je heeft gelogen en dat jij niet beter wist. En het zou ook zonde zijn als je je er door je baby van liet weerhouden naar school te gaan. Als je thuis blijft rondhangen, met je opgekropte woede, verpest je je leven.'

'En wie past er dan op María Inés? Ma moet werken, en nou zegt ze dat ik een baantje moet nemen als ik niet naar school ga.'

'Ik zal wat rondbellen, Julia, en zien wat voor hulp ik kan vinden. Ondertussen wil ik dat je donderdag naar onze training komt. Neem María Inés mee. Neem Sammy en Betto mee, dan kunnen zij bij ons in de gymzaal op María Inés passen terwijl jij traint. Afgesproken?'

Haar ogen waren donkere poelen in het schemerlicht. Ze greep mijn hand stevig vast en mompelde uiteindelijk: 'Misschien.'

'En voordat je met een andere jongen uitgaat, moet je meer weten over je lichaam, over hoe je zwanger wordt en hoe je dat kunt voorkomen. Daar zullen jij en ik ook over praten. Ga je nog met de... vader van María Inés om?' Ik haperde bij het woord 'vader', want degene die haar zwanger had gemaakt, gedroeg zich niet erg vaderlijk tegenover de baby.

'Soms. Alleen om te zeggen: "Hoi, kijk, dit is je baby." Ik vrij niet meer met hem, als u dat bedoelt. Eén kind vind ik genoeg.'

'Draagt hij niet bij in het levensonderhoud van María Inés?'

'Hij heb nog twee kinderen in de buurt gemaakt,' zei ze huilend. 'En hij heb geen werk. Ik heb het hem heel vaak gevraagd en hij heb nooit iets gegeven, en nou steekt hij de straat over als hij me ziet aankomen.'

'Is het Freddy, over wie Josie en jij het gisteren hadden?'

Ze knikte weer, en haar zachte haar streek over het nylon kussensloop.

'Wat is dat voor jongen?'

'Gewoon een jongen. Ik ken hem uit de kerk, verder niet.'

Ik vroeg me af of pastor Andrés, met zijn strenge houding tegenover seks, Freddy er wel eens op aansprak dat hij her en der in de South Side kinderen verwekte die hij niet kon onderhouden, maar toen ik dat onder woorden bracht, keerde Julia zich van me af. Ik besefte dat ik haar niet alleen een gevoel van gêne bezorgde, maar ook een flink eind was afgedwaald van mijn onderzoek naar Josies verdwijning.

'En toen Billy hier vrijdag- en zaterdagnacht heeft gelogeerd, zijn Josie en hij toen met elkaar naar bed geweest?'

'Nee,' zei ze mat. 'Hij zei dat zij en ik samen moesten slapen, want hij wilde geen verzoeking op hun pad. Hij citeerde een zootje Bijbelverzen. Het was bijna net zo erg als wanneer pastor Andrés op mijn kamer had geslapen.'

Ik kon een lach niet helemaal onderdrukken, maar ik zag het kamertje voor me, de atmosfeer zwaar van religie en hormonen. Een verstikkende combinatie. 'Denk je dat je zus met Billy is weggelopen?'

Ze draaide zich om en keek me aan. 'Ik weet het niet zeker, maar ze zou naar school gaan en toen kwam ze een uur later weer thuis. Ze heb haar tandenborstel in haar rugzak gestopt, en nog wat spullen, u weet wel, haar pyjama, dat soort dingen. Toen ik haar vroeg wat ze ging doen, zei ze dat ze naar April ging, maar, nou ja, na al die jaren merk ik het wel als Josie tegen me liegt. En bovendien kwam April vandaag pas uit het ziekenhuis. Mevrouw Czernin zou Josie vast niet op bezoek laten komen, nu April zo ziek is.'

236

'Enig idee waar ze kunnen zijn, Billy en Josie?'

Julia schudde haar hoofd. 'Ik weet alleen dat hij haar niet mee zou nemen naar huis, u weet wel, die chique bedoening waar hij met zijn pa en ma woont, want die willen niet dat hij met een Mexicaans meisje gaat.'

Ik praatte nog een paar minuten met haar, maar het was duidelijk dat ze me alles had verteld wat ze wist. Ik kneep nog een keer in haar hand, stevig, ten afscheid. 'Dan zie ik je donderdag om drie uur, Julia. Oké?'

Ze fluisterde iets wat instemmend zou kunnen zijn. Toen ik opstond om te gaan, zag ik een schaduw over de babykleertjes aan de waslijn bewegen: Rose had ons afgeluisterd. Misschien was dat wel goed. Misschien was het de enige manier waarop ze een paar dingen over haar eigen dochters te weten zou komen.

26 Te wapen!

Ik wreef met mijn handen in mijn ogen. 'Stel dat Billy en Josie zich hier ergens verschuilen, dan zouden we ze kunnen vinden door zijn sportwagentje te vinden, als dat tenminste op straat staat.' Ik was even aan het hoofdrekenen. 'Het is waarschijnlijk maar vijfenzestig à zeventig kilometer straat om door te rijden. Dat zouden we in vier uur kunnen doen, minder nog als we de stegen overslaan.'

Contreras en ik zaten in de Mustang, waar we een veilig heenkomen hadden gezocht voor de oververhitte emoties van Rose. Nog voordat ik de slaapkamer uit was gekomen, begon ze Julia al de mantel uit te vegen omdat ze haar eigen moeder niet had verteld wat ze tegen mij had gezegd: 'Heb ik je geleerd dat je mag liegen?' had ze geschreeuwd, voordat ze zich snel naar mij omdraaide om te eisen dat ik geen tijd zou verliezen en meteen op zoek zou gaan naar Josie.

'Waar raad je me aan te zoeken, Rose?' vroeg ik vermoeid. 'Het is middernacht. Je zegt dat ze niet bij April is. Heeft ze andere vriendinnen waar ze zou kunnen zijn?'

'Ik weet het niet, ik kan niemand bedenken. Sancia misschien? Alleen was Sancia eigenlijk Julia's vriendin, maar zij en Josie...'

'Ik zal controleren of ze bij Sancia is,' onderbrak ik haar, 'of bij een van de andere meisjes van het team. Hoe zit het met familie? Heeft ze contact met haar vader?'

'Haar vader? Die *gamberro*? Die heeft haar niet meer gezien sinds ze twee was. Ik weet niet eens waar hij tegenwoordig woont.'

'Maar hoe heet hij? Soms houden kinderen voor hun moeder verborgen dat ze hun vader ontmoeten.'

Toen ze daartegen protesteerde – Josie zou nooit iets achter haar rug doen – wees ik haar erop dat Josie achter haar rug was verdwenen. Rose gaf me met tegenzin de naam van de man, Benito Dorrado. De laatste keer dat ze hem had gezien, acht maanden geleden, had hij in een Eldorado gezeten met een opgedirkte *puta*. In het bed achter me hoorde ik Julia naar adem happen bij dat woord.

'Andere familieleden? Heb je broers of zusters hier in Chicago?'

'Mijn broer woont in Joliet. Ik heb hem al gebeld, maar hij had niets van haar gehoord. Mijn zus, die woont in Waco. Je denkt toch niet...'

'Rose, ik snap dat je overstuur bent, maar je maakt ons allebei in de war. Heeft Josie een speciale band met je zus? Denk je dat ze Billy zou voorstellen vijftienhonderd kilometer te rijden om naar haar toe te gaan?'

'Ik weet het niet, ik weet het niet. Ik wil alleen mijn meisje terug.' Ze begon te huilen met de luide, gepijnigde uithalen van iemand die zichzelf niet vaak toestaat in te storten.

Contreras troostte haar door haar op ongeveer dezelfde manier toe te spreken als hij met de baby had gedaan. 'Geeft u ons maar iets wat van uw dochter is, een t-shirt of zo dat u nog niet hebt gewassen. Dan laten we Mitch eraan ruiken en dan zal hij haar opsporen, u zult het zien.'

De jongetjes waren gaan zitten op hun luchtbedden en keken met grote, angstige ogen naar Rose. Het was tot daar aan toe dat hun zus verdwenen was, maar het was heel iets anders om hun moeder haar zelfbeheersing te zien verliezen. Om iedereen te kalmeren zei ik dat ik zou kijken wat ik vannacht nog te weten kon komen. Ik gaf Rose mijn mobiele nummer en zei dat ze me moest bellen als ze iets hoorde.

Nu zaten mijn buurman en ik in mijn auto en probeerden te bedenken wat de volgende stap zou zijn. Mitch lag op de smalle achterbank met Josies ongewassen basketbalshirt tussen zijn poten. Ik beschouwde hem niet als een fantastische speurhond, maar je kon nooit weten.

'Je moest maar beginnen met de meisjes van het team,' opperde Contreras.

239

'Een adresboekje zou handig zijn, of een telefoonboek of wat dan ook.'

Ik wilde niet teruggaan naar de flat om Rose om het telefoonboek van Chicago te vragen. Hoewel het laat was, belde ik uiteindelijk Morrell in de hoop dat hij de adressen voor me kon opzoeken. Hij was nog op en zat naar de wedstrijd te kijken.

'Nog twee minuten te gaan en de Chiefs staan vijf punten achter,' meldde ik Contreras, die zich verheugd in zijn handen wreef bij de gedachte aan de pot die hem wachtte in mijn appartement.

Ik hoorde Morrells ongelijkmatige stappen toen hij door de gang liep om zijn laptop en zijn telefoonboeken te halen. Een paar minuten later las hij me de adressen voor van alle meisjes in het team die telefoon hadden, onder wie Celine Jackman, hoewel ik me niet kon voorstellen dat Josie naar Aprils aartsvijandin in het team zou gaan. Ik schetste een plattegrond van de buurt en noteerde de adressen in het raster van straten. Van noord naar zuid lagen de adressen binnen een gebied van bijna twee kilometer, maar van oost naar west lagen ze hoogstens vier straten uit elkaar, behalve dat van Josies vader. Benito Dorrado was van Zuid-Chicago verhuisd naar de East Side, een betrekkelijk rustige, iets welvarender buurt niet al te ver weg.

Het kostte ons meer dan een uur om rond te kijken in de straten en stegen rond de woonadressen van de meisjes in mijn team. Ik wilde ze niet wakker maken om naar Josie te vragen. Van een bezoekje van de coach, die op dit uur van de nacht op zoek was naar een vermiste speelster, zou iedereen zich rot schrikken. Met Mitch naast me aan een korte riem gluurde ik naar binnen in alle garages die we vonden; de meeste meisjes woonden in de lage huisjes waarvan er veel in de buurt stonden, en die hadden vaak een garage in de steeg achter het huis. In een van de garages verrasten we een straatbende die bijeen was, acht tot tien jongens die me kippenvel bezorgden met hun vlakke, dreigende blikken. Ze leken ons te willen aanvallen, maar het lage gegrom van Mitch hield hen lang genoeg op afstand om ons de kans te geven de aftocht te blazen.

Om half twee belde Rose om te horen of we al iets hadden gevonden. Toen ik ontkennend antwoordde, zuchtte ze en zei dat ze misschien het beste naar bed kon gaan. Morgen moest ze weer op zoek naar werk, hoewel ze toch geen goede indruk zou maken zolang deze steen op haar hart lag.

Contreras en ik reden naar het zuiden, onder de pijlers van de Skyway door naar het kleine houten huis van Benito Dorrado aan Avenue J. Er brandde geen licht in de bungalow, wat nauwelijks een verrassing was, want het was inmiddels over tweeën, maar ik had er geen moeite mee om hem wakker te maken, wat ik bij de meisjes uit het team wel had. Hij was Josies vader, dus hij mocht best aandacht hebben voor de drama's in haar leven. Ik belde verscheidene keren hard en lang aan, en na een paar minuten belde ik hem met mijn mobieltje. Toen de telefoon een keer of tien met een schril geluid was overgegaan achter de donkere voordeur, liepen we achterom. De garage, die één auto kon herbergen, was leeg; Benito's Eldorado en Billy's Miata waren nergens te bekennen. Ofwel hij was verhuisd, ofwel hij bracht de nacht door bij de opgedirkte puta.

'Ik denk dat het tijd is om naar huis en naar bed te gaan.' Ik moest zo erg gapen dat mijn kaak ervan kraakte. 'Ik zie vlekken in plaats van verkeersborden, en dan is het geen goed idee om te blijven rondrijden.'

'Ben je nu al moe, pop?' Mijn buurman grijnsde. 'Je bent vaak genoeg later.'

'Niet dat jij daarop let, hè?' Ik grijnsde op mijn beurt.

'Absoluut niet, pop. Ik weet dat je niet wilt dat ik me met jouw zaken bemoei.'

Als ik zo laat nog op stap ben, ben ik meestal uit met vrienden om te dansen, opgezweept door muziek en beweging. In een auto zitten en ingespannen door de voorruit turen was een heel ander verhaal. Bovendien was het lastig rijden in Zuid-Chicago: straten lopen dood op stukjes van het oude moeras dat onder de stad ligt, of op een kanaal of andere waterweg, en andere straten eindigen abrupt bij de Skyway. Ik meende me te herinneren dat ik bij 103rd Street in westelijke richting kon doorsteken naar de snelweg, maar ik stuitte op de rivier de Calumet en moest keren. Aan de overkant van de rivier lag het magazijn van By-Smart. Ik vroeg me af of Romeo Czernin vannacht voor het bedrijf reed, of Marcena en hij ergens op een schoolplein geparkeerd stonden en achter de stoelen in de cabine aan het vrijen waren.

De weg zat hier vol voren en de huizen stonden ver uiteen. De grote stukken land ertussen waren niet echt leeg: oude bedden, banden en verroeste autowrakken staken omhoog uit hopen rottende moerasplanten en dode bomen. Een paar ratten staken de weg over en glipten de greppel links van me in. Mitch begon te janken en draaien op de nauwe achterbank, want hij had ze ook gezien en wist zeker dat hij ze kon vangen, als ik hem nou maar even los wilde laten.

Ik bewoog mijn verkrampte schouders en deed mijn raampje open om wat frisse lucht in mijn gezicht te voelen. Contreras maakte bezorgde geluiden en zette de radio aan, in de hoop dat het geluid me wakker zou houden. Ik sloeg weer in noordelijke richting af en reed een straat in die naar een oprit van de snelweg moest leiden.

Het was net boven het vriespunt, meldde w b b m, en de snelwegen waren allemaal filevrij. Twee uur 's nachts was duidelijk een prima tijd om te rijden in Chicago. De aandelenbeurzen in Londen en Frankfurt waren moeizaam op gang gekomen. De Chiefs hadden een opleving gehad na het tweeminutensignaal, maar kwamen nog steeds acht punten tekort.

'Dan valt het toch nog mee, snoes,' zei Contreras troostend. 'Dat betekent dat je me nog maar zeven dollar extra schuldig bent, twee voor de stand na het derde kwart, een voor het aantal keren dat New England de quarterback heeft neergehaald, een voor...'

'Wacht even.' Ik ging op de rem staan.

We stonden onder de pijlers van de Skyway. De deprimerende puinhopen van de South Side strekten zich aan beide kanten van de weg uit zover het oog reikte. Ik had me geconcentreerd op de gaten in de weg voor me, maar toen had ik uit mijn ooghoek een beweging gezien. Twee kerels stonden tussen de troep te rommelen. Ze hielden ermee op toen ik stopte, draaiden zich om en keken me dreigend aan. Het licht van de snelweg boven ons sijpelde door de naden in de weg en glinsterde in hun bandenlichters. Ik tuurde langs hen heen om te zien waar ze op inhakten: de gladde, ronde bumper van een nieuwe auto.

Ik trok mijn revolver uit mijn holster en greep Mitch bij zijn riem. 'Blijf in de auto,' gebood ik Contreras. Ik duwde het portier open en stond naast de auto voordat hij kon protesteren.

Ik had de riem van Mitch in mijn linkerhand en de revolver in mijn rechter. 'Laat jullie wapens vallen! Handen omhoog!'

Ze schreeuwden me allerlei vuile taal toe, maar Mitch gromde en rukte aan zijn riem.

'Ik kan hem niet lang meer houden,' waarschuwde ik, terwijl ik in hun richting liep.

Het licht van de koplampen boven ons gleed over ons heen. De tanden van Mitch flikkerden. De twee lieten hun bandenlichters vallen en liepen met hun handen in de lucht achteruit. Toen ze opzij waren gegaan, kon ik de auto zien. Een Miata, die zo diep in de stapel planken en beddenspiralen was gereden dat alleen het achterste deel zichtbaar was, de opengebroken kofferbak en de nummerplaat: The Kid 1.

'Waar hebben jullie deze auto gevonden?' vroeg ik bits.

'Oprotten, tyfuswijf. Wij waren hier eerst.' De man die sprak, liet zijn handen zakken en kwam op me af.

Ik vuurde de revolver af, ver genoeg naast hem gericht om zeker te weten dat ik hem niet zou raken, maar zo dichtbij dat ze er goed van schrokken. Mitch huilde van angst: hij had nog nooit een schot gehoord. Hij blafte en probeerde zo ver mogelijk bij me vandaan te springen. Ik brandde mijn vingers aan de hete loop toen ik de veiligheidspal op de tast terugduwde terwijl Mitch grauwde en bokte. Toen ik hem weer enigszins onder controle had, stond ik bezweet te hijgen en beefde Mitch over zijn hele lijf, maar de twee kerels stonden als versteend met hun handen achter hun hoofd.

Contreras verscheen naast me en nam de riem over. Ik trilde zelf ook en was hem dankbaar, maar ik zei niets tegen hem en zorgde ervoor dat mijn stem vast klonk toen ik tegen de mannen praatte.

'De enige naam die ik van uitschot als jullie wil horen is "mevrouw". Geen "tyfuswijf", geen "vuile hoer", geen enkel lelijk woord dat in jullie walgelijke hoofd opkomt en aan jullie mond ontsnapt. Alleen "mevrouw". Goed. Wie van jullie heeft die auto hierheen gereden?'

Ze zeiden niets. Ik zette demonstratief de veiligheidspal van de Smith & Wesson vrij.

'We hebben hem hier gevonden,' zei de ene. 'Wat gaat het jou aan?'

'Wat gaat het u aan, mevróúw,' gromde ik. 'Wat het mij aangaat, is dat ik detective ben en dat deze auto een rol heeft gespeeld bij een ontvoering. Als ik een dode vind, mogen jullie blij zijn als jullie de doodstraf niet krijgen.'

'We hebben de auto hier gevonden, hij stond hier gewoon.' Ze jammerden bijna. Ik walgde van mijn eigen intimiderende gedrag; geef een vrouw een vuurwapen en een grote hond en ze is net zo goed in het vernederen van anderen als een man.

'Je kan niks bewijzen, we weten niks, we...'

'Hou ze in de gaten,' zei ik tegen Contreras.

Ik liep in een boog achteruit naar de auto terwijl ik de mannen onder schot hield. Mijn buurman had Mitch, die nog steeds nerveus bewoog, bij de riem. In de kofferbak, die door de twee was opengebroken, zaten alleen een handdoek en een paar boeken van Billy: *Rijke christenen in een tijd van honger* en *Het geweld van de liefde*.

De twee boeven stonden nog steeds met hun handen boven hun hoofd. Ik draaide me om en schuifelde de begroeiing in om in de auto te gluren. Geen Josie, geen Billy. In de voorruit boven het stuur zat een stervormige barst en het zijraampje aan de bestuurderskant was gebroken. Het vouwdak was gescheurd. Misschien was de schade ontstaan toen de auto zich in de afvalhoop had geboord. Het was ook mogelijk dat iemand de auto met een bandenlichter had bewerkt.

Het verkeer boven ons zond onophoudelijk maar onregelmatig klappen door de roestige pijlers van de Skyway. De lichten gleden langs, maar drongen niet zo diep door in de begroeiing dat ik in de auto kon kijken. Ik schakelde het zaklampje op mijn mobieltje in, stak mijn hoofd en schouders door het gat in het canvas vouwdak en scheen rond met de lichtbundel. Er lagen glasscherven op het dashboard en de stoel. Ik rook whisky of bourbon. Ik liet de lichtbundel langzaam door de auto gaan. Er lag een open thermosfles op de vloer voor de passagiersstoel, met een plasje onder de tuit.

Het was een fles van titanium, een Nissan. Morrell had er net zo een; die had ik voor hem gekocht toen hij naar Afghanistan ging. Een duur ding, maar er kwam niet snel een deuk in, zelfs niet toen hij werd beschoten. Er was alleen een stukje van de 'i' in het logo afgeschilferd, net als bij deze.

Ik kroop achteruit de auto uit en rukte het portier aan de chauffeurskant open. Wezenloos pakte ik de thermosfles en stak die in de zak van mijn jopper. Hoe was Morrells thermosfles in Billy's auto terechtgekomen? Misschien had Billy er net zo een en had de 'i' in het logo de neiging af te bladderen, maar ik kon me niet voorstellen dat Billy of Josie zou drinken, en al helemaal geen bourbon.

Op zaterdag, toen Buffalo Bill binnen was komen denderen om zijn kleinzoon op te eisen, was Morrell bij me geweest, maar zelfs als hij het type was dat naar Billy op zoek zou gaan zonder me dat te vertellen, was hij er lichamelijk niet toe in staat. En hij was geen drinker.

Ik klapte mijn telefoon open en drukte op de sneltoets voor Morrell, maar toen deed ik het toestel weer dicht. Het was over half drie. Ik hoefde hem niet wakker te maken voor iets wat ik hem morgenochtend kon vragen. Hoe dan ook, ik had de twee schurken die de kofferbak hadden opengebroken. Zij mochten een paar vragen beantwoorden.

Precies op dat moment barstte er achter me een tumult los: Contreras schreeuwde, Mitch blafte uit alle macht, en ik hoorde grind opspatten toen onze gevangenen het op een lopen zetten. Ik kwam zo snel mogelijk achteruit de begroeiing uit en liet in mijn haast de twee boeken vallen. De jongens renden in volle vaart over Ewing Avenue. Mitch rukte zich los van Contreras en sprintte achter hen aan.

Ik krijste naar Mitch dat hij moest komen, maar hij hield niet eens in. Ik holde achter hem aan. Ik hoorde de zware voetstappen van Contreras nog een paar meter achter me aan komen, maar het geluid werd al snel overstemd door dat van het verkeer boven ons. Bij 100th Street sloegen de jongens af naar het westen, naar de rivier, met Mitch op hun hielen. Ik rende nog door tot de volgende zijstraat en moest toen erkennen dat ik ze kwijt was. Ik bleef staan om te luisteren waar ze gebleven waren, maar ik hoorde alleen het gedender van vrachtwagens op de Skyway en ergens links van me het kabbelen van de rivier.

Ik draaide me om en liep terug naar Ewing Avenue. Als Mitch ze te pakken kreeg, zou ik de herrie horen. Maar ik zou mezelf in de nesten werken als ik de hoofdstraat verliet en probeerde te voet een weg te zoeken door de doodlopende straten en moerassige lappen grond waar deze jongens thuis waren.

27 De dood in het moeras

Als een hert op een landweg werd ik van achteren gevangen in het licht van een stel koplampen. Ik dook achter een vuilcontainer. De auto stopte. Ik bleef een ogenblik ineengekropen in het donker zitten, totdat ik besefte dat het mijn eigen auto was, dat Contreras op het moment helderder nadacht dan ik en hierheen was gereden vanaf de plek waar ik de auto had laten staan.

'Waar ben je, pop?' De oude man was uit de bestuurdersstoel gekomen en speurde de lege straat af. 'Ik zag je net nog. O... Waar is Mitch? Het spijt me, hij sprong plotseling weg en ging achter dat tuig aan. Zijn ze die kant opgegaan?'

'Ja. Maar ze kunnen inmiddels overal zijn, ook midden in het moeras.'

'Het spijt me vreselijk, pop, ik snap nu waarom je niet wilt dat ik me met je werk bemoei. Ik kan verdomme die hond niet eens vasthouden.' Hij liet zijn hoofd hangen.

'Rustig maar.' Ik klopte hem op zijn arm. 'Mitch is sterk en hij wilde per se achter die kerels aan. Als ik daarnet niet had gedaan alsof ik Ma Dalton was, was hij misschien helemaal niet zo opgewonden geraakt. En als ik de auto had genomen, in plaats van te denken dat ik twee twintigjarigen rennend te pakken kon krijgen...' Ik slikte de rest in; spijt achteraf en een schuldgevoel zijn een luxe die een goede detective zich niet kan permitteren.

Mijn buurman en ik stonden een paar minuten afwisselend de hond te roepen en scherp te luisteren of we hem hoorden. De Skyway loopt diagonaal en lag hier links van ons, nog steeds te dichtbij om andere geluiden boven het verkeer uit te kunnen horen.

'Dit heeft geen zin,' zei ik abrupt. 'We moeten maar rond gaan rijden. Als we hem niet snel vinden, laten we dan bij daglicht terugkomen met Peppy. Misschien kan zij zijn spoor ruiken.'

Contreras stemde ermee in, met het eerste deel van mijn voorstel althans. Toen hij op de passagiersstoel ging zitten, zei hij: 'Ga jij maar naar huis, een dutje doen, en neem Peppy mee terug, maar ik laat Mitch hier niet achter. Hij heeft nooit eerder een nacht alleen buiten doorgebracht, en ik voel er niets voor hem daar nu mee te laten beginnen.'

Ik deed geen pogingen hem tegen te spreken. Eigenlijk dacht ik er zelf net zo over. We kropen over 100th Street naar het westen. Contreras had zijn hoofd uit het raam gestoken en floot om de paar meter snerpend. Toen we dichter bij de rivier kwamen, maakten de bouwvallige huizen plaats voor vervallen pakhuizen en schuren. De twee kerels konden zich in elk van die panden verbergen. Mitch lag daar misschien ergens... Ik verdrong de gedachte.

We doorzochten nauwgezet het gebied van vier blokken dat tussen de Skyway en de rivier ligt. Slechts eenmaal kwamen we een andere auto tegen, een eenogige piraat waarvan de rechterkoplamp niet werkte. De bestuurder was een magere, nerveuze jongen die wegdook toen hij ons zag.

Bij de rivier stapte ik uit de auto. Ik heb altijd een echte zaklantaarn, een professionele, in het dashboardkastje liggen. Terwijl Contreras achter me stond en het licht langs de oever liet spelen, struinde ik rond door het dode moerasgras.

We hadden geluk dat het het einde van de herfst was, zodat de weelderige begroeiing bevroren en verteerd was en het moerasgras geen miljoenen stekende insecten meer herbergde. Maar de slijmerige, modderige grond zoog aan mijn schoenen. Ik voelde het koude, vuile water naar binnen stromen.

Ik hoorde iets bewegen en ritselen tussen de planten en bleef staan. 'Mitch,' riep ik zachtjes.

Het geritsel hield even op en begon toen weer. Er kwam een rat tevoorschijn, gevolgd door zijn familieleden, en ze glipten de rivier in. Ik liep verder.

Ik kwam langs een man die zo stil in het gras lag dat ik dacht dat hij dood was. Met kippenvel van afschuw naderde ik hem tot ik hem hoorde ademen, een langzaam, schrapend geluid. Contreras volgde me met het licht van de zaklantaarn en ik wist genoeg toen ik de naald op een open bierblikje zag liggen. Ik liet hem de dromen die hem nog restten en liep tegen de wal op naar de brug.

We staken in een gespannen stilzwijgen de rivier over en herhaalden de manoeuvre aan de andere kant, ondertussen allebei Mitch roepend. Toen we terug wankelden naar de auto en ons in de stoelen lieten vallen, was het na vijven en de hemel kreeg in het oosten die lichtere grijstint die de dageraad aankondigt als het jaar op zijn eind loopt.

Ik haalde mijn stadsplattegronden tevoorschijn. Het moerasland langs de West Side was uitgestrekt, een team getrainde speurders met honden zou hier een week kunnen rondlopen en dan nog de helft niet hebben gezien. Aan de andere kant van het moeras begon het netwerk van straten weer, kilometer na kilometer verlaten huizen en autokerkhoven waar een hond zou kunnen liggen. Ik geloofde niet echt dat onze twee schurken de rivier waren overgestoken. Mensen blijven in de buurt die ze kennen. Die kerels hadden de Miata dicht bij hun thuisbasis gevonden, gestolen of wat dan ook.

'Ik weet niet meer wat we moeten doen,' zei ik met doffe stem.

Mijn voeten waren gevoelloos van de kou en het vocht, en mijn oogleden deden pijn van vermoeidheid. Contreras is eenentachtig, en ik snapte niet dat hij nog op zijn benen kon staan.

'Ik ook niet, snoes, ik ook niet. Ik had gewoon nooit...' Hij onderbrak zijn jammerklacht voordat ik dat deed. 'Zie je dat?'

Hij wees naar een donkere vorm voor ons uit op de weg. 'Waarschijnlijk een hert of zo, maar doe de koplampen eens aan, pop, doe de koplampen aan.'

Dat deed ik, en ik stapte uit en hurkte op de weg. 'Mitch? Mitch? Kom dan, jongen, kom!'

Hij zat onder de modder en zijn tong hing uit zijn bek van uitputting en dorst. Toen hij me zag, zei hij zachtjes 'woef' van opluchting en begon mijn gezicht af te likken. Contreras sprong uit de auto en knuffelde de hond terwijl hij hem uitfoeterde en vertelde dat hij hem levend zou villen als hij het nog eens in zijn kop haalde zoiets te doen.

Achter ons kwam een auto aanrijden, die toeterde. We schrokken alle drie, want we hadden de straat zo lang voor onszelf gehad dat we vergeten waren dat het een hoofdweg was. De dikke leren riem van Mitch zat nog aan zijn halsband. Ik probeerde hem mee te trekken naar de auto, maar hij gromde en wilde geen poot verzetten.

'Wat is er, jongen? Hè? Heb je iets in je poot?' Ik voelde aan zijn poten. Er zaten wel hier en daar kloven in de kussentjes, maar ik kon niets vinden dat erin was gedrongen.

Hij ging staan, pakte iets op van de weg en liet het aan mijn voeten vallen. Hij draaide zich om, keek de weg af naar het westen, de richting waaruit hij was gekomen, pakte het voorwerp nog een keer op en liet het weer vallen.

'Hij wil dat we die kant op gaan,' zei Contreras. 'Hij heeft iets gevonden en hij wil dat we met hem meegaan.'

Ik hield het voorwerp dat hij had laten vallen onder de zaklantaarn. Het was een of andere lap, maar er zat zo'n dikke laag modder op dat ik niet kon zien wat het precies was.

'Kun jij met de auto achter ons aan rijden terwijl ik kijk waar hij heen wil?' vroeg ik aarzelend. Misschien had hij een van die kerels gedood en wilde hij me het lijk laten zien. Misschien had hij Josie gevonden, aangetrokken door de geur van het T-shirt waar hij op had gelegen, hoewel deze lap te klein was om een shirt te zijn.

Ik pakte een fles water uit mijn auto en goot er wat van in een leeg kartonnen bekertje dat ik in het gras had gevonden. Mitch had zo'n haast om me mee te nemen dat ik hem slechts met moeite kon overhalen iets te drinken. Ik dronk de fles zelf verder leeg en gaf hem de vrije teugel. Hij wilde zijn vieze lap beslist meenemen.

Er kwamen nu meer auto's langs, met mensen die in de grauwe ochtendschemering op weg waren naar hun werk. Ik nam de zaklantaarn in mijn rechterhand, zodat tegemoetkomende auto's ons goed zouden zien. Met Contreras stapvoets in ons kielzog liepen we snel door 100th Street. Mitch keek ongerust van mij naar de grond voor hem. Bij Torrence Avenue, ongeveer achthonderd meter verder, raakte hij in de war en dribbelde een paar minuten heen en weer langs de greppel naast de weg voordat hij besloot naar het zuiden af te slaan.

Bij 103rd Street gingen we weer naar het westen, voor het gigantische magazijn van By-Smart langs. De onafzienbare stroom trucks reed af en aan, en vanaf de bushalte liep een dichte stoet mensen de oprit op. De ochtendploeg ging zeker beginnen. De hemel was licht geworden tijdens onze tocht en het was nu ochtend.

Als een loden standbeeld zette ik de ene gevoelloze voet voor de andere. We waren dicht bij de snelweg en er was veel verkeer, maar voor mij leek alles ver weg, de auto's en trucks, het dode moerasgras aan weerszijden van ons, zelfs de hond. Mitch was een geest, een zwarte schim die ik wezenloos volgde. Er werd getoeterd naar Contreras, die vlak achter ons reed, maar zelfs dat kon me niet uit mijn verdoving wekken.

Opeens blafte Mitch kort en dook van de rand van de weg het moeras in. Ik schrok zo, dat ik mijn evenwicht verloor en met een klap in de koude modder viel. Ik bleef versuft liggen en wilde niet meer de moeite nemen op te staan, maar Mitch hapte naar me tot ik moeizaam overeind krabbelde. Ik deed geen pogingen meer de riem te pakken.

Contreras riep naar me vanaf de weg. Hij wilde weten wat Mitch deed.

'Ik weet het niet,' kraste ik terug.

Contreras schreeuwde nog iets, maar ik haalde mijn schouders op om aan te geven dat ik hem niet verstond. Mitch trok aan mijn mouw en ik keek om om te zien wat hij wilde. Hij blafte naar me en liep het moeras in, weg van de straat.

'Probeer ons over de weg te volgen,' riep ik schor, en ik zwaaide.

Na een paar minuten kon ik Contreras niet meer zien. De dode grasplanten met hun grijze baarden sloten zich boven mijn hoofd aaneen. De stad was zo ver weg dat ze wel een droom leek. Ik zag niets anders dan de modder, de muskusratten die wegschoten als we naderden en de vogels die met een angstig gekrijs opvlogen. Doordat de lucht loodgrijs was, viel niet in te schatten welke kant we op liepen. We zouden in een kringetje rond kunnen lopen, we zouden hier kunnen sterven, maar ik was zo moe dat die gedachte me niet alarmeerde.

De hond was ook uitgeput, anders had ik hem nooit kunnen bijhouden. Hij bleef een stuk of tien passen voor me, met zijn neus aan de grond. Die tilde hij alleen op om te kijken of ik er nog was, voordat hij weer verder snuffelde. Hij volgde het spoor dat een truck in de modder had gemaakt, een spoor dat zo vers was dat de planten nog plat lagen.

Ik had geen handschoenen aan en mijn handen waren dik van de kou. Ik keek ernaar terwijl ik voort wankelde. Het waren grote, donkerrode worsten. Het zou heerlijk zijn om nu een gebraden worstje te eten, maar ik kon mijn vingers niet opeten, dat sloeg nergens op. Ik duwde ze in mijn jaszak. Mijn linkerhand stuitte op de metalen thermosfles. Ik dacht dromerig aan de bourbon die erin zat. Die was van iemand anders, van Morrell, maar hij zou het niet erg vinden als ik er een beetje van nam, alleen om warm te blijven. Er was een reden om er niet van te drinken, maar ik kon er niet opkomen. Was de bourbon vergiftigd? Een boze geest had het uit Morrells keuken gepikt. Het was een grappige, gezette geest met dikke, druk bewegende wenkbrauwen, en hij bracht de thermosfles naar Billy's auto en ging staan wachten totdat ik die vond. Ik schrok op van geblaf vlak voor mijn neus. Ik was staand in slaap gevallen, maar de hete adem en het ongeruste gejank van Mitch brachten me terug naar het heden, het moeras, de bewolkte herfstlucht en de zinloze zoektocht.

Ik sloeg tegen mijn borst, mijn worstvingers tegen elkaar gedrukt in de mouwen van mijn jas. Ja, pijn was een goede prikkel. Mijn vingers klopten en dat was goed, want dat hield me wakker. Ik wist niet of ik weer met een revolver zou kunnen schieten, maar op wie zou ik moeten schieten, midden in het moeras?

Het gras werd minder dicht en roestige blikjes begonnen de plaats in te nemen van muskusratten. Voor me stak een echte rat over. Hij keek naar Mitch alsof hij met hem wilde vechten, maar de hond negeerde hem. Hij liep nu voortdurend ongerust te janken en ging sneller lopen, en als hij dacht dat ik achterbleef, spoorde hij me met zijn zware kop aan door te lopen.

Ik had niet gemerkt dat we het moeras hadden verlaten, maar plotseling zochten we ons een weg over een vuilstortplaats. Blikjes, plastic tassen, de witte strips van sixpacks, vodden, autostoelen, dingen die ik niet wilde herkennen, allemaal platgereden door de truck waar we het spoor van volgden. Ik struikelde over een autoband, maar bleef voortsjokken.

De vuilnisbelt hield min of meer op bij een afrastering van prikkeldraad, maar de truck was dwars door de afrastering gereden en had er een stuk van tweeënhalve meter van losgetrokken. Mitch snuffelde aan iets felroods dat aan het prikkeldraad hing, jankte en blafte naar me. Ik ging kijken wat het was. Het was nieuw, nog niet lang hier, bedoel ik, want de kleur was nog fris. Alle andere stukken textiel waren vuilgrijs geworden. Ik probeerde eraan te voelen, maar de huid van mijn gezwollen vingers was te zeer gebarsten om daar wijzer van te worden.

'Het ziet eruit als zijde,' zei ik tegen Mitch. 'Josie draagt geen zijde, dus wat is het dan, jongen?'

Hij zocht voorzichtig zijn weg over de slaphangende afrastering en ik volgde hem. Toen we voorbij het hek waren, ging Mitch rennen. Toen ik hem niet kon bijhouden, kwam hij terug om me in mijn kuiten te bijten. Uitgedroogd, hongerig en bevroren rende ik met hem mee dwars over een geplaveide weg, een steile heuvel op naar een plateau dat bedekt was met dood gras dat veerkrachtig en vlak aanvoelde. Misschien was ik weer in slaap gevallen, want het leek te veel op een sprookje, waar je door bossen vol boze geesten moet om bij een betoverd kasteel aan te komen... althans, in de tuin van een betoverd kasteel.

Ik kreeg steken in mijn zij en zag zwarte vlekken voor mijn ogen dansen, die ik steeds verwarde met Mitch. Alleen zijn schorre geblaf hield me in de juiste richting, of in elk geval in de richting die hij opging. Ik zweefde nu minstens een meter boven het grasveld. Ik kon vliegen, dat was de magie van het sprookjeskasteel. De ene voet kwam zwaar van de modder van de grond, de andere veerde erachteraan, ik hoefde alleen mijn armen een beetje te bewegen en ik schoot voorover de heuvel af en rolde om mijn as tot ik bijna in een meer lag.

Er verscheen een reusachtige jachthond, de beschermer van de heks wier kasteel ik was binnengedrongen. Hij greep me bij de mouw van mijn jas en probeerde me over de grond te trekken, maar hij kreeg me niet in beweging. Hij beet in mijn arm en ik ging zitten.

Mitch. Ja, mijn hond. Die me had meegenomen op een onmogelijke tocht, een tocht naar nergens. Hij beet me opnieuw, zo hard dat zijn tanden door mijn jopper drongen. Ik gaf een gil en kwam moeizaam overeind.

'Jezusmina, je lijkt wel een sergeant-majoor!' bracht ik hees uit.

Hij keek me met duistere blik aan; ik was de armzaligste rekruut die hij in al zijn jaren onder de wapenen had gezien. Hij draafde langs de rand van het water en bleef even staan om een slokje te drinken. We gingen een bocht om en ik zag in de verte een groepje blauwe vrachtwagens en voor me zag ik bruine bergen afval. De gemeentelijke vuilstortplaats. Waren we op de gemeentelijke vuilstortplaats? Had die hond me door de hel gevoerd om me naar de grootste hoeveelheid vuilnis ter wereld te brengen?

'Als ik iemand kan vinden om me naar huis te rijden, zal ik je...' Ik slikte de rest van mijn schorre, zinloze dreigement in. Mitch was verdwenen in een kuil. Ik liep er voorzichtig heen. Hij was gegraven en daarna achtergelaten. Tegen de zijkanten begon droog, borstelig onkruid te groeien.

Op de bodem lagen twee gestalten. Ik klauterde over de steenachtige grond naar beneden, mijn uitputting vergeten. Beide lichamen waren zeer gehavend, zo gehavend dat ze bont en blauw waren, en hier en daar ontveld. De ene leek een man te zijn, maar het was de vrouw waar Mitch zenuwachtig omheen scharrelde. Ze had een bos donkerblond haar rond haar gezwollen, toegetakelde gezicht. Ik kende dat haar, ik kende die zwartleren jas. En het rode lapje stof aan het hek was haar sjaal geweest. Ik had Marcena Love die sjaal talloze malen om haar hals zien knopen. Mijn gelukssjaal, noemde ze hem, die draag ik altijd in oorlogsgebieden.

De man... Ik keek en wendde mijn hoofd weer af. Niet Morrell, dat kon toch niet? De zwarte vlekken voor mijn ogen werden groter, dansten op en neer en onttrokken de grijze lucht en de verminkte lichamen aan mijn zicht. Ik werd misselijk en mijn lege maag keerde zich om. Ik wendde me af en braakte een straaltje gal uit.

Met pure wilskracht vermande ik mezelf. Ik had water nodig; behalve van schrik en uitputting trilden mijn benen ook van uitdroging. Ik dacht weer vol verlangen aan de bourbon in mijn zak, maar als ik daar nu van dronk, op mijn lege, droge maag, zou ik alleen maar misselijk worden.

Ik ging op mijn hurken bij de lichamen zitten. De man was langer en breder dan mijn geliefde of Billy.

Denk na, Warshawski, laat het melodramatische maar aan de middagsoaps over. Romeo, vermoedde ik. Romeo Czernin. Hij leek me morsdood, maar ik probeerde toch een hartslag te voelen in de paarsrode brij die zijn hals was geweest. Ik voelde niets bewegen, maar ik had zo weinig gevoel meer in mijn vingers dat het best mogelijk was dat ik iets miste. Zijn huid was nog warm. Als hij dood was, was dat nog maar sinds kort.

Mitch likte nerveus Marcena's gezicht. Toen ik hem opzij trok en een hand in haar hals legde, voelde ik een zwakke, onregelmatige hartslag. Ik pakte mijn mobieltje, maar het gebruik als zaklantaarn was blijkbaar te veel voor de accu geweest, want die was volkomen leeg.

Ik kwam moeizaam overeind. De vuilniswagens waren een meter of achthonderd bij me vandaan, een lange tocht over dit terrein, maar ik wist geen plek dichterbij waar ik hulp zou kunnen halen. Teruglopen naar waar we vandaan waren gekomen in de hoop dat Contreras daar nog was met de auto, was uitgesloten.

'Blijf jij bij haar, ouwe jongen?' vroeg ik Mitch. 'Als je tegen haar aan gaat liggen en haar warm houdt, blijft ze misschien leven.'

Ik gebaarde naar hem met mijn hand, het commando om te gaan liggen en daar te blijven. Hij jankte en keek me onzeker aan, maar ging weer naast Marcena liggen. Ik wilde net uit de kuil klimmen toen ik een telefoon hoorde overgaan. Het was zo onverwachts dat ik dacht dat ik weer hallucineerde: telefoons die in de verlaten woestenij overgingen... Er konden nu elk moment spiegeleieren aan mijn voeten vallen.

'Marcena's mobieltje!' Ik lachte een tikje hysterisch en liep naar haar terug.

Het geluid kwam bij Romeo vandaan, niet bij Marcena. Het stopte, omdat de voicemail was ingeschakeld, nam ik aan. Met tegenzin stak ik een hand in zijn jaszakken en ik vond een sleutelbos, een pakje sigaretten en een stapeltje loterijbriefjes. De telefoon ging weer over. De zakken van zijn spijkerbroek. Zijn broek was gescheurd en zat door zijn opdrogende bloed aan zijn lijf gekleefd. Ik kon me er nauwelijks toe zetten hem aan te raken, maar ik hield mijn adem in en stak een hand in de linker broekzak om de telefoon eruit te vissen.

'Billy?' Een scherpe mannenstem.

'Nee. Met wie spreek ik? We hebben hulp nodig, een ambulance.'

'Wie is daar?' De stem klonk nog scherper.

'V.I. Warshawski,' bracht ik schor uit. 'Met wie spreek ik? U moet hulp sturen.'

Ik probeerde te beschrijven waar ik was: dicht bij de gemeentelijke vuilstort, dicht bij water, waarschijnlijk het Calumetmeer, maar de man hing op. Ik belde het alarmnummer en gaf de telefoniste mijn naam en dezelfde vage beschrijving van mijn locatie. Ze zei dat ze haar best zou doen iemand bij me te krijgen, maar ze wist niet hoe lang het zou duren.

'De man is dood, geloof ik, maar de vrouw ademt nog. Maak alstublieft voort.' Mijn stem was inmiddels zo'n schor gekras dat ik er geen pressie of emotie meer in kon leggen; ik was al blij dat ik verstaanbaar was.

Nadat ik had opgehangen, trok ik mijn jas uit en legde die over Marcena's hoofd. Ik wilde haar niet verplaatsen of proberen te reanimeren. Ik wist niet hoe ernstig haar inwendige verwondingen waren en ik zou haar kunnen doden door gebroken ribben in haar longen te duwen of zoiets afschuwelijks. Maar ik had de vaste overtuiging dat haar hoofd warm moest blijven. We verliezen de meeste lichaamswarmte via ons hoofd. Mijn eigen hoofd was koud. Ik trok mijn sweater op tot over mijn oren en ging heen en weer zitten wiegen.

Ik was Contreras helemaal vergeten. Ik had hem twee uur geleden in 100th Street achtergelaten. Hij kon vindingrijk zijn, dus misschien vond hij me, ons. En Morrell... Ik had eerder aan hem moeten denken.

Toen hij de telefoon opnam, verbaasde ik mezelf door in tranen uit te barsten. 'Ik ben ver van de bewoonde wereld met Marcena, en ze is bijna dood,' bracht ik met moeite uit.

'Vic, ben jij dat? Ik begrijp geen woord van wat je zegt. Waar ben je? Wat is er aan de hand?'

'Marcena. Mitch heeft haar gevonden, hij heeft me meegenomen door het moeras, ik kan het nu niet uitleggen. Ze is bijna dood en Romeo ligt naast haar. Hij is dood en als we niet snel hulp krijgen is zij straks ook dood, en ik misschien ook wel. Ik ben zo uitgedroogd en verkleumd dat ik het bijna niet meer uithou. Je moet me vinden, Morrell.'

'Wat is er gebeurd? Hoe ben je bij Marcena terechtgekomen? Heeft iemand je aangevallen? Is alles goed met je?'

'Ik kan het niet uitleggen, het is te ingewikkeld. Als er geen ambulance komt, haalt ze het niet.' Ik herhaalde de weinige informatie die ik kon bieden over onze locatie.

'Ik zal uit de kuil klimmen waar ze in liggen, zodat iemand me kan zien, maar ik geloof niet dat hier een weg in de buurt is.'

'Ik zal doen wat ik kan, liever. Hou vol. Ik bedenk wel iets.'

'O, dat vergeet ik bijna. Contreras. Hij heeft ons afgezet en is nu waarschijnlijk gek van ongerustheid.'

Ik probeerde me mijn kenteken te herinneren, maar dat lukte niet. Morrell herhaalde dat hij zou doen wat hij kon en hing op.

Mitch lag naast Marcena, zijn ogen dof van vermoeidheid. Hij likte haar niet meer, maar lag met zijn kop op haar borst. Toen ik uit de kuil wilde klimmen, tilde hij zijn kop op en keek naar me, maar maakte geen aanstalten op te staan.

'Ik kan het je niet kwalijk nemen, jongen. Blijf daar maar. Hou haar warm.'

De kuil was maar tweeënhalve meter diep. Ik groef mijn vingers in de koude klei en drukte mezelf omhoog. In mijn normale conditie had ik naar boven kunnen rennen, maar nu leek de hoogte onoverkomelijk. Dit is de Mount Everest niet, dacht ik grimmig, je hoeft Junko Tabel niet te evenaren. Of misschien ook wel; ik zou de eerste vrouw zijn die niet de Mount Everest, maar een kuil in de buurt van het Calumetmeer bedwong. De National Geographic Society zou me op een diner onthalen. Ik slaagde erin mijn handen over de rand van de kuil te slaan en trok mezelf het veerkrachtige gras op. Toen ik naar beneden keek, was Mitch opgestaan en liep hij zenuwachtig heen en weer tussen Marcena en de wand waar ik zojuist tegenop was geklommen.

Ik gebaarde opnieuw naar hem dat hij moest gaan liggen. Hij gehoorzaamde eerst niet, maar toen hij zag dat ik niet uit zijn gezichtsveld verdween, sjokte hij terug naar Marcena en ging tegen haar aan liggen.

Ik stond een tijdje met mijn handen in de zakken van mijn spijkerbroek te kijken naar de colonne blauwe vrachtwagens die over het stortterrein kroop. Het was grappig dat ik de motoren kon horen, want de wagens leken zo ver weg. Misschien waren ze wel zo dichtbij dat ik erheen kon lopen. Misschien dacht ik alleen dat ze ver weg waren, doordat ik mijn gevoel voor tijd en ruimte kwijt was. Als mensen lang vasten, krijgen ze visioenen. Dan denken ze dat er engelen uit de hemel naar beneden komen, net als ik nu, want ik zag hem uit de wolken neerdalen, een groot wezen dat naar me toe kwam, met een vreselijke herrie die elke gedachte die ik ooit had gehad overstemde.

Ik drukte mijn oren dicht. Ik begon gek te worden: dit was geen engel, maar een helikopter. Iemand had mijn noodoproep serieus genomen. Ik strompelde naar het toestel terwijl er een mij onbekende man in een leren bomberjack uit sprong. Hij bukte om uit de buurt van de rotorbladen te blijven.

'Wat is hier gebeurd?' vroeg hij toen hij over het gras naar me toe was gerend.

'Ze liggen daar.' Ik wees naar de kuil. 'Er moet een brancard komen. Ik weet niet wat voor verwondingen de vrouw heeft.'

'Ik versta u niet,' zei de man ongeduldig. 'Waar is Billy, verdomme?'

'Billy?' bracht ik hees uit, met mijn mond dicht bij zijn oor. 'Bedoelt u Billy the Kid? Die heb ik na de kerkdienst van zondag niet meer gezien. Dit is Marcena Love. En Romeo, denk ik... Bron Czernin. Ze moeten naar een ziekenhuis. Hebt u geen brancard in dat ding?'

De woorden kwamen ergerniswekkend langzaam over mijn lippen. De man deinsde achteruit toen hij mijn stinkende adem rook. Hij behoorde tot een andere diersoort dan ik: hij was alert, hij had ontbeten, ik rook koffie in zijn adem en een flinke scheut aftershave op zijn wangen. Hij had gedoucht en zich geschoren. Ik rook waarschijnlijk net als de vuilstort, aangezien ik het grootste deel van de nacht door een moeras vol vuilnis had gelopen.

'Ik ben op zoek naar Billy Bysen. Ik weet niets van deze mensen. Hoe kan het dat u zijn telefoon opnam?'

'Die zat in de zak van de dode man.'

Ik keerde hem mijn rug toe en strompelde naar de helikopter, waarbij ik er pas op het laatste moment aan dacht te bukken voor de rotorbladen. Door die beweging viel ik languit op de grond. De gladgeschoren man hees me overeind en schreeuwde tegen me dat ik hem moest vertellen waar Billy was. Hij begon echt vervelend te worden, net als de jongens op het schoolplein die 'Juffie-Geniaal' naar me riepen, en ik wilde mijn Smith & Wesson trekken en hem neerschieten, maar dan zou mijn vader heel boos worden. 'Je mag niet meer tegen je schoolkameraadjes zeggen dat ik bij de politie ben en ze zal arresteren,' had hij gezegd. 'Je mag geen misbruik maken van mijn politiepenning. Je moet je problemen zelf oplossen. Dat is de manier waarop goede dienders en eerlijke mannen en vrouwen zich gedragen, begrepen, Kruidje-roer-me-niet?'

Ik wrong me los uit de greep van de geschoren man en wierp me in de richting van de open helikopterdeur. De piloot wierp een ongeïnteresseerde blik op me en verdiepte zich toen weer in zijn instrumenten. Ik geloofde niet dat ik op eigen houtje in de helikopter kon klimmen en ik kon mezelf niet verstaanbaar maken boven het lawaai van de rotorbladen uit. Ik klemde me vertwijfeld vast aan de stijlen toen de gladgeschoren man me bij mijn pijnlijke schouder greep en probeerde me los te wringen.

Plotseling hield het lawaai van de motoren op. De piloot zette zijn koptelefoon af en stapte uit. De wereld om me heen was één en al flitsend rood en blauw licht. Ik keek om me heen en knipperde met mijn ogen toen ik de verzameling politiewagens en ambulances zag.

De man liet mijn schouder los toen een bekende stem achter me zei: 'Ben jij dat, Ms. W.? Ik dacht dat ik je gezegd had dat je je niet meer mocht vertonen in Zuid-Chicago. Wat heb je hier uitgevoerd? Een bad genomen in het vuilnis?'

29 Uitgeschakeld... alweer

Pas later, toen het infuus uit mijn arm was gehaald en het Cook County Hospital verklaarde dat ik weer voldoende vocht in mijn lijf had en kon gaan, kon ik de verwarrende zwerm politiemannen en brancards die zich op ons hadden gestort enigszins plaatsen, en het duurde nog langer voordat ik ontdekte waar de helikopter vandaan was gekomen.

Op het ogenblik zelf deed ik geen enkele poging iets te begrijpen, ik gaf alleen een kreetje van opluchting toen ik Conrad zag. Ik probeerde hem te vertellen wat er was gebeurd, maar er kwam geen geluid uit mijn gezwollen, uitgedroogde keel. Ik gebaarde met een beverige arm in de richting van de kuil. Terwijl ik tegen de deuropening van de helikopter in elkaar zakte, liep Conrad naar de rand en tuurde naar beneden. Toen hij Marcena en Romeo zag, sprintte hij terug naar de ambulances en riep een paar verpleegkundigen met brancards.

Ik sukkelde in slaap, maar Conrad schudde me wakker. 'Je moet je hond halen. Hij laat het ambulancepersoneel niet bij de vrouw en we willen hem niet neerschieten.'

Mitch had Marcena de hele nacht beschermd en was bereid iedereen te bijten die haar probeerde te verplaatsen. Ik wankelde terug de kuil in en liet me de laatste anderhalve meter op mijn achterste glijden. Dat tochtje deed me de das om. Ik kwam bij Mitch aan en ik slaagde erin een hand om zijn halsband te slaan, maar van de rest van de ochtend bleven me maar een paar fragmenten bij: Conrad die me op zijn schouder hees en me aan een paar geüniformeerde mannen overdroeg die me naar boven brachten; de moeite die het kostte om de riem van Mitch de hele tijd vast te houden, terwijl ik in een diepe slaap wegzonk; weer wakker worden doordat de gladgeschoren man iets tegen Conrad schreeuwde over de helikopter.

'Jullie kunnen niet zomaar willekeurig privé-eigendommen in beslag nemen. Deze helikopter is van Scarface.'

Dat kon niet kloppen, niet van Al Capone. Maar ik kon niet bedenken wat hij dan wel zei en gaf het op, keek alleen toe hoe Conrad naar een paar geüniformeerde mannen gebaarde dat ze de kerel moesten vasthouden terwijl de brancards werden ingeladen. Wat een goed idee, ik wou dat ik daaraan had gedacht. Ik dutte weer weg en liet Mitch los, die achter Marcena aan de helikopter in klom.

'Neem haar ook maar mee,' zei Conrad tegen het ambulancepersoneel terwijl hij naar mij wees. 'Ze kan de hond bij zich houden, en bovendien heeft ze een dokter nodig.'

Hij klopte me op mijn schouder. 'Wij moeten praten over hoe je wist dat je hier moest zijn, Ms. W., maar dat kan wel een paar uurtjes wachten.'

En toen gingen de rotorbladen draaien, en ondanks de herrie en de plotselinge slingerbewegingen, voor Mitch reden om te gaan trillen en zich dicht tegen me aan te drukken, viel ik weer in slaap. Ik werd pas wakker toen ik van de helikopter naar de spoedeisende hulp werd gedragen, maar Mitch mocht niet mee het ziekenhuis in. Ik kon hem niet achterlaten. Ik kon niet praten. Ik ging bij hem op de grond zitten met mijn armen om zijn vacht, die hard was van opgedroogd bloed. Een bewaker probeerde me eerst te bepraten en ging toen tegen me schreeuwen, maar ik kon niet reageren, en toen was Contreras er opeens, met Morrell, en lag ik op een rijdende brancard, waar ik definitief wegzonk.

Toen ik eindelijk weer wakker werd, was het laat in de avond. Ik keek slaperig om me heen in de ziekenkamer zonder me te herinneren hoe ik er was gekomen, maar te duf om me er zorgen over te maken. Ik had dat aangename gevoel in mijn lichaam dat je hebt als je koorts over is. Ik had geen pijn of dorst meer, en terwijl ik sliep had iemand me gewassen. Ik had een nachthemd van het ziekenhuis aan en rook naar zeep.

Na een tijdje kwam er een verpleeghulp binnen. 'Dus je bent wakker. Hoe voel je je?'

Ze nam mijn bloeddruk en temperatuur op en vertelde me, toen ik ernaar vroeg, dat ik in het Cook County Hospital lag. 'Je hebt twaalf uur geslapen, meid. Ik weet niet tegen wie je aan het boksen bent geweest, maar je was in elk geval uitgeteld. Neem wat sap. De instructies zijn: drinken, drinken en nog eens drinken.'

Gehoorzaam dronk ik het glas appelsap leeg dat ze me aangaf, en daarna een glas water. Terwijl ze druk in de weer was in de kamer, begon ik me langzaam te herinneren hoe ik hier was gekomen. Ik probeerde mijn stem uit. Ik kon weer praten, zij het enigszins schor, dus ik vroeg naar Marcena.

'Dat weet ik niet, kind, ik weet niets over mensen met wie je bent binnengebracht. Als ze er slecht aan toe was, zoals je zegt, ligt ze op een andere afdeling, snap je? Je moet het maar aan de dokter vragen als hij langskomt.'

De rest van de nacht sliep ik, maar niet meer zo diep. Nu mijn ergste uitputting voorbij was, kon ik de geluiden van het ziekenhuis niet negeren, noch de stoet mensen die bij me kwamen kijken. Vooraan in de rij liep natuurlijk iemand van de afdeling opname, die mijn verzekeringsgegevens wilde hebben. Mijn portefeuille had in mijn broekzak gezeten. Toen ik om mijn kleren vroeg, diepte iemand een vies bundeltje lappen op uit het kastje. Ik had het geluk dat mijn portefeuille er nog was, met mijn creditcards en mijn verzekeringspasje.

Toen ze me woensdagochtend om zes uur opnieuw wekten omdat de artsen hun ronde maakten, zat Morrell naast me. Hij keek me met een scheve glimlach aan.

Het team van artsen verklaarde me klaar voor de strijd, of in elk geval gezond genoeg om te mogen vertrekken. Ze vroegen naar het gat in mijn schouder, dat door al mijn inspanningen een beetje had gebloed maar goed aan het genezen was, vulden mijn ontslagformulieren in en lieten me toen eindelijk alleen met mijn geliefde.

Morrell zei: 'Zo, Hippolyte, koningin der Amazonen. Je hebt weer een veldslag overleefd.'

'Ze hebben Hercules nog niet op me afgestuurd. Hoe lang ben je hier al?'

'Een halfuurtje. Toen ik gisteravond opbelde, zeiden ze dat ze je vanochtend gingen ontslaan en ik dacht dat je wel graag schoon ondergoed zou willen hebben.'

'Je bent bijna net zoveel waard als een vrouw, Morrell, om dat te bedenken. Je mag je bij mijn horde krijgshaftige vrouwen aansluiten, dan kun je als voorbeeld van borstloosheid dienen.'

Hij boog zich naar me toe om me te kussen. 'Dat is een verzinsel, hoor, dat ze hun borst afhakten. En die van jou bevallen me zeer, dus ga vooral geen ondoordachte dingen doen. Maar dat is de meest zinloze opmerking die ooit is gemaakt, gezien de manier waarop je de afgelopen tien dagen met je lijf bent omgegaan.'

'Sprak de man die nog steeds een stuk van een kogel bij zijn ruggengraat heeft.'

Hij gaf me een weekendtas die met zijn gebruikelijke precisie was ingepakt: tandenborstel, haarborstel, beha, een schone spijkerbroek en een katoenen sweater. Het was mijn favoriete beha, van roze met zilverkleurig kant, die ik een paar weken geleden bij hem had laten liggen, maar de andere kleren waren van hem. We zijn even lang en de kleren pasten me vrij goed, hoewel ik de broek nooit dicht zou hebben gekregen als ik niet zesendertig uur had gevast.

We namen een taxi naar mijn appartement, waar Contreras en de honden me begroetten als een zeeman die na een schipbreuk huiswaarts keert. Mijn buurman had Mitch gewassen en was met hem naar de dierenarts geweest, die een van zijn poten had gehecht, want daar zat een snee in van een blikje of van het prikkeldraad. Nadat hij zijn opgetogenheid had getoond, liep Mitch terug het appartement van mijn buurman in en klom op de bank om weer te gaan slapen. Contreras wilde hem niet alleen laten, dus gingen we in zijn keuken zitten. Contreras bakte pannenkoeken en we wisselden oorlogsverhalen uit.

Toen hij had gezien dat Mitch me meenam het moeras in, had Contreras geprobeerd ons met de auto te volgen, maar de weg liep te veel naar het westen en na een paar minuten kon hij ons door het moerasgras helemaal niet meer zien. Hij was teruggegaan naar de plaats waar Mitch het moeras in was gelopen, maar na een halfuur kwam er een staatspolitieman langs die hem verordonneerde weg te gaan.

'Ik probeerde die kerel aan zijn verstand te brengen dat jij door het moeras dwaalde, maar hij zei dat ik dat bij de gemeentelijke politie moest melden, niet bij hem, dat het onder de verant-woordelijkheid van Chicago viel, dus toen heb ik hem gesmeekt de politie van Chicago te bellen en dat wilde hij niet, hij zei al-leen dat hij de auto in beslag zou nemen als ik die niet weghaal-de, en dus moest ik wel naar huis gaan.' Hij klonk nog gegriefd. 'Toen ik thuis was, heb ik het alarmnummer gebeld en daar zei-den ze dat ik maar tot 's ochtends moest wachten en je dan, als ik nog niets van je had gehoord, als vermist moest opgeven. Ik had eigenlijk hoofdinspecteur Mallory moeten bellen, bedenk ik nu, maar daar heb ik niet aan gedacht en toen hoorde ik van Morrell hier dat Mitch je helemaal had meegenomen naar die mevrouw Love.'

'Dat gedeelte snap ik niet,' zei ik. 'Niet dat ik de rest wel snap, maar... degene die Marcena en Romeo heeft aangevallen, moet dat in de omgeving van 100th Street en de rivier hebben gedaan, want dat is waar Mitch is verdwenen. Hij ging achter de twee kerels aan die Billy's auto molesteerden, en het enige wat ik kan bedenken is dat hij daarna Marcena's geur heeft opgepikt en dat spoor heeft gevolgd. Heeft Conrad al bij de rivier gezocht?'

Morrell schudde zijn hoofd. 'Ik heb hem niet meer gesproken sinds we gisteren bij het ziekenhuis elk ons weegs zijn gegaan.'

'Hoe ben jij eigenlijk in contact gekomen met Conrad?' wilde ik weten.

'Ik heb hem gebeld na jouw telefoontje uit je kuil – weet je trou-wens waar je was? Aan de rand van de Harborside-golfbaan, waar die overgaat in een stuk niemandsland dat doorloopt tot aan de vuilstortplaats. Hoe dan ook, Zuid-Chicago is het terrein van Rawlings, dus ik dacht dat hij de snelste weg zou zijn naar jou en naar een manier om Marcena in het ziekenhuis te krijgen.'

Ik aarzelde voor ik de vraag stelde, maar vroeg uiteindelijk toch hoe het met Marcena ging.

'Niet goed, maar ze is nog onder de levenden.' Hij zag blijkbaar dat ik een klein zuchtje van opluchting slaakte, want hij vervolgde: 'Ja, je bent een jaloerse, felle straathond, maar je bent niet vals. Ze was niet bij bewustzijn toen ze in het ziekenhuis aankwam, maar ze wordt voor de zekerheid toch kunstmatig in slaap gehouden. Ongeveer een kwart van haar lichaam is ontveld en ze zal grote huidtransplantaties nodig hebben. Als ze wakker genoeg zou zijn om vragen te beantwoorden, zou ze zoveel pijn hebben dat de schok haar waarschijnlijk fataal zou worden.'

We zaten een tijdje in stilte bijeen. Tot ontsteltenis van Contreras kon ik maar één pannenkoek op na mijn vastenperiode, maar die at ik met bijna een hele pot honing erop en daarna begon ik me beter te voelen.

Na een tijdje vervolgde Morrell zijn verhaal. 'Toen Rawlings belde om me te vertellen dat ze je hadden gevonden, heb ik Contreras hier opgebeld en een taxi genomen om hem onderweg naar het ziekenhuis op te pikken... Wat maar goed was ook, koningin der Amazonen, want je waakhond was niet van plan van je zijde te wijken.'

'Echt niet?' Dat monterde me op. 'Gisteren leek hij zo gehecht aan Marcena dat ik dacht dat hij niet meer van me hield.'

'Misschien dacht hij gewoon dat jij zijn laatste band met haar was.' Morrell trok plagend zijn wenkbrauwen op. 'Hoe dan ook, als Contreras niet was meegekomen, was je waarschijnlijk in de gevangenis beland, in plaats van in het ziekenhuis, en de hond zou dood zijn. Maar het is allemaal goed gekomen. Contreras hier heeft de *Hound of the Baskervilles* overgehaald het been van de bewaker los te laten, ik heb je naar de spoedeisende hulp gebracht, we hebben gewacht tot de hoofdverpleegkundige vertelde dat je alleen rust en vocht nodig had, en toen kwam Rawlings binnen. Hij vroeg zich af of hij een verklaring van je kon opnemen over Marcena. Toen hij zag dat dat uitgesloten was, hebben we een taxi gezocht die Mitch wilde meenemen. Contreras is met hem naar huis gegaan. Rawlings is politiewerk gaan doen, maar ik ben naar de overkant gegaan, naar het lijkenhuis, om met Vish te praten. Hij was bezig sectie te verrichten op Bron Czernin.'

Nick Vishnikov was patholoog-anatoom bij het lijkenhuis van Cook County en een oude vriend van Morrell. Hij deed tamelijk veel forensisch onderzoek voor Humane Medicine, de groep die Morrell naar Afghanistan had gestuurd. Daarom had hij Morrell wat details verteld die hij voor mij waarschijnlijk verzwegen zou hebben, als ik ernaar had gevraagd.

'Ze waren zo afschuwelijk mishandeld.' Ik huiverde bij de herinnering aan die geschaafde en aan flarden hangende huid. 'Wat is er met ze gebeurd?'

Morrell schudde zijn hoofd. 'Vish is er nog niet uit. Het is waar dat ze afgeranseld zijn, maar hij gelooft niet dat dat met gebruikelijke wapens is gebeurd, zoals knuppels of zwepen. Hij zegt dat er olie in Czernins huid zat. Hij heeft een harde klap op zijn hoofd gehad, zo hard dat zijn ruggengraat ervan is gebroken, maar daar is hij niet aan gestorven, in elk geval niet meteen. Hij is gestikt. Maar wat Vish echt voor een raadsel stelt, is dat de verwondingen aan hun beider lichamen zo op elkaar lijken. Afgezien van Czernins gebroken nek, natuurlijk. Wat voor genadeloze klap hij ook heeft gekregen, Marcena heeft die weten te ontwijken, waardoor ze kans heeft te herstellen.'

De twee mannen probeerden dingen te bedenken die dat soort verwondingen konden veroorzaken. Morrell dacht aan walsen uit een staalwalserij, maar Contreras wierp tegen dat die de lichamen verpletterd zouden hebben. De oude man opperde op zijn beurt dat ze misschien achter een truck over de grond waren gesleept. Morrell vond dat plausibel klinken en belde Vishnikov om het hem voor te leggen, maar kennelijk hadden ze dan brandwonden en gezwollen pezen in armen en benen moeten hebben.

De beelden waren te levendig voor me. Ik had de lichamen gezien en kon het niet aan er nu over te theoretiseren. Ik kondigde abrupt aan dat ik naar boven ging. Toen ik in mijn eigen huis was, besloot ik mijn haar te wassen, want dat hadden ze in het ziekenhuis overgeslagen toen ze me schoon spoten. Volgens mij was mijn schouder voldoende genezen om onder de douche te gaan staan.

Toen ik schoon was en mijn eigen spijkerbroek aanhad, controleerde ik mijn binnengekomen berichten. Ik was bijna vergeten dat ik een bedrijf runde, dat het leven uit meer bestond dan basketbal coachen en door moerassen sjokken.

Er waren de voorspelbare vragen van Murray Ryerson van de *Herald-Star* en van Beth Blacksin, een tv-reporter van *Global Entertainment*. Ik vertelde hun wat ik wist, wat niet veel was, en nam contact op met cliënten die – met groeiend ongeduld – op rapporten wachtten.

Er was een boodschap van Sanford Rieff, de forensisch onderzoeker naar wie ik het kikkervormige bakje had gestuurd. Hij had een voorlopig rapport voor me dat hij naar mijn kantoor zou faxen. Ik probeerde hem te bellen, maar kreeg alleen zijn voicemail aan de lijn. Ik zou moeten wachten tot ik op mijn kantoor en bij mijn faxapparaat was om te zien wat zijn bevindingen waren.

Rose Dorrado had tweemaal gebeld om te horen of Josie bij Bron en Marcena in de kuil had gelegen. Julia nam op toen ik terugbelde; haar moeder was op banenjacht. Nee, ze hadden niets van Josie gehoord.

'Ik heb gehoord dat Aprils vader vermoord is. U denkt toch niet dat ze Josie ook zullen vermoorden?'

'Wie, Julia?' vroeg ik op kalme toon. 'Weet je iets over Brons dood?'

'Iemand heeft ma verteld dat ze het wrak van Billy's auto hebben gevonden, en omdat Josie en hij verdwenen zijn in dezelfde nacht dat meneer Czernin is vermoord, dacht ik dat er misschien een crimineel rondloopt die mensen om zeep helpt. En de politie kan het niks schelen wat er met ons gebeurt, dus die zullen hem nooit vinden.'

Er klonk oprechte angst door in haar stem. Ik deed mijn best haar gerust te stellen zonder haar valse hoop te bieden. Ik kon niet garanderen dat Josie niet dood was, maar het leek me een goed teken dat niemand haar had gezien. Als ze was aangevallen door dezelfde mensen die Marcena en Bron te pakken hadden gekregen, zouden ze allemaal bij elkaar zijn gevonden.

'Ik zie je morgen op de training, hè, Julia?'

'Eh, ik denk het wel, coach.'

'En zeg tegen je moeder dat ik na de training met haar kom praten. Voor deze ene keer zal ik María Inés en jou een lift naar huis geven.'

Nadat ik had opgehangen, pakte ik een groot kladblok en een dikke stift en ik ging zitten om alles op te schrijven wat ik wist, of dacht te weten, over wat er in Zuid-Chicago was gebeurd.

Veel lijnen kwamen samen bij Rose Dorrado en Billy the Kid. Rose had een tweede baan genomen, tot ongenoegen van Josie; de avond dat de fabriek was uitgebrand, was Billy bij de Dorrado's komen slapen, nadat hij van huis was weggelopen. Omdat zijn familie bezwaar had tegen Josie? Om iets wat zijn familieleden hadden gedaan? En dan was er Billy's auto, waar de thermosfles van Morrell in lag. Op de een of andere manier was Billy in contact gekomen met Bron of Marcena, of allebei. En Bron had Billy's telefoon in zijn zak gehad.

Ik herinnerde me dat Josie me had verteld dat Billy zijn telefoon aan iemand had weggegeven. Aan Bron? Maar waarom? En had hij de Miata ook aan Bron gegeven, zodat detectives hem niet meer via zijn auto konden opsporen? Was Bron vermoord door iemand die hem voor Billy had aangezien? Was Billy echt op de vlucht geweest voor gevaar, gevaar waarvan hij de ernst in zijn naïviteit had onderschat?

Het mobieltje. Wat had ik ermee gedaan? Ik herinnerde me vaag dat de gladgeschoren man van Scarface het van me wilde hebben, maar ik wist niet meer of hij het ook had gekregen.

Ik had mijn vuile kleren meteen bij mijn voordeur laten vallen. Billy's mobieltje zat nog in de jaszak. Net als Morrells thermosfles, of de thermosfles die op de zijne leek. Die had ik inmiddels zo vaak aangeraakt dat ik betwijfelde of er nog sporen op te vinden waren, maar toch stopte ik de fles in een plastic zak en liep langzaam, met stijve benen, de trap weer af. Vroeger zou ik na vierentwintig uur rust weer gewoon zijn gaan hardlopen, maar ik kon me nu niet voorstellen dat deze benen binnen afzienbare tijd zoiets zouden kunnen.

30 Wapenbroeders

Toen ik terugkwam in de keuken van Contreras, zag ik dat Conrad was gearriveerd. Hij zat naast Morrell aan de afgeschilferde emaillen tafel terwijl Contreras de laatste van een stapel verse pannenkoeken voor hem omdraaide.

'Wat een hartverwarmend gezicht om jullie zo broederlijk bijeen te zien zitten,' zei ik.

Conrad grijnsde naar me en zijn gouden tand schitterde. 'Je moet dit niet zien als kerels onder elkaar, Ms. W., want jij bent de onbetwiste ster van de voorstelling. Vertel eens wat je gisteren naar die kuil heeft gebracht?'

'De hond,' zei ik prompt, en toen ik de vriendelijkheid van zijn gezicht zag verdwijnen, vervolgde ik: 'Nee, heus waar. Vraag maar aan Contreras.'

Ik vertelde wat er was gebeurd, vanaf het telefoontje van Rose Dorrado totdat we Billy's Miata onder de Skyway vonden en Mitch in 100th Street ten westen van de rivier weer opdook. 'Billy kent April Czernin via Josie. En hij kent – kende – Bron, doordat Bron als chauffeur voor het magazijn van de Bysens in 103rd Street werkte en Billy alle truckers kent. Dus ik vraag me af of Billy Bron zijn telefoon heeft gegeven, en later zijn auto.'

Conrad knikte. 'Zou kunnen. Die mevrouw Czernin is echt in alle staten. Haar dochter is ziek, heb ik begrepen, en nu weet ze helemaal niet meer wat ze moet beginnen. Ik heb haar niet naar de telefoon gevraagd, omdat ik daar zelf niets over wist, maar dat gold voor haar misschien ook; ik had niet de indruk dat hij haar veel vertelde.'

Hij pakte zijn mobieltje en belde zijn brigadier van dienst, zodat die iemand naar de onderdoorgang kon sturen om te kijken naar wat er misschien nog over was van de Miata. 'En zorg voor een goed team met speurhonden om het gebied tussen Ewing Avenue en de rivier bij 100th Street uit te kammen. De hond van een privédetective heeft daar ergens de geur van die mevrouw Love opgepikt. Misschien zijn ze daar overvallen.'

Nadat hij had opgehangen, liet ik hem de thermosfles zien. 'Deze lag op de passagiersstoel en er was bourbon uitgelopen.'

'Heb je die meegenomen?' Conrad reageerde geërgerd. 'Hoe kom je er in godsnaam bij om bewijsmateriaal mee te nemen van een plaats delict?'

'Hij leek op de thermosfles die ik aan Morrell heb gegeven,' zei ik. 'Ik wilde niet dat het tuig dat de auto aan het slopen was hem mee zou nemen.'

Morrell kwam aanhinken om ernaar te kijken. 'Ik geloof dat het de mijne is. Daar is een stukje van de 'i' afgeschilferd toen er op me werd geschoten. Ik heb tegen Marcena gezegd dat ze hem mocht lenen bij haar uitstapjes 's avonds laat... Voor koffie, bedoelde ik eigenlijk, niet voor bourbon. Neem je hem in beslag, Rawlings? Ik wil hem wel terug.'

'Dan had je hem niet aan haar moeten uitlenen,' zei ik, maar toen bedacht ik dat ze in coma lag en een kwart van haar huid kwijt was, en onmiddellijk schaamde ik me.

'We zijn samen in zoveel oorlogsgebieden geweest,' zei Morrell. 'Ze is mijn wapenbroeder, en met broeders deel je dingen, Vic. Of jij dat nou leuk vindt of niet.'

Conrad keek naar me alsof hij me uitdaagde de volgende relatie op scherp te zetten. Ik schudde mijn hoofd en veranderde van onderwerp door te vragen wie de man bij de helikopter was.

'Een collega van jou, in de ruimste zin van het woord,' zei Conrad.

Ik trok rimpels in mijn voorhoofd terwijl ik daarover nadacht. 'Een privédetective, bedoel je?'

'Ja, van Carnifice Security. Het was hun helikopter.'

Niet Scarface. Carnifice. De grootste speler in de internationale beveiligingswereld. Ze doen alles, van bescherming tegen ontvoering in Colombia en Irak tot het exploiteren van privégevangenissen, waar ik ze voor het eerst had ontmoet: een paar jaar geleden had ik in zo'n instelling bijna het loodje gelegd.

Volgens Conrad had een van de Bysens hetzelfde bedacht wat ik Billy de week daarvoor had verteld: dat zijn mobieltje een gps-signaal uitzond. 'De vader van de jongen kreeg er genoeg van dat de oude meneer Bysen zich ermee bemoeide door naar die kerk te gaan, of wat hij dan ook heeft gedaan. Dus heeft de vader besloten Carnifice in te huren om met behulp van hun opsporingsapparatuur uit te zoeken waar de telefoon van de jongen was, en het spoor leidde naar de kuil. Toen Billy daar niet te vinden was, wilde de stille weer vertrekken. Ze waren niet ingehuurd om levens van anderen te redden.'

'Bedankt, Conrad,' zei ik onhandig. 'Bedankt dat je bent komen opdagen en mijn leven hebt gered, en dat van Marcena.'

Hij schonk me een scheve glimlach. 'Wij waken opdat anderen gerust kunnen zijn, Ms. W., zelfs degenen die het niet verdienen.'

Hij haalde een cassetterecorder tevoorschijn. 'Nu komt het stuk dat ik moet vastleggen. Wat deed die mevrouw Love in mijn wijk?'

Morrell en ik keken elkaar ongemakkelijk aan, maar Morrell zei: 'Ze werkte aan een serie artikelen voor een Engelse krant. Ze heeft Czernin ontmoet toen hij zijn dochter kwam ophalen van de basketbaltraining. Ik weet niet wat ze precies deed; ze zei dat hij haar de buurt liet zien, zaken achter de schermen waar ze zonder hem geen toegang toe zou hebben.'

'Zoals?' wilde Conrad weten.

'Dat weet ik niet. Ze sprak in algemeenheden, over de armoede en de slechte woonomstandigheden die ze tegenkwam.'

'Ze logeert bij jou, hè, Morrell? Hoe vaak ontmoette ze Czernin?'

'Ze heeft veel contacten gelegd in Chicago – onder meer met jou, Rawlings, ze zei dat ze deze week een dagje met je mee mocht rijden. Ze ging meestal de hele dag weg, soms langer, en ik wist nooit of dat met Czernin was, of met jou of een van haar andere kennissen. Ze hoefde van mij niet te tekenen bij aankomst en vertrek,' zei Morrell met galgenhumor.

'Heeft ze jou meer verteld?' Conrad wendde zich tot mij. 'Jij brengt toch ook heel wat tijd in dat appartement door?'

Ik glimlachte. 'Dat klopt, inspecteur, maar Marcena nam me

niet in vertrouwen. Ze zei wel dat Bron haar de eerste avond, toen ze elkaar net hadden ontmoet, in zijn truck liet rijden en dat ze bijna een schuurtje of zoiets op de parkeerplaats van de school omver had gereden, maar ik kan me niet herinneren dat ze meer over hem heeft verteld.'

'Mevrouw Czernin zei dat die mevrouw Love met haar man neukte,' zei Conrad.

Contreras maakte een afkeurend geluid bij dat grove woordgebruik, dat eigenlijk niet bij Conrad paste. Ik vermoedde dat hij Morrell wilde provoceren om te zien of hij er iets uit zou flappen.

Morrell glimlachte strak. 'Marcena praatte niet met mij over haar privézaken.'

'Met jou wel, Warshawski?' vroeg Conrad. 'Nee? Een van de meisjes uit je team zei dat iedereen op school ervan wist.'

Mijn gezicht ging gloeien. 'Waarom val je mijn team lastig, Conrad? Denk je dat een van die meiden Bron Czernin heeft vermoord? Moet ik zorgen dat ze een advocaat krijgen?'

'We praten met iedereen daar die de man heeft gekend. Hij had nogal een naam in die buurt; heel wat mannen hebben misschien in de loop der jaren reden gehad hem te vermoorden.'

'Waarom zouden de mannen uit Zuid-Chicago hem te grazen nemen op een moment dat er over Marcena en hem wordt gepraat? Ze zullen eerder blij zijn geweest dat hij zijn plezier wat verder weg zocht. Behalve Sandra misschien, maar ik zie niet hoe zij haar man en Marcena zo kan hebben toegetakeld en in die kuil kan hebben gegooid.'

'Misschien had ze hulp.' Conrad gaf een knikje in de richting van Morrell, die hem verbijsterd aankeek.

'Had ik jaloers moeten zijn op Czernin?' vroeg Morrell. 'Marcena en ik zijn oude vrienden, en daarom kan ze bij me logeren, maar we zijn geen geliefden. Ze heeft een brede en gevarieerde smaak. Toen we de afgelopen winter in Afghanistan waren, heeft ze een verhouding gehad met een van de verplegers van Humane Medicine, met een Pakistaanse majoor en met een man van de Sloveense persdienst, en dat waren alleen nog maar de drie van wie ik op de hoogte was. Geloof me, als ik een jaloerse minnaar was die haar dood wilde hebben, zou ik het in de Pathaanse heuvels hebben gedaan, waar niemand ernaar had omgekeken.'

Conrad bromde iets. Misschien geloofde hij het, misschien ook niet. 'En hoe zit het met haar werk? Wat was ze aan het schrijven?'

Morrell schudde zijn hoofd. 'Een serie over Amerika zoals Europa het niet kent. Nadat ze Czernin had ontmoet, besloot ze zich te concentreren op Zuid-Chicago. Ze is op het hoofdkantoor van By-Smart geweest. De oude meneer Bysen mocht haar kennelijk graag en ze heeft hem een paar keer privé ontmoet. Dat is het enige wat ik je kan vertellen; ze liet zich niet in de kaart kijken.'

'Toch wel een beetje, als jij op de hoogte was van haar Pakistaanse majoor, de verpleger en die andere vent,' zei Conrad. 'Ik wil haar aantekeningen zien.'

'Denk je dat ze mishandeld is vanwege het verhaal waaraan ze werkte? Zou de dader het niet op Bron hebben voorzien en haar hebben toegetakeld omdat ze toevallig bij hem was?'

'Ik heb geen theorie,' zei Conrad brommend. 'Ik zit alleen met een vrouw van wie de vader bij het Britse ministerie van Buitenlandse Zaken werkt, dus de consul heeft de commissaris vijf keer gebeld en hij mij tien keer. Czernin heeft een heel stel kerels in Zuid-Chicago belazerd, en in die richting zoeken we ook. Ik denk niet dat het een willekeurige overval was, want wat hun is overkomen heeft een hoop werk gekost, en hoewel mijn crimineeltjes in Zuid-Chicago veel te veel vrije tijd hebben, doen ze niet aan arbeidsintensieve moordpartijen. Dus ik richt me op mensen die Czernin tegen zich in het harnas heeft gejaagd en op het werk waar Love mee bezig was. Ik kan een huiszoekingsbevel voor jouw woning aanvragen, Morrell. Dat is een kleine moeite, want de burgemeester zit de commissaris op zijn nek en de commissaris doet hetzelfde bij mij. Elke rechter zal me graag van dienst zijn. Maar het zou heel erg aardig van je zijn als je me die moeite bespaarde.'

Morrell keek hem nadenkend aan. 'De politie neemt tegenwoordig onder het mom van de Patriot Act van iedereen zomaar de computerbestanden mee. Ik ben niet van plan de politie uit te nodigen, zodat ze mijn computer of die van een ander in beslag kunnen nemen.'

'Dus je wilt dat ik mijn tijd ga verspillen met het aanvragen van een huiszoekingsbevel.'

'Ik beschouw juridische bescherming niet als tijdverspilling, Rawlings. Maar ik zal niet van je vragen dat je naar de rechter stapt als je zelf met me meekomt en samen met mij bestand voor bestand Marcena's laptop doorzoekt. Als er persoonlijke dingen op staan, laten we die met rust. Als ze aantekeningen heeft die in de richting van een mogelijke dader wijzen, kun je die kopiëren en meenemen.'

Conrad vond het maar niets. Hij is tenslotte een politieman, en die houden er niet van om door burgers op hun vingers te worden gekeken. Maar diep in zijn hart is hij een fatsoenlijke vent, die er niet opuit is om voor zijn lol mensen lastig te vallen.

'Ik ben wachtcommandant, dus die tijd kan ik niet missen, maar ik kan wel een goede rechercheur en een geüniformeerde kracht sturen. Met de opdracht niets mee te nemen dat jij niet hebt gezien.'

'Met de opdracht kopieën mee te nemen, geen originelen,' zei Morrell.

'Met de opdracht alles mee te nemen wat verband lijkt te houden met het werk dat mevrouw Love in Zuid-Chicago deed.'

'Als het maar een kopie is en als haar laptop maar niet in beslag wordt genomen.'

'Het is net alsof ik naar Lee Van Cleef en Clint Eastwood zit te kijken,' klaagde ik. 'Deze impasse kan wel de rest van de middag duren. Ik moet naar kantoor, dus ik laat jullie alleen om tot een oplossing te komen. Contreras speelt de rol van Eli Wallach. Hij laat me wel weten wie van jullie het goud te pakken krijgt.'

Conrad stootte een grommend lachje uit. 'Oké, Ms. W., oké. Je vriendje mag de bestanden zien, maar ik wil kiezen wat ik kopieer. Of mijn rechercheur, eigenlijk. Ze heet Kathryn Lyndes en ze is over anderhalf uur bij je.'

De burgemeester voerde de druk blijkbaar flink op, als Conrad kon garanderen dat er ogenblikkelijk een rechercheur vanuit Zuid-Chicago naar Evanston kwam.

'Marcena's vader moet wel een invloedrijk man zijn, als de consul de burgemeester zover krijgt dat hij belangstelling heeft voor een misdrijf in Zuid-Chicago. Denk je dat je middelen zou kunnen vrijmaken voor iemand die hier los van staat? Ik vertelde je al dat ik op zoek was naar Josie Dorrado toen ik Marcena en Bron vond. Ze is nog steeds niet boven water en ik ben door mijn idee-en heen.'

'Zeg maar tegen de moeder dat ze naar het bureau moet komen en haar als vermist moet opgeven.'

'En dan springt er meteen iemand op om verlaten gebouwen en braakliggende terreinen uit te kammen?' vroeg ik smalend.

'Zit me niet te jennen, Ms. W. Je weet hoe beperkt mijn midde-len zijn.'

'Vorige week heb je me verboden me met Zuid-Chicago te be-moeien. Deze week heb je niet de middelen om voor de buurt te zorgen.'

'Altijd als jij en ik het net weer een beetje kunnen vinden, be-sluit jij een machinegeweer op me leeg te schieten,' zei Conrad. 'Kun je het me echt kwalijk nemen dat ik je vorige week naar aan-leiding van die brand op je plaats heb gezet?'

Ik ademde diep in. Een ruzie over wie wat had gezegd zou al-leen verliezers kennen. 'Goed, Conrad, dit is geen poging om een machinegeweer op je te richten, maar ben je al iets te weten ge-komen over de brand? Wie hem heeft aangestoken of waarom ie-mand het op Frank Zamar had voorzien?'

'Helemaal niks. We weten niet eens of Zamar de brand mis-schien zelf heeft aangestoken en niet meer op tijd buiten heeft kunnen komen, hoewel ik dat niet geloof. Als de fabriek de afge-lopen zomer was afgebrand, toen de zaken slecht gingen, was het een ander verhaal geweest. Hij had een fantastische opdracht ge-kregen van By-Smart toen iedereen een Amerikaanse vlag wilde hebben. Hij had zelfs een nachtploeg ingesteld en zich in de schul-den gestoken voor een paar flitsende nieuwe snijmachines. Toen werd dat contract opeens beëindigd en moest hij de nachtploeg weer afschaffen. Maar kort voor de brand had hij een nieuw con-tract met By-Smart getekend, om een collectie lakens en hand-doeken met de Amerikaanse vlag te gaan produceren.'

's Nachts slapen op de stars-and-stripes en 's ochtends met de vlag je billen droogvegen. In zekere zin leek me dat net zo bizar als verbranden, maar wie was ik? Was dat de tweede baan die Rose had aangenomen? Leiding geven aan de productie van handdoeken voor Zamar? Waarom deed ze daar dan zo verdedigend en geheimzinnig over? Het leek me volkomen legitiem.

Ik schudde mijn hoofd, want ik snapte er niets van, en zei tegen Conrad: 'Het is maar dat je het weet: die kerel van Carnifice die naar Billy the Kid op zoek is, heeft wel veel middelen tot zijn beschikking. Ik denk dat Josie Dorrado bij Billy is. De familie Bysen heeft haar de rol toebedacht van chantage plegende uitvreter die probeert zich via Billy te verrijken. Ik zou het heel erg vinden als haar iets overkwam.'

'Daar zal ik aan denken, Ms. W., daar zal ik aan denken,' zei Conrad zwaarwichtig, maar hij krabbelde wel iets in zijn notitieboekje. Daar zou ik het mee moeten doen.

Morrell verliet samen met mij het appartement van Contreras. 'Ik neem nu meteen een taxi naar huis, zodat ik wat dingen kan bekijken voordat die rechercheur van Rawlings er is. Red jij je wel?'

Ik knikte. 'Ik doe vandaag alleen bureauwerk. Komen Marcena's ouders over?'

'Het ministerie van Buitenlandse Zaken is naar ze op zoek. Het zijn verstokte trekkers en ze zitten momenteel in een afgelegen deel van India.' Hij streek mijn haar uit mijn gezicht en kuste me. 'We hadden een afspraakje om uit eten te gaan gisteravond, maar je hebt me laten zitten. Zal ik je een tweede kans geven?'

Op dat ogenblik kwam Conrad naar buiten, en onwillekeurig voelde ik mijn wangen gloeien.

31 De lopende patiënten

In mijn kantoor hing een troosteloze, verlaten sfeer, alsof er maandenlang niemand was geweest. Mijn voetstappen weerklonken tegen de vloer en leken tussen de muren en het plafond heen en weer te kaatsen. Hoewel ik hier twee dagen geleden nog was geweest, werkte ik er dezer dagen niet echt. Ik viel alleen even binnen, tussen mijn moerastochten door.

Mijn medehuurster, Tessa, die beeldhouwster is, was op vakantie in Australië. Ik legde haar post op haar tekentafel. Haar werkruimte was keurig opgeruimd, al het gereedschap hing aan een bord met gaatjes en haken, tekeningen lagen in laden met een etiket erop, haar soldeerbrander en platen metaal waren zorgvuldig afgedekt met doeken. Nogal een contrast met mijn kant van het gebouw, waar overal dossiermappen lagen en kantoorbenodigdheden op eigen houtje rond leken te zwerven.

Eigenlijk is mijn ruimte te groot en zijn de plafonds te hoog, zoals ze dat in oude pakhuizen wel vaker zijn. Ik had op sommige plekken verlaagde plafonds laten aanbrengen, maar de ramen zaten hoog in de muren. Ik had niet het geld gehad om een muur af te breken om daglicht binnen te laten. Ik had wel tussenwanden neergezet om de afmetingen van de ruimte wat menselijker te maken. Mijn bureau stond in een van de zo ontstane kamers, mijn voorraden en printers in een andere en in een derde ruimte stond een bed voor als ik niet naar huis kon om te slapen, maar het meeste werk deed ik in het grote vertrek aan de westelijke zijde.

Er is een nis met een bank en een paar leunstoelen voor informele gesprekken met cliënten, een opstelling met een projectiescherm voor officiëlere presentaties, een lange tafel waar ik de lopende projecten plan en een bureau voor mijn assistent, als ik ooit van mijn krent kom en iemand ga zoeken. Ik keek naar de stapels papieren op de lange tafel en besloot dat ik er nog niet aan toe was.

Ik liep naar de stomerij op de hoek om mijn jopper af te geven. Ruby Choi, die spaghettisaus voor me uit zijden blouses heeft gekregen en teer uit een wollen broek, keek er bedenkelijk naar. 'Deze jas heeft veel meegemaakt. Ik probeer, ik doe mijn best, maar ik beloof niets. Jij beter voor je kleren zorgen, Vic, dan jij maakt mijn werk veel makkelijker.'

'Ja, dat zei de dokter ook over mijn lijf, dat er heel wat slechter uitziet dan die jas, geloof mij maar.'

Op de terugweg door Oakton Street dronk ik een kop cappuccino en kocht ik een grote bos bloemen voor mezelf: rode, stekelige joekels die zelfs in mijn pakhuis opvielen. Welkom terug, V.I., we hebben je gemist!

De fax van Sanford Rieff van Cheviot Labs lag op me te wachten, zoals hij had beloofd. Hij had het kikkerzeepbakje van zijn uitpuilende oogjes tot aan zijn plompe pootjes bestudeerd. Het was gemaakt in China – wat een verrassing – van een tinlegering met een ruw oppervlak, waar geen bruikbare vingerafdrukkken op achterbleven. Onder de vlekken van de rook had Sanford vet gevonden dat afkomstig was van menselijke aanraking; misschien was het mogelijk een monster te nemen en dat op DNA te onderzoeken, maar hij verwachtte er niet veel van.

Het gedeelte waar een stuk zeep in kon liggen, de rug van de kikker, was uitgehold en had een gat waardoor het water kon weglopen. Iemand had een rubberen stop in het gat geduwd en daarna salpeterzuur in het bakje gegoten. Het zuur had de stop weggevreten, maar er waren restanten overgebleven, versmolten met de zijkanten van het afvoergat.

'Zeep lost op in salpeterzuur,' schreef Sanford tot besluit, 'dus er zaten geen zeepresten meer onder in het bakje, maar ik heb een paar monsters van de zijkanten genomen. Degene die het ding heeft gebruikt waar het voor bedoeld was, gebruikte zeep met een sterke rozengeur, waarschijnlijk Adoree, een goedkoop merk dat door de meeste drogisterijketens en supermarkten wordt verkocht. Ik heb de kikker veilig opgeborgen in een speciale doos. Laat me maar weten of je hem terug wilt of dat we hem moeten bewaren totdat hij nodig is als bewijs.'

Ik staarde naar de fax en probeerde er meer in te lezen dan er stond. Wat deed het ding bij Fly the Flag? Waarom had er salpeterzuur in gezeten? Misschien werd er bij de productie van vlaggen zuur gebruikt. Misschien losten ze er lijm of iets anders mee op en hadden ze geprobeerd de kikker daar als bakje voor te gebruiken, maar had het zuur de rubberen stop weggevreten.

Mijn kostbare aanwijzing leek niet veel te betekenen, maar toch ging ik naar mijn bureau, typte etiketten voor een aantal dossiers – Fly the Flag, Brandstichting, By-Smart, Billy – en borg het laboratoriumrapport van Rieff op in het mapje Fly the Flag. Dan had ik tenminste iets gedaan. Staand bij mijn werktafel sloot ik mijn ogen en haalde me de achterkant van de fabriek voor de geest, waar de brand was begonnen. Ik was slechts tweemaal binnen geweest, beide keren heel kort. Beneden waren de machinekamer, de droogkamer en de opslagruimte voor stoffen. Ik maakte een ruwe schets. Ik kon me de details niet meer herinneren, maar ik was er tamelijk zeker van dat de brand in de droogkamer was begonnen, niet in de opslagplaats voor stoffen.

R-A-T-T-E-N, schreef ik langzaam. L-IJ-M. Die dingen hadden de productie vertraagd maar de fabriek niet lamgelegd. Was de brandstichting de laatste stap, omdat Zamar geen acht had geslagen op de waarschuwingen? Of was dit opnieuw als waarschuwing bedoeld, maar was het uit de hand gelopen? De knul die ik twee weken geleden bij Fly the Flag had betrapt, de chavo banda die Andrés had weggejaagd bij zijn bouwplaats, hij was de sleutel tot het raadsel. Hem moest ik vinden. En het kon geen kwaad om bevestiging te krijgen van wat er bij de brand was gebeurd.

Ik koos opnieuw het nummer van Sanford Rieff bij Cheviot Labs. Ditmaal zat hij achter zijn bureau. Nadat ik hem had bedankt voor zijn rapport en hem had gevraagd de kikker in hun kluis op te bergen, vroeg ik of er bij hem een elektrotechnicus of een expert op het gebied van brandstichting werkte die ik binnenkort bij Fly the Flag zou kunnen ontmoeten.

'Ik wil graag dat er een expert met me naar de bedrading kijkt, om te zien of valt te herleiden hoe en waar de brand is ontstaan. De politie steekt er niet veel tijd in.'

En waarom zou ik dat wel doen, voor minder geld dan de politie? Ik kon me het gesprek met mijn accountant al voorstellen. Omdat mijn beroepstrots was gekrenkt: ik had toegekeken toen de fabriek in vlammen opging. Wat had ik moeten zien als ik beter had opgelet?

Natuurlijk had Cheviot precies de expert die ik nodig had. Sanford zou haar vragen me te bellen, zodat we een afspraak konden maken. Ter informatie: het bedrijf rekende tweehonderd dollar per uur voor haar tijd. Het was goed dat ik dat wist. Het was goed te weten dat ik duizenden dollars investeerde in een onderzoek waar ik niet voor was ingehuurd, terwijl ik de opdrachten waar ik wel geld mee kon verdienen verwaarloosde.

Als ik niet snel van drie mensen de achtergrond natrok voor Darraugh Graham, mijn belangrijkste cliënt, zou ik binnenkort ergens in een steegje moeten zien te overleven op kattenvoer, en dan niet van een A-merk. Ik tikte met mijn potlood tegen mijn tanden en vroeg me af met wat voor goocheltrucs ik dat allemaal voor elkaar kon krijgen, toen ik aan Amy Blount dacht. Ze was ongeveer een jaar geleden afgestudeerd in de economische geschiedenis. Terwijl ze op zoek was naar een volledige aanstelling bij een universiteit, deed ze af en toe research voor mij, naast de andere baantjes die op haar pad kwamen. Gelukkig was ze beschikbaar en bereid om een paar dagen orde op zaken te komen stellen op mijn kantoor. We spraken af dat ze de volgende ochtend om negen uur zou komen en dat we dan mijn lopende zaken zouden doornemen.

Ik dwaalde doelloos door de grote kamer. Wie had het op Marcena gemunt, en waarom? Was Bron vanwege haar vermoord, of was zij aangevallen vanwege Bron? Toen we met Conrad praatten, had Morrell gezegd dat ze Buffalo Bill Bysen een paar maal had ontmoet na die gebedsbijeenkomst van twee weken geleden. Waarschijnlijk had ze haar vaders verzonnen oorlogsverleden als binnenkomer gebruikt, maar misschien hadden ze iets relevants besproken. Buffalo Bill was bij mij thuis komen binnenvallen, en bij de dienst in de Mount Ararat-kerk, dus ik kon best naar Rolling Meadows rijden en hem overrompelen.

Dat was een aanlokkelijke gedachte, maar ik had niet voldoende informatie om hem de juiste vragen te stellen. Er was een verband tussen Fly the Flag en By-Smart, want de eerste had artikelen geproduceerd voor de kolos, eerst vlaggen en nu beddengoed. Ik vroeg me af of Buffalo Bill zoveel aandacht voor de details had dat hij zich met beddengoed bezighield, of dat dat Jacqui's terrein was. Ik kon in elk geval met Jacqui praten.

Er was een verband tussen Billy the Kid en Bron en Marcena, want Billy had Bron zijn mobieltje gegeven. En Morrells thermosfles, die Marcena had gebruikt, had in Billy's auto gelegen. Er was een verband tussen Billy en Fly the Flag, want Billy had iets met Josie. Was weggelopen met Josie. Hoopte ik. Ik hoopte dat ze bij hem was en niet... Ik kapte mijn gedachtegang af; ik wilde me de afschuwelijke alternatieven niet voorstellen.

Waar waren die twee? Misschien had Josie April in vertrouwen genomen. Ik pakte de telefoon om Sandra Czernin te bellen en besloot toen dat het gemakkelijker zou zijn om haar in levenden lijve te spreken, vooral als ik met haar dochter wilde praten. Ik moest trouwens toch nog een beleefdheidsbezoekje aan haar afleggen, omdat ik degene was die haar man dood had gevonden. En ik wilde met pastor Andrés praten. Het was tijd dat hij een paar rechtstreekse vragen beantwoordde. Zoals de vraag of die chavo iets met de brand te maken had. En waar hij te vinden was. Ik zou mijn middag in Zuid-Chicago besluiten met een bezoekje aan Patrick Grobian. Vlak voordat Billy verdween, had hij een gesprek met de manager van het magazijn gehad.

Ik borg mijn gelabelde dossiers op in een la en verzamelde de spullen die ik nodig had voor een middag in de kou. Ik trok een parka aan, volumineuzer en veel minder stijlvol dan mijn marineblauwe jas, maar misschien geschikter om op een koude dag mee op een straathoek te staan. Deze keer dacht ik eraan handschoenen mee te nemen, of eigenlijk wanten. Mijn vingers waren nog steeds zo pijnlijk en gezwollen van mijn escapade van dinsdagnacht dat ik mijn handschoenen niet aan kon krijgen. Als ik mijn revolver moest gebruiken, zou ik een probleem hebben. Maar ik nam hem toch mee, want degene die Bron en Marcena had verminkt, had een angstaanjagende fantasie. Een verrekijker, een telefoonboek, boterhammen met pindakaas en een thermosfles koffie. Wat had ik nog meer nodig? Een nieuwe batterij voor mijn zaklantaarn, die Contreras in mijn auto had laten liggen, en mijn lopers.

Ik had tegen Morrell gezegd dat ik vandaag bureauwerk zou doen. Ik overwoog hem te bellen om te vertellen dat ik van gedachten was veranderd, maar ik had geen zin in een discussie over wat ik al wel of niet aankon. Als ik eerlijk was, moest ik toegeven dat een etmaal in het ziekenhuis niet lang genoeg was geweest om weer helemaal op te knappen. En als ik verstandig was, zou ik naar huis gaan en uitrusten tot ik me weer fit voelde. Ik hoopte dat dat niet betekende dat ik oneerlijk en dom was.

'It's a long and dusty road. It's a hard and heavy load,' zong ik zachtjes terwijl ik de snelweg naar het zuiden opreed. Ik begon schoon genoeg te krijgen van deze weg, de loodgrijze hemel, de vuile gebouwen, het eindeloze verkeer en dan, na de oostelijke afrit van de Dan Ryan Expressway, de vervallen buurt die vroeger mijn thuis was.

De afslag bij 103rd Street loopt vlak langs de golfbaan waar Mitch Marcena en Bron had gevonden. Ik stopte even om ernaar te kijken en vroeg me af waarom hun overvallers deze plek hadden gekozen. Ik nam een zijweg naar het zuiden en bekeek de ingang van de golfbaan. Een groot hek was met een hangslot gesloten voor de winter. Het hek zag er solide uit en maakte deel uit van een afrastering van prikkeldraad waar je niet makkelijk overheen klom en zelfs niet onderdoor kon kruipen.

Ik reed langzaam terug naar 103rd Street, ondertussen in de gaten houdend of er een opening in de afrastering was, maar het prikkeldraad was met gulle hand uitgerold. De zijweg liep langs een depot van de politie, een autokerkhof. Er stonden veel wrakken, verwrongen brokken metaal die van de Dan Ryan Expressway waren geschraapt, maar ook wat auto's die nog intact waren, waarschijnlijk weggesleept omdat ze fout geparkeerd hadden gestaan. Terwijl ik toekeek, rolde er een groepje blauwe, gemeentelijke sleepwagens binnen met auto's erachter, als mieren die hun koningin voedsel kwamen brengen. Lege wagens reden weer weg om te gaan foerageren in het omliggende gebied. Ik vroeg me af of Billy's kleine Miata daar nu ook was of dat de familie die was komen ophalen.

Ook voorbij het depot bleef de weg door prikkeldraad van het moeras gescheiden. Ik parkeerde langs de kant van de weg bij de plek waar Mitch het moeras in was gesprongen. De omheining lag hier nog steeds plat en je kon nog flauw het spoor van wielen door het grijsbruine gras zien.

Ik snapte niet waarom hun aanvallers Bron en Marcena door het moeras naar de rand van de golfbaan hadden gebracht om hen daar achter te laten. Als je dan toch door de afrastering brak, waarom liet je de lichamen dan niet gewoon in het moeras zelf achter, waar ratten en modder ze snel zouden vernietigen? Waarom zou je ze naar een kuil aan de rand van een chique golfbaan brengen, waar iemand ze elk moment kon ontdekken? Zelfs in deze tijd van het jaar liepen er terreinknechten rond. En waarom zou je eigenlijk al die moeite doen om het moeras in te gaan? Waarom zou je niet vanuit het zuiden Stony Island Avenue inrijden en ze op de vuilstortplaats achterlaten?

Ik stapte weer in mijn auto, ontevreden over het geheel. Toen ik wilde wegrijden, ging mijn mobieltje. Ik keek naar het schermpje: Morrell. Uit schuldgevoel omdat ik ver van mijn kantoor werd betrapt, liet ik de telefoon overgaan tot de voicemail bijna opnam.

'Vic, ben je op weg naar huis? Ik heb net je kantoor geprobeerd.'

'Ik ben in Zuid-Chicago,' bekende ik.

'Ik dacht dat je vandaag dicht bij huis zou blijven.'

Hij klonk verwijtend, wat helemaal niets voor hem is, zodat mijn inwendige boosheid omdat ik werd gecontroleerd wegebde. Ik vroeg wat er aan de hand was.

'Iets ongelooflijks: er is bij me ingebroken en Marcena's laptop is gestolen.'

'Wát? Wanneer?' Een truck met oplegger van By-Smart toeterde heftig toen ik op de rem trapte en de berm in reed.

'Ergens tussen vijf uur vanochtend, toen ik naar het ziekenhuis ben gegaan, en nu, anderhalf uur geleden bedoel ik, toen ik thuiskwam. Ik ben een halfuurtje op de bank gaan liggen om te rusten en daarna naar de achterkamer gegaan om alles klaar te maken voor de rechercheur van Rawlings. Toen ontdekte ik dat iemand als een orkaan door mijn papieren is gegaan.'

'Hoe weet je dat Marcena's laptop gestolen is? Zou ze die niet bij zich hebben gehad?'

'Ze had hem op het aanrecht laten liggen. Ik heb hem zondagavond, toen ik aan het opruimen was, bij haar bed gelegd. Nu is hij verdwenen, samen met mijn USB-sticks. Voor zover ik kan bepalen is er verder niets weg.'

Zijn USB-sticks, de kleine apparaatjes ter grootte van een sleutel die hij gebruikt om er back-ups van zijn data op te zetten. Dat doet hij elke avond, en dan bergt hij de keurig gelabelde memorysticks op in een doos op zijn bureau.

'Hebben ze jouw laptop niet meegenomen?'

'Die had ik bij me toen ik naar het ziekenhuis ging. Ik dacht dat ik misschien nog wat kon schrijven terwijl ik bij jou zat. Niet dat dat ervan is gekomen, maar uiteindelijk ben ik blij dat ik het heb gedaan. Het is de redding van mijn apparaat geweest.'

Ik vroeg hem naar zijn andere apparatuur. Zijn dure geluidsinstallatie was onaangeroerd, net als de tv en de dvd-speler.

Meteen toen hij de diefstal had ontdekt, had hij de politie van Evanston gebeld, maar zo te horen hadden die zich beperkt tot de formaliteiten en gingen ze ervan uit dat het het werk van drugsverslaafden was. 'Maar er was niet ingebroken. Ik bedoel, degene die dit heeft gedaan is met een sleutel door de voordeur binnengekomen, en de sloten zijn heel goed. Dat klinkt niet als een verslaafde, en bovendien zou een verslaafde alles wat hij kon dragen, zoals de dvd-speler, hebben meegenomen.'

'Dus iemand met een subtiele aanpak wilde Marcena's bestanden hebben en verder niets, en is er niet in geïnteresseerd dat jij dat weet,' zei ik langzaam.

Morrell zei: 'Ik heb Rawlings gebeld en hij zweert dat het niet de politie van Chicago was. Kan ik hem geloven?'

'Dit is niets voor hem,' zei ik, 'en als hij zweert dat hij het niet heeft gedaan... Ik weet het niet. Hij is een smeris, en we leven tegenwoordig in zo'n rare wereld dat je niet meer weet wie je kunt vertrouwen. Maar eigenlijk is hij een goed mens. Ik wil graag geloven dat hij het niet zou doen, of er niet over zou liegen als hij het wel had gedaan. Wil je dat ik naar je toe kom om navraag te doen bij de buren?'

'Daar had ik nog niet eens aan gedacht, kun je nagaan hoe dit me van mijn stuk heeft gebracht. Nee, ga jij maar door met je werk. Ik zal me minder machteloos voelen als ik zelf met de buren praat. En daarna ga ik een paar nieuwe USB-sticks kopen en in de universiteitsbibliotheek zitten werken, waar niemand me van mijn laptop kan beroven. Wat zei je dat je aan het doen was?'

'Ik ben in Zuid-Chicago. Ik wil nog een keer met de voorganger praten, en met Sandra Czernin. Misschien heeft Josie Dorrado April verteld waar Billy en zij naartoe gingen.'

'Vic, je doet toch wel voorzichtig, hè? Je neemt toch geen domme risico's? Je bent lichamelijk niet optimaal, en... aan mij heb je nu ook niets.'

De laatste zin kwam eruit met een verbittering die ik niet van hem gewend was. Morrell had sinds zijn thuiskomst niet eenmaal geklaagd over zijn lichamelijke toestand. Hij werkte keihard aan zijn fysiotherapie en stopte alle energie die hij had in zijn boek en het onderhouden van zijn contacten, maar nu merkte ik voor het eerst hoe moeilijk het voor hem was om het gevoel te hebben me niet te kunnen helpen als ik in moeilijkheden kwam.

Ik beloofde hem te bellen als ik ook maar een minuut later dan half acht bij hem zou zijn. Toen ik de verbinding had verbroken, keek ik met een frons naar de telefoon. Op het moment dat ik Morrells telefoontje aannam, was er een gedachte door mijn hoofd geflitst. Voordat ik tijd had om erover te piekeren, ging de telefoon weer.

Het was Conrad, die wilde weten of Morrell zich misschien ontdaan kon hebben van Marcena's laptop om te voorkomen dat de politie ernaar zou kijken. 'Hij zegt dat er indringers zijn geweest, maar hoe weet ik of hij de waarheid spreekt? Ik heb mijn rechercheur er voor de zekerheid naartoe gestuurd, maar iedereen kan zijn papieren door de war gooien.'

Ik barstte in lachen uit, wat Conrad ergerde. 'Morrell heeft me net precies hetzelfde over jou gevraagd. Nu weet ik in elk geval zeker dat jullie allebei de waarheid spreken.'

Conrad lachte met tegenzin en zei hetzelfde wat Morrell en ik al hadden geconcludeerd, dat iemand blijkbaar dacht dat Marcena's aantekeningen belangrijk waren. Wat betekende dat Morrell niet in zijn eentje op stap moest gaan, want degene die de laptop bij hem had weggehaald, kon wel eens denken dat Marcena hem in vertrouwen had genomen.

Er ging een rilling door mijn lijf. Na ons gesprek belde ik Morrell terug en zei hem dat hij de ketting op de deur moest doen als hij alleen thuis was. 'En kijk uit waar je parkeert. Neem voorlopig niet de ingang door het steegje, oké?'

'Ik ben niet van plan in angst te gaan leven, V.I. Dat put je geestelijk uit. Ik zal zinnige voorzorgsmaatregelen nemen, maar ik ga geen betonnen bunker zoeken om me in te verschuilen.'

'Morrell, ik heb Marcena en Bron gezien. Wie ze ook heeft toegetakeld, het was iemand met een heel akelige fantasie en een bijbehorend karakter. Doe geen domme dingen!'

'Christus, Vic, ga jij me nou niet vertellen dat ik geen domme dingen moet doen terwijl je zelf in de South Side bent, waar het allemaal is gebeurd. Als jij weer te grazen wordt genomen...'

Hij onderbrak zichzelf, want hij wilde de zin niet afmaken. Zonder verder nog iets te zeggen verbraken we allebei de verbinding.

32 Hoog tijd om de pastor aan het kruis te nagelen

De bouwvakkers waren flink opgeschoten met de vier huisjes waar de pastor aan werkte. Een leek er klaar te zijn en het tweede, waar ik Andrés twee weken geleden had aangetroffen, had nu een helderrode voordeur. De andere twee waren nog skeletten van gestort beton met een paar platen waaraan hun uiteindelijke contouren te zien waren.

Rijdend door de South Side had ik zitten piekeren over de diefstal bij Morrell. Ik had geprobeerd te bedenken wat Marcena zou kunnen weten dat van anderen niet bekend mocht worden. Ik had Morrell gewaarschuwd dat hij voorzichtig moest zijn voor het geval haar aanvallers achter hem aan kwamen, maar ergens tussen Torrence Avenue, waar ik naar het noorden afsloeg, en 89th Street, waardoor ik in oostelijke richting naar de bouwplaats reed, drong tot me door dat ze best konden denken dat ik Marcena's geheimen ook kende. Tenslotte sliepen we alle drie in het huis van Morrell en had ik haar aan Bron voorgesteld. Ik zag haar gezwollen, bloedende lichaam weer voor me en begon elke paar seconden zenuwachtig in mijn achteruitkijkspiegel te kijken. Mijn goudkleurige Mustang was wel erg makkelijk in de gaten te houden.

Toen ik bij de bouwplaats kwam, reed ik zonder vaart te minderen door en parkeerde twee straten verderop. Als iemand me wilde volgen, zou dat lastig zijn in de verlaten straten. Toen ik bij de huisjes aankwam, was ik ervan overtuigd dat ik alleen was.

Ik zette mijn veiligheidshelm op en ging zonder kloppen door de rode deur naar binnen. De bekende geluiden van gezaag, gehamer en geschreeuw in het Spaans weerkaatsten door de lege kamers. In de vestibule was de beplating van de muren klaar, maar het trappenhuis was nog kaal. Ik vroeg de eerste man die ik zag naar Andrés. Hij wees met zijn duim over zijn schouder.

Ik liep door een piepklein halletje en vond Andrés in wat de keuken zou worden. Hij probeerde draden door een lange flexibele pijp te trekken en schreeuwde in het Spaans door een gat in de vloer naar een man die van beneden draad aanvoerde. Hij keek niet op toen ik binnenkwam.

Ik wachtte tot hij klaar was met zijn lastige karwei voordat ik iets zei. 'Pastor Andrés, we moeten praten.'

'U was zondag bij de dienst, mevrouw de detective. Bent u vandaag hier om tot Jezus te komen? Voor zo'n gebeurtenis onderbreek ik met genoegen mijn werk.'

Ik hurkte naast hem neer op de kale vloerplanken. 'Bron Czernin is maandagavond laat vermoord.'

'De nodeloze dood van een van de kinderen Gods doet me altijd verdriet.' Andrés klonk kalm, maar zijn blik was behoedzaam. 'Vooral als hij is gestorven zonder zich tot Jezus te bekeren.'

'Ik denk niet dat zijn pastoor hem een christelijke begrafenis zal ontzeggen.'

'Een katholieke begrafenis,' corrigeerde pastor Andrés. 'Geen christelijke; Bron Czernin is gestorven in aanwezigheid van de vrouw die een wig in zijn huwelijk had gedreven.'

'En Bron was een passieve omstander, of omligger moet ik misschien zeggen, terwijl mevrouw Love een wig in zijn huwelijk dreef?'

Hij fronste zijn wenkbrauwen. 'Hij was natuurlijk medeverantwoordelijk, maar een vrouw heeft een grotere...'

'Machteloosheid, meestal,' viel ik hem in de rede, 'hoewel ik moet toegeven dat dat in dit specifieke geval waarschijnlijk niet opging. Maar over machteloze vrouwen gesproken, laten we het eens over Josie Dorrado hebben. Ze is maandagavond verdwenen, ik denk met Billy the Kid, Billy Bysen. Waar zijn ze?'

'Dat weet ik niet. En ook al wist ik het wel, ik snap niet waarom het u iets interesseert.'

'Omdat Rose me heeft gevraagd naar haar op zoek te gaan. En aangezien u weet dat Bron in een kuil naast Marcena Love is overleden, weet u vast ook dat mevrouw Love in Billy's auto zat toen die zich in een stapel troep onder de Skyway boorde. Ik zou graag willen weten waar Billy en Josie waren toen dat gebeurde.'

De hele tijd dat ik aan het woord was, had hij zijn hoofd geschud. 'Ik weet het niet. Billy is zondagavond bij me geweest om me te vragen hem weer op te nemen. Hij had bij Rose gelogeerd maar dacht nu dat dat onveilig was, voor hem of voor Rose, dat was me niet duidelijk, maar hij wilde dat ik Josie en hem onderdak zou bieden. Ik zei dat ik dat niet kon doen, dat zijn vaders detectives hem meteen bij mij thuis zouden zoeken. Ze zijn al twee keer bij me geweest, en als ik 's avonds uit het raam kijk, zie ik tegenwoordig altijd een auto in de straat staan. Ik heb hem er ook op gewezen dat Josie en hij hoe dan ook getrouwd zouden moeten zijn voordat ik een bed voor hen samen zou hebben.'

'Ik zou in de Verenigde Staten geen enkele plek weten waar het wettelijk is toegestaan zo jong te trouwen,' zei ik scherp. 'Gelukkig niet. Waar hebt u hem naartoe gestuurd?'

'Als u een oordeel gaat geven over zaken waarover u geen recht van spreken hebt, kunnen we dit gesprek beter beëindigen.'

Ik voelde het bloed naar mijn gezicht stromen. Ik slikte mijn woede zo goed mogelijk weg, want door met Andrés over ethiek te redetwisten zou ik niet aan de informatie komen die ik nodig had.

'Was die auto in de straat er zondagavond ook, toen hij om een slaapplaats kwam vragen?'

Hij dacht erover na. 'Ik geloof het niet. Ik werd me er pas maandag van bewust, toen ik tussen de middag naar huis ging. En als ze er zondagavond ook waren en op zoek waren naar Billy, hadden ze hem wel meegenomen, terwijl u zei dat hij maandag bij Josie was.'

'En waar hebt u hem aangeraden naartoe te gaan?' vroeg ik.

'Ik heb gezegd dat hij naar huis moest gaan, naar zijn familie, en Josie mee moest nemen, zodat ze zelf konden oordelen in plaats van op geruchten af te gaan. Maar dat wilde hij niet.'

'Dat is waar het allemaal om draait,' zei ik. 'Wat is de reden dat hij niet naar huis wil? Hij heeft me verteld dat hij dingen moest uitzoeken over zijn familie en dat u de enige bent die hij vertrouwt. Hoe komt het dat hij zijn familie zo wantrouwt?'

'Als hij me al iets heeft toevertrouwd, was dat voor mij alleen bedoeld, niet voor anderen. En daar valt u ook onder, mevrouw de detective.'

'Maar het heeft iets te maken met zijn werk in het magazijn, hè?'

'Dat is heel goed mogelijk, want daar werkte hij nu eenmaal.'

'En met Fly the Flag.'

Dat was een slag in de lucht, maar Andrés keek nerveus over zijn schouder. De man met wie hij aan de bedrading had gewerkt, keek hem ongerust aan.

'Ik laat me niet verleiden tot het prijsgeven van dingen die me in vertrouwen zijn verteld. Wat weet u over Fly the Flag?'

'Kort voordat zijn fabriek afbrandde, had Frank Zamar een belangrijk contract getekend voor de levering van beddengoed en handdoeken aan By-Smart. Dat klinkt als goed nieuws, geen aanleiding tot de vertwijfeling die een man ertoe zou kunnen brengen zijn eigen fabriek, met zichzelf erin, op te blazen. Dus iemand was boos op hem.'

Ik sloeg met mijn vlakke hand tegen mijn voorhoofd, een karikatuur van iemand die een plotselinge ingeving krijgt. 'Nu ik eraan denk, u bent zelf een paar dagen voor de brand bij Fly the Flag geweest. U had iets te bespreken met Frank Zamar. U bent elektricien. U zou precies weten hoe u iets zou moeten installeren waardoor er brand zou uitbreken lang nadat u weg was. Misschien heeft u dat die dinsdag gedaan, toen ik u bij de fabriek zag.'

'U moet voorzichtig zijn met het uiten van zulke beschuldigingen.' Hij probeerde boos te klinken, maar zijn mond stond strak. Ik had het gevoel dat zijn lippen zouden gaan trillen als hij ze zou ontspannen. 'Ik zou nooit iets doen waardoor het leven van een mens op het spel werd gezet, en zeker niet dat van Frank Zamar. Hij was niet slecht, maar werd geplaagd door tegenslag.'

'Maar Roberto,' zei zijn collega, 'we weten allemaal...'

Andrés viel hem in de rede om hem in het Spaans te zeggen dat hij op zijn woorden moest passen: ik was geen vriend.

'Ik ben ook geen vijand,' zei ik in het Engels. 'Wat weten we allemaal?'

Met een tweede verwijtende blik op zijn collega zei Andrés stug: 'Zoals u zei had Zamar een nieuwe overeenkomst getekend om beddengoed te maken voor de Bysens, lakens en handdoeken met de Amerikaanse vlag. Alleen heeft hij in paniek getekend, omdat hij veel werk was kwijtgeraakt en de rekeningen voor de nieuwe machines blijven komen, ook als de nieuwe machines stilstaan. En Zamar heeft gezegd dat hij die lakens zou maken, maar voor zo weinig geld dat hij zijn werknemers in Chicago niet kon betalen. Dus moest hij het in Nicaragua laten doen, of in China, of ergens anders waar de mensen voor een dollar per dag willen werken, in plaats van voor dertien dollar per uur. En ik ben hem gaan waarschuwen dat hij de kans liep alles te verliezen als hij het werk niet hier liet doen, maar ook als hij mensen zo slecht betaalde dat ze niet meer dan slaven waren.'

'En hij wilde niet luisteren?' vroeg ik. 'Dus hebt u ratten in zijn ventilatiesysteem gestopt, en toen hij het nog niet met u eens was, hebt u de fabriek in brand gestoken?'

'Nee!' brulde Andrés, en toen zei hij op kalmere toon: 'Hij heeft me beloofd dat hij terug zou gaan naar By-Smart en hun zou vertellen dat hij van gedachten veranderd was, en ik heb hem zelfs gezegd dat ik hem zou helpen als hij dat deed. En Billy zei dat Frank inderdaad is gegaan, dat hij de vrouw heeft gesproken die over het beddengoed gaat, en Patrick Grobian, die we allemaal kennen, maar... hij heeft geen voet bij stuk gehouden, geloof ik.'

'Heeft hij u verteld dat hij een tweede productielijn had opgestart? Heeft Rose Dorrado u verteld dat ze voor hem werkte als cheffin van de nachtploeg?'

'Wat?' Hij reageerde als door de bliksem getroffen. 'En dat zonder mij, haar pastor, iets te vertellen over zo'n belangrijke gebeurtenis voor de buurt?'

'Maar dat was toch juist goed?' Ik was nu oprecht verbaasd. 'Dat betekent dat de banen hier bleven.'

'Hij heeft tegen me gelogen!' Andrés liep rood aan. 'En zij ook. Of erger nog, ze heeft me niet recht in mijn gezicht de waarheid verteld!'

'Waarover?'

'Over... de financiële situatie van Frank Zamar.'

Ik geloofde niet dat dat was wat hij bedoeld had, en zo te zien aan de blik van de andere elektricien geloofde hij dat ook niet, maar ik kon verder niets uit Andrés krijgen en zijn collega liet ook niets los. We waren een minuut of tien aan het praten toen er een man binnenkwam die in het Spaans iets tegen Andrés zei: het werk in de keuken moest worden afgemaakt, zodat er iets met de vloer gedaan kon worden... dichtmaken, denk ik. Andrés zei tegen me dat ik moest vertrekken en dat hij me niets meer te zeggen had.

Ik duwde mezelf overeind. Mijn benen waren stijf doordat ik al die tijd op mijn hurken had gezeten. 'Goed. Maar u moet wel weten dat er vanochtend mensen hebben ingebroken in het appartement waar mevrouw Love logeerde. Ze hebben haar laptop meegenomen, dus ze willen niet dat de dingen die zij over de South Side weet openbaar worden gemaakt. Bron Czernin is op een heel akelige manier vermoord. En als mevrouw Love dit overleeft, zal ze heel wat operaties moeten doorstaan voor ze hersteld is. Wie ze ook hebben mishandeld, het zijn mensen zonder genade. Als ze denken dat u weet welke geheimen Bron en zij deelden, zou u het volgende slachtoffer kunnen zijn.'

Andrés richtte zich op en kreeg een extatische uitdrukking op zijn gezicht. '*Jesús se humilló así mismo, haciéndose obediente, hasta la muerte.* Jezus is onderworpen aan de kruisdood. Ik zal geen angst tonen als ik moet gaan waar mijn Meester me is voorgegaan.'

'En u hebt er geen probleem mee als Billy en Josie ook te grazen worden genomen?'

Andrés fronste zijn voorhoofd. 'U hebt me geen reden gegeven te denken dat de dood van Bron Czernin iets met Billy Bysen en zijn familie te maken heeft. Misschien zit mevrouw Czernin zelf wel achter die moord. Hebt u haar gesproken? Een vrouw die bedrogen is, die kwaad is, kan heel goed een moord plegen, en als ze zoals mevrouw Czernin een ernstig zieke dochter heeft, zal ze nauwelijks voor rede vatbaar zijn. In haar woede en verdriet kan ze haar man en zijn minnares best iets hebben aangedaan.'

'Dat is niet onmogelijk,' gaf ik toe. 'Maar er is veel kracht voor nodig geweest om die lichamen te verplaatsen. Als mevrouw Czernin ze bewusteloos heeft geslagen, kan ze ze met een vorkheftruck in een vrachtwagen hebben gelegd en naar de kuil hebben gereden. Als ze een vorkheftruck en een vrachtwagen had. Het is allemaal mogelijk, maar niet erg waarschijnlijk.'

De man die tegen Andrés had gezegd dat de keuken af moest, keek omstandig op zijn horloge.

'Ik ga al,' zei ik. 'Maar, pastor, als Billy u weer belt, zeg hem dan dat hij contact met mij of met Conrad Rawlings van het Fourth District opneemt als hij het vermoeden heeft dat zijn familie bij iets crimineels betrokken is. Dit is wel een erg zware last voor een jongen van negentien. En nog bedankt voor de informatie over Fly the Flag, trouwens.'

Hij schrok op uit zijn onverschillige houding. 'Ik heb u niets verteld! En als u iets anders beweert, begaat u een vreselijke zonde door een valse getuigenis af te leggen.'

'Tot ziens.' Ik glimlachte en draaide me abrupt om.

Ik liep langzaam het huis uit in de hoop dat hij van gedachten zou veranderen en me achterna zou komen met meer informatie. Een paar mannen die voor de deur een rookpauze hielden, groetten me vrolijk toen ik passeerde, maar Andrés bleef in de keuken.

Ik liep van de bouwplaats naar het huis van de Czernins, want dat was maar drie straten verderop. Het was nog steeds koud en de lucht was vol wolken die over het meer kolkten en buitelden. Ondanks de bittere kou liep ik langzaam, want ik verheugde me niet op de confrontatie met Sandra Czernin en haar onvoorspelbare woede-uitbarstingen. En ik dacht na over Andrés.

Ik zou hem wel ondersteboven aan de dakbalken willen hangen en door elkaar schudden totdat alles wat hij wist over Billy en zijn familie en Fly the Flag uit zijn hoofd kwam tuimelen. Ik kon me niet voorstellen dat Andrés de brand in de fabriek had aangestoken, maar hij was wel elektricien. Hij zou weten waar de stroomkabels het pand binnenkwamen en hoe hij daar een zo groot mogelijke verwoesting mee kon aanrichten. Maar ik geloofde niet dat hij willens en wetens een mens zou doden en ik kon geen enkele reden bedenken waarom hij een bedrijf te gronde zou richten dat de buurt werkgelegenheid bood.

Dat ik uit Andrés niets loskreeg, maakte het des te belangrijker om Billy te vinden. The Kid was weggelopen vlak nadat zijn grootvader pastor Andrés tijdens de kerkdienst had beledigd, dus zijn ruzie met zijn familie leek niets met Bron en Marcena te maken te hebben. De volgende dag was hij net als altijd naar zijn werk gegaan. Pas toen hij daar was, was er iets gebeurd waardoor hij was verdwenen. Dat klonk alsof Billy's problemen meer met het magazijn dan met Fly the Flag te maken hadden. Dat betekende waarschijnlijk dat zijn tante Jacqui erbij betrokken was, aangezien zij het enige familielid was dat zich regelmatig in het magazijn liet zien. Dus het magazijn moest mijn volgende stop zijn, als ik Sandy Zoltak achter de rug had. Sandra Czernin.

Ondanks mijn getreuzel was ik aangekomen bij de woning van de Czernins, een laag huis dicht bij de hoek van 91st Street en Green Bay Avenue, schuin tegenover de tweehonderdvijftig hectare grote woestenij waar vroeger het fabriekscomplex van us Steel had gestaan.

Ik staarde naar het puin. Toen ik klein was en we elke dag de ramen moesten lappen vanwege de dikke, vettige rook die erop neersloeg, verlangde ik naar een etmaal zonder de staalfabrieken, maar ik had me niet kunnen voorstellen dat ze er ooit niet meer zouden zijn; die gigantische loodsen, de kilometerslange transportbanden waarop kolen en ijzererts werden vervoerd, de oranje vonken aan de nachtelijke hemel waaraan je kon zien dat er werd gegoten. Hoe kon iets wat zo groot was verdwijnen in een hoop puin en onkruid? Ik kon het niet bevatten.

Mijn moeder vond dat je onaangename klusjes meteen moest aanpakken, of het nu ramen lappen was, of praten met mensen als Sandra Czernin. Ik dacht altijd dat het beter was om eerst te gaan spelen en dan maar te zien of er later nog tijd overschoot om het vervelende werk te doen, maar ik hoorde Gabriella in mijn hoofd zeggen: hoe langer je nostalgisch staat te doen over die staalfabriek, des te moeilijker wordt datgene waar je eigenlijk voor bent gekomen.

Ik rechtte mijn schouders en liep naar de voordeur. In een straat met treurige, scheefgezakte huizen viel dat van de Czernins op doordat het goed in de verf zat, de gevelbeplating intact was en het tuintje keurig verzorgd, met een gazon dat voor de winter was gemaaid en wat chrysanten langs het korte paadje. Sandra's woede had in elk geval een constructieve uitwerking, als die haar ertoe dreef haar huis zo goed te onderhouden of van Bron te eisen dat hij dat deed.

Een paar seconden nadat ik had aangebeld, deed Sandra open. Ze staarde me aan alsof ze me niet herkende. Haar stugge, gebleekte haar was de laatste tijd niet gewassen of gekamd en stond alle kanten op. Haar blauwe ogen waren bloeddoorlopen en de vorm van haar gezicht leek vager, alsof de beenderen onder de huid waren opgelost.

'Sandra, hallo, ik vind het heel erg van Bron.'

'Tori Warshawski! Jij hebt lef, om hier twee dagen te laat te verschijnen. Jouw medeleven zegt me geen moer. Jij hebt hem gevonden, dat heeft die politieman me verteld. En een telefoontje kon er niet af? Ik heb je man gevonden, Sandra, ga maar een kist bestellen, want je bent weduwe.'

Haar woede klonk geforceerd, alsof ze probeerde zichzelf op te zwepen tot ze iets voelde, wat dan ook, en woede de enige emotie was die ze kon bedenken omdat ze geen verdriet kon opbrengen. Ik wilde mezelf al gaan verdedigen – mijn nacht in het moeras, mijn dag in het ziekenhuis – maar dat slikte ik allemaal in.

'Je hebt gelijk. Ik had je meteen moeten bellen. Als je me binnenlaat, vertel ik je wat ik weet.' Ik stapte naar voren zonder af te wachten tot ze had besloten of ze mij in haar huis kon verdragen, en ze ging onwillekeurig achteruit, zoals mensen in zo'n geval doen.

'Hij was met die Engelse slet, hè?' vroeg ze toen we in haar halletje stonden. 'Is zij ook dood?'

'Nee. Heel ernstig gewond, te ernstig om te kunnen praten en de politie te vertellen door wie ze zijn aangevallen.'

'Ja, droog je tranen maar terwijl ik "My Heart Cries for You" speel op de viool.' Tot mijn afschuw wreef ze het topje van haar middelvinger langs het topje van haar wijsvinger, zoals we als kinderen deden om aan te geven dat het sarcastisch bedoeld was. Een vlo die 'My Heart Cries for You' speelt op het kleinste viooltje ter wereld, zeiden we altijd.

'Hoe is April eronder?' vroeg ik.

'Nou, ze was papa's lievelingetje en ze kan niet geloven dat hij dood is, ze kan niet geloven dat hij met die Engelse journaliste was, ook al had iedereen op school dat al tegen haar gezegd.'

'Bron dacht dat hij aan geld zou kunnen komen voor haar pacemaker. Weet je of hij al iets had bedacht?'

'Bron en zijn ideeën.' Ze vertrok haar gezicht tot een akelige grijns. 'Hij dacht waarschijnlijk dat hij wel een lading tv's van By-Smart kon stelen. Als hij boven zijn middel ooit een goed idee heeft gehad, heb ik daar in elk geval niets van gemerkt. Het enige wat zou helpen, is als hij was gestorven terwijl hij aan het werk was voor het bedrijf.'

Haar verbittering was zo akelig om aan te horen dat het even duurde voordat ik begreep wat ze bedoelde. 'O. Zodat je de uitkering van zijn werknemersverzekering zou kunnen innen. Had hij geen levensverzekering?'

'Tienduizend dollar. Als ik hem begraven heb, is daar ongeveer zeven van over.' De tranen stroomden over haar wangen. 'O, verdomme, wat moet ik zonder hem beginnen? Hij bedroog me elke vijf seconden, maar wat moet ik nu? Ik kan het huis niet betalen, ik kan niet voor April zorgen, verdomme, die klootzak!'

Ze begon te huilen met raspende, droge uithalen waar haar magere lijf zo van schokte dat ze tegen de muur moest leunen. Ik pakte haar bij de arm en voerde haar langzaam mee naar de woonkamer, waar het keurige meubilair met plastic hoezen was afgedekt. Ik trok de hoes van de bank en zorgde dat ze ging zitten.

33 Alle gelukkige gezinnen lijken op elkaar, elk ongelukkig gezin...

Het huis van de Czernins was ingedeeld zoals alle lage huisjes in de South Side, inclusief dat waarin ik was opgegroeid. Ik liep zonder nadenken door de eetkamer naar de keuken. Ik zette water op voor thee, en terwijl ik wachtte tot het kookte, kon ik het niet laten de achterdeur open te doen om te kijken of ze een klein aangebouwd schuurtje hadden, zoals wij vroeger. Mijn vader bewaarde daar zijn gereedschap; hij kon bijna alles in en rond het huis repareren. Hij had zelfs eens een kapot wieltje van mijn rolschaatsen vervangen. Het schonk me een eigenaardig genoegen om achter Sandra's keuken precies zo'n ruimte te vinden, al was die niet zo opgeruimd als die van mijn vader was geweest. Mijn vader zou nooit versneden stukken rubber op zijn werkblad laten liggen, of gerafelde stukjes elektriciteitsdraad.

Ik liep de keuken weer in om op zoek te gaan naar thee, toen April in de deuropening verscheen. Ze hield de enorme beer die Bron haar in het ziekenhuis had gegeven tegen zich aan gedrukt, en haar gezicht was nog opgezet van de medicijnen die ze voor haar hart kreeg.

'Coach! Ik wist niet... Ik verwachtte niet...'

'Dag kind. Ik vind het heel erg, van je vader. Je weet dat ik degene ben die hem gevonden heeft.'

Ze knikte somber. 'Keek u naar zijn werkplaats? Hij heeft me geleerd met een soldeerbout te werken. Ik heb hem vorige week zelfs ergens bij geholpen, maar ik denk niet dat ik van ma zijn gereedschap mag gebruiken. Weet ze dat u er bent?'

'Ze zit in de woonkamer, maar ze is nogal over haar toeren. Ik ben op zoek naar thee.'

April maakte een bus open die op het aanrecht stond en pakte er een theezakje uit. Terwijl ze mokken van een plank pakte, vroeg ik hoe ze zich voelde.

'Gaat wel, geloof ik. Ik moet medicijnen gebruiken waar ik slaperig van word, maar dat is alles. Weet u, ze zeggen dat ik niet meer mag sporten, geen basketbal meer mag spelen.'

'Ik weet het. Het is heel jammer, want je bent er goed in en we zullen je missen, maar je kunt je gezondheid niet op het spel gaan zetten met rondrennen over het veld. Als je wilt, kun je bij het team blijven, naar de trainingen komen en helpen bij het plannen van spelpatronen.'

Haar gezicht klaarde wat op. 'Maar hoe kan ik op de universiteit komen als ik geen beurs kan krijgen?'

'Hoge cijfers halen voor de andere vakken,' zei ik op droge toon. 'Dat spreekt niet zo tot de verbeelding als een sportbeurs, maar uiteindelijk kom je er verder mee. Maar laten we ons daar nu nog niet druk over maken. Je hebt genoeg aan je hoofd en het duurt nog een jaar voordat je je moet gaan inschrijven.'

Het water kookte en ik schonk het in de mokken. 'April, heb je Josie nog gesproken sinds ze bij je in het ziekenhuis is geweest?'

Ze wendde zich af en had het plotseling heel druk aan het aanrecht met het verplaatsen van het theezakje van de ene mok naar de andere, tot de inhoud van alle drie lichtgeel van kleur was.

'Josie is verdwenen op dezelfde dag dat je vader is gestorven, en ik ben heel ongerust over haar. Is ze weggelopen met Billy?'

Ze trok een ongelukkig gezicht. 'Ik heb beloofd niets te zeggen.'

'Ik heb het wrak van Billy's sportwagen om een uur of een 's nachts onder de Skyway gevonden. Ik denk dat de Engelse journaliste erin heeft gezeten, maar waar waren Billy en Josie dan?'

'Billy heeft zijn auto aan papa gegeven,' fluisterde ze zachtjes. 'Hij zei dat hij die niet meer kon gebruiken en hij wist dat papa geen auto had. Als we ergens naartoe wilden, moest hij een auto van een vriend lenen, of soms bracht hij ons in de truck als hij dacht dat meneer Grobian het niet zou merken, want die was natuurlijk van By-Smart.'

'Wanneer heeft hij de auto aan je vader gegeven?' Ik probeerde zacht en kalm te praten om haar niet zenuwachtiger te maken dan ze al was.

'Maandag. Hij is maandagochtend bij ons geweest, nadat ik was thuisgekomen uit het ziekenhuis. Ma moest naar haar werk; ze hadden haar maar een uur vrij gegeven om me naar huis te brengen, maar papa had late dienst, dus hij is pas om drie uur weggegaan. En daarna kwam Josie. Ik heb haar gebeld en gezegd dat ze hierheen moest komen voordat ze naar school ging. Billy en zij ontmoetten elkaar hier, snapt u, hier kon ze komen om haar huiswerk te maken, dat mocht van haar moeder, en mijn moeder dacht gewoon dat Billy een jongen van school was. We hebben haar niet verteld dat hij een Bysen is, want dan zou ze helemaal door het lint zijn gegaan.'

Die projecten voor school die Josie zo belangrijk vond, het werkstuk voor biologie en gezondheidsleer dat ze samen met April moest maken. Misschien had ik moeten raden dat dat een dekmantel was, maar het deed er nu niet meer toe.

'Waarom was Billy zo kwaad op zijn familie?' vroeg ik.

'Hij was niet kwaad,' zei April ernstig. 'Bezorgd, hij was bezorgd over wat hij in het magazijn zag.'

'Wat was dat dan?'

Ze haalde haar schouders op. 'U weet wel, iedereen werkt hard en niemand krijgt genoeg geld. Zoals ma. En zelfs pa, die verdiende wel wat meer omdat hij truckchauffeur was, maar Billy zei dat het niet rechtvaardig was dat mensen het zo moeilijk hadden.'

'Niets specifiekers?' Ik was teleurgesteld.

Ze schudde haar hoofd. 'Ik heb nooit zo goed geluisterd. Hij praatte meestal met Josie, ergens in een hoekje, snapt u, maar het had iets met Nicaragua te maken, en met Fly the Flag, geloof ik...'

'Wat doe je hier, mijn dochter lastigvallen?' Sandra verscheen in de deuropening; haar tranen waren verdwenen en haar gezicht had weer de gewone harde uitdrukking.

'We maken een kop thee voor je, ma. Coach zegt dat ik toch bij het team kan blijven en misschien spelpatronen kan plannen.' April gaf haar moeder en mij allebei een mok. 'En misschien kan ik door hoge cijfers te halen op de universiteit komen.'

'Maar die zullen je doktersrekeningen niet betalen. Als je iets voor April wilt doen, breng haar dan niet het hoofd op hol met verhalen over goede cijfers. Bewijs liever dat Bron voor het bedrijf onderweg was toen hij stierf.'

Ik schrok. 'Zegt By-Smart dan van niet? Weten ze waar hij was toen hij werd aangevallen?'

'Ze willen me niets vertellen. Ik ben vanochtend bij meneer Grobian in het magazijn geweest. Ik heb hem verteld dat ik een claim ging indienen en hij wenste me er veel geluk mee. Hij zei dat Bron de bedrijfsvoorschriften had overtreden door dat kreng tijdens zijn werk in de cabine toe te laten, en dat ze de claim zouden aanvechten.'

'Je hebt een advocaat nodig,' zei ik. 'Iemand die ze voor de rechter kan slepen.'

'Je bent zo... zo onnozel,' snerpte Sandra. 'Als ik me een advocaat kon veroorloven, Juffie-Geniaal, zou ik het geld niet eens nodig hebben. Ik heb bewijzen nodig. Jij bent detective, bezorg jij me maar bewijzen dat hij voor het bedrijf aan het werk was en dat die Engelse slet niet bij hem in zijn truck zat. Het is jouw schuld dat ze daar was. Nou mag je het ook weer goedmaken.'

'Brons gedrag was niet mijn schuld, Sandra. En met gekrijs los je je huidige problemen niet op. Ik heb wel wat beters te doen dan me door jou de huid vol te laten schelden. Als je niet genoeg kunt kalmeren om redelijk te praten, ga ik nu weg.'

Sandra aarzelde, heen en weer geslingerd tussen de woede die haar verteerde en de wens meer te weten over Brons dood. Ten slotte gingen we met zijn drieën aan de keukentafel zitten en dronken de slappe thee terwijl ik hun vertelde hoe Mitch me door het moeras naar Bron en Marcena had gebracht.

Sandra wist dat Billy zijn mobieltje aan Bron had geleend ('Hij zei tegen me dat hij het had aangenomen omdat hij dan contact met April kon houden'), maar ze wist niets van de Miata. Dat leidde tot een woordenwisseling tussen haar en April ('Ma, ik heb het je niet verteld omdat je dan gedaan zou hebben wat je nu doet: over hem tekeergaan, en daar kan ik niet tegen').

Hun pastoor had hen gewaarschuwd dat Bron zo verminkt was dat Sandra hem maar beter niet meer kon zien. Dacht ik dat ook?

'Hij ziet er afschuwelijk uit,' beaamde ik. 'Maar als ik het was, mijn man, bedoel ik, zou ik hem willen zien. Anders zou het me altijd dwars blijven zitten dat ik geen afscheid had genomen.'

'Als je met die klootzak getrouwd was geweest, zou je niet zo sentimenteel doen over "afscheid nemen" en al die onzin uit de film,' snauwde Sandra.

Ze hield haar mond toen haar dochter een kreet van protest gaf, maar vervolgens begonnen de twee weer te bekvechten over de vraag of Bron echt een plan had gehad om aan het geld te komen voor Aprils medische behandeling.

'Hij heeft meneer Grobian gebeld en die heeft gezegd dat hij erover kon komen praten, dat heeft papa me zelf verteld,' zei April, die rood was aangelopen, tegen haar moeder.

'Jij hebt nooit begrepen dat je vader de mensen niet de waarheid vertelde, maar wat ze wilden horen. Hoe denk je dat het komt dat ik met hem getrouwd ben?' beet ze haar dochter boos toe.

'Wanneer heeft je vader je over Grobian verteld?' vroeg ik April. 'Maandagochtend?'

'Hij maakte middageten voor me klaar toen we terug waren uit het ziekenhuis.' April knipperde haar tranen weg. 'Brood met tonijnsalade. Hij sneed de korsten van het brood, zoals hij deed toen ik nog klein was. Hij sloeg een deken om me heen, zette me in zijn leunstoel en voerde me, mij en Grote Beer. Hij zei dat ik me geen zorgen hoefde te maken, dat hij met meneer Grobian zou gaan praten en dat alles in orde zou komen. Toen kwam Billy, en die zei dat hij de operatie zou betalen als ik acht jaar kon wachten, tot zijn vermogen vrijkwam, maar papa zei dat we dat niet konden aannemen, als het al mogelijk zou zijn om zo lang te wachten, en dat hij met meneer Grobian ging praten.'

Sandra sloeg zo hard op het tafelblad dat haar slappe thee over de rand van de mok klotste. 'Dat is typisch iets voor hem! Dat hij met jou praat en niet met zijn eigen vrouw!'

Aprils onderlip trilde en ze drukte Grote Beer dicht tegen zich aan. Patrick Grobian leek mij niet echt het prototype van de barmhartige weldoener. Als Bron met hem was gaan praten, moest dat zijn om hem ergens mee onder druk te zetten, maar toen ik dat opperde, schoot April weer overeind.

'Nee! Waarom kiest u haar kant tegen papa? Hij zei dat hij een document van meneer Grobian had, dat het een zakelijke aangelegenheid was, piekfijn in orde.'

'Waarom heb je me dat niet eerder verteld?' riep Sandra uit.

'Dan had ik Grobian ernaar kunnen vragen toen ik hem vanoch-tend sprak.'

'Omdat je steeds zei wat je nu ook zegt, dat zijn ideeën dom zijn en toch niet werken.'

'Dus jullie weten geen van tweeën of hij echt met Grobian heeft gepraat en wat dat document kan zijn? Sandra, wanneer heb je Bron eigenlijk voor het laatst gesproken?'

Als je haar antwoord van alle emotionele uitbarstingen ont-deed, kwam het neer op maandagochtend, toen ze April hadden opgehaald uit het ziekenhuis. Ze hadden een auto van een buur-man geleend, want hun eigen auto was vorige maand total loss ge-raakt bij een aanrijding en ze hadden nog geen geld gehad om een andere te kopen (doordat Bron uiteraard laks was geweest met het betalen van de verzekeringspremies en de andere bestuurder ook niet verzekerd was). Bron had Sandra naar haar werk gebracht met de geleende auto en was toen naar huis gegaan om bij April te blijven tot hij naar zijn werk moest.

'Hij had deze week dienst van vier uur tot middernacht. Ik moet om kwart over acht bij de winkel zijn, dus in dat soort we-ken zien we elkaar niet veel. Hij staat op en drinkt 's ochtends een kop koffie met me. Als April naar school is, gaat hij weer naar bed en neem ik de bus, en zo gaat het de hele week door. Maar toen we April hadden opgehaald, wilden we niet dat ze de trap op zou moeten, want die is zo steil en de dokter zei dat ze zich voorlopig niet mocht inspannen, dus slaapt ze bij mij in het grote bed hier-beneden. Bron slaapt boven, of sliep boven; als hij maandagavond na zijn dienst thuiskwam, zou hij naar boven gaan en in haar bed slapen.

Dinsdag heb ik ontbijt klaargemaakt voor April – ook al snijd ik de korsten niet van het brood, ik maak elke ochtend haar ont-bijt klaar – maar ik moest naar mijn werk. Je weet nooit hoelang je op de bus moet wachten, dus ik kon niet blijven rondhangen tot meneer eindelijk eens een keer...' Ze onderbrak zichzelf toen ze zich herinnerde dat het voorwerp van haar verbittering dood was. 'Ik dacht gewoon dat hij uitsliep,' eindigde ze met zachte stem. 'Ik zocht er helemaal niets achter.'

Wat voor document kon Grobian hebben getekend, waardoor

Bron dacht dat By-Smart honderdduizend dollar zou dokken voor Aprils medische behandeling? Ik snapte er niets van, maar toen ik April probeerde uit te horen om erachter te komen of ze zich nog iets anders herinnerde, of Bron zich nog iets had laten ontvallen, ontplofte Sandra. Zag ik dan niet dat April moe was? Wat was ik van plan, wilde ik haar dochter dood hebben? De artsen hadden gezegd dat April niet aan stress mocht worden blootgesteld en dat ik binnenviel en haar met vragen bestookte was stress, stress, stress.

'Ma,' gilde April. 'Praat niet zo tegen coach. Dát vind ik pas stressen.'

Ik zag hier weer nieuwe mogelijkheden voor een conflict tussen moeder en dochter, en ik vertrok zonder nog iets te zeggen. Sandra bleef in de keuken naar het tafelblad zitten staren, maar April liep achter me aan naar de woonkamer, waar ik mijn parka had laten liggen. Ze zag grauw en ik spoorde haar aan naar bed te gaan, maar ze treuzelde en drukte haar gezicht tegen Grote Beer, tot ik haar vroeg wat ze wilde zeggen.

'Coach, het spijt me dat ma boos is en zo, maar... mag ik nog steeds naar de training komen, zoals u daarnet zei?'

Ik legde mijn handen op haar schouders. 'Je moeder is kwaad op me, en misschien heeft ze daar wel reden toe, maar dat heeft niets te maken met jou en mij. Natuurlijk mag je naar de trainingen komen. En nu naar bed. Boven of beneden?'

'Ik zou wel naar mijn eigen bed willen,' zei ze, 'maar ma denkt dat de trap mijn dood wordt. Zou dat waar zijn?'

Ik maakte een hulpeloos gebaar. 'Dat weet ik niet, kind, maar misschien gaat het goed als we hem superlangzaam oplopen.'

Ik hielp haar tree voor tree naar boven, naar haar zolderkamer. De trap zat op precies dezelfde plek als in het huis waar ik als kind woonde, in Houston Avenue, en hij was net zo steil, waarna je door een vierkante opening op de vliering terechtkwam. Het kleine zolderkamertje was met dezelfde zorg aangekleed als mijn ouders met mijn kamer hadden gedaan. Terwijl boven mijn bed Ron Santo en Maria Callas hadden gehangen – een vreemde combinatie van de heel verschillende passies van mijn ouders – had April dezelfde poster van het damesteam van de Universiteit van

Illinois als Josie. Ik vroeg me af of het niet pijnlijk voor haar was om elke ochtend wakker te worden en te worden herinnerd aan het actieve leven waar ze niet meer aan kon deelnemen.

'Weet je wie Marie Curie was?' vroeg ik abrupt. 'Nee? Ik zal haar biografie voor je meenemen. Ze was een Poolse die een heel belangrijke wetenschapster is geworden. Een ander leven dan basketbal, maar haar werk gaat nu al meer dan honderd jaar mee.'

Ik trok de sprei voor haar opzij en zag daaronder dezelfde rood-wit-blauwe lakens als Josie en Julia op hun bed hadden. Was dit verregaande solidariteit met het Amerikaanse team of zat er iets anders achter?

'Kopen Josie en jij jullie lakens samen?' vroeg ik terwijl ik haar beer naast haar legde.

'O, u bedoelt die lakens met de vlag? Die hebben we in de kerk gekocht. In mijn kerk werden ze verkocht, en in die van Josie en een heel stel andere. De meeste meisjes van het team hebben ze gekocht. Het was goed voor de buurt, die zou worden schoongemaakt of zo, ik weet het niet meer, maar zelfs Celine heeft een set gekocht. Het was iets dat we met het hele team deden.'

Ik zocht naar een etiket, maar dat vermeldde alleen 'Met trots gemaakt in de Verenigde Staten'. Ik controleerde of ze alles had wat ze nodig kon hebben: water, een fluitje om haar moeder te waarschuwen als ze haar 's nachts nodig had, haar cd-speler. Zelfs haar schoolboeken, voor als ze huiswerk wilde maken.

Ik was halverwege de steile trap toen ik me Billy's mobieltje herinnerde. Ik had het uit mijn jopper gehaald toen ik die bij de stomerij achterliet en het in mijn tas gestopt zonder te weten wat ik ermee moest.

Ik pakte het en gaf het aan April. 'De accu is nog bijna vol. Ik weet niet of zijn familie het abonnement opzegt, maar hij had het aan je vader gegeven, dus ik denk niet dat hij het erg vindt als jij het gebruikt. Ik zal je een oplader brengen.' Ik gaf haar een visitekaartje. 'En bel me als je me nodig hebt. Je gaat door een akelige periode.'

Haar gezicht klaarde op van blijdschap over de telefoon. 'Josie had geluk dat ze met Billy omging, want hij had allerlei spullen die wij alleen op school kunnen gebruiken. Hij kon met deze telefoon internetten, en hij liet haar zijn laptop gebruiken. Hij hielp ons met het vinden van weblogs waar we op konden schrijven en gaf ons schuilnamen. Hij had bijvoorbeeld via een weblog contact met zijn zus, onder een schuilnaam, en Josie heeft op die manier kennisgemaakt met zijn zus, ook al willen zijn ouders niet dat ze contact met elkaar hebben. Dus als Josie en ik gaan studeren, weten we hoe al die dingen moeten die de andere studenten doen.'

Vóór de basketbaltraining moest ik met de conrector over Aprils schoolresultaten praten. Als ze zelf zo graag wilde, zou de school haar vast wel kunnen helpen.

Zodra ik de trap afliep, hoorde ik April in de telefoon zeggen: 'Ja, ik mag de telefoon van Billy Bysen gebruiken tot hij hem weer nodig heeft. Ga je naar de training?'

Toen ik beneden kwam, riep ik naar Sandra dat ik April boven naar bed had gebracht en liet ik mezelf uit.

34 En geld maakt ook al niet gelukkig

Terwijl ik door het keurig aangelegde voortuintje de wind in liep, vroeg ik me af of Sandra gelijk had. Was Bron gestorven omdat hij in het gezelschap van Marcena was, of was Marcena mishandeld omdat ze met Bron was? De diefstal van Marcena's laptop leek erop te wijzen dat zij de sleutelfiguur was. In dat geval zou Bron nog geleefd hebben als ik de Engelse journaliste niet in zijn leven had gebracht. En als Marcena niet altijd had klaargestaan voor een nieuwe uitdaging, en als Bron zelf de exotische onbekende niet zo nodig had moeten versieren.

Ik weigerde me verantwoordelijk te voelen voor het feit dat die twee samen in bed waren beland, maar ik wilde wel weten wat ze in Billy's auto hadden gedaan toen die zich maandagnacht in de troep onder de Skyway had geboord.

Ik wilde ook weten wat Nicaragua en Fly the Flag ermee te maken hadden, want dat waren de enige twee dingen waar Billy over had gepraat, volgens April. Misschien was Frank Zamar van plan geweest zijn fabriek naar Nicaragua te verplaatsen, zodat hij kon voldoen aan de eisen die By-Smart aan de prijs had gesteld in het contract dat hij net met ze had getekend. Dat zou zeker niet goed zijn gevallen bij pastor Andrés, die zijn best deed banen voor de buurt te behouden. Maar Rose was cheffin van de nachtploeg voor Zamars tweede productielijn; als hij een nieuwe productielijn had geopend voor de bestelling van By-Smart, was hij blijkbaar niet van plan geweest naar Midden-Amerika te verhuizen.

De noordoostenwind werd harder naarmate de zon lager zakte, maar de koude lucht was verfrissend na de verhitte emoties in huize Czernin. Ik liep met geheven hoofd om uit te waaien.

Het was pas iets over drieën toen ik bij mijn auto aankwam. Pat Grobian zou nog op zijn werkplek in het magazijn moeten zijn.

Misschien kon hij me vertellen wat voor document hij aan Bron had gegeven dat garandeerde dat het bedrijf voor Aprils medische behandeling zou betalen. Ik stak het Calumetmeer over en sloeg af naar het zuiden, naar 103rd Street en het magazijn van By-Smart.

De eerste keer dat ik hier kwam, had ik aan een bewaker moeten bewijzen dat ik toestemming had om op het terrein te zijn. En toen ik bij het magazijn was aangekomen, had een andere bewaker me aan een kruisverhoor onderworpen. Ik had niet het gevoel dat Grobian me met open armen zou ontvangen, dus sloeg ik dat hele proces over door op Crandon Avenue te parkeren en met mijn veiligheidshelm onder mijn arm over te steken naar de achterkant van het uitgestrekte complex.

Het hele terrein was afgezet met prikkeldraad. Ik liep er struikelend langs, want de halfhoge leren laarsjes die ik droeg waren niet ideaal voor ruw terrein. Uiteindelijk kwam ik bij een tweede oprit, een smal pad dat waarschijnlijk werd gebruikt door onderhoudsploegen als ze bij de krachtcentrale achter het magazijn moesten zijn. Het hek was met een hangslot afgesloten, maar er zaten zulke diepe voren in het wegdek dat er genoeg ruimte was om onder het hek door te glippen.

Nu bevond ik me achter het magazijn en de parkeerplaats voor werknemers. Ik zette mijn helm op en probeerde me de indeling van het complex te herinneren van mijn eerste bezoek, maar ik liep toch nog een paar keer verkeerd voordat ik de deuropening vond waar de rokers ineengedoken bij elkaar in de kou stonden. Ze keken nauwelijks op toen ik snel langsliep en de gang naar Grobians kantoor in ging.

In de gang stonden een paar truckers te wachten bij de gesloten deur van Grobian. Een had een krulsnor die zo vol en weelderig was dat het iets afstotelijks had. Nolan, de man met het Harley-jack, die hier tijdens mijn vorige bezoek ook was geweest, was er weer en herinnerde zich mij ook.

'Ik hoop dat jij die ander ook flink hebt toegetakeld, meid,' zei hij met een grijns.

Ik gaf een gevat antwoord, maar toen ik naar mijn broek keek, zag ik tot mijn ergernis dat ik die had gescheurd toen ik onder het hek door kroop. In een maand die niet veel inkomsten opleverde, maakte ik wel veel onkosten.

'Jij hebt Bron Czernin gekend, hè?' Het was geen erg subtiele manier om van onderwerp te veranderen, maar ik wilde een praatje aanknopen voordat Grobian naar buiten kwam. 'Ik vrees dat ik degene ben die hem gisterochtend heeft gevonden.'

'Klote,' zei de krulsnor, 'maar Bron ging wel erg ver. Het verbaast me een beetje dat hij nooit eerder te grazen is genomen.'

'Hoezo?' vroeg ik.

'Ik heb gehoord dat die Engelse bij hem was, met wie hij steeds rondreed.'

Ik knikte. Het had me niet moeten verbazen dat de mannen van Marcena op de hoogte waren; het was een kleine gemeenschap. Als Bron Marcena zijn dagelijkse routes had laten zien en met haar had gepronkt tegenover zijn vaste klanten, zou iedereen die hem kende van haar bestaan op de hoogte zijn. Ik zag voor me hoe ze alleen in hun cabine zaten en om de tijd te doden elkaar belden en de laatste roddels doorspraken.

'Zeker vijftien getrouwde mannen hier hadden hem in de afgelopen tien jaar iets kunnen aandoen. Dat Engelse mokkel was niet de enige stoo... eh, vriendin die hij in zijn cabine heeft gehad. Tegen de wet, natuurlijk, en tegen de bedrijfsvoorschriften, maar...' Hij haalde veelbetekenend zijn schouders op.

'Had hij nog een andere vriendin? Marcena heeft geen boze echtgenoot die achter Romeo... Bron, bedoel ik, aan kan zijn gegaan.' Met een ongemakkelijk gevoel dacht ik aan Morrell, maar dat was belachelijk; zelfs als ik me zou kunnen voorstellen dat hij kwaad genoeg werd om een man in elkaar te slaan vanwege een vrouw, en zelfs als ik me zou kunnen voorstellen dat die vrouw Marcena zou zijn, dan kon ik me nog niet voorstellen dat hij dat met zijn slechte been zou kunnen.

De mannen maakten een paar suggestieve opmerkingen over vrouwen die ze kenden, maar uiteindelijk waren ze het erover eens dat Marcena Brons eerste uitspatting in bijna een jaar was. 'Zijn dochter vond het erg, want die werd er op school mee gepest. Ten slotte heeft hij moeder de vrouw beloofd dat hij ermee zou ophouden, maar ik heb gehoord dat dat Engelse mok... die Engelse dame zo bijzonder was en zoveel klasse had, dat hij er geen weerstand aan kon bieden.'

Ik herinnerde me het verlangen van de jonge meneer William om erachter te komen wie Marcena rondreed door de South Side. 'Wist Grobian ervan?'

'Waarschijnlijk niet,' merkte de krulsnor op. 'Dan zou Bron hier niet meer gewerkt hebben.'

'Ik denk dat die Mexicaanse gozer daarover met Bron heeft gesproken,' zei het Harley-jack.

Mijn hart sloeg over. 'Wat voor Mexicaanse gozer?'

'Ik weet niet hoe hij heet. Hij hangt altijd rond bij bouwplaatsen hier in de buurt om te zien wat hij achterover kan drukken. Mijn zoon zit op de Bertha Palmer-school en hij wees me die twee aan, Bron en de Mexicaan. Vorige week of de week daarvoor, dat weet ik niet meer, ging ik mijn zoon ophalen na een wedstrijd – hij speelt voetbal in het schoolteam – en toen stond die gozer op het parkeerterrein, samen met Bron en de Engelse dame. Ik denk dat hij dacht dat Bron hem wel een paar dollar zou toestoppen in ruil voor zijn belofte niet aan het bedrijf te vertellen dat Bron de dame in zijn cabine liet meerijden.'

Een van de andere mannen lachte bulderend en zei: 'Hij dacht waarschijnlijk dat Bron hem wel zou betalen als hij niks tegen zijn vrouw zou zeggen. Ik zou heel wat banger zijn voor Sandra Czernin dan voor Pat Grobian.'

'Ik ook.' Ik grijnsde, maar ik dacht aan Freddy, de chavo die bij bouwplaatsen rondhing en keek wat hij kon jatten. Chantage, dat paste wel bij al het onaangenaams wat ik over Freddy had gehoord. Er zat een zekere logica in. Maar zou Freddy Bron en Marcena hebben aangevallen? Misschien had Romeo – Bron, ik moest hem echt bij zijn naam gaan noemen – misschien had Bron gedreigd hem aan te geven wegens chantage en was Freddy over de rooie gegaan?

'Ik kan me niet voorstellen dat Bron iemand zwijggeld zou betalen,' zei een derde trucker lijzig.

'Misschien heeft die knul hem dan verlinkt,' zei de snor. 'Want Grobian en Czernin gingen nogal tekeer, maandagmiddag.'

'Hebben ze gevochten?' Mijn wenkbrauwen schoten omhoog.

'Ruziegemaakt,' verduidelijkte hij. 'Ik stond te wachten op toestemming om te gaan rijden. Bron was binnen, en ze hebben zeker een kwartier tegen elkaar staan schreeuwen.'

Ik schudde mijn hoofd. 'Ik weet het niet... Bron wilde hulp met de ziekenhuisrekeningen van zijn dochter.'

'Van Grobian?' Nolan in het Harley-jack snoof verachtelijk. 'Billy is waarschijnlijk de enige ter wereld die zou kunnen geloven dat het Grobian ook maar ene mallemoer kan schelen hoe het met iemands dochter gaat. Niet dat het geen enorme klap is, wat Czernins dochter is overkomen, maar Grobians eerste, laatste en grootste zorg is dat hij op goede voet blijft met de familie Bysen. En iemand helpen ziekenhuisrekeningen te betalen... Hij weet dat de Bysens daar niks in zien, ook al was Czernin al meer dan twintig jaar bij ze in dienst!'

'Ze hebben misschien ruziegemaakt toen Czernin net binnen was, maar dan hebben ze het blijkbaar wel bijgelegd, want Czernin had praats voor tien toen hij in zijn truck stapte,' zei de derde chauffeur.

'Heeft hij iets verteld?' vroeg ik.

'Alleen dat hij misschien een winnend lot had.'

'Een winnend lot?' herhaalde ik. 'Zoals van een loterij, bedoelde hij dat?'

'O, hij stelde zich aan als een idioot,' zei de krulsnor. 'Ik vroeg hem hetzelfde en hij zei: "Ja, de loterij van het leven."'

'De loterij van de dood, werd het uiteindelijk,' zei Nolan somber.

Het werd stil toen iedereen er weer aan dacht dat Bron dood was. Ik wachtte tot de spanning was geweken voordat ik vroeg of ze wisten waar Billy the Kid was.

'Niet hier. Ik heb hem de hele week nog niet gezien, nu ik erover nadenk. Misschien is hij terug naar Rolling Meadows.'

'Nee,' zei ik. 'Hij is verdwenen. De familie heeft een groot detectivebureau ingehuurd om naar hem te zoeken.'

De drie keken elkaar met grote ogen aan. Dit was duidelijk nieuws voor hen, en een welkome bron van roddels, hoewel het Harley-jack zei dat the Kid er pas nog was geweest.

'Vandaag?' vroeg ik.

'Nee. De laatste keer dat ik hier was... Dat moet maandagmiddag zijn geweest. Er zat hem iets dwars, maar ik wist niet dat hij het lef zou hebben om bij zijn familie weg te lopen.'

Ze hadden geen van drieën enig idee wat Billy dwarszat of waar hij kon zijn. Halverwege een levendige discussie over de voordelen van Las Vegas boven Miami als je van huis wegliep, ging Grobians deur open. Tot mijn verrassing verscheen de jonge meneer William, met aan zijn zijde tante Jacqui, die vandaag zakelijk gekleed ging in een taupe jasje in legerstijl en een schuin geknipte zijden rok in dezelfde tint met een zwierige knielengte.

'Onze geluksweek,' mompelde het Harley-jack. 'Grobian is wel heel populair, dat die lul zich hier twee keer achter elkaar vertoont.'

Geen van de mannen zei iets tegen William. Sommigen hadden meneer William misschien wel gekend toen hij Billy's leeftijd had, maar hij had waarschijnlijk nooit aanleiding gegeven tot de goedmoedige plagerijtjes waar de mannen zijn zoon op onthaalden.

'Staan jullie te wachten op toestemming om te gaan rijden? Jullie mogen naar binnen,' zei William kortaf.

Hij liep langs me zonder me op te merken – met mijn helm en gescheurde broek zag ik er blijkbaar uit als een van de mannen – maar tante Jacqui was oplettender. 'Hoop je door Patrick te worden aangenomen als truckchauffeur? We komen een man tekort, nu Romeo Czernin dood is.'

De drie truckers bleven voor Grobians open deur staan. De snor fronste zijn voorhoofd bij haar opmerking, maar geen van hen durfde commentaar te leveren.

'U bent wel de koningin van de tact, hè?' zei ik. 'We hebben allemaal reuze veel lol, maar intussen komen jullie meer dan een chauffeur tekort. Zijn jullie niet ook een leverancier kwijtgeraakt?'

William keek me met half toegeknepen ogen aan en probeerde me te plaatsen. 'O. De Poolse detective. Wat doet u hier?'

'Detectivewerk. Wat gaat u doen aan de lakens en handdoeken met de vlag erop die Fly the Flag voor u zou produceren?'

'Wat weet u daarvan?' vroeg William op hoge toon.

'Dat hij een contract heeft getekend en toen heeft beseft dat hij niet aan de prijs kon voldoen, waarna hij is teruggekomen om er opnieuw over te onderhandelen.'

Jacqui schonk me een oogverblindende glimlach. 'We herzien nooit, maar dan ook nooit een contract. Dat is de eerste wet van papa Bysen. Dat heb ik de man verteld – hoe heette hij ook weer, William? Nou ja, dat doet er niet toe – dat heb ik hem verteld en uiteindelijk stemde hij ermee in te leveren voor de prijs die we hadden afgesproken. We zouden de eerste levering vorige week krijgen, maar gelukkig hadden we een reserveleverancier, zodat we maar vijf dagen vertraging hebben opgelopen.'

'Een reserveleverancier?' echode ik. 'Is dat degene die lakens heeft verkocht via de kerken in Zuid-Chicago?'

Jacqui lachte het boosaardige lachje dat ze gebruikte als iemand van de familie Bysen voor schut stond. 'Heel iemand anders, mevrouw de Poolse detective. Als u in de richting van die lakens zoekt, zit u op een dood spoor, vrees ik.'

Meneer William keek haar verwijtend aan, maar zei: 'Ik heb altijd al gezegd dat Zamar onbetrouwbaar was. Vader zegt steeds maar weer dat we de bedrijven uit de South Side voorrang moeten geven, omdat hij daar is opgegroeid. Niets kan hem ervan overtuigen dat ze niet kunnen voldoen aan het productieschema waarmee ze zelf hebben ingestemd.'

'Het is ook wel verdomd onbetrouwbaar om om te komen bij de brand die je fabriek in de as legt,' zei ik.

Meneer William keek me boos aan. 'Wie heeft er trouwens met u gepraat over dat contract met ons?'

'Ik ben detective, meneer Bysen. Ik stel vragen en mensen beantwoorden die. Soms vertellen ze me zelfs de waarheid. Nu we het erover hebben, u was hier maandagmiddag, en uw zoon ook.'

'Billy?'

'Hebt u meer zoons? Ik snap niet dat jullie elkaar gemist hebben. Hebt u hem echt niet gezien?'

William perste zijn lippen op elkaar. 'Hoe laat was hij hier?'

'Om deze tijd, ongeveer. Half vijf, vijf uur. Ik denk dat u iets tegen hem hebt gezegd wat hem heeft doen besluiten ervandoor te gaan.'

'Dat denkt u dan verkeerd. Als ik had geweten dat hij hier was...

Verdomme, je zou denken dat ik de jongste bediende was, in plaats van financieel directeur. Niemand vertelt me ooit iets van wat hier allemaal gebeurt.'

Hij duwde Grobians deur open. 'Grobian? Waarom heb je me verdomme niet verteld dat Billy hier maandagmiddag is geweest?'

De truckers, die voor Grobians bureau stonden, gingen opzij zodat William de manager van het magazijn kon aankijken. Grobian was geschrokken, dat viel duidelijk op zijn gezicht te lezen.

'Ik heb hem niet gezien, baas. Hij heeft zijn kastje leeggemaakt, maar dat wist u al. Misschien is hij daar speciaal voor gekomen.'

William keek hem nog een tijdje fronsend aan, maar besloot het daarbij te laten. Hij kwam de gang weer op om zijn aanval op mij te hervatten. 'Wie heeft u ingehuurd om de zaak van Fly the Flag te onderzoeken? Zamar heeft niets dan schulden achtergelaten.'

'Hoe weet u dat nou?' vroeg ik. 'Een drukbezet man als u, financieel directeur van de vijfde onderneming van Amerika, en u hebt tijd om u bezig te houden met één piepklein leveranciertje?'

'Ons succes zit hem in onze aandacht voor de details,' zei William stijfjes. 'Wordt er gedacht aan kwade opzet bij die brand?'

'Bij brandstichting wordt er altijd aan kwade opzet gedacht,' zei ik net zo stijfjes.

'Brandstichting?' Jacqui slaagde erin grote ogen op te zetten zonder rimpels in haar voorhoofd te trekken. 'Ik heb gehoord dat de bedrading defect was. Wie heeft u iets over brandstichting verteld?'

'Wat kan u dat schelen?' vroeg ik. 'Ik dacht dat alles geregeld was, dat uw nieuwe leverancier hard aan het werk was.'

'Als er iemand brandsticht bij bedrijven in Zuid-Chicago, is dat voor ons van belang. Wij zijn het grootste bedrijf hier, dus we zouden ook gevaar kunnen lopen.' Meneer William probeerde streng te klinken, maar kwam niet verder dan chagrijnig. 'Daarom wil ik weten wie u heeft verteld dat het brandstichting was.'

'In een kleine gemeenschap wordt gepraat,' zei ik vaag. 'Iedereen kent elkaar. Ik had verwacht dat uw pitbulls van Carnifice dat verhaal wel hadden opgepikt. Tenslotte posten ze bij Billy's pastor, dus ze hebben vast wel gepraat met de mensen die hij kent.'

'Dat hebben ze geprobeerd,' zei tante Jacqui op hetzelfde moment dat William van me wilde weten hoe ik wist dat Carnifice Andrés in de gaten hield.

'Dat is wel heel makkelijk. Vreemden vallen hier op. Te veel braakliggend terrein, waardoor je het weet als iemand op de loer ligt, en te veel mensen die geen werk hebben en de hele dag op straat rondhangen. Wat hebben die jongens van u ontdekt over Billy's auto?'

'Toen wij hem vonden, was hij gestript,' zei William kortaf. 'Banden, de radio, zelfs de bestuurdersstoel was weg. Waarom hebt u me niet meteen laten weten dat u hem had gevonden? Ik moest het horen van die zwarte politieman die doet alsof hij hier de baas is.'

'Dat zal inspecteur Rawlings zijn geweest, en hij doet alsof hij hier de baas is omdat hij dat is. En ik heb u niet gebeld omdat ik het te druk had om aan u te denken. Met een trektocht van drie kilometer door het moeras bijvoorbeeld, waarna ik uw dode trucker vond. De gebeurtenissen volgden elkaar te snel op om eraan te denken u te bellen.'

'Wat hebt u in de auto gevonden?' vroeg Jacqui.

'Vraagt u zich af of ik ervandoor ben gegaan met Billy's aandelenportefeuille?' vroeg ik. 'Hij had een paar boeken in de kofferbak laten liggen. *Het geweld van de liefde,* van die vermoorde aartsbisschop, en' – ik deed mijn ogen dicht en riep de titels op die ik in het donker had gezien – '*Rijke christenen en armoede,* zoiets.'

'O, ja.' Jacqui sloeg haar ogen ten hemel. '*Rijke christenen in een tijd van honger.* Billy heeft ons er tijdens het avondeten zoveel passages uit voorgelezen dat ik er anorectisch van werd; geen fatsoenlijk mens kon volgens hem dooreten terwijl er overal kinderen stierven. Hebt u papieren meegenomen waarvan u dacht dat het een aandelenportefeuille kon zijn?'

Ik keek haar met half dichtgeknepen ogen aan. 'Rose Dorrado heeft me verteld dat jullie tussen haar boeken hebben gezocht en zelfs met haar Bijbel hebben gewapperd, zodat alle bladwijzers ertussenuit vielen. Wat heeft Billy meegenomen?'

'Niets, voor zover ik weet,' zei William, terwijl hij geërgerd naar zijn schoonzus keek. 'We hoopten dat hij een aanwijzing over zijn plannen had achtergelaten. Hij had zijn mobieltje en zijn auto weggegeven, wat hem moeilijk op te sporen maakt. Als u iets van hem weet, mevrouw... eh... zou het verstandig zijn me dat te vertellen.'

'Ik weet het,' zei ik verveeld. 'Of ik zal nooit meer ergens in deze stad kunnen lunchen.'

'Doe het niet af als een grapje,' zei hij waarschuwend. 'Mijn familie heeft veel invloed in Chicago.'

'En in het Congres en overal elders,' zei ik bevestigend.

Hij wierp me een boze blik toe, maar beende zonder antwoord te geven de gang uit. Jacqui klikte naast hem mee op haar hoge hakken, en haar schuin geknipte rok zwierde zeer vrouwelijk rond haar knieën. Ik was me pijnlijk bewust van mijn gescheurde broek en vuile parka.

35 Hé, Freddy, wat een verrassing!

De truckers hadden niet veel tijd nodig bij Grobian. Toen ze weer naar buiten kwamen, knipoogde het Harley-jack naar me en stak zijn duim op, waardoor ik met een vrolijker gevoel naar binnen ging om met de manager te praten. Is het zo erg om je te verlaten op de vriendelijkheid van vreemden?

Grobian zat te telefoneren en ondertussen papieren te tekenen. Zijn stekeltjeshaar was nog steeds gemillimeterd. Om het zo te houden zou hij het elke paar dagen moeten laten maaien, maar ik kon me moeilijk voorstellen wanneer een manager met zijn verantwoordelijkheden daar een gaatje voor zou kunnen vinden. Hij was in hemdsmouwen en het viel me op hoe breed zijn onderarmen waren: een tatoeage van het wapen van de marine bedekte ongeveer tien harige centimeters.

Hij keek niet echt naar me, maar wuifde in de richting van een klapstoel terwijl hij zijn gesprek afrondde. Mijn veiligheidshelm en gescheurde broek mochten dan niet zo vrouwelijk zijn als Jacqui's wapperende rok, ze maakten me wel minder opvallend. Toen ik ging zitten, zag ik dat er modder aan mijn halfhoge leren laarsjes zat. Niet verrassend, aangezien ik onder het hek door was gekropen om in het magazijn te komen, maar wel ergerlijk.

Toen Grobian ophing, werd duidelijk dat ik niet degene was die hij verwachtte, maar ook dat hij zich me niet meer herinnerde.

'V. I. Warshawski,' zei ik vriendelijk. 'Ik ben hier twee weken geleden geweest, met Billy.'

Zijn gezicht verstrakte; hij zou me de deur hebben gewezen, in plaats van naar een stoel te wuiven, als hij naar me had gekeken toen ik binnenkwam. 'O. De wereldverbeteraarster. Wat Billy u ook mag vertellen, de onderneming heeft geen belangstelling voor uw kinderopvangproject.'

'Basketbal.'

'Wat?'

'Het is basketbal, geen kinderopvang, wat bewijst dat u het voorstel niet echt hebt bestudeerd. Ik zal u een nieuw overzicht sturen, met de cijfers.' Ik sloeg mijn handen om de rand van zijn bureau en schonk hem de vrome glimlach van een overtuigde wereldverbeteraarster.

'Wat het ook is, we zullen het niet steunen.' Hij keek op zijn horloge. 'U hebt geen afspraak. Hoe bent u trouwens binnengekomen? Niemand bij het hek heeft gebeld om...'

'Klopt. Ik snap dat het moeilijk voor u is om op schema te blijven nu Billy er niet meer is. Waarom is hij eigenlijk weggelopen? Hij is hierheen gekomen, na...' Plotseling herinnerde ik me het gesprek dat ik met Billy had gehad na de dienst van zondag. 'O, natuurlijk. U hebt hem verlinkt bij zijn vader; u hebt gemeld dat u hem met Josie Dorrado had gezien en Billy is hierheen gekomen om u daarop aan te spreken. U zei een paar minuten geleden dat u Billy maandag niet hebt gezien. Heeft hij dan zondag met u gepraat? Komt u op zondagmiddag naar uw werk? Hebt u dat aan meneer William verteld?'

Grobian schoof heen en weer in zijn stoel. 'Ik zie niet in wat u dat aangaat.'

'Naast een wereldverbeterende basketbalcoach ben ik ook een van de detectives die de familie heeft ingehuurd om naar Billy te zoeken. Als uw gesprek met hem de directe aanleiding tot zijn verdwijning was, zal de familie dat graag willen weten.'

Hij keek me onderzoekend aan: ik zou het vertrouwen kunnen hebben van meneer William, of zelfs van Buffalo Bill... of ik zou een oplichtster kunnen zijn. Voordat hij vragen kon gaan stellen, vervolgde ik: 'Meneer William en ik hebben elkaar net even gesproken in de gang. Ik ben de detective die onlangs Billy's Miata heeft gevonden, in het struikgewas onder de Skyway.'

'Ja, maar Billy zat niet achter het stuur toen de auto van de weg raakte.'

'Is dat zo, meneer Grobian?' Ik leunde achterover in de stoel, zodat ik zijn gezicht beter kon zien. 'Hoe weet u dat precies?'

'Dat heeft de politie me verteld.'

Ik schudde mijn hoofd. 'Dat denk ik niet. Ik zal inspecteur Rawlings van het Fourth District bellen om het te controleren, maar toen ik hem gisteren zag, wisten ze nog niet wie er achter het stuur had gezeten.'

'Dan waren het zeker geruchten op de werkvloer.' Zijn fletse ogen gingen naar de deur en weer terug. 'De truckers kletsen allemaal over elkaar. Het was beter geweest als ze tegen me hadden gepraat over Czernin voordat hij stierf, in plaats van daarna.'

'U bedoelt?'

'Ik bedoel die Engelse dame die Czernin neukte.' Hij keek me aan om te zien of grof taalgebruik een wereldverbeterende detective zou choqueren, maar ik bleef beleefd en belangstellend kijken. 'Ik heb gehoord dat zij in de auto zat, niet Billy, en niemand weet hoe ze aan die auto was gekomen.'

'Aha,' zei ik langzaam. 'Dus u was niet van haar bestaan op de hoogte totdat ze gisterochtend naast Bron op het golfterrein bleek te liggen?'

'Als ik dat wel was geweest, had Bron maandag al bij het arbeidsbureau gezeten. Overtredingen van de voorschriften worden niet getolereerd, en buitenstaanders in de cabine laten is taboe bij By-Smart.'

'Maar als ze in Billy's Miata zat, zat ze niet bij Czernin in de cabine.'

'Czernin ging...' Hij onderbrak zichzelf. 'Hij reed al twee weken met haar door de buurt rond, hoorde ik van de mannen toen ik hun vertelde wat er met hem was gebeurd.'

'U vertelt me dat Marcena Love in Billy's Miata zat en ook dat ze in Brons cabine heeft gezeten,' zei ik. 'Maar de truck en de auto waren niet op dezelfde plek, dus dan reed Bron die avond zeker voor By-Smart?'

Hij keek me onbewogen aan. 'Hij is om zestien uur tweeëntwintig met een volle wagen vertrokken. Hij heeft zijn eerste lading om zeventien uur zeventien in Hammond afgeleverd. Met zijn volgende lading kwam hij dertien minuten te laat in Merrill aan, en met zijn derde tweeëntwintig minuten te laat in Crown Point. Toen was het tweeëntwintig uur acht, en daarna hebben we niets meer van hem vernomen. Zo, als dat alles was...'

'Dat was niet alles, maar het is interessant dat u die tijden zo precies weet. Waar hebben Bron en u maandagmiddag ruzie over gemaakt?'

'Dat hebben we niet.'

'Iedereen heeft jullie horen schreeuwen,' zei ik. 'Hij dacht dat u hem zou helpen de ziekenhuisrekeningen voor zijn dochter te betalen.'

'Als u dat al wist, waarom vroeg u het dan?' Zijn toon was strijdlustig, maar zijn blik was behoedzaam.

'Ik zou graag uw versie willen horen.'

Hij keek me een tijdje aandachtig aan en zei toen: 'Ik heb geen versie. Truckers zijn ruw volk. Je kunt geen leiding aan ze geven als je niet bereid bent vol tegen ze in te gaan, en Czernin was in dat opzicht de ergste. Overal moest strijd over worden geleverd, over zijn uren, zijn routes, zijn overwerk. Hij vond dat de wereld in zijn levensonderhoud moest voorzien en ruziemaken was voor hem een alledaagse aangelegenheid.'

'Ik heb Bron altijd gezien als een versierder, niet als ruziezoeker, en ik ken hem al sinds de middelbare school,' wierp ik tegen. 'Als hij zo onhebbelijk was, waarom hebt u hem dan zevenentwintig jaar in dienst gehouden?'

Grobian vertrok zijn mond tot een akelige, wellustige grijns. 'Ja, de vrouwtjes, jullie zagen allemaal de minnaar in hem, maar op het werk kregen we zijn agressieve kant te zien. Alleen was er niemand beter achter het stuur dan hij... als hij zijn gedachten bij zijn werk hield. Nooit een ongeluk gehad, in al die jaren niet.'

'Om nog even terug te komen op zijn poging om By-Smarts hulp in te roepen in verband met de medische kosten voor zijn dochter...'

'Dat is niet ter sprake gekomen,' beet hij me toe.

'Hm. Ik heb een getuige die heeft gehoord dat u Czernin beloofde het te bespreken...'

'Wie is dat?' wilde Grobian weten.

'Iemand die bescherming geniet als getuige.' Ik grijnsde gemeen. 'Deze persoon zei dat Bron een document had, een puur zakelijke aangelegenheid, piekfijn in orde, waaruit bleek dat u had beloofd te helpen bij de medische zorg voor April.'

Hij bleef een tijdje roerloos zitten. Het licht weerkaatste in zijn bril, dus ik kon zijn ogen niet zien. Was hij geschrokken of zat hij alleen maar na te denken?

'Uw getuige heeft u het document dus laten zien?' zei hij uiteindelijk. 'Dan weet u dat ik niets heb getekend.'

'Dus u bevestigt dat er een document was? Alleen hebt u dat niet getekend?'

'Ik bevestig helemaal niets! Als u het hebt, wil ik het zien; ik wil weten wie er praatjes over mij uit zijn duim zuigt.'

'Niemand zuigt iets uit zijn duim, Grobian. Behalve u misschien, met uw verhaaltjes over hoe u wist dat Billy niet achter het stuur van zijn auto zat en hoe Bron en u niet echt ruzie hadden. Bron is vlak na die ruzie met u gestorven. Is dat toeval?'

Boven zijn rechteroog trok een spiertje. 'Als u dat nog eens zegt, mag u het tegenover de rechter herhalen. U hebt geen enkel bewijs, helemaal niets. U bent aan het vissen zonder wormen.'

Zijn telefoon rinkelde en hij griste de hoorn van de haak. 'Ja?' Hij keek weer op zijn horloge. 'Die verdomde rotlatino is zesentwintig minuten te laat. Dan kan hij zich nou ook nog wel vijf minuten gedeisd houden... En u,' – hij hing op en keek mij aan – 'wij zijn uitgepraat.'

'Geen wonder dat u de ideale manager bent om de routes van de vrachtwagens te bepalen: u bent net een pratende klok. Uw zogenaamde rotlatino is zesentwintig minuten te laat, geen halfuur, en Bron was tweeëntwintig minuten achter op schema. De familie zal u nooit promotie geven, want u bent de perfecte kantoorklerk voor hen.'

Hij sprong op uit zijn stoel en torende boven me uit, furieus maar ook bang; ik had zijn grootste angst onder woorden gebracht. 'De Bysens vertrouwen me,' riep hij uit. 'Ik geloof helemaal niet dat ze u hebben ingehuurd. Bewijs het maar.'

Ik lachte. 'Zullen we meneer William dan bellen? Of wilt u er eerst iets op inzetten... honderd dollar, bijvoorbeeld?'

Hij was zo opgewonden dat hij bijna toehapte. Ik stelde me al voor dat ik kon gaan dineren bij The Filigree of eenderde van mijn telefoonrekening kon betalen. Maar op het laatste ogenblik hervond hij zijn zelfbeheersing en zei me dat hij geen tijd had voor dit soort geouwehoer en dat ik moest vertrekken. Ogenblikkelijk.

Ik stond op. 'Waar hebben jullie trouwens Brons vrachtwagen teruggevonden? Hij stond niet in de buurt van de Miata onder de Skyway, en zeker niet bij de plek waar ik Brons lichaam heb gevonden.'

'Wat gaat u dat aan?'

'Bron reed in zijn truck en Marcena zat volgens u alleen in de Miata. Dat betekent dat er in de truck waarschijnlijk sporen te vinden zijn waaruit blijkt wie hem heeft aangevallen of op welke manier. Het lijkt me vrij moeilijk om een vrachtwagen kwijt te raken, hoewel niet volkomen onmogelijk.'

'Als we hem vinden, ben jij de eerste die het hoort, Poolse trut, maar niet heus. Kom op, tijd om op te stappen.'

Hij stak de arm met de opbollende marinetatoeage onder mijn elleboog en trok me overeind. Het was een beetje eng dat hij me zo makkelijk kon verplaatsen, maar ik probeerde niet me te verzetten. Ik had mijn kracht nodig voor belangrijker gevechten.

Toen we voor de gangpaden vol handelswaar stonden, onder de klepperende transportbanden, zei hij in een microfoontje op zijn revers: 'Jordan? Ik heb hier een meisje dat onaangekondigd in het magazijn is opgedoken. Ze gaat nu op weg naar de hoofduitgang. Zorg ervoor dat ze die vindt, oké? Rode parka, geelbruine veiligheidshelm.'

Hem vertellen dat ik een vrouw was, geen meisje, zou een vermoeiende woordenwisseling opleveren die me niet verder zou helpen dan wanneer ik met hem op de vuist zou gaan, besloot ik. Toen hij me met zijn handen in zijn zij toebeet dat ik moest opschieten, begon ik dat oude liedje van Jerry Williams te zingen: '*I'm a woman, not a girl – I want a real man*,' maar ik treuzelde niet.

Ik weigerde achterom te kijken om te zien of Grobian me nakeek en liep met grote passen en mijn neus in de lucht het eerste gangpad in. Ik vroeg me af hoe hij zou weten of ik echt naar buiten was gegaan, maar toen ik door de gangpaden vol spullen liep, onder de transportbanden door die de spullen verplaatsten, langs de medewerkers in rode jasschorten met 'Be Smart, By-Smart' erop, die alles opstapelden, van kratten wijn van By-Smarts huismerk tot aan grote dozen met kerstversiering, zag ik de videocamera's op elke hoek. Vrouw in rode parka en geelbruine veiligheidshelm, voor iedereen duidelijk zichtbaar. Terwijl ik me een weg zocht door de doolhof van gangpaden, vorkheftrucks en dozen, galmden de luidsprekers onophoudelijk: 'heftruck naar A42N'; 'dozen gescheurd in B33E'; 'assistentie naar laadplatform 213'. Als ik zou omkeren, stelde ik me voor dat ze zouden galmen: 'Vrouw in rode parka ontsnapt, direct onschadelijk maken.'

Tussen de wijn en de kerstversiering in dook ik razendsnel weg achter een vorkheftruck die tot drie meter hoog beladen was met dozen en trok mijn parka uit. Ik vouwde hem binnenstebuiten en hing hem over mijn arm, zodat ik mijn helm eronder kon verbergen. Achter op de vorkheftruck lag een helm van By-Smart die de chauffeur niet gebruikte, ondanks alle borden met de vermaning: 'Maak de werkplek een veilige plek'.

Ik zette hem op, verstopte de parka achter een kist met hoogtezonnen en liep terug naar de gang met de kantoren. Grobian had een afspraak met een Mexicaan en hij wilde niet dat ik wist wie het was. Dat betekende... dat ik dat ging uitzoeken.

Grobians deur was dicht, en iemand met de attributen van een bewakingsbeambte van By-Smart – inclusief taser en kogelvrij vest – stond ervoor op wacht. Ik deinsde achteruit de kamer in waar de printers en faxapparaten stonden. Door het lawaai van de machines kon ik niet horen wat er gebeurde, dus na een paar minuten gluurde ik weer naar buiten. Grobians deur ging net open. Ik trok mijn hoofd terug en liep door de gang naar de kantine. Vanuit de schaduw van de deuropening zag ik hoe Grobian een bewaker riep om zijn bezoeker terug te brengen door het magazijn.

Ik hoefde hem niet van dichtbij te zien om de chavo te herkennen die ik twee weken geleden bij Fly the Flag had gezien. Hetzelfde dikke, donkere haar, de smalle heupen en het camouflagejack. Freddy. Hij had met pastor Andrés gepraat, daarna met Bron en nu met Grobian. Ze bleven staan praten terwijl ze op de bewaker wachtten. Ik ving genoeg op om te horen dat ze Spaans spraken, Grobian net zo snel en vloeiend als Freddy. Maar waar hadden ze het over?

36 Weer eens de deur gewezen

De hoop die ik had om Freddy te onderscheppen werd de bodem in geslagen door het veiligheidspersoneel. Tegen de tijd dat ik terug was geglipt naar de hoogtezonnen om mijn parka en mijn eigen helm op te halen en de voordeur uit stapte, hadden de bewakers Freddy al naar een pick-up gebracht, een Dodge, en was hij vertrokken. Toen ik op een sukkeldrafje naar buiten kwam, was ik nog net op tijd om de achterlichten te zien verdwijnen. Ik had ook nog een minuut verloren doordat ik de vrouwelijke bewakingsbeambte bij de ingang te woord moest staan.

'Bent u de detective? Mag ik uw legitimatiebewijs zien? We hebben u een paar minuten uit het oog verloren, binnen, dus ik moet u fouilleren.'

'Om te controleren of ik zeepbakjes heb meegenomen?' vroeg ik, maar ik liet haar haar gang gaan en gunde haar een blik in mijn schoudertas. Gelukkig had ik besloten de By-Smart-helm achter te laten, hoewel ik in de verleiding was geweest die te houden; je wist tenslotte nooit wanneer ik hier weer eens terug zou willen komen.

Ik zag maar een glimp van het nummerbord van de Dodge – de eerste letters waren 'v b c' – maar ik dacht dat het dezelfde pick-up was die voor de flat van de Dorrado's had gestaan toen ik voor het eerst bij Josie thuis kwam. Was dat nog maar twee weken geleden? Het leek me eerder twee jaar, in elk geval ergens in het grijze verleden. De luidsprekers in de laadbak die de buurt hadden doen schudden met hun bastonen... Josie had iets geblèrd naar de jongens in de pick-up, iets belangrijks, dacht ik nu, maar het wilde me niet te binnen schieten.

Ik ploeterde langzaam over de oprit naar 103rd Street, steeds opzij stappend voor de vrachtwagens en personenauto's die door de diepe voren hobbelden. Toen ik weer in mijn eigen auto zat, trok ik mijn parka uit en zette de verwarming aan. Met de *Goldberg-variaties* door David Schrader in mijn cd-speler leunde ik achterover in mijn stoel en probeerde alles op een rijtje te zetten wat ik die middag had gehoord. Het document dat Bron volgens April had gehad en dat bewees dat Grobian had beloofd te dokken voor haar medische behandeling. De Bysens waren op zoek naar Billy omdat hij ervandoor was met een document. Ging het om hetzelfde stuk? Wat was het? Had de ruzie tussen Bron Czernin en Patrick Grobian hierover tot de dood van de eerste geleid?

Dan was er de verklaring die pastor Andrés had gegeven voor zijn gesprekken met Frank Zamar bij Fly the Flag. Het klonk tamelijk overtuigend dat hij er bij Zamar op had aangedrongen terug te gaan naar Jacqui Bysen om haar te vertellen dat hij voor die prijs geen lakens kon maken. Zamar moest wel wat lakens voor de buurt hebben gemaakt, want April en Josie hadden ze allebei via hun kerk gekocht. Had dat de Bysens zo kwaad gemaakt dat ze zijn fabriek hadden opgeblazen? Tenslotte had Jacqui gezegd: 'We herzien nooit, maar dan ook nooit een contract. Dat is de eerste wet van papa Bysen.'

Misschien hadden Bron en Marcena, terwijl ze in een zijstraatje aan het rotzooien waren, gezien dat Jacqui en William of Grobian de constructie aanbrachten waardoor Fly the Flag in brand was gevlogen en waren ze mishandeld om te voorkomen dat ze erover zouden praten. Maar dat was niet logisch, want de dag nadat de fabriek was afgebrand, had Marcena Conrad gesproken. Als ze iemand brand had zien stichten, zou ze hem dat hebben verteld. Tenminste, dat leek me wel... Wat kon ze ermee winnen door dergelijke informatie voor zich te houden?

Jacqui's grijns toen ze zei dat ik op een dood spoor zou zitten als ik in de richting van die lakens ging zoeken, betekende dat ze in elk geval wist dat Zamar ze had gemaakt. Toch waren ze ervan uitgegaan dat ze een overeenkomst met Zamar hadden, want ze zei dat ze vijf dagen achterop waren geraakt door zijn dood.

En hoe zat het met Freddy, Julia's... nou ja, niet haar vriendje, maar de jongen die haar zwanger had gemaakt? Ik wilde die chavo spreken, maar ik wist niet precies waar ik hem zou kunnen vinden. Misschien zou hij bij Julia langsgaan, of bij de pastor, of... Ik besefte dat ik niet eens wist wat zijn achternaam was, laat staan waar hij woonde. Hoe dan ook, het leek me essentieel en misschien wel spoedeisend om Billy te vinden, voordat Carnifice dat deed.

Ik sloot mijn ogen en luisterde naar de muziek. De *Goldbergvariaties* waren zo nauwkeurig, zo volledig uitgebalanceerd, en toch zo klankrijk dat er een rilling over mijn rug liep. Had Bach ooit alleen in het donker gezeten en zich afgevraagd of hij wel goed genoeg was in zijn werk, of ontstond zijn muziek zo moeiteloos dat hij nooit een ogenblik van twijfel had gekend?

Ten slotte ging ik rechtop zitten en startte de auto. Hoewel ik twee straten bij de Dan Ryan Expressway vandaan was, dacht ik niet dat ik al dat vrachtwagenverkeer die avond nog aankon. Ik stak de Calumet weer over en reed Route 41 op. Dat is hier een slingerweg met ernaast dezelfde braakliggende terreinen en fastfoodtenten van de South Side als overal, maar hij volgt de kustlijn van het Michiganmeer en is rustiger dan de snelweg.

Terwijl ik naar het noorden reed, dacht ik na over een strategie om de Bysens aan te pakken, maar er kwam niets bij me op. Ik kon me voorstellen dat ik de grijns van Jacqui Bysens gezicht zou timmeren of er op wat voor manier dan ook in zou slagen Patrick Grobian tegen de grond te slaan, maar ik kon geen manier bedenken om hen allemaal te dwingen de waarheid te spreken.

Ik kwam langs de hoek waar ik meestal afsloeg om bij Mary Ann langs te gaan. Het was bijna een week geleden dat ik bij haar was geweest en ik voelde me schuldig dat ik doorreed. 'Morgen,' zei ik hardop, morgen, na de training en na de pizza's die ik het team had beloofd.

Ik had het knagende gevoel dat er nog iets was wat ik had kunnen doen toen ik in Zuid-Chicago was, maar ik gaf mijn pogingen erover na te denken op, ik gaf de hele South Side op. Ik trakteerde mezelf op een cd met oude diva's en zong mee met Rosa Ponselle in '*Tu che invoco*', een favoriete concertaria van mijn moeder.

Hoewel ik eerst bij mijn eigen huis langsging om de honden uit te laten en een fles wijn mee te nemen, slaagde ik er toch in om al om zes uur bij Morrell te zijn. Het was een heerlijk gevoel om een vrije avond voor me te hebben. Morrell had beloofd te koken. We zouden luieren voor de open haard en ons niet van de wijs laten brengen door de inbraak of Marcena's toestand. Misschien konden we zelfs marshmallows roosteren.

Mijn romantische fantasieën gingen in rook op toen ik bij Morrell aankwam: zijn uitgever was overgekomen uit New York om bij Marcena op bezoek te gaan. Toen Don Strzepek en Morrell elkaar in het Peace Corps hadden ontmoet, was Marcena er ook bij geweest, een studente die de wereld rondreisde en gevaarlijke plekken opzocht met het idee daar een boek over te schrijven. Kennelijk had Morrell Don de dag ervoor gebeld om hem te vertellen over Marcena's verwondingen, en Don wilde haar zelf zien. Hij was tien minuten geleden aangekomen.

'Het spijt me dat ik je dat niet heb laten weten, lieverd.' Morrell klonk niet erg berouwvol.

Don gaf me een kus op mijn wang. 'Je weet wat ze zeggen: vergeving is makkelijker te krijgen dan toestemming.'

Ik dwong mezelf te lachen. Don en ik waren een paar jaar geleden met elkaar in aanvaring gekomen, en we benaderen elkaar nog steeds behoedzaam.

Morrell en hij zouden meteen na het eten naar Cook County rijden, hoewel Morrell die middag nog in het ziekenhuis was geweest. Marcena lag nog steeds in coma, maar de artsen vonden haar toestand hoopgevend en dachten dat ze haar misschien in het weekend wakker konden laten worden.

'Waar zijn haar ouders?' vroeg Don.

'Ik heb gebeld,' zei Morrell. 'Ze zijn op vakantie in India. Haar vaders secretaresse heeft beloofd ze op te sporen. Ze komen vast onmiddellijk hierheen als ze het nieuws horen.'

Ik was blij te horen dat Marcena's toestand goed was. 'Heeft niemand je lastiggevallen toen je buiten was?' vroeg ik Morrell.

'Lastiggevallen?' vroeg Don.

Morrell vertelde over de inbraak en de diefstal van Marcena's laptop. 'Het is maar goed dat jij hier logeert, Strzepek, want we kunnen wel iemand gebruiken die gezond van lijf en leden is.'

'Vic kan tweemaal haar gewicht in aanstormende neushoorns aan,' zei Don.

'Als ze honderd procent is; ze heeft de laatste tijd zelf ook een paar beschadigingen opgelopen.'

Ze maakten er nog een paar grapjes over – Don is een slungelige vent, een zware roker, die er niet uitziet alsof hij zijn eigen gewicht in kussens aan kan – en toen zei Morrell ernstig: 'Ik geloof wel dat ik vanmiddag gevolgd werd. Ik moest natuurlijk een taxi naar het ziekenhuis nemen en de chauffeur zei dat dezelfde groene LeSabre al achter ons reed sinds we uit Evanston waren vertrokken.'

Hij produceerde een gespannen, ongelukkig glimlachje. 'Misschien had ik er zelf op moeten letten, maar als je niet achter het stuur zit, vergeet je om in de achteruitkijkspiegel te kijken. Op de terugweg heb ik wel opgelet en ik geloof wel dat er iemand was, in een andere auto... Ik kon het model niet thuisbrengen, misschien een Toyota, maar toen ik mijn voordeur binnenstapte, gingen ze ervandoor.'

'Maar dat is niet logisch,' wierp ik tegen. 'Tenzij... Ze zouden natuurlijk een afluisterapparaatje geplaatst kunnen hebben, zodat ze weten wanneer je weggaat en wat je zegt als je hier bent.'

Hij keek geschrokken en daarna boos. 'Hoe durven ze? En wie zíjn "ze" trouwens?'

'Ik weet het niet. De politie? Carnifice Security, om erachter te komen of wij weten waar Billy is?' Ik dempte mijn stem, voor het geval dat, en fluisterde: 'Ben je iets wijzer geworden van de buren?'

'Mevrouw Jamison heeft een vreemde man het gebouw zien binnengaan toen ze Tosca uitliet. Dat was om een uur of zes vanochtend.' Tosca was de Sealyham terriër van mevrouw Jamison. 'Een goed geklede blanke man van vijfendertig, veertig jaar oud. Ze had aangenomen dat het een vriend van me was omdat hij een sleutel had die op het slot paste.'

Morrell fungeert zo ongeveer als een hotel voor zijn reislustige journalistenvrienden. Marcena was niet de eerste met wie ik zijn tijd en ruimte moest delen. Nog een reden om reserves te hebben over samenwonen. Afgezien van het feit dat het een zonde was, natuurlijk, bedacht ik toen ik me de strenge waarschuwingen van pastor Andrés aan het adres van Josie en Billy herinnerde.

Morrell was nog aan het speculeren over wie er een voordeursleutel van zijn appartement kon hebben, maar ik viel hem in de rede en zei dat er gewoon te veel mogelijkheden waren. 'Je huismeester, de makelaar, een van je oude vrienden. Misschien zelfs Don hier, als hij ergens in zijn klerenkast een geperst pak heeft hangen. Maar zonder gekheid, die vent had waarschijnlijk een of ander instrument waarvan mevrouw Jamison niet heeft gezien dat hij het gebruikte, een geavanceerde elektronische loper. Zo'n ding kan ik niet betalen, maar een onderneming als Carnifice verloot ze waarschijnlijk op de jaarlijkse bedrijfspicknick. De FBI heeft ze ook, en... nou ja, elke grote organisatie. De echte vraag is waarom ze niets doen, behalve toekijken. Misschien wachten ze af tot wij hebben ontdekt wat Marcena wist. Als we iets gaan ondernemen, bewijst dat voor hen misschien dat we inmiddels weten wat zij wist en mogelijk komen ze dan in actie.'

'Victoria, ik kan die logica absoluut niet volgen,' zei Morrell. 'Laten we het maar even uit onze gedachten zetten en aan tafel gaan.'

Hij had een stoofpot gemaakt die hij in Afghanistan had leren koken, met kip, rozijnen, koriander en yoghurt, en het lukte ons aardig om al onze conflicten en zorgen gedurende het eten te vergeten. Ik deed mijn best me er niet aan te ergeren dat Don het meest van de Torgiano dronk; het is een rode wijn uit de Italiaanse heuvels waar mijn moeder is opgegroeid, en die is moeilijk te vinden in Chicago. Als ik had geweten dat Don hier zou zijn om hem op te zuipen, had ik wel iets Frans meegenomen wat makkelijker te vervangen was.

Don en Morrell vertrokken meteen nadat ze de afwas hadden gedaan. Ik probeerde belangstelling op te brengen voor een roman, maar door een restant aan vermoeidheid of door ongerustheid over wat er gebeurde, misschien zelfs jaloezie, kon ik me niet concentreren. Bij de tv lukte het nog slechter.

Ik ijsbeerde rusteloos heen en weer en bedacht net dat ik me in mijn eigen huis meer op mijn gemak zou voelen, toen mijn mobieltje ging. Het was meneer William.

'Hé, hallo,' zei ik vriendelijk, alsof hij voor de gezelligheid belde.

'Hebt u Grobian verteld dat de familie u heeft ingehuurd?' Hij viel met de deur in huis.

'Ik wilde niet liegen. En dat heb ik ook niet gedaan. U hebt me twee weken geleden ingehuurd.'

'En ontslagen!'

'Kom nou, meneer Bysen; ik heb de opdracht afgewezen. Ik heb u een aangetekende brief gestuurd en u hebt me gesmeekt naar Billy te blijven zoeken. Toen ik nee zei, hebt u mijn vrienden van Carnifice ingehuurd.'

'Hoe het ook zij...'

'Zó is het!' zei ik vinnig, alle vriendelijkheid vergetend.

'Hoe het ook zij,' herhaalde hij alsof ik niets had gezegd, 'we moeten u spreken. Mijn vrouw en mijn moeder staan erop erbij aanwezig te zijn als er over Billy wordt gepraat, dus u moet onmiddellijk naar Barrington Hills komen.'

'Jullie zijn echt ongelooflijk,' zei ik. 'Als jullie me zo dringend moeten spreken, kunnen jullie morgenochtend naar mijn kantoor komen. Alle tien. Neem de butler ook maar mee, het maakt mij niet uit.'

'Dat is een idioot idee,' zei hij koel. 'We hebben een zaak draaiende te houden. Vanavond is het enige moment...'

'U bent te veel gewend geraakt aan vrouwen die weinig om handen hebben, Bysen. Ik heb ook een zaak draaiende te houden. En een leven te leiden. Ik hoef u niet gunstig te stemmen om mijn zaken voort te kunnen zetten, dus ik hoef niet op te komen draven als u weer eens op een rare tijd van de dag of de nacht iets in uw hoofd krijgt.'

Ik hoorde wat geagiteerd overleg op de achtergrond en toen kwam er een vrouw aan de lijn. 'Mevrouw Warashki? U spreekt met mevrouw Bysen. We zijn allemaal zo ongerust over Billy dat we er niet altijd aan denken ons op de juiste manier uit te drukken, maar ik hoop dat u dat door de vingers kunt zien en hierheen komt om met ons te praten. Dat zou ik echt zeer, zeer op prijs stellen.'

Alle Bysens tegelijk spreken in plaats van rusteloos door Morrells appartement te ijsberen? In Barrington Hills zou ik in elk geval wat beleven.

Het waren vijftig lange kilometers van Morrells huis naar het wooncomplex van de Bysens. Er gaat geen snelweg door de North Shore, dus ik moest over kleinere wegen rijden. Het voordeel van dat soort wegen is dat gemakkelijker te zien is of je wordt gevolgd. Eerst dacht ik van niet, maar toen ik een kilometer of zes had gereden, besefte ik dat ze verschillende auto's gebruikten, die elkaar om de paar straten afwisselden. Tenzij ze me wilden vermoorden, waren ze voornamelijk irritant, maar ik probeerde toch ze af te schudden door een paar keer de hoofdweg te verlaten en een voorstedelijke doolhof in te rijden. Elke keer was ik ongeveer een kilometer lang alleen en daarna doken ze weer op. Tegen de tijd dat ik in Barrington Hills afsloeg van Dundee Road, realiseerde ik me dat het er niet toe deed. Als het de mensen van Carnifice waren, die voor de Bysens werkten, hadden ze een hoop energie verspild door me naar het thuishonk te volgen.

In Barrington Hills deed men niet aan straatverlichting. Het was een soort groot privénatuurpark, met meren en kronkelende landweggetjes. Op deze maanloze avond was het extra moeilijk de weg te vinden, aangezien ik vanwege mijn achtervolgers niet uit mijn auto wilde stappen om naar straatnamen te zoeken. Gespannen hield ik stil bij het hek van het complex. De auto die voor me had gereden, reed verder, maar de auto achter me bleef langs de kant van de weg staan, net uit het zicht van de wachtpost.

Er stond een hoge, ijzeren omheining om het landgoed, aan de voorkant afgesloten met een rolhek. Ik liep direct naar de wachtpost, vertelde de man dat ik een detective was en zei dat de oude meneer Bysen met me had gesproken over zijn vermiste kleinzoon en wilde dat ik persoonlijk verslag aan hem uitbracht. De man belde naar het huizencomplex, sprak met diverse mensen en zei uiteindelijk op verbaasde toon dat meneer Bysen me inderdaad wenste te spreken. Hij vertelde waar ik het huis van Buffalo Bill kon vinden – niet dat hij de oude man zo noemde – en opende het ijzeren hek voor me.

In Barrington Hills liggen verschillende natuurlijke, niet door mensen aangelegde meren, en de huizen van de Bysens lagen rond een meer dat groot genoeg was om te kunnen bogen op een jachthaventje en wat zeilboten. Afgezien van drie van de vier zonen en een van de dochters, hun gezinnen en Buffalo Bill zelf, was uit mijn research gebleken dat ook Linus Rankin, de juridisch adviseur, en twee andere topfunctionarissen van de onderneming een huis op het terrein hadden.

Langs de weg stonden een paar bescheiden lantaarns, zodat de families in het donker hun huis konden vinden. Zelfs bij deze schaarse verlichting kon ik zien dat de huizen gigantisch waren, alsof iedereen voldoende ruimte nodig had om een cruiseschip te herbergen, mocht er een vergaan op het meer.

Halverwege het meer, min of meer recht tegenover de wachtpost, stond het grote huis van Buffalo Bill. Ik reed een rondlopende oprijlaan op, verlicht door een rij koetslantaarns. Er stonden een Hummer en twee sportwagens langs de oprit geparkeerd. Ik zette mijn auto achter de andere, stapte een lage tree op en belde aan.

Een butler in jacquet opende de deur. 'De familie drinkt koffie in de zitkamer. Ik zal u aankondigen.'

Hij ging me voor door een lange gang in een tempo dat zo beschaafd was dat ik genoeg tijd had om om me heen te kijken. De gang leek het huis in tweeën te delen en aan weerszijden lagen salons, een serre, een muziekkamer en wie weet wat nog meer. Dezelfde zachte gouden tinten die ik in het hoofdkantoor had gezien domineerden de aankleding hier. Wij zijn rijk, verkondigde het behang van geborduurde zijde, alles wat we aanraken verandert in goud.

Meneer William kwam me in de gang tegemoet. Mijn pogingen over koetjes en kalfjes te praten, mijn bewonderende woorden over de muziekkamer en de Hollandse meesters aan een van de muren en mijn opmerking over de tijd die het moest kosten om te forenzen tussen hier en Zuid-Chicago leidden er alleen toe dat hij zijn lippen zo hard op elkaar perste dat ze op ronde zilveruitjes leken.

'U zou trompet moeten gaan spelen, zoals u steeds uw lippen op elkaar perst,' zei ik. 'Daar krijg je een sterke embouchure van. Of misschien bespeelt u al een van die leuke By-Smart-trompetten van twintig dollar, met lessen op cd.'

'Ja, in alle rapporten die we over u hebben laten maken staat dat u denkt grappig te zijn en dat dat een handicap is in uw bedrijfstak,' zei meneer William koel.

'Goh, hebt u geld van By-Smart uitgegeven om rapporten over mij te laten maken? Nu voel ik me wel heel belangrijk.' Ik hoorde mijn stem een half octaaf omhooggaan, mijn cheerleadergekwetter.

Voordat onze spitsvondige woordenwisseling uit de hand kon lopen, kwam de persoonlijk assistente van de Buffalo, Mildred, door de gang naar ons toe klikklakken op hooggehakte pumps van krokodillenleer. Dus ze week echt nooit van Buffalo Bills zijde. Wat vond mevrouw Bysen ervan dat de persoonlijk assistente van haar man niet alleen op zijn werk maar ook thuis met hem samenleefde?

'Meneer Bysen en meneer William zullen in de studeerkamer van meneer Bysen met deze dame praten, Sneedham,' zei ze tegen de butler, terwijl ze vermeed mij aan te kijken.

Mevrouw Bysen dook op uit een zijkamer en kwam naast Mildred staan. Haar grijze krullen waren net zo keurig gekapt als zondag in de kerk en haar groene zijden jurk was zo glad alsof onzichtbare handen hem streken na elke keer dat ze was gaan zitten.

Maar onder die formele buitenkant zag ik op haar gezicht dezelfde zachtaardigheid die me zondag was opgevallen... behalve dat ze in haar eigen huis een zelfverzekerdheid had die ze bij de dienst in de Mount Ararat-kerk had ontbeerd.

'Dank je, Mildred, maar als Bill met een detective over mijn kleinzoon gaat praten, wil ik daarbij zijn. En Annie Lisa wil misschien ook wel horen wat ze te melden heeft.' Ze klonk een beetje aarzelend, alsof Annie Lisa eigenlijk niet nuchter genoeg of misschien niet geïnteresseerd genoeg was om onze bespreking bij te wonen.

'Bill had me niet verteld dat hij zaken deed met vrouwelijke detectives, maar een vrouw zal mijn kleinzoon misschien beter begrijpen dan die mensen van dat bedrijf die hier gisteren zijn geweest. Hebt u nieuws over Billy?' Ze keek me resoluut aan; ze mocht dan zachtaardig zijn, ze wist wat ze wilde en hoe ze dat duidelijk moest maken.

'Ik vrees dat ik geen nieuws heb, mevrouw, of alleen in negatieve zin: ik weet dat hij niet bij pastor Andrés is, en ook niet bij de beste vriendin van Josie Dorrado, en ik weet dat Josies familie ziek van angst is. Ze hebben geen idee waar die twee kunnen zijn. Misschien kunt u me helpen begrijpen waarom Billy eigenlijk is weggelopen. Als ik dat wist, zou ik hem misschien eerder kunnen vinden.'

Ze knikte. 'Sneedham, ik denk dat we Annie Lisa en Jacqui nodig hebben. Ik betwijfel of Gary en Roger iets bij te dragen hebben. Wilt u koffie, mevrouw War... Ik ben bang dat ik uw naam niet goed in mijn hoofd heb.' Ze zweeg even terwijl ik die herhaalde. 'Ja, mevrouw Warshawski. We schenken hier in huis geen alcohol, maar we kunnen u wel iets fris aanbieden.'

Ik zei dat koffie prima zou zijn, en Sneedham vertrok om de aangewezen schapen naar de kudde te drijven. Ik liep achter mevrouw Bysen aan de gang door naar waar die eindigde in een kamer met een verzonken vloer met een hoogpolig goudkleurig tapijt. Massief meubilair, geschikt voor een middeleeuws kasteel en bekleed met zwaar brokaat, gaf de kamer een gewichtige atmosfeer. Stugge overgordijnen van een bijpassend brokaat hingen voor de ramen.

Mildred was druk bezig stoelen dicht bij elkaar te trekken; geen geringe opgave, gezien hun afmetingen en de dikte van het tapijt. William maakte geen aanstalten haar te helpen. Ze was tenslotte geen echte familie, alleen de trouwste van alle vazallen.

Terwijl we op de rest van de familie wachtten, vroeg mevrouw Bysen hoe goed ik Billy kende. Ik antwoordde naar waarheid – haar gezicht leek de waarheid te eisen, in elk geval van mij – dat ik hem slechts een paar maal had ontmoet, dat hij me een fatsoenlijke, zeer serieuze en idealistische jongeman leek en dat hij haar vaak noemde als zijn belangrijkste voorbeeld. Ze keek tevreden, maar ging er verder niet op in.

Een paar minuten later kwam Jacqui binnen. Ze had zich omgekleed en droeg in plaats van haar wapperende taupe rok een zwarte jurk met een ceintuur, die tot de grond reikte. Het was geen avondjapon, gewoon een smaakvolle huisjurk van kasjmier.

Achter Jacqui kwam een andere vrouw binnen struikelen. Ze had Billy's sproeten, of hij had de hare. De kastanjebruine krullen die hij tegen zijn hoofd plakte, stonden bij haar alle kanten op, als het haar van een ongetrimde poedel. Dus dat was Annie Lisa, Billy's moeder. Een oudere vrouw, gehuld in donkerrode zijde, hield een arm om Annie Lisa geslagen terwijl ze door het hoge tapijt waadden. We werden niet aan elkaar voorgesteld, maar ik nam aan dat ze de vrouw was van de juridisch adviseur, Linus Rankin, want die kwam een paar minuten later binnen.

Ik wist uit mijn database dat Billy's moeder achtenveertig was, maar ze leek meer op een schoolmeisje, met haar onzekere, bijna veulenachtige gang. Ze keek met een verbaasd gezicht om zich heen, alsof ze niet wist waarom ze op deze planeet was, laat staan op dit specifieke stukje ervan. Toen ik door de kamer liep om haar te begroeten, kwam haar man ogenblikkelijk naast haar staan, alsof hij wilde voorkomen dat ze met me sprak. Hij pakte haar elleboog en duwde haar bijna naar een leunstoel zo ver mogelijk bij het midden van de kamer vandaan.

Toen alle anderen zaten en Sneedham slappe koffie had geserveerd, kwam Buffalo Bill binnen stampen, zijn wandelstok met de zilveren knop als skistok hanterend om zich door het diepe tapijt te duwen. Hij liep naar de zwaarste leunstoel die Mildred had verplaatst, en zij nam die links van hem. Mevrouw Bysen ging op een bank zitten en klopte op het kussen naast haar voor mij.

'Nou, jongedame? Nou? U bent mijn magazijn binnengedrongen en hebt mij en mijn bedrijf nageplozen, dus ik hoop dat u een goede verklaring hebt voor uw gedrag.' Buffalo Bill keek me dreigend aan en blies zo hard uit dat zijn wangen opbolden.

Ik leunde achterover tegen de dikke kussens, hoewel de bank zo diep was dat hij niet echt lekker zat. 'We hebben inderdaad heel wat te bespreken. Laten we beginnen bij Billy. Er is bij het bedrijf iets gebeurd wat hem zo van streek heeft gemaakt dat hij niet dacht dat hij er met iemand van de familie over kon praten. Wat was dat?'

'Het was andersom, detective,' zei meneer William. 'U was erbij op de dag dat Billy die bespottelijke voorganger had meegebracht naar ons hoofdkantoor. We zijn dagen bezig geweest de schade te herstellen...'

'Ja, ja, dat weten we nu wel.' Buffalo Bill legde zijn zoon met zijn gebruikelijke ongeduld het zwijgen op. 'Heb jij iets tegen hem gezegd, William, waardoor hij is weggelopen?'

'O, toe, vader, je doet alsof Billy net zo gevoelig is als moeders rozen. Hij vat alles te zwaar op, maar hij weet hoe we zaken doen. Na vijf maanden in het magazijn had hij alles gezien. Pas sinds hij onder de invloed van die voorganger is gekomen, is hij zich zo vreemd gaan gedragen.'

'Het ligt eigenlijk aan dat Mexicaanse meisje,' zei tante Jacqui. Ze zat met haar benen over elkaar geslagen op een geborduurde poef en de rok van haar lange jurk viel vlak boven haar knieën open. 'Hij is verliefd, of denkt dat hij dat is, en daardoor verbeeldt hij zich dat hij de wereld vanuit haar gezichtspunt ziet.'

'Hij was erg ontdaan toen hij ontdekte dat Pat Grobian van het magazijn hem had bespioneerd en verslag had uitgebracht aan u, meneer William,' zei ik. 'Hij is op zondagmiddag naar het magazijn gegaan om Grobian daarop aan te spreken. Grobian zegt te weten dat Billy maandag zijn kastje heeft leeggehaald, maar hij heeft hem toen niet gezien. U was er ook op maandag, meneer William, maar u zegt dat u uw zoon net zomin hebt gezien.'

'Wat deed je in het magazijn?' vroeg Buffalo Bill, terwijl hij zijn stierenkop liet zakken in de richting van zijn zoon. 'Dat is nieuw voor me. Heb je niet genoeg te doen zonder dat je je op Gary's territorium waagt?'

Ik haalde me het overzicht van de familie voor de geest, dat ik in de database had gezien; het kostte moeite het spoor niet bijster te raken, met al die Bysens. Gary was de man van tante Jacqui; ik vermoedde dat hij over de thuismarkt ging.

'Billy gedroeg zich de laatste tijd zo vreemd dat ik persoonlijk poolshoogte wilde nemen. Hij is mijn zoon, vader, hoewel je mijn ouderlijk gezag met zoveel genoegen ondermijnt dat...'

'William, dit is niet het juiste moment,' zei zijn moeder. 'We maken ons allemaal vreselijke zorgen over Billy en we schieten er niets mee op elkaar aan te vallen. Ik wil weten wat we kunnen doen om mevrouw Warshawski te helpen hem te vinden, omdat jouw grote bureau daar niet in is geslaagd. Ik weet dat ze zijn auto en zijn mobieltje hebben opgespoord, maar die had hij weggegeven. Weet u waarom hij dat heeft gedaan, mevrouw Warshawski?'

'Ik kan het niet met zekerheid zeggen, maar hij wist dat ze makkelijk op te sporen waren en hij was blijkbaar zeer vastbesloten te verdwijnen.'

'Denkt u dat dat Mexicaanse meisje hem heeft overgehaald weg te lopen om met haar te trouwen?' vroeg ze.

'Mevrouw, Josie Dorrado is een Amerikaans meisje. En ik ken geen enkele staat waarin het een vijftienjarige wettelijk is toegestaan te trouwen. Zelfs iemand van zestien heeft schriftelijke toestemming nodig van een ouder of voogd, en Josies moeder is ook niet enthousiast over deze relatie; ze denkt dat Billy een rijke, blanke jongen zonder verantwoordelijkheidsgevoel is, die haar dochter zwanger zal maken en aan haar lot zal overlaten.'

'Dat zou Billy nooit doen!' Mevrouw Bysen was geschokt.

'Misschien niet, mevrouw, maar mevrouw Dorrado kent uw kleinzoon niet beter dan u haar dochter kent.' Ik keek hoe haar gezicht veranderde toen deze gedachte tot haar doordrong, voordat ik me tot haar echtgenoot wendde. 'Blijkbaar heeft Billy papieren in zijn bezit of meegenomen die uw zoon heel graag wil bemachtigen. Meneer William probeerde het incident weg te lachen toen we elkaar vanmiddag spraken, maar hij is maandagavond naar de flat van de Dorrado's gegaan en heeft die doorzocht. Wat er zoek is dat...'

'Wát?' riep Buffalo Bill tegen zijn zoon. 'Is het nog niet genoeg dat de jongen verdwenen is? Beschuldig je hem nu ook nog van diefstal? Je eigen zoon? Wat is het precies dat je hebt zoekgemaakt en waar je hem nu de schuld van probeert te geven?'

'Niemand denkt dat hij iets heeft gestolen, papa Bill,' kwam Jacqui snel tussenbeide. 'Maar u weet dat het een van Billy's taken in het magazijn is de faxen te sorteren als ze binnenkomen. Kennelijk dacht hij dat bepaalde informatie van onze fabriek in Matagalpa in Nicaragua meer betekende dan het geval was, en twee weken geleden heeft hij de fax met die informatie meegenomen. We dachten dat hij hem aan de Mexicaanse voorganger wilde geven, maar niemand in Zuid-Chicago lijkt hem te hebben.'

Ze klonk zo zeker van haar zaak dat ik aannam dat ze Carnifice iedereens huis hadden laten doorzoeken en dat het niet bij de vluchtige inspectie was gebleven die William maandagavond in de flat van de Dorrado's had uitgevoerd. Dan was Carnifice waarschijnlijk die ochtend ook bij Morrell thuis geweest. Dachten ze dat Marcena de faxen uit Nicaragua had, of was er nog iets anders waarnaar ze op zoek waren?

'Meneer Bysen,' zei ik tegen Buffalo Bill, 'u weet dat Bron Czernin maandagavond is vermoord, terwijl hij aan het werk was voor...'

'Het is niet duidelijk of hij aan het werk was toen hij werd vermoord.' Meneer William keek streng.

'Wat krijgen we nou?' riep ik uit. 'Wilt u beweren dat hij maandagavond niet werkte, zodat u zijn familie hun verzekeringsuitkering kunt ontzeggen? Grobian zelf heeft een overzicht van waar Bron met zijn vrachtwagen is geweest!'

'Die vrachtwagen is verdwenen. En we weten inmiddels dat hij... rondhing met die mevrouw Love, wat betekent dat hij wat ons betreft buiten dienst was. Als de familie daar een rechtszaak over wil beginnen, kunnen ze dat proberen, maar het zal zeer onaangenaam voor zijn weduwe zijn als de details van het leven van haar man openbaar worden gemaakt.'

'Maar haar advocaat zal er niet mee zitten,' zei ik koeltjes. 'Freeman Carter zal haar vertegenwoordigen.' Freeman is mijn advocaat. Als ik me garant stelde voor zijn honorarium, zou hij misschien bereid zijn het tegen By-Smart op te nemen... Je kon nooit weten.

Linus Rankin, de juridisch adviseur, kende Freeman van naam. Hij zei dat Sandra, als ze Freeman kon betalen, het verzekeringsgeld of haar baan als caissière niet eens nodig had.

Ik voelde de woede in me opkomen als een bloedvergiftiging die vanuit mijn tenen kwam en zich razendsnel door mijn hele lichaam verspreidde. 'Waarom misgunt u Sandra Czernin het geld waar ze recht op heeft? Een kwart miljoen dollar zou nauwelijks genoeg zijn om de auto's te betalen die hier voor de deur geparkeerd staan, laat staan dit enorme landgoed. Ze moet voor haar ernstig zieke dochter zorgen, en uw bedrijf heeft haar uitgesloten van een ziektekostenverzekering door ervoor te zorgen dat ze net iets minder dan veertig uur per week bleef werken. U beweert christelijk te zijn...'

'Genoeg!' brulde Buffalo Bill. 'Ik herinner me u, jongedame, u wilde via een dwaze redenering bewijzen dat vijftigduizend dollar voor ons bedrijf niets zou betekenen, en nu denkt u dat een kwart miljoen dollar niets voor ons betekent. Ik heb gewerkt voor elke stuiver die ik heb verdiend en die mevrouw Czernin kan hetzelfde doen.'

'Ja, Bill, natuurlijk,' zei zijn vrouw. 'Maar we zullen er Billy niet eerder door vinden als we ons daar vanavond over gaan opwinden. Was er nog iets anders, mevrouw Warshawski?'

Ik nam een slok koffie, die nu behalve slap ook koud was. Ik ben geen miljardair, maar ik zou mijn bezoek nooit zoiets armzaligs voorzetten.

'Dank u, mevrouw Bysen. Marcena Love, die gisterochtend samen met Bron Czernin is gevonden, is een paar maal bij uw man op bezoek geweest. Ze werkte aan een reeks artikelen over Zuid-Chicago voor een Engelse krant. Ik wil weten wat zij en uw man bespraken, voor het geval dat ze over iets bijzonders heeft gepraat, misschien zelfs iets onwettigs, wat ze in de South Side had gezien. Dat zou kunnen verklaren waarom ze is aangevallen.'

'Wat heeft dat met Billy te maken?' vroeg mevrouw Bysen.

'Dat weet ik niet. Maar ze zat in zijn auto toen die onder de Skyway van de weg raakte. Er is dus een verband tussen die twee.'

Mevrouw Bysen wendde zich tot haar man en vroeg hem verslag uit te brengen van zijn ontmoetingen met Marcena. Maar ondanks Mildreds aansporingen leek hij te denken dat ze alleen over de Tweede Wereldoorlog en zijn illustere loopbaan bij de luchtmacht hadden gesproken.

Ik was het beu, de discussie, de Bysens, het logge meubilair, en toen mevrouw Bysen aankondigde dat we lang genoeg hadden gepraat, was ik net zo blij als haar zoon dat de avond voorbij was. William liep naar zijn vrouw om haar mee te nemen, terwijl hij korzelig tegen zijn moeder zei dat het de hoogste tijd was dat Annie Lisa naar bed ging. Jacqui volgde hen. Terwijl Mildred en Linus Rankin met Buffalo Bill beraadslaagden, vroeg ik mevrouw Bysen of hun detectives Billy's kamer hadden doorzocht.

'Zijn kamer, zijn computer, zijn boeken. Arme jongen, hij doet zo zijn best een goed christen te zijn, en dat is niet altijd makkelijk, zelfs niet als je uit een christelijke familie komt. Ik ben trots op hem, maar ik moet toegeven dat het me kwetst dat hij zich niet tot mij heeft gewend. Hij zou toch moeten weten dat ik hem zou helpen.'

'Hij is in de war,' zei ik. 'In de war en boos. Hij voelt zich op een essentieel punt verraden. Hij heeft er tegen mij niets over gezegd, maar ik vraag me af of hij denkt dat u meneer Bysen alles zou vertellen wat hij u toevertrouwde.'

Ze wilde protesteren, maar glimlachte toen flauwtjes. 'Misschien zou ik dat inderdaad doen, mevrouw Warshawski, misschien wel. Bill en ik zijn nu zestig jaar getrouwd, en als je elkaar een leven lang alles vertelt, houd je daar niet plotseling mee op. Maar ondanks al zijn harde woorden en harde zakelijke maatregelen is Bill een rechtvaardig en goed mens. Ik hoop dat Billy dat niet vergeten is.'

Ze bracht me naar de gang, waar haar zoon Gary stond met Jacqui. Toen ze hen had weggestuurd om Sneedham te zeggen dat hij me naar mijn auto moest brengen, vroeg ik of het terrein een achteruitgang had.

'De detectives van uw zoon volgen me, en als het enigszins kan ga ik liever alleen naar huis.'

Ze hield haar hoofd schuin en onder haar stijve krullen vertoonde haar gezicht een zweem van ondeugendheid. 'Ze zijn wel wat tactloos, hè, die mannen? Er is een dienstoprit achter het huis. Die komt uit op Silverwood Lane. Ik zal het slot vanuit de keuken openmaken, maar u moet uitstappen om het hek open te doen. Sluit het alstublieft achter u, dan valt het vanzelf weer in het slot.'

Toen de butler naar ons toe liep, pakte ze plotseling mijn handen tussen de hare. 'Mevrouw Warshawski, als u ook maar enig idee hebt waar mijn kleinzoon is, smeek ik u me dat te vertellen. Hij is... me zeer dierbaar. Ik heb een privételefoonnummer voor mijn kinderen en mijn man; dat kunt u gebruiken.'

Ze keek gespannen toe tot ik het nummer in mijn zakagenda had geschreven en droeg me toen over aan haar butler.

38 Primitieve kunst

Meneer William en zijn vrouw stapten net in de Hummer toen ik buitenkwam. De Porsche was uiteraard van Jacqui en Gary. De derde auto, een vierdeurs Jaguar, was waarschijnlijk van Linus Rankin. De andere kinderen voelden zich blijkbaar energiek genoeg, of veilig genoeg, om te voet te komen.

Ik wachtte tot Gary en William waren weggereden voordat ik zelf vertrok, want ik wilde niet dat William me de oprit achter het huis zag gebruiken, die naar de dienstweg leidde.

Wat wordt er in de loop der jaren veel wrijving opgebouwd als je zo dicht op elkaar zit. Het conflict tussen William en zijn vader was het opvallendst, maar William had me verteld dat de broers onderling ook ruzieden. En Jacqui, die bakken met geld uitgaf aan haar garderobe en zich uit de naad werkte aan haar figuur, droeg haar eigen steentje bij aan de vijandige sfeer binnen de familie. Geen wonder dat Annie Lisa haar intrek had genomen in een droomwereld en dat haar dochter haar geluk in seks en drugs zocht. Arme meid; hoe zou het Candace in Korea vergaan?

Ik glipte het hek aan de achterkant uit zonder dat iemand me zag. Op Silverwood Lane hield ik mijn lichten uit. Ik reed langzaam over de onverlichte weg tot die uitkwam op een drukkere verkeersader. Toen ik bij een benzinestation kwam, reed ik dat in om de Mustang vol te tanken en op mijn kaarten te kijken. Ik was een paar kilometer bij een grote snelweg naar de stad vandaan. Het leek me makkelijker om een snelle route naar huis te nemen dan over allerlei binnenweggetjes naar Morrell te rijden, vooral omdat ik hem vanavond toch zou moeten delen met Don. Ik pakte mijn mobieltje om Morrell te bellen en herinnerde me toen mijn eigen raad aan Billy; ook mijn telefoon gaf een gps-signaal af. Zo kon Carnifice, of wie dan ook, mij en Morrell en iedereen volgen.

Ik schakelde de telefoon uit. Ik overwoog te kijken of ik een telefooncel kon vinden om Morrell op een vaste lijn te bellen, maar als ze zijn telefoon afluisterden, zouden ze dat ook onderscheppen. Toen ik wegreed van het benzinestation, voelde ik me eigenaardig vrij door mijn anonimiteit, zoevend door de nacht zonder dat iemand wist waar ik was. Toen ik de snelweg op schoot, begon ik 'Sempre libera' te brullen, hoewel ik zelf hoorde dat ik afgrijselijk vals zong.

Er was nu zo weinig verkeer dat ik de snelheidsmeter tot de honderddertig liet oplopen, en zo reed ik ontspannen van de snelweg naar de Tollway. Ik minderde alleen vaart voor de onvermijdelijke verkeersdrukte rond O'Hare Airport en bereikte in zevenentwintig minuten mijn afrit in de stad. Als ik op die manier de tijd bijhield, kon ik het baantje van Patrick Grobian wel overnemen en zijn truckers tot op de seconde in de gaten houden. Ik grinnikte zachtjes toen ik me de reactie van de familie voorstelde als ik die mogelijkheid zou opperen.

Ik vroeg me af waarom ze me vanavond hadden laten komen. Om te bewijzen dat ze dat konden? Ze hadden me natuurlijk weggelokt uit Morrells huis; misschien wilden ze dat Carnifice daar nog wat grondiger ging zoeken. Of misschien was het echt uit bezorgdheid om Billy geweest. Dat zou wel kunnen gelden voor zijn grootmoeder, maar geen van zijn beide ouders gaf blijk van ook maar een tiende van de angst die Josies verdwijning veroorzaakte bij Rose Dorrado.

Ik wilde dat ik van de gelegenheid gebruik had gemaakt om zelf meer vragen te stellen, zoals wat er met Billy's Miata was gebeurd. Hadden ze die als aandenken naar huis laten slepen of verkocht als oud schroot? Ik zou morgenmiddag langs het viaduct kunnen gaan om te kijken of er nog iets van was terug te vinden.

Hij was gestript, had William vanmiddag gezegd; er was niets van over. En wat er over was, was waarschijnlijk grondig onderzocht door zijn dynamische speurders van Carnifice. Het was mogelijk dat ze de restanten van de auto naar hun privélaboratorium hadden vervoerd en elke vezel van de vloer hadden onderzocht om erachter te komen wanneer Billy er voor het laatst in had gereden. Misschien stond hij ergens in het vier hectare grote depot vol auto's langs 103rd Street, maar in elk geval was het wrak waarschijnlijk onbereikbaar voor mij.

Ik was ook niet begonnen over het document dat April had genoemd, dat haar vader had beweerd te hebben en dat bewees dat het bedrijf had toegezegd Aprils medische behandeling te betalen, of hem er in elk geval geld voor te geven. Pas toen ik Belmont Avenue overstak, begon me te dagen dat Brons document hetzelfde zou kunnen zijn als het papier waar William zo wanhopig naar op zoek was. Natuurlijk had Bron geen ondertekend document gehad dat bewees dat het bedrijf Aprils ziekenhuisrekeningen zou betalen; hij had iets gehad waarmee hij By-Smart kon chanteren, en het bedrijf wist niet waar het gebleven was en wilde het terug.

Wat het ook was, het zou tot de volgende ochtend moeten wachten. Ik parkeerde in de garage achter mijn huis. Er konden maar drie auto's in, en toen een van de plekken van de zomer vrij was gekomen, had mijn naam eindelijk boven aan de wachtlijst gestaan. In de winter zou het prettig zijn om meteen uit de auto het gebouw in te kunnen lopen, en 's avonds laat, zoals vanavond, was het prettig dat ik me er geen zorgen over hoefde te maken dat mijn auto op straat bleef staan, zichtbaar voor iedereen die me zocht.

Onderweg van de kelderverdieping naar boven zag ik dat het licht bij Contreras nog brandde. Ik ging even langs om te zeggen dat ik thuis was. Terwijl we samen een glaasje van zijn zelfgemaakte grappa dronken, die naar stookolie ruikt en zo koppig is als zes ezels, belde ik met de vaste telefoon van mijn buurman naar Morrell om hem te vertellen waar ik was. Don en hij waren nog op en zaten te debatteren over geopolitiek of herinneringen aan gezamenlijke avonturen op te halen, maar ze waren in elk geval in een goed humeur en misten me totaal niet. Niemand had ingebroken, voor zover ze wisten of voor zover het ze iets kon schelen.

De volgende ochtend stond ik vroeg op om met de honden te gaan hardlopen voordat ik om negen uur op mijn kantoor moest zijn voor mijn afspraak met Amy Blount. Ik was nog steeds stijf, maar mijn vingers hadden hun normale afmetingen terug, waardoor ik me een stuk beter voelde. Het maakte autorijden makkelijker en als ik mijn revolver zou moeten gebruiken, hoefde ik me niet af te vragen of ik mijn vinger wel in de trekkerbeugel kon krijgen.

Amy was precies op tijd bij me. Het was een verademing dat ze er was, niet eens zozeer omdat ik een deel van mijn werk aan haar over kon dragen als wel omdat ik de dingen met haar kon bespreken. Alleen werken is een eenzame aangelegenheid, eerlijk gezegd. Ik snapte wel waarom Bron het fijn vond om Marcena, of een andere vrouw, bij zich in de cabine van zijn truck te hebben; na meer dan twintig jaar word je het wel beu om acht uur per dag alleen rond te rijden door Zuid-Chicago en het noordwesten van Indiana.

Amy en ik namen mijn lopende zaken door. Ik liet haar zien hoe je inlogt op LifeStory, de database die ik gebruik om achtergrondgegevens en persoonlijke informatie over mensen te bemachtigen voor mijn cliënten of voor mezelf, zoals de vorige dag, toen ik de familie Bysen erin had opgezocht.

Ik merkte dat ik Amy het hele verhaal van de Bysens, Bron Czernin en Marcena vertelde. Zelfs mijn jaloezie sijpelde erin door. Ze maakte aantekeningen in haar piepkleine handschrift. Toen ik was uitgesproken, zei ze dat ze de hele geschiedenis tot een stroomschema zou uitwerken. Als ze vragen of suggesties had, zou ze me bellen.

Het was elf uur toen we klaar waren. Ik moest naar een afspraak in de Loop, een presentatie voor een advocatenkantoor, een van de vaste opdrachtgevers waar ik het van moet hebben. Ik had gehoopt op tijd in Zuid-Chicago te zijn om nog voor de basketbaltraining bij het viaduct te kunnen gaan kijken, maar mijn cliënten waren veeleisender dan anders, of ik was minder geconcentreerd dan anders, en ik had nauwelijks tijd voor een kom kippensoep met noedels voordat ik naar de South Side ging. Ik ging ook nog bij een telefoonwinkel langs om een oplader voor Billy's mobieltje te kopen, zodat ik die na de training aan April kon geven. En ik ging naar een supermarkt om boodschappen te doen voor Mary Ann; het was zo'n koude dag dat melk en kaas niet zouden bederven in mijn kofferbak. Uiteindelijk was ik maar een paar minuten eerder dan mijn team op de Bertha Palmer-school.

De training was niet zo intensief als die van maandag, maar de meisjes deden wel hun best. Julia Dorrado was er ook, samen met María Inés en Betto, die de reiswieg meenam naar de tribune en tijdens de training met zijn Power Rangers speelde. Julia's conditie was slecht, maar ik begreep waarom Mary Ann McFarlane enthousiast was over haar spel. Het was niet alleen de manier waarop ze bewoog, maar ook het feit dat ze het hele veld kon overzien, zoals spelers als Larry Bird en Michael Jordan dat hadden gekund. Celine, mijn bendeleider, was de enige andere speelster van het team die die gave had. Zelfs Josie en April, die we allebei nodig hadden in de ploeg, hadden niet zo'n goed gevoel voor timing als Julia.

Toen de training afgelopen was, nam ik hen allemaal mee naar Zambrano's voor pizza's, ook Betto en de baby, maar ik jutte ze wel op om snel te eten. Het was bijna donker en ik wilde bij het viaduct zijn waar Billy's Miata was verongelukt voordat de straten volkomen verlaten waren. Ik zette Julia met haar broertje en de baby thuis af, maar nam niet de tijd om mee te gaan om Rose te spreken. Ik liet Julia alleen het bericht overbrengen dat Josie en Billy nog steeds onvindbaar waren.

'Ik denk wel dat ze veilig zijn,' zei ik tegen Julia. 'Dat denk ik omdat de Bysens heel veel geld uitgeven om naar Billy te laten zoeken. Als er iets akeligs met hem en Josie was gebeurd, hadden ze ze zo langzamerhand wel gevonden. Je moeder kan me op mijn mobiele nummer bellen als ze erover wil praten, maar ik wil nu zelf gaan kijken op een plek waar ik denk dat de detectives niet hebben gezocht. Begrepen?'

'Ja, oké... Denkt u dat ik weer bij het team kan komen spelen?'

'Je bent zonder meer goed genoeg om bij het team te spelen, maar je moet je wel weer inschrijven voor school voordat je kunt komen trainen. Lukt je dat, voor aanstaande maandag?'

Ze knikte ernstig en stapte uit. Het baarde me zorgen dat ze de reiswieg op de achterbank liet staan, zodat Betto die maar naar buiten moest zien te krijgen, maar ik kon naast al mijn huidige bezigheden niet ook nog eens les gaan geven in goed ouderschap. Ik keek alleen toe tot hij en de baby veilig over het trottoir naar binnen waren gegaan en zette toen koers naar het zuiden, naar het viaduct waar ik Billy's Miata had gevonden.

Carnifice had hier misschien wel gezocht in opdracht van William, zeker als mijn vermoeden juist was en hij achter het document aan zat dat Bron had gebruikt om het bedrijf mee onder druk te zetten. Maar Zuid-Chicago was mijn geboortegrond. Ik weigerde te geloven dat de mannen van Carnifice er op dezelfde manier tegenaan keken als ik. Voor hen was de familie Bysen gewoon een opdracht, geen gecompliceerd onderdeel van hun roots.

Het eerste stuk van de Skyway ligt op een wal die Zuid-Chicago in tweeën deelt. Toen hij werd gebouwd, zijn er heel wat winkeltjes en fabrieken waarmee ik ben opgegroeid failliet gegaan. Maar dichter bij de grens met Indiana loopt de autoweg verder op hoge pijlers. Daklozen bouwen er hutjes onder, maar forenzen en bewoners gebruiken de ruimte onder de weg als een handige vuilnisbak. Ik zette mijn auto voorzichtig langs de kant van de weg - ik wilde hier geen lekke band oplopen – en liet de lampen aan, die de wirwar van dode takken en afgedankte apparaten beschenen.

De begroeiing vertoonde verse beschadigingen waar de Miata erdoorheen had geploegd. Dat was nu drie dagen geleden en het gebied was drukbezocht – er waren mensen die zich in het struikgewas verborgen of het afval doorzochten op spullen die ze konden gebruiken – maar door de kou waren de sporen van de auto nog te zien. Ik was geen forensisch expert, maar voor mij zag het eruit alsof de auto met opzet in de bosjes was gereden, misschien om hem te verbergen. Ik zag geen sporen van een slippartij of andere tekenen dat de bestuurder (Marcena? Of was het Bron geweest?) de macht over het stuur had verloren.

Ik liep langzaam en inspecteerde elke centimeter van de grond. Toen ik bij het einde van de gebroken takken kwam, liet ik me op mijn knieën zakken; speciaal voor deze zoektocht had ik na de basketbaltraining een oude spijkerbroek aangetrokken.

Ik was blij met mijn wanten toen ik het struikgewas opzij duwde en de grond afzocht naar... wat er ook maar te vinden was. Ik vond een stukje van de voorbumper. De verf glansde nog, in tegenstelling tot het doffe, roestige metaal dat overal om me heen lag. Het had niets te betekenen, maar toch stopte ik het in de zak van mijn parka.

Boven mijn hoofd kroop het verkeer voorbij. Het was het drukste moment van de avondspits, en alle forenzen keerden in een slakkengang vanuit de stad terug naar hun keurige huis in een voorstad. Ze zaten te eten en te drinken. Dat kon ik zien, want ze gooiden hun lege blikjes en verpakkingen naar buiten, tussen het afval onder de weg. Ik werd bijna geraakt door een leeg bierflesje toen ik het gebied links van de bandensporen wilde gaan onderzoeken.

Ik raapte voortdurend verdwaalde papiertjes op, in de hoop dat het document waar de Bysens naar op zoek waren uit de auto was gevallen toen die werd gestript. Ik hield mezelf voor dat het zinloos was, een teken van vertwijfeling, maar ik kon er niet mee ophouden. De meeste waren weggegooide foldertjes – oosterse tapijten voor vijf dollar, handlezen voor tien, waaruit ik concludeerde dat we meer behoefte hebben aan garanties voor de toekomst dan aan iets om op de vloer te leggen –, maar er werd werkelijk van alles over de rand van de Skyway gegooid: rekeningen, brieven, zelfs bankafschriften.

Ik was ongeveer een uur bezig toen ik de twee boeken vond die in Billy's kofferbak hadden gelegen: *Het geweld van de liefde* van Oscar Romero en het boek waarvan tante Jacqui zei dat ze er anorectisch van werd, *Rijke christenen in een tijd van honger*. Ik stopte ze in mijn jaszak. Ik wist niet wat ik had verwacht, maar meer dan dit zat er blijkbaar niet in. Ik keek somber naar het gebied dat ik had afgezocht. Het daglicht was volledig verdwenen en mijn koplampen leken ook minder fel te gaan schijnen. Er lag nog één stukje papier vlak bij de plek waar ik de boeken had gevonden. Ik stak het tussen *Rijke christenen* en stapte met stijve benen weer in mijn auto.

Ik keerde de auto, zodat die met zijn neus naar het noorden stond, maar zette hem weer langs de kant van de weg terwijl de motor warm werd en bekeek mijn oogst. Ik bladerde gretig door Billy's boeken in de hoop dat er een mysterieus document uit zou vallen, zijn testament bijvoorbeeld, dat zodanig herzien was dat zijn hele bezit werd nagelaten aan de Mount Ararat-kerk, of een verklaring aan de raad van bestuur van By-Smart. Er was niets te vinden, behalve aantekeningen die Billy in zijn ronde, schoolse handschrift in de marges van aartsbisschop Romero's boek had gemaakt. Ik tuurde ernaar, maar wat ik er bij het schaarse licht van kon lezen zag er niet veelbelovend uit.

Het vel papier dat ik bij de boeken had gevonden, zag eruit als een kindertekening. Het was een ruwe schets, gemaakt met een viltstift, van een kikker met een grote zwarte wrat midden op zijn rug die op een merkwaardig ogende boomstronk zat. Ik gooide het bijna uit het raam, maar de South Side werd al door iedereen als afvalbak gebruikt; ik kon het op zijn minst bij mijn eigen oude papier leggen, dat werd ingeleverd voor hergebruik.

Het werd eindelijk warm in de auto. Ik trok mijn wanten uit, want die hinderden me bij het rijden, en zette koers naar het noorden. Ik moest bij Mary Ann langs, want ik had boodschappen voor haar in mijn kofferbak en ik wilde haar spreken over Julia en April. Ook vroeg ik me af of zij misschien enig idee had waar Josie zich verschool.

Het was half acht. Boven mijn hoofd zoefde het verkeer voorbij, maar de straten om me heen waren weer verlaten; er waren allang geen mensen meer die ze overstaken om naar huis te gaan. Ik kwam vlak langs de hoek waar de Czernins woonden, maar ik kon hun huis niet zien. Ik had vreselijk te doen met April, die in bed lag met haar beer, terwijl haar vader dood was en haar hart iets onbekends en beangstigends deed in haar borst.

Mijn moeder was gestorven toen ik nog maar een jaar ouder was dan April nu, en het was een zware klap geweest, waar ik het nog steeds moeilijk mee heb. Maar in elk geval was Gabriella niet vermoord, ze was niet in een kuil naast een onbekende minnaar gestorven. En de vader die was achtergebleven, was gek op haar geweest, en op mij. Een eenvoudiger traject dan April moest afleggen, met haar moeders niet-aflatende woede die alles in huis verschroeide. Ik zou met Aprils docenten moeten praten om te zien wat er gedaan kon worden om Aprils cijfers zo hoog te krijgen dat ze een kans had naar de universiteit te gaan – als er tenminste een manier te bedenken was waarop ze zich dat kon veroorloven.

Aprils enige hoop, zowel voor haar hart als voor haar opleiding, was dat ik bewees dat Bron aan het werk was geweest toen hij stierf, zoals Sandra van me had gevraagd, en daar was ik niet optimistisch over. William had duidelijk gemaakt dat het bedrijf tot het uiterste zou gaan om een claim tot uitkering van het verzekeringsgeld aan te vechten. Als ik de middelen van Carnifice had, kon ik er misschien achter komen waar Bron precies was geweest op die verschillende tijdstippen die Grobian me had genoemd – om tweeëntwintig uur nog wat in Crown Point in Indiana – en bewijzen dat hij aan het werk was geweest, maar ik wist niet eens waar ik zijn vrachtwagen moest zoeken. Voor zover ik wist, kon hij wel in dat depot aan 103rd Street staan, samen met de Miata, of gewoon te midden van een hoop andere trucks van By-Smart ergens tussen Zuid-Chicago en South Carolina.

Als ik dacht aan alle dingen die gedaan moesten worden voordat ik iets wijzer zou worden, kreeg ik hoofdpijn. En ik wist nog steeds niet waar Billy en Josie gebleven konden zijn. Ik had een uur verspild op een vuilnishoop en het enige dat ik daaraan had overgehouden, waren twee boeken over religie en een kindertekening van een kikker op een... Ik trapte op de rem en stopte langs de kant van de weg.

De kindertekening, van een kikker op een stuk rubber. Het gerafelde stuk elektriciteitskabel dat in Brons schuurtje achter de keuken had gelegen. Een tekening van hoe je met salpeterzuur kortsluiting kon veroorzaken. Duw een rubberen stop in een kikkervormig zeepbakje. Zet het op de elektriciteitskabel van Fly the Flag. Schenk er salpeterzuur in. Na verloop van tijd vreet het zuur zich door de stop en daarna door het rubberen omhulsel van de kabel, de vrijgekomen bedrading maakt kortsluiting, veroorzaakt een vonkenregen en de nabijgelegen rollen stof vatten vlam.

Ik probeerde te bedenken waarom Billy deze schets in zijn bezit gehad zou hebben, terwijl Bron degene was die met het elektriciteitsdraad aan het experimenteren was geweest. Ik kon me niet voorstellen dat Billy sabotage had gepleegd bij Fly the Flag, tenzij de pastor hem had gezegd dat hij dat moest doen omdat het goed zou zijn voor de gemeenschap. De pastor was de enige die hij nog kon vertrouwen, had Billy gezegd, maar toch zag ik het niet voor me, zijn koppige, ernstige jonge gezicht boven een elektriciteitsleiding en een bakje zuur.

Bron, ja, Bron had het kunnen doen, maar als hij het ding had geconstrueerd, zou hij er dan een schets van meenemen als hij van huis ging? En hoe had hij trouwens die ellendige kikker in handen gekregen? Julia, Josie, April. Julia had de kikker gekocht als kerstcadeautje voor Sancia, had ze gezegd. Ik had toen al het gevoel gehad dat ze loog, maar nu wist ik het zeker. Het was mogelijk dat Josie hem van Julia had overgenomen en aan April had gegeven, hoewel dat niet helemaal logisch leek.

Ik trommelde met mijn vingers op het stuur. April, met haar in alle opzichten gebroken hart. Ik wilde haar niet te veel onder druk zetten, maar ik had wel een oplader voor Billy's telefoon. Ik zou haar kunnen uithoren als ik haar die bracht, maar die mogelijkheid zou ik tot het laatst bewaren. Julia, aan de andere kant... dat was een ander verhaal. Ik draaide het stuur scherp naar links en maakte een U-bocht terug naar Zuid-Chicago.

39 Trekken zonder verdoving

Rose Dorrado zag er nog verslagener uit dan toen ik hier twee avonden geleden was. Net als Sandra Czernin had ze haar haar de laatste tijd niet meer gewassen of zelfs maar gekamd, en de rode krullen waren dof en geklit. Ze ging wel opzij om me de flat binnen te laten. Betto en Samuel zaten op de bank naar *Spiderman* te kijken. María Inés lag tussen hen in, kirde en klapte doelloos in haar handjes. Ze was in een rood-wit gestreepte doek gewikkeld. Weer zo'n stuk vlaggendoek. Ik staarde ernaar en vroeg me af hoe vaak ik dat al had gezien zonder dat het me was opgevallen.

'Wat is er?' vroeg Rose met slepende stem. 'Heb je mijn Josie gevonden? Is ze dood?'

Ik schudde mijn hoofd. 'Heeft Julia mijn boodschap niet doorgegeven? De Bysens laten een grote ploeg mensen naar Billy zoeken; misschien vinden zij hem wel. Het goede nieuws is dat Josie vrijwel zeker bij hem is. Heb je je zus in Waco gesproken?'

'Is het goed nieuws dat mijn dochter met een jongen naar bed gaat? Ik heb echt geen behoefte aan nog een baby in dit huis.' Zelfs de boze woorden kwamen er lusteloos uit. 'Hoe dan ook, mijn zus heeft niks van ze gehoord. Hier in de flat wordt gezegd dat jij Bron Czernin en die Engelse dame maandagnacht hebt gevonden. Ze gebruikten die dure auto van Billy en je hebt ze ernaast gevonden, op het vuilstortterrein. Dus wie zegt dat Billy en Josie daar niet ook liggen, en dat je ze alleen toevallig niet hebt gevonden?'

Het verhaal was aardig verminkt geraakt op zijn reis door de buurt. 'Dat kan ik natuurlijk niet uitsluiten,' zei ik rustig. 'Maar ik weet dat Billy zijn auto aan Bron heeft gegeven omdat hij niet wilde dat zijn familie hem zou vinden via zijn nummerbord, dus ik denk niet dat hij bij Bron was. Trouwens, de auto stond onder de Skyway toen ik hem vond. Niemand weet hoe Bron en Marcena bij het stortterrein terecht zijn gekomen.'

'Maar waar zijn ze dan naartoe gegaan, Billy en Josie? Niet naar de pastor, niet naar jou... Ik ben zelfs bij Josies vader geweest, ik dacht dat je misschien gelijk had, dat ze contact met hem had gezocht, maar hij kon zich nauwelijks herinneren wie van de kinderen ze was.'

We praatten over alle mogelijkheden die we konden bedenken, en dat waren er niet veel. Ik had het gevoel dat Billy ergens in Zuid-Chicago was; het probleem dat hij met zijn familie had, speelde hier, in deze buurt, en hij zou niet in staat zijn ervoor weg te lopen.

'Ik zal alle meisjes van het team bellen,' beloofde ik uiteindelijk. 'Maandagavond heb ik alleen rondgekeken bij hun huizen, op zoek naar Billy's auto of een ander teken dat die twee ergens waren. Maar voordat ik ga, moet ik een paar dingen weten, Rose, van jou en van Julia.'

Ik was gekomen om Julia naar het zeepbakje te vragen, maar ik wilde ook meer weten over dat vlaggendoek. 'Vertel eens over de lakens op de bedden van Josie en Julia, en de lap stof waar je María Inés in hebt gewikkeld. Heeft Zamar die gemaakt, bij Fly the Flag?'

'O, die lakens.' Ze haalde apathisch haar schouders een stukje op. 'Alsof dat er nu nog toe doet. Hij dacht... de pastor dacht: laten we handdoeken, lakens, pannenlappen en dat soort dingen via de kerken gaan verkopen. Dat was goed voor de buurt, lakens maken in de buurt, kopen, verkopen, dat was een droom van de pastor: dat we een inkoopcoöperatie zouden hebben. Hij dacht dat we op den duur misschien alles konden kopen en verkopen: kleren, eten, zelfs medicijnen, en dat we dan geld konden besparen en zelfs verdienen. Hij begon bij meneer Zamar, en meneer Zamar heeft het geprobeerd, echt waar, maar de pastor beschuldigde hem ervan dat hij niet wilde dat de coöperatie van de grond kwam. Maar ik was erbij, ik heb ze genaaid, we hebben vijfhonderd lakens gemaakt en duizend handdoeken, en maar zeventien mensen hebben ze gekocht, voornamelijk de moeders van de meisjes in het basketbalteam. Wie kan er de kost verdienen als maar zeventien mensen je spullen kopen?'

'Was dat dan de tweede baan die je had?' vroeg ik verbaasd. 'Lakens maken voor de coöperatie?'

Ze stootte een hysterische lach uit. 'Nee, nee en nog eens nee. De tweede baan was gewoon waar de eerste baan ook was. Alleen werkten we midden in de nacht, zodat de pastor het niet zou zien. Alsof hij niet alles hoort wat er in de buurt gebeurt. Hij is net God, de pastor: wat hij niet ziet, weet hij toch wel.'

Ik hurkte neer bij de jongens, die gespannen naar ons hadden gekeken. 'Betto, Samuel, jullie mama en ik hebben iets te bespreken. Kunnen jullie even naar de eetkamer gaan?'

Ze herinnerden zich blijkbaar nog dat ik de vrouw was die je kon roosteren, want ze lieten zich snel van de bank glijden en haastten zich met slechts één angstige blik op hun moeder dieper de flat in. Had ik dat effect maar op Pat Grobian of de pastor. We gingen zitten, met de slapende baby tussen ons in.

'Waarom wilde Zamar niet dat pastor Andrés die nachtploeg ontdekte?'

'Omdat we met illegalen werkten!' riep ze uit. 'Mensen die zo om geld zitten te springen dat ze voor praktisch niks werken. Snap je het nou?'

'Nee.' Ik was volkomen perplex. 'Jij hebt geld nodig. Je kunt het je niet veroorloven om je te laten uitbuiten. Wat deed je daar?'

'O, als je zo stom bent, hoe ben je dan ooit op een grote universiteit terechtgekomen?' Ze zwaaide wild met haar handen. 'Hoe kan ik dan geloven dat je mijn dochter zult vinden? Ik werkte er niet, ik bedoel, ik werkte wel, maar als cheffin, hij betaalde me om leiding te geven, om ervoor te zorgen dat de mensen doorwerkten, niks zouden stelen, geen lange pauzes namen, alles waar... waar ik een bloedhekel aan heb!'

Ik was dan misschien te stom om Josie te vinden, maar niet zo stom dat ik aan haar vroeg waarom ze het dan had gedaan, niet aan een vrouw die zes monden had moeten voeden van zesentwintigduizend dollar per jaar. In plaats daarvan vroeg ik hoe lang dat allemaal had geduurd.

'Twee dagen maar. We waren twee dagen voor de brand begonnen. De dag dat jij naar de fabriek kwam vanwege de sabotage, werd ik bij meneer Zamar geroepen. Hij was heel kwaad omdat ik een detective naar de fabriek had gehaald. "Maar de sabotage dan, meneer Zamar?" zei ik. "Die ratten, de lijm, en nou was er vanochtend een chavo die weer iets probeerde," en hij zei, terwijl hij zo zat' – ze onderbrak zichzelf om Zamar na te doen, die met zijn hoofd in zijn handen zat – 'hij zei: "Rose, ik weet er alles van, maar een detective zal er alleen voor zorgen dat de fabriek moet sluiten." En toen kwam hij me de volgende dag die baan aanbieden, die baan als cheffin, en hij zei dat ik er vijfhonderdvijftig dollar per week extra voor zou krijgen, maar als ik het niet deed, zou hij me ontslaan omdat ik jou de fabriek had binnengehaald. Alleen mocht de pastor het niet weten. Meneer Zamar wist dat ik naar de kerk ging, hij wist hoeveel mijn geloof voor me betekent, maar hij wist ook hoeveel mijn kinderen voor me betekenen, en hij zette me klem tussen die twee scherpe doornen, de doorn van mijn liefde voor Jezus en die van mijn liefde voor mijn gezin, dus wat moest ik beginnen? God sta me bij, ik heb het werk aangenomen, en toen werd ik pas echt gestraft, want twee dagen later brandde de fabriek af en was meneer Zamar dood. Ik dank God dat het vroeg is gebeurd, voordat de arbeiders en ik er waren. Ik dank God voor de waarschuwing, dat Hij me niet ter plekke in de brand heeft doen omkomen, dat ik een kans heb gekregen om berouw te tonen, maar waarom moeten mijn kinderen er ook onder lijden?'

Ik staarde haar met stijgende ontzetting aan. 'Bedoel je dat de pastor het gebouw in brand heeft gestoken omdat Zamar illegalen uitbuitte?'

Ze sloeg haar hand voor haar mond. 'Dat bedoelde ik niet. Dat heb ik niet gezegd. Maar hij was heel erg kwaad toen hij ontdekte wat er aan de hand was.'

Andrés had Zamar gedreigd ervoor te zorgen dat het het einde van zijn bedrijf zou betekenen als hij van plan was dat buiten Chicago voort te zetten. Was Andrés zo megalomaan dat hij zichzelf echt als de God van de South Side zag? Het duizelde me, en ik hing versuft tegen de rugleuning van de bank.

Ten slotte stelde ik een minder belangrijke vraag, een die ik kon behappen. 'Waar kwamen de mensen vandaan die 's nachts in de fabriek werkten?'

'Overal, maar voornamelijk uit Guatemala en Mexico. Ik spreek Spaans; ik ben opgegroeid in Waco, maar mijn familie komt uit Mexico, dus meneer Zamar wist dat ik met ze kon praten. Maar het ergste, het ergste is dat ze geld schuldig zijn aan een *jefe*, en dat Zamar zich dus tot een jefe heeft gewend om arbeiders voor zijn fabriek te krijgen. Ik had nooit gedacht dat ik zoiets zou doen, dat ik aan zulke *mierda* mee zou werken door voor hem als tolk te dienen.'

Jefes, chefs, zijn tussenpersonen, mensensmokkelaars, die illegale immigranten exorbitante bedragen rekenen om ze het land in te brengen. Geen enkele arme immigrant kan zich duizend dollar veroorloven voor een tochtje over de grens, compleet met een vervalste *green card* en een sofinummer, dus 'lenen' de jefes hun het geld. Als ze hier eenmaal zijn, verkopen de jefes de mensen aan bedrijven die op zoek zijn naar goedkope arbeidskrachten. De jefes steken het grootste deel van het loon in hun zak en geven de arbeiders net genoeg voor kost en inwoning. Het is eigenlijk een vorm van slavernij, want het is vrijwel onmogelijk je ooit vrij te kopen uit een dergelijk contract. Ik kon me voorstellen dat pastor Andrés woedend zou zijn op een lokale onderneming die op deze manier arbeidskrachten kocht.

'Die Freddy is toch geen jefe, hè?' flapte ik eruit.

'Freddy Pacheco? Die is daar te lui voor,' zei ze smalend. 'Een jefe mag dan een slecht mens zijn, hij werkt hard. Hij moet wel.'

Daarna zwegen Rose en ik een tijdje. Ze leek opgelucht dat ze haar verhaal eindelijk had gespuid. Haar gezicht was levendiger, bezielder dan het na de brand in de fabriek was geweest. Ik voelde me juist afgestompt, alsof ik echt te stom was om naar de universiteit te gaan, laat staan dat ik haar dochter kon vinden.

Op het scherm tegenover me bond Spiderman moeiteloos de schurk vast die had geprobeerd de plaatselijke bank te beroven, of misschien was het de plaatselijke bankier die had geprobeerd zijn klanten te beroven, maar hoe dan ook, er was bij Spiderman geen druppel zweet te bespeuren. Bovendien had het hem nog geen halfuur gekost om erachter te komen wie de schurk was en om hem te vinden. Ik had dringend wat van zijn superkracht nodig, hoewel gewone menselijke kracht op dit moment ook al heel welkom zou zijn.

De baby, die tijdens ons gesprek had geslapen, begon onrustig te worden. Rose rechtte haar rug en zei dat ze naar de keuken ging om een flesje warm te maken en dat ze een kop koffie voor me zou meenemen.

Ik nam de baby van haar over. 'Is Julia er nog? Ik moet haar een paar dingen vragen over het zeepbakje, die kikker die ik jullie zondag na de kerk heb laten zien.'

Rose liep verder de flat in. Ik klopte de baby op haar ruggetje. Ik zong de Italiaanse kinderliedjes voor haar die mijn moeder altijd voor mij had gezongen, het liedje over de glimworm en het liedje over de grootmoeder met haar onuitputtelijke pan soep. Zingen kalmeert me en maakt dat ik me met mijn moeder verbonden voel. Ik snap niet waarom ik het maar zo zelden doe.

Rose kwam terug met een flesje en een kop bittere oploskoffie op het moment dat María Inés echt onrustig begon te worden. Julia liep schoorvoetend achter haar moeder aan en keek argwanend naar me. Rose had haar verteld dat we over het zeepbakje gingen praten, en het vertrouwen dat we tijdens de training van die middag hadden opgebouwd liet zich niet overhevelen naar vanavond.

Ik gaf de baby aan Rose en ging staan, zodat ik Julia min of meer recht in de ogen kon kijken – ze was een centimeter of vijf langer dan ik. 'Julia, ik ben te moe voor een avond van leugens of halve waarheden. Vertel me over het zeepbakje. Heb je dat nou wel of niet aan Freddy gegeven?'

Ze wierp haar moeder een blik toe, maar Rose keek haar streng aan. 'Vertel de waarheid, Julia, zoals de coach vraagt. Je zus is vermist en we hebben geen zin om voor tandarts te spelen en het verhaal als een rotte kies stukje bij beetje uit je te trekken.'

'Ik heb het hem gegeven, oké? Daar heb ik niet over gelogen.'

Ik sloeg op de armleuning van de bank. 'Het hele verhaal, nu meteen. Dit is belangrijker dan je gekwetste gevoelens. Wanneer was dat?'

Julia's gezicht werd net zo rood en rond als dat van haar baby, maar toen ze zag dat haar moeder noch ik enig medeleven met haar had, zei ze nukkig: 'Met kerst. Vorig jaar, alweer. En Freddy keek ernaar en vroeg wat hij met zo'n meisjesachtig cadeautje moest. En later ontdekte ik dat hij het aan Diego had gegeven, en Diego weer aan Sancia.'

'En toen?'

'Hoe bedoelt u, en toen?'

Ik slaakte een diepe zucht. 'Heeft Sancia het gehouden? Heeft ze het nog steeds?'

Ze aarzelde en haar moeder viel tegen haar uit voordat ik mijn mond open kon doen. 'Vertel het onmiddellijk, Julia Miranda Isabella!'

'Sancia heeft het me laten zien,' gilde Julia. 'Ze schepte op dat Diego zoveel van haar hield, dat hij haar zoiets moois had gegeven, zelfs met een stukje zeep erin in de vorm van een bloem, en wat had ik van Freddy gekregen? Ik was woedend. Ik zei: "Wat grappig, ik heb Freddy er net zo een gegeven." Diego is Freddy's neef, en ze vroeg Diego of hij Freddy's zeepbakje had gepikt, en Diego zei nee, Freddy had het hem gegeven. Dus was ze diep beledigd, tweedehands troep, zei ze, en ze wilde het niet meer hebben. Ze heeft het me teruggegeven! Alsof ik een stuk vuil was dat zoiets nodig had, iets dat ik van mijn eigen geld had gekocht en dat mijn eigen vriendje niet wilde hebben!'

De tranen liepen nu over haar wangen, maar Rose en ik keken haar geërgerd aan. 'Waar is het nu?' vroeg ik.

'Ik heb het weggegooid. Alleen wilden Betto en Sammy het hebben. Best, heb ik gezegd, ze mochten het als tank gebruiken of kapotmaken, het kon mij niet schelen.'

'Hebben ze het nog?' vroeg ik.

Opnieuw aarzelde ze, en opnieuw was het haar moeder die haar dwong te vertellen wat ze wist. Freddy was naar haar toe gekomen. Hij was van gedachten veranderd en wilde het zeepbakje toch hebben. Diego had hem verteld dat Sancia het aan haar had gegeven, en mocht hij het alsjeblieft terug?

'Hij was zo aardig tegen me, net als vorig jaar, voordat hij María Inés bij me maakte, alsof hij me mooi vond en al dat soort dingen. Dus heb ik het opgediept uit de doos van Sammy en het hem gegeven, en toen ging hij weg, zonder een afscheidskus en zonder te vragen hoe het met María Inés was.'

'Gefeliciteerd met die nipte ontsnapping,' zei ik droogjes. 'Hoe verder je bij hem uit de buurt blijft, des te beter voor jou. Wanneer was dat?'

'Drie weken geleden. 's Ochtends, toen ma naar haar werk was en alle anderen naar school.'

'Heeft hij gezegd waarom hij het wilde hebben?'

'Dat heb ik toch verteld! Omdat hij toch iets van me wilde hebben, omdat het hem speet, dat soort dingen!'

'Waar is Freddy nu?' vroeg ik streng.

Julia keek me nerveus aan. 'Dat weet ik niet.'

'Doe eens een gok, dan. Waar hangt hij rond? Welke kroeg, waar wonen zijn andere kinderen? Wat je maar kunt bedenken.'

'Gaat u hem kwaad doen?'

'Waarom bescherm je hem?' riep Rose uit. 'Het is een slecht mens. Hij heeft jou met een baby achtergelaten, hij steelt, hij geeft alleen maar om zichzelf! Zijn moeder heeft hem elke zondag mee genomen naar de kerk en hij doet niks anders dan buiten rond- hangen in Diego's pick-up, waar ze de dienst verstoren met hun muziek. Over vijf jaar is hij niet meer zo'n mooie jongen en dan heeft hij niks meer.'

Rose wendde zich tot mij. 'Hij komt soms in de Cocodrilo, dat is een café tegenover de kerk. Het andere meisje dat een baby van hem heeft, woont aan Buffalo Avenue, maar ik geloof niet dat hij met haar omgaat. Als je hem met je blote handen wurgt, zal ik te- genover de politie zweren dat je hem nooit hebt gezien en nooit hebt aangeraakt.'

Ik moest lachen. 'Ik denk niet dat het zover zal komen. Maar als het toch gebeurt, *muchas gracias!*'

40 Zuur

In de kerk brandde licht toen ik op de hoek van 92nd Street en Houston Avenue parkeerde. Ik stapte de lage tree naar de voordeur op om te zien wat er gaande was. Donderdagavond van half zeven tot acht Bijbelstudie, het onderwerp voor november: het boek Jesaja. Het was net half zeven geweest, dus de pastor was druk bezig.

Recht tegenover de kerk stond op een braakliggend terrein een handjevol auto's en vrachtwagens slordig geparkeerd, waaronder een Dodge met grote luidsprekers in de laadbak en een nummerbord dat met vbc begon. Daarnaast hielden drie vervallen huizen elkaar overeind. Cocodrilo, het café waar Freddy kwam, stond daar weer naast. Het café was eigenlijk de benedenverdieping van een smal huis van twee verdiepingen met scheefhangende, afgebladderde houten buitenmuren. Voor de ramen zaten schermen van dik plaatgaas, waar niet veel licht door naar buiten sijpelde.

Ik had Morrell vanuit de auto gebeld om hem te laten weten dat ik iets later kwam, een klein beetje maar. Hij had gezucht, de overdreven zucht van iemand met een geliefde die hem altijd laat zitten, en gezegd dat Don en hij zonder mij aan tafel zouden gaan als ik er om acht uur niet was.

Door dat gesprek was ik prikkelbaar toen ik de Cocodrilo in liep. Ik liet de deur met een klap achter me dichtvallen, net als Clint Eastwood, en zette mijn Clint Eastwood-gezicht op: dit café is van mij, dus hou je gedeisd. Er waren een stuk of vijftien mensen binnen, maar het was een kleine, donkere ruimte, niet meer dan een smalle kamer met een hoge bar en een paar gammele tafeltjes tegen de muur, dus het was moeilijk te overzien wie er precies was.

De tv boven de bar zond een voetbalwedstrijd uit, Mexico tegen een of ander klein Caraïbisch eiland. Een paar mannen keken ernaar, maar de meeste praatten of ruzieden in een mengeling van Spaans en Engels.

De Cocodrilo was blijkbaar een café voor jonge mannen, hoewel ik ook een paar oudere gezichten zag; ik herkende een van de mannen van de bouwplaats waar ik die middag was geweest. Het was in elk geval een café voor mannen. Toen ik binnenstapte, stierf het geroezemoes weg en keek iedereen naar mij. Een trio bij de deur dacht een gevatte opmerking te kunnen maken, maar mijn blik zorgde ervoor dat ze zich weer tot hun bier bepaalden en iets nors in het Spaans zeiden, waarvan ik de betekenis wel kon raden, ook al had het niet in mijn schoolboeken gestaan.

Uiteindelijk zag ik Diego, het vriendje van mijn center Sancia, in een groepje achter in de ruimte. De man naast hem stond met zijn rug naar me toe, wat hem makkelijk herkenbaar maakte: hij had het dikke, donkere haar en het camouflagejack dat ik een paar uur eerder door het magazijn had gevolgd.

Ik drong me langs het trio bij de deur en klopte hem op de schouder. 'Freddy! En Diego. Wat een gelukkig toeval. Wij moeten eens praten, Freddy.'

Toen hij zich omdraaide, zag ik dat Rose gelijk had: hij had inderdaad jongensachtig knappe trekken, met zijn hoge jukbeenderen en volle lippen, maar verder had ze ook gelijk: indolentie en drugs begonnen hun tol al te eisen.

Freddy keek me wezenloos aan, maar Diego zei: 'De coach, man, dat is de basketbalcoach.'

Freddy staarde me met groeiende angst aan en gaf me toen zo'n harde zet dat ik wankelde. Hij stormde door de smalle ruimte naar de voordeur, in het voorbijgaan een flesje bier omstotend.

Ik hervond mijn evenwicht en rende achter hem aan. Niemand probeerde me tegen te houden, maar er ging ook niemand voor me opzij, dus Freddy was al op straat voordat ik hem had kunnen inhalen. Ik trok een sprint en vergat mijn stijve dijbenen, mijn gezwollen handen en mijn schouder. Hij stak het braakliggende terrein over naar Diego's pick-up toen ik me op hem wierp. Ik gooide hem tegen de grond en viel hard boven op hem.

Ik hoorde applaus en toen ik opkeek, zag ik drie mannen uit het café staan, onder wie de man van de bouwplaats. Ze lachten en klapten.

'Hé, mevrouw, als u naar Lovie Smith gaat, mag u voor de Bears spelen!'

'Wat heeft die chavo u gedaan? U met baby en zonder geld laten zitten? Hij heeft al twee baby's waar hij niet voor kan betalen!'

'Zo is zij niet, Geraldo, pas op je woorden.'

Freddy duwde me opzij en krabbelde overeind. Ik greep zijn rechterenkel. Toen hij naar me begon te schoppen, kwam een van de toeschouwers tussenbeide en greep hem bij zijn armen. 'Niet weglopen, Freddy, deze dame heeft zoveel moeite gedaan om je te pakken te krijgen, het is heel onbeleefd om weg te lopen.'

De andere mannen uit het café druppelden naar buiten en kwamen in een halve cirkel om ons heen staan, behalve Diego, die zich onzeker halverwege tussen Freddy en de pick-up ophield.

Ik kwam overeind en trok mijn wanten aan. 'Freddy Pacheco, jij en ik hadden dit gesprek al veel eerder moeten hebben.'

'Bent u van de politie, mevrouw?' vroeg de man die zijn armen vasthield.

'Nee. Ik ben basketbalcoach op de Bertha Palmer-school. Julia was een goede leerlinge en een goede basketbalspeelster tot deze chavo banda haar leven verpestte.'

De drie mannen mompelden onderling in het Spaans. El coche. Ja, maar ook een detective, maar dan privé, geen politie; Celine, zijn *sobrina*, was wild enthousiast over el coche. Sobrina; mijn vermoeide brein viste rond in mijn middelbareschool-Spaans. Nichtje. Celine, mijn bendeleider, was het nichtje van deze man. En ze was wild enthousiast over mij? Misschien begreep ik hem verkeerd, maar de gedachte vrolijkte me enorm op.

'En wat wilt u van dit stuk tuig weten, mevrouw?'

'Het zeepbakje dat Julia je vorig jaar met Kerstmis heeft gegeven, Freddy.'

'Ik weet niet waar je het over hebt.' Hij keek naar de grond, waardoor zijn gejammer moeilijk verstaanbaar was.

'Niet liegen, Freddy. Ik heb het bakje naar een forensisch laboratorium gestuurd. Je weet toch wel wat DNA is? Ze kunnen zelfs

DNA vinden op een zeepbakje dat in een brand heeft gelegen. Is dat niet fantastisch?'

Hij stribbelde nog een tijdje tegen, maar na meer aansporingen en een paar dreigementen, zowel van mij als van de mannen, gaf hij toe dat hij het aan Diego had gegeven, die het weer aan Sancia Valdéz had gegeven. 'Wat denkt Julia dat ik met zo'n meisjesachtig ding moet?'

'En Sancia was boos toen ze hoorde dat Diego het niet voor haar had gekocht. Tweedehands troep, noemde ze het, en ze wilde het niet meer hebben, dus ze heeft het teruggegeven aan Julia. Zo zit het toch, Diego?'

Diego deinsde geschrokken achteruit, maar een van de mannen pakte hem bij de arm en sleurde hem met een gegromd bevel terug naar de groep.

'Maar, Freddy,' vervolgde ik mijn verhaal op opgewekte onderwijzeressentoon, 'kortgeleden veranderde je van gedachten. En je ging naar het huis van de familie Dorrado en vroeg het bakje terug aan Julia. Waarom heb je dat gedaan?'

De straat was slecht verlicht, er kwam alleen wat licht uit het café, en aan de overkant, voor de kerk, stond een lantaarnpaal, maar ik geloof dat Freddy me berekenend aankeek, alsof hij wilde beoordelen hoeveel ik van hem zou slikken.

'Ik had er spijt van dat ik haar rot had behandeld, man, want ze wilde alleen maar aardig zijn, dus ik had niet zo rot moeten doen.'

'Ja hoor, Freddy, ik geloof ook in de paashaas en al die andere lieve, gezellige verhaaltjes. Maar als je het zo graag wilde hebben, hoe is het dan bij Fly the Flag terechtgekomen?'

'Dat weet ik niet. Misschien heeft iemand het van me gestolen.'

'Ja, een zeepbakje van drie dollar, dat is wel iets om een kraak voor te zetten, hè? Het punt is het volgende.' Ik wendde me tot de mannen uit het café, die naar me luisterden met een aandacht alsof ik hun de toekomst voorspelde. 'Dat zeepbakje is gebruikt om brand te stichten bij Fly the Flag. Frank Zamar is in die brand omgekomen, dus de brandstichter is schuldig aan moord. En het ziet ernaar uit dat die brandstichter Freddy hier is, misschien met de hulp van Bron Czernin of Diego.'

Er werden geschokte commentaren in het Spaans gemompeld. Hadden deze *gamberro* en zijn neef Frank Zamar vermoord? De fabriek verwoest?

'Waarom, Freddy? Waarom heb je dat gedaan?' De oom van Celine gaf hem een klap.

'Ik heb niks gedaan. Ik weet niet waar ze het over heb!'

'Hoe is er met dat zeepbakje brand gesticht?' vroeg een van de mannen.

Ik haalde de primitieve tekening van de kikker uit mijn zak. Ze dromden om me heen om die in het halfdonker te kunnen zien.

'Ik weet niet wie deze tekening heeft gemaakt. Misschien Bron Czernin, misschien Freddy. Maar zo werkte het.'

Terwijl ik naar de tekening wees, zette ik mijn theorie over het salpeterzuur en de bedrading uiteen, en er werd weer druk gepraat. Ik ving de naam van Andrés op, en van Diego, en 'carro', dat ik eerst opvatte als het Italiaanse 'caro', lieveling. Was Diego iemands lieveling? Nee, de pastor had iets gedaan met Diego's lieveling, nee, met zijn... zijn bestelwagen, zijn pick-up, dat was het.

De eerste keer dat ik bij Rose Dorrado op bezoek ging, stond Diego voor haar flatgebouw met zijn stereo-installatie op topvolume en had Josie gezegd dat pastor Andrés, als hij langskwam, Diego's kar zou verbouwen, net als de vorige keer.

'Wat heeft de pastor met Diego's pick-up gedaan?' vroeg ik.

'Niet met zijn pick-up, mevrouw, met zijn installatie.'

'Diego parkeerde zijn pick-up steeds hier, recht voor Mount Ararat, tijdens de dienst,' vertelde Celines oom. 'Hij zette zijn installatie keihard. Niemand weet eigenlijk waarom. Deed hij het voor Sancia, om haar over te halen naar buiten te komen, of om zijn ma te pesten? Ze is heel gelovig, zij en Freddy's ma zijn zusters en ze gaan allebei naar Mount Ararat. Dus de pastor heb Diego twee, drie keer gewaarschuwd om dat ding uit te zetten tijdens de dienst, maar Diego is net zo'n chavo als Freddy hier en hij lachte alleen. Dus heb de pastor een metalen kommetje met een rubberen stop erin genomen, er salpeterzuur in gedaan en het op de installatie gezet, het zuur is door de stop en door de bedrading gedrongen, en ongeveer halverwege de dienst was het afgelopen met de herrie.'

Bij het slechte licht kon ik de gezichten van de mannen niet goed zien, maar ik merkte dat ze lachten.

Freddy was woedend. 'Ja, iedereen denkt maar dat alles wat de pastor doet zo cool is, maar het heeft Diego hier mooi driehonderd ballen gekost om zijn versterker en zijn speakers te laten maken, en jullie vinden het allemaal wel geinig omdat de pastor het heb gedaan, maar de pastor heb toevallig ook lijm in de sloten gespoten bij Fly the Flag, dat heb ik zelf gezien.'

In de geschokte stilte die volgde was de greep van de man die Freddy vasthield blijkbaar verslapt, want Freddy rukte zich los en stormde naar de pick-up. Diego rende voor hem uit en sprong achter het stuur. Ik wilde ze volgen, maar struikelde over een brok puin en maakte een smak. Terwijl een van de mannen me overeind hielp, gaf Diego een dot gas en de achterlichten van de pick-up verdwenen in Houston Avenue.

Ik hoorde het gemompel in de groep. Was het waar? Kon je Freddy Pacheco wel geloven? Eén man zei dat hij dit verhaal al eens eerder had gehoord, maar de man van de bouwplaats kon zich dat niet voorstellen van Roberto.

'Hij is nu Bijbelstudie aan het geven in de kerk. Hij moet ons en deze dame hier vertellen of die chavo de waarheid spreekt of niet. Ik werk elke dag met hem, hij is de beste vent van de South Side, ik kan het niet geloven.'

Vijf mannen gingen terug naar het café, maar de rest van ons stak de straat over, zwijgend, slecht op ons gemak, want niemand wilde pastor Andrés hier graag op aanspreken. We dromden de kerk binnen, door de kerkzaal naar de grote kamer erachter waar op zondag na de dienst koffie werd geserveerd. In één hoek waren een paar peuters met plastic vrachtwagentjes en poppen aan het spelen, of ze lagen op een kussen aan een flesje te zuigen. Aan een grenen tafel bij de deur zat Andrés met een groep van een stuk of tien parochianen, voornamelijk vrouwen, die zich verdiepten in de profeet Jesaja.

'Wat is dit?' vroeg Andrés op hoge toon. 'Als u voor de Bijbelstudie bent gekomen, bent u welkom, mevrouw de detective, maar als u hier bent om die te onderbreken, zult u moeten wachten tot we klaar zijn. Het Woord van de Heer gaat voor alle menselijke beslommeringen.'

365

'Niet alle, Roberto,' zei zijn collega. 'Niet als het over leven en dood gaat.'

Hij schakelde over op Spaans en sprak zo snel dat ik hem maar gedeeltelijk kon volgen. El coche, dat was ik, en daarna iets over Freddy, Diego, de brand, de fabriek en *pegamento*, opnieuw een woord dat ik niet kende. Andrés diende hem bits van repliek, maar de vrouwen aan de tafel keken geschokt en begonnen ook te praten. Andrés besefte dat hij de controle over zijn groepje kwijtraakte en sloeg zijn Bijbel dicht.

'We nemen vijf minuten pauze,' kondigde hij op gebiedende toon in het Engels aan. 'Ik zal in mijn kantoortje met de detective praten. Jij kunt ook meekomen, Tomás, ongelovige Tomás,' vervolgde hij tegen de man van de bouwplaats.

Alle mannen uit de Cocodrilo die met me mee waren gekomen, volgden ons door de kleedkamer naar het kantoortje van de pastor. Afgezien van zijn bureaustoel stonden er maar twee stoelen in, dus de mannen en de meeste vrouwen van de studiegroep verdrongen elkaar rond de deuropening.

'Zo, mevrouw de detective, wat is dit allemaal? Waarom blijft u me lastigvallen, en dat nog wel in de kerk?' vroeg Andrés nadat hij achter zijn bureau was gaan zitten.

'Freddy zegt dat u lijm in de sloten van Fly the Flag hebt gespoten. Is dat waar?'

'Ja, Roberto, heb je dat gedaan?' vroeg Tomás.

Andrés keek van Tomás naar de groep bij de deur, alsof hij overwoog zich eruit te bluffen, maar niemand steunde hem. 'Frank Zamar was een man die moest kiezen tussen het juiste en het gemakkelijke pad, en hij maakte niet altijd de verstandigste keuze,' sprak hij zwaarwichtig. 'Na elf september maakte hij voor iedereen ter wereld vlaggen, en hij kreeg een grote opdracht van By-Smart. Hij stelde een tweede ploeg in en kocht nieuwe machines.'

'Toen raakte hij het werk kwijt,' zei een van de mannen. 'Dat weten we allemaal. Mijn vrouw is een van de mensen die ontslagen werden. Maar waarom heb je lijm in zijn sloten gedaan toen hij zijn contract kwijt was?'

'Niet vanwege het contract. Toen hij dat kwijtraakte, was ik toch de eerste die je vrouw heeft geholpen een werkloosheidsuitkering te krijgen? En heb ik geen woonruimte gevonden voor de familie Valdéz?' riep Andrés uit.

Er werd instemmend gemompeld, ja, die dingen had hij gedaan. 'Des te meer reden om te vragen: waarom de lijm, Roberto?'

Andrés keek me voor het eerst recht aan. 'Het is wat ik u vanmiddag vertelde, dat Zamar in paniek een nieuw contract met By-Smart had getekend. En om hem te waarschuwen – het spijt me het te moeten bekennen, ik schaam me ervoor – heb ik de lijm in zijn sloten gespoten. Om hem te laten zien wat er kon gebeuren als hij slecht was voor de buurt. Het was een kinderlijke streek, nee, een boevenstreek, en nu heb ik er spijt van, maar zoals voor velen is ook voor mij het berouw te laat gekomen.'

Zijn stem klonk verbitterd en hij zweeg even, alsof hij zijn eigen bittere pil moest slikken. 'Na de lijm dreigde Zamar eerst dat hij me voor de rechter zou slepen, maar we hebben gepraat en hij beloofde me dat hij terug zou gaan naar By-Smart, zoals ik u al heb verteld.'

Ik knikte en probeerde ondertussen zijn toon, zijn ogen, zijn oprechtheid in te schatten. 'Degene die Fly the Flag heeft verwoest, heeft er angstvallig voor gezorgd dat de illegale immigranten van de nachtploeg niets overkwam. Rose Dorrado zei dat u, als u wist dat Zamar illegalen uitbuitte, woedend zou zijn. Was u woedend genoeg om de fabriek te laten afbranden?'

'Tot vanmiddag wist ik niet eens dat hij illegalen in dienst had, en ik zweer' – Andrés legde zijn hand op een dikke Bijbel die open op zijn bureau lag – 'dat ik die brand niet heb gesticht.'

Dat ontlokte de vrouwen die bij de deur samendromden een paar instemmende kreten – en een paar duistere blikken in mijn richting – maar Tomás keek hem ernstig aan: Andrés was niet alleen een collega, maar een belangrijk man in de gemeenschap. Tomás wilde weten of hij de pastor kon vertrouwen.

'De brand is gesticht op dezelfde manier als waarop u Diego's installatie onklaar hebt gemaakt,' zei ik. 'Misschien hebt u het niet zelf gedaan, maar hebt u Freddy laten zien hoe het moest.'

Ik haalde de tekening weer uit mijn zak en legde die voor hem op het bureau. 'Hebt u dit voor Freddy getekend?'

Tot mijn verrassing ontkende Andrés niet, maar werd hij lijkbleek en verschenen er zweetdruppeltjes op zijn voorhoofd. 'O, god. Daarom...'

'Daarom wat?' wilde ik weten.

'Freddy is bij me geweest. Hij wilde wat salpeterzuur hebben, om het rubber weg te halen dat in de laadbak van de pick-up was gelopen toen ik de installatie vernielde, zei hij. Hij zei dat ik hem dat schuldig was, maar nu... O, nee, o Jezus, wat heb ik in mijn hoogmoed gedaan? Hem vertelt hoe hij een fabriek kon platbranden en een man kon doden?'

'Maar waarom zou Freddy zoiets doen?' vroeg Celines oom vanuit de deuropening. 'Freddy is maar een chavo, hij zou zo'n... zo'n *esquema* alleen voor iemand anders maken, niet omdat hij er zelf aan had gedacht. Wie heeft hem opdracht gegeven, wie heeft hem betaald als u het niet was, pastor Andrés?'

'Ik geloof dat Bron Czernin de stop in zijn schuurtje heeft gemaakt,' zei ik, 'en ik heb de tekening gevonden vlak bij de plek waar de auto van Billy the Kid is verongelukt. Bron is samen met Freddy gesignaleerd, maar waarom zou Czernin de fabriek willen platbranden?'

Niet iedereen in de kamer wist wie Bron was, maar een van de vrouwen, die vertelde dat ze de grootmoeder van Sancia Valdéz was, legde het de anderen uit: de vader van April, de man die vorige week was vermoord. Ja, April, het meisje dat samen met Sancia en Josie basketbal speelde, alleen had ze het nu aan haar hart en kon ze niet meer spelen.

'Wat hebt u als bakje voor het zuur gebruikt toen u Diego's installatie vernielde?' vroeg ik Andrés.

'Een klein metalen trechtertje. Dat heb ik aan de achterkant van de versterker geklemd.'

'En Josie wist hoe u Diego's installatie had beschadigd,' zei ik langzaam, terwijl ik in gedachten het netwerk van connecties in de buurt naliep. 'Zij en April waren hartsvriendinnen, dus ze heeft het April verteld. April vond het waarschijnlijk een goede mop en heeft het voorval aan Bron beschreven. Of misschien heeft Freddy Bron uw werkwijze aan de hand gedaan toen hij hoorde wat Bron wilde gaan doen.'

Was Freddy naar Bron gegaan omdat hij wist – van Julia, nam ik aan, die het dan weer van Josie had – dat Bron thuis een werkplaatsje had? Of was Bron naar Freddy gegaan om hem te vragen het bakje in de fabriek te zetten? Ofwel April wist van de heisa rond het zeepbakje en had haar vader erover verteld, ofwel Bron had uitgelegd wat hij nodig had en Freddy had zich het zeepbakje herinnerd. Op een bepaalde, gruwelijke manier zat er wel logica in.

'Wat ik niet begrijp, is waaróm ze het hebben gedaan,' vervolgde ik hardop. 'Wat zou...'

Ik onderbrak mezelf toen ik me de stralende glimlach van tante Jacqui herinnerde: we herzien nooit, maar dan ook nooit een contract. En haar boosaardige grijns toen ze opmerkte dat ik wel zou merken dat ik op een dood spoor zat als ik zocht in de richting van de lakens die in de buurt waren verkocht. Zou zij Bron hebben ingehuurd om de fabriek plat te branden?

'U moet me vertellen welk probleem Billy the Kid met zijn familie had,' zei ik plotseling tegen de pastor. 'Het is nu zo belangrijk dat u het niet meer geheim kunt houden.'

'Het ging over iets anders,' wierp Andrés tegen. 'Als Billy me had verteld dat ze Frank Zamars fabriek in brand wilden steken, zou ik dat echt niet geheim hebben gehouden.' Hij glimlachte droevig. 'Billy wist dat ik met Frank Zamar samenwerkte. Hij wist dat we hadden geprobeerd lakens te verkopen via onze kerken hier in Zuid-Chicago en dat dat was mislukt. Maar Billy heeft zelf geprobeerd om zijn tante, zijn vader en zijn grootvader over te halen opnieuw over het contract met Fly the Flag te onderhandelen. Ze waren onwrikbaar, onvermurwbaar. Dat deed hem veel verdriet. En toen ontdekte hij door de faxen die uit het buitenland kwamen dat ze al afspraken hadden gemaakt met een atelier in Nicaragua om die handdoeken en lakens te maken, volgens een planning waarbij de arbeiders negen cent zouden krijgen voor elk laken en elke handdoek die ze maakten.

Billy heeft een rapport over die fabriek gelezen en ontdekte dat de mensen daar zeventig uur per week moesten werken, zonder betaling voor overwerk, zonder vakantiedagen en zonder lunchpauze. Dus hij vond dat het tijd werd dat de Nicaraguaanse arbeiders rechten kregen, en een vakbond, en hij zou naar de raad van bestuur stappen en zijn verhaal vertellen als de familie niet terugkwam op haar beslissing. Billy's grootvader houdt heel veel van hem. Toen hij zag hoe geschokt zijn kleinzoon was, zei hij dat ze, voordat ze met Nicaragua in zee gingen, een maand zouden wachten om te zien hoe Frank Zamar het deed.'

'En toen brandde Frank Zamars fabriek af. Kwam dat even goed uit. En Bron Czernin is dood.' Ik lachte enigszins onbeheerst.

Ik had het beeld nog niet helemaal voor ogen, maar wel de grote lijnen. Bron had gedacht dat hij de Bysens kon afpersen; hij had hun vuile werk opgeknapt, en nu moesten ze betalen voor Aprils operatie. Maar in plaats daarvan hadden ze hem vermoord. Of Grobian had hem vermoord. Ik had alleen Billy en Freddy nog nodig. En wat bewijsmateriaal.

'Weet u echt niet waar Billy is?' vroeg ik aan Andrés.

In zijn donkere ogen was bezorgdheid te lezen. 'Ik heb geen idee, mevrouw de detective.'

Hij sloot zijn ogen en begon zachtjes, fluisterend, te bidden. De vrouwen bij de deur keken met waardering en een zeker ontzag naar hem en gingen zachtjes neuriën, een hymne bij wijze van steun en begeleiding. Na drie à vier minuten ging Andrés rechtop zitten. Hij straalde weer zijn oude gezag uit en kondigde aan dat iedereen moest proberen Billy the Kid en Josie Dorrado te vinden.

'Misschien verbergen ze zich in een gebouw, een garage, of huren ze een flat onder een valse naam. Jullie moeten het aan iedereen vragen, met iedereen praten en deze kinderen zien te vinden. Als jullie dat doen, vertel het me dan meteen. En als jullie me niet kunnen vinden, vertel het dan aan de coach annex detective hier.'

41 Een kat in het nauw

Langzaam liep ik terug naar mijn auto. Ik moest onmiddellijk Conrad Rawlings van het Fourth District bellen en hem vertellen wat Freddy's rol was geweest bij de brand bij Fly the Flag. Ik had mijn mobieltje vandaag zo min mogelijk ingeschakeld. Ik had wel een paar keer naar Amy gebeld, maar om mijn cliënten te bellen had ik de telefoon in de lerarenkamer van de Bertha Palmerschool gebruikt. Maar nu maakte het niet uit of iemand me peilde en zag dat ik in Zuid-Chicago was. Integendeel, als ze me zo goed in de gaten hielden dat ze mijn mobiele gesprekken afluisterden, zouden ze me juist niet meer lastigvallen als ik alles wat ik wist aan de politie meldde.

Tot mijn verrassing was het pas half acht. Door alle emoties en inspanningen van zojuist had ik het gevoel dat er een hele avond verstreken was. Ik belde naar het Fourth District, vastbesloten om Freddy aan de politie uit te leveren. Dan zou Conrad zien wat een gehoorzame, behulpzame privédetective ik was. Toen ik hoorde dat hij net weg was, voelde ik me als een lek geprikte ballon.

De telefoniste van het Fourth District leek niet warm of koud te worden van mijn nieuws over de brandstichting bij Fly the Flag. Ik kreeg haar uiteindelijk zover dat ze me doorverbond met een rechercheur, een jonge kracht die plichtmatig mijn naam en die van Freddy noteerde, maar zijn verzekering dat ze erachteraan zouden gaan, kwam zo uit de top drie van de meest gebruikte leugens in de Engelse taal. Hij vroeg niet eens hoe mijn naam werd gespeld, terwijl hij die niet kon uitspreken, en hij schreef mijn telefoonnummer alleen op omdat ik erop stond dat hij dat deed.

Toen we hadden opgehangen, aarzelde ik even en belde toen naar Conrads privénummer. Ondanks alle keren dat ik van mobiele telefoon was veranderd, had ik zijn nummer nog steeds onder een sneltoets, op nummer vier, na mijn kantoor, mijn antwoordservice en Lotty. Hij was er niet, maar ik liet een uitvoerige boodschap achter op zijn antwoordapparaat. Hij zou misschien boos op me zijn omdat ik zo hard van stapel was gelopen met het onderzoek, maar ik wist zeker dat hij iets met de informatie zou doen.

Ik bewoog mijn schouders, die stijf waren van de spanningen van die middag. Ik was ook nog moe van mijn uitstapje van maandagnacht. En dat terwijl veel van mijn collega-privédetectives in elkaar worden geslagen, in de nor worden gegooid of zich bezatten zonder ooit te hoeven uitrusten. Ik keek naar mijn gezicht in de achteruitkijkspiegel. Het licht was weliswaar slecht, maar ik zag toch dat ik bleek was.

Ik belde Mary Ann om haar te zeggen dat ik over ongeveer een uur bij haar zou zijn, als dat niet te laat voor haar was. Iemand nam de telefoon op en zei niets, wat me alarmeerde, maar na een tijdje hoorde ik haar diepe, barse stem.

'Alles is in orde, Victoria, ik ben alleen een beetje moe. Eigenlijk hoef je vanavond niet meer langs te komen.'

'Mary Ann, ben je alleen? Heeft iemand de telefoon voor je opgenomen?'

'Mijn buurvrouw is hier, Victoria. Ze heeft de hoorn opgepakt terwijl ik in de badkamer was, maar dan heeft ze kennelijk niets gezegd. Ik ga nu weer naar bed.'

Er was iets in haar stem wat me ongerust maakte. 'Ik moet even bij April Czernin langs. Over drie kwartier rijd ik weer naar het noorden. Ik wil wel graag heel even bij je langskomen om een paar boodschappen af te geven en te kijken of je nog op bent. Ik zal je niet wakker maken als je slaapt. Je hebt me je sleutels gegeven, weet je nog?'

'O, Victoria, je bent altijd een eigenzinnige, koppige lastpak geweest. Als je dan per se wilt komen, vooruit dan maar, maar als het meer dan drie kwartier duurt voordat je hier bent, bel dan even, want dan blijf ik niet voor je op.'

'Vooruit dan maar?' herhaalde ik, gekwetst door de woorden en haar geërgerde toon. 'Ik dacht...'

Ik onderbrak mezelf midden in de zin, toen ik bedacht dat ze ziek was en dat mensen door pijn vaak heel anders reageren dan ze normaal zouden doen. Mijn eigen moeder was gewend tot 's avonds laat op te blijven om op mijn vader te wachten en hield zichzelf en mij dan bezig met muziek, koken, boeken – we lazen samen hardop de toneelstukken van Giovanni Vega in het Italiaans – en ze klaagde nooit over het wachten, over het piekeren. Maar op een avond in het ziekenhuis begon ze plotseling te krijsen dat hij niet van haar hield en nooit van haar had gehouden. Ze schrok er zelf bijna net zo erg van als mijn vader en ik.

'Josie wordt nog steeds vermist,' zei ik tegen mijn coach. 'Hoe goed ken je haar? Kun jij iemand bedenken die ze zo vertrouwt dat ze er zou kunnen logeren? Ze heeft een tante in Waco die zegt dat Josie niet bij haar is, maar misschien liegt die tante wel voor haar.'

'Ik ken de meisjes Dorrado niet zo goed, Victoria, maar ik zal morgenochtend een paar andere docenten bellen. Misschien dat een van hen een suggestie heeft. Ik ben in de keuken, maar ik moet nu gaan liggen.' Ze hing abrupt op.

Hoewel ik mezelf streng toesprak, voelde ik me toch gekwetst door Mary-Anns bruuske manier van doen. Ik zat in het donker en mijn ledematen deden pijn. Ik had een nieuwe bloeduitstorting op mijn dijbeen, van toen ik op Freddy was gevallen; ik voelde de verdikking onder mijn spijkerbroek.

Ik doezelde weg in de warme auto, maar na een paar minuten werd er op mijn raampje geklopt, waardoor ik me wezenloos schrok. Toen mijn hartslag tot bedaren was gekomen, zag ik dat het Celines oom was. Ik draaide het raampje open.

'Is alles goed met u, mevrouw? U hebt nogal een smak gemaakt, daarnet.'

Ik dwong mezelf te glimlachen. 'Ja hoor, niets aan de hand. Alleen blauwe plekken. Uw nichtje is een zeer getalenteerd sportster. Denkt u dat u kunt helpen haar weg te krijgen bij de Pentas? Die zullen een blok aan haar been zijn en haar belemmeren haar talenten te benutten.'

Daar spraken we een tijdje over, over hoe moeilijk het was om kinderen groot te brengen in Zuid-Chicago, en, het was droevig, maar zijn broer had zijn gezin in de steek gelaten en Celines moeder, eh, ja, om er geen doekjes om te winden, die dronk nogal, maar hij zou zijn best doen met Celine. Hij waardeerde alles wat ik voor haar deed.

We sloten ons ritueel van dankbetuigingen voor elkaars zorg om Celine af. Hij vertrok en ik belde de Czernins. Ik had misschien opgehangen als Sandra had opgenomen, maar het was April. Haar stem sleepte.

'Het komt door de medicijnen, coach,' zei ze toen ik zei dat ik hoopte dat ik haar niet wakker had gemaakt. 'Ik krijg er het gevoel van dat ik in een grote badkuip vol wattenbolletjes lig, en dat ik niks zie en niks voel. Denkt u dat ik kan ophouden ze te slikken?'

'Ho, ho, kind, blijf die medicijnen nou maar gebruiken tot je dokter zegt dat het niet meer hoeft. Je kunt je beter nu een paar weken een beetje duf voelen dan dat je levenslang aan een zuurstoftank vastzit, toch? Ik ben een paar straten bij jullie vandaan en ik heb een oplader voor je telefoon bij me. Kan ik die langs komen brengen? Ik wil ook graag dat je even ergens naar kijkt.'

Ze vrolijkte onmiddellijk op. Het was duidelijk dat ze meer gezelschap nodig had dan alleen haar moeder. Ik zou eens met haar docenten praten, kijken of iemand huiswerk bij haar af kon geven en of er een paar klasgenootjes met haar wilden gaan kletsen. Toen ik bij de voordeur aankwam, was April daar om open te doen, maar haar moeder stond achter haar.

'Wat denk je dat we zijn, Tori, een liefdadigheidsproject waar je steeds langs moet komen om je steentje bij te dragen? Ik kan best voor mijn dochter zorgen zonder jouw hulp. Tot vanmiddag wist ik verdomme niet eens dat je haar een mobieltje had gegeven, en als ik had geweten dat ze er een wilde hebben, had ik dat zelf wel gekocht.'

'Rustig aan, Sandra,' antwoordde ik vinnig. 'Het is Billy's telefoon. Ze gebruikt hem alleen tot hij hem weer nodig heeft.'

'En is Bron niet vermoord doordat hij die telefoon bij zich had?'

Ik staarde haar aan. 'Is dat zo? Wie heeft je dat verteld?'

'Een vrouw op mijn werk, ze zei dat ze eigenlijk achter Billy aan zaten, maar dat ze Bron hadden vermoord omdat hij in Billy's auto reed en Billy's telefoon gebruikte. Daardoor dachten ze dat hij Billy was.'

'Het is de eerste keer dat ik dat hoor, Sandra.' Ik vroeg me af of er enige waarheid in het idee school of dat het gewoon een van die verhalen was die de ronde deden omdat er iets ergs was gebeurd. Als ik de politie was of de middelen van Carnifice had, zou ik naar de By-Smart-winkel kunnen gaan waar Sandra werkte om de bron van het verhaal op te sporen. Misschien was Amy Blount bereid er morgen naartoe te gaan.

'April, mag ik even binnenkomen? Ik wil je moeder en jou een tekening laten zien, misschien dat die jullie iets zegt.'

'O, coach, natuurlijk, sorry.' April stapte achteruit om me binnen te laten.

Het was pijnlijk om te zien hoe langzaam en onhandig ze zich bewoog, terwijl ze kort daarvoor nog met de soepele gang van een veulen over het veld had gedraafd met de andere meisjes van het team. Om mijn gevoelens te verbergen, sprak ik bijna net zo bars als Mary Ann, terwijl ik de tekening van de kikker tevoorschijn haalde en aan hen gaf.

'Waar heb je dit gevonden?' vroeg Sandra.

'Bij 100th Street en Ewing Avenue. Heeft Bron het je laten zien?'

Ze snoof luidruchtig. 'Het lag op het werkblad in dat schuurtje van hem. Ik vroeg hem wat het was en hij zei dat het een geintje was. Hij was iets aan het maken voor een van zijn kennissen en dit was de tekening die die vent hem had gegeven. Hij was altijd met dat soort dingen bezig.'

'Goedhartig, bezig zijn vrienden te helpen?' opperde ik.

'Nee!' Ze vertrok haar gezicht. 'Hij dacht altijd dat hij een idee had dat hem rijk zou maken. Kikkers op isolerend rubber, nou vraag ik je, wie zou dat nou ooit kopen, en hij lachte en zei, ach, iemand van By-Smart zou er wel voor vallen.'

'Hou op!' riep April uit. 'Maak hem niet altijd belachelijk. Hij heeft mooie dingen gemaakt, dat weet je best, hij heeft dat bureau voor je gemaakt, alleen was jij zo stom om het te verkopen zodat je afgelopen Pasen met je vriendinnen naar Las Vegas kon. Als ik had geweten dat je het ging verkopen, had ik het zelf wel van je gekocht.'

'En waar had je dat mee willen doen, juffie?' vroeg Sandra bits. 'Je spaargeld kan...'

Ze werd onderbroken door een harde klap, van glas dat aan diggelen werd geslagen aan de achterkant van het huis. Voordat een van de anderen kon reageren, trok ik mijn revolver en rende door de eetkamer naar de keuken. In de keuken was niemand, maar ik hoorde iemand bewegen in het schuurtje. Ik dook ineen, trok de deur open en deed een uitval naar de benen.

De ruimte was zo klein dat de indringer niet languit kon vallen, maar tegen de werktafel sloeg. Ik stapte achteruit tot ik net buiten zijn bereik was en hem onder schot kon houden.

'Freddy Pacheco!' Ik hijgde zwaar en mijn woorden kwamen in korte salvo's. 'Dit moet geen gewoonte gaan worden. Wat moet je hier? Als je komt voor de tekening die je hebt gemaakt, ben je veel en veel te laat.'

Hij richtte zich op en wilde op me af komen, maar deinsde terug toen hij de revolver zag. 'Wat doe jij hier, vuil kreng? Volg je me, of zo? Wat wil je van me?'

'Zo veel dat ik nauwelijks weet waar ik moet beginnen.' Ik boog me naar hem toe en gaf hem een klap voor zijn mond, zo snel dat hij niet kon reageren. 'Respect, om te beginnen. Als je me nog één keer "kreng" noemt, schiet ik je in je linkervoet. Bij de tweede keer in je rechtervoet.'

'Je durft toch niet te schieten, wijven zijn te...'

Ik schoot op de muur achter zijn hoofd. Het geluid weerkaatste hard in de kleine ruimte, en Freddy werd lijkbleek en zakte ineen tegen Brons werktafel. Er rees een onaangename stank van hem op, en zoals altijd schaamde ik me dat ik mijn revolver gebruikte om iemand angst aan te jagen. Maar de schaamte was niet zo erg dat ik hem met mijn zegen het steegje in stuurde.

Ik hoorde Sandra achter me de keuken in sluipen. 'Er is een gluiperd je huis binnengedrongen, Sandra. Bel het alarmnummer. Nu meteen.'

Ze wilde me tegenspreken – haar natuurlijke reactie – maar toen ze langs me keek en Freddy zag, haastte ze zich weg. De telefoon stond bij het fornuis. Ik hoorde haar in de hoorn schreeuwen en tegen April gillen dat ze geen voet in de keuken mocht zetten.

'Zo, Freddy, vertel me eens over de kikker. Jij hebt hem voor Bron getekend en hij zou hem voor je maken, klopt dat?'

'Het was zijn idee, man, hij zei dat zijn dochter hem had verteld dat de pastor zoiets op Diego's installatie had gezet. Dus wilde Bron weten hoe dat zat, man, en ik heb het hem verteld, en toen wilde hij dat ik het tekende.'

'En dus heb jij de tekening gemaakt. En daarna ben je de kikker in de droogkamer van de fabriek gaan zetten.'

'Nee, man, helemaal niet. Ik heb niemand vermoord.'

'Wat deed je daar dan op die ochtend dat ik je er ontdekte? Op zoek naar werk?'

Zijn gezicht klaarde op. 'Ja, dat is het, man. Ik wilde een baantje.'

'En dat heeft Bron voor je gevonden: de fabriek platbranden en Frank Zamar vermoorden.'

'Het was een ongeluk, man, het was alleen de bedoeling dat de elektriciteit uitviel...' Hij zweeg toen hij plotseling besefte dat hij te veel zei.

'Bedoel je dat je een man hebt gedood doordat je niet besefte dat er brand zou uitbreken? Je was omgeven door lappen stof en oplosmiddelen, maar je besefte niet dat die in brand zouden vliegen?' Ik was zo woedend dat het me moeite kostte hem niet ter plekke neer te schieten.

'Ik heb niks gedaan, man, ik zeg geen woord meer zonder mijn advocaat.'

Hij keek slecht op zijn gemak naar mijn revolver, maar ik kon me er niet toe zetten er weer mee te dreigen om hem nog een paar woorden te ontlokken. Wel was ik buiten mezelf over de ellende die hij had veroorzaakt met zijn kolossale stupiditeit.

'Wat doe je hier nou eigenlijk?' wilde ik weten. 'Waarom ben je binnengedrongen? Om de tekening op te halen?'

Hij schudde zijn hoofd, maar zei niets.

Ik keek naar het werkblad. 'De restanten rubber? De rest van het zuur?'

'Zuur? Waar heb je het over?' vroeg Sandra achter me op scherpe toon.

'Een trucje dat Freddy van pastor Andrés heeft geleerd,' zei ik zonder me om te draaien. 'Hoe je met salpeterzuur kortsluiting kunt veroorzaken. Bron heeft iets voor Freddy gemaakt en Freddy heeft Fly the Flag in de as gelegd. Maar hij zegt dat dat niet zijn bedoeling was. Is de politie onderweg?'

Sandra begreep maar de helft van mijn mededeling. 'Hoe... durf... je! Hoe durf je naar ons te komen, naar een huis waar wordt gerouwd, en te zeggen dat Bron brand heeft gesticht? Mijn huis uit! Maak dat je wegkomt!'

'Sandra, wil je dat April en jij alleen achterblijven met Freddy?'

'Als hij de politie leugens over Bron gaat vertellen, wil ik niet dat ze hem arresteren.' Ze begon naar mijn kuiten te trappen.

'Sandra, hou op! Hou op! Die vent is binnengedrongen, hij is gevaarlijk en we moeten hem aan de politie overdragen. Alsjeblieft! Wil je soms dat hij April kwaad doet?'

Ze hoorde me niet en bleef met een rood, opgezet gezicht naar me trappen en aan mijn haar trekken. Al haar woede en verdriet van de afgelopen week – van de afgelopen dertig jaar – kwam naar buiten en werd over me uitgestort.

Ik stapte naar de hoek van de werkplaats in een poging bij haar uit de buurt te komen. Ze kwam achter me aan zonder zich iets aan te trekken van Freddy, van het gebroken glas, van wat dan ook behalve mij, haar oude vijandin. 'Je wist dat Boom-Boom met me naar bed ging,' beet ze me toe. 'Dat kon je niet verdragen. Jij dacht dat hij van jou was, jij... jij manwijf!'

De belediging raakte me ergens in een verre uithoek van mijn geest, een plek die later pijnlijk zou zijn maar nu nog niet, want nu had ik al mijn aandacht voor Freddy nodig. Sandra sprong om me heen en de ruimte was zo klein dat ik niet tussen haar en Freddy kon blijven. Ze stapte langs me en hij greep haar vast en drukte haar rondmaaiende armen tegen haar lijf. Plotseling verslapte ze en zakte ze tegen hem aan. Toen had hij opeens een mes in zijn hand, dat hij tegen Sandra's keel drukte.

'Maak dat je wegkomt, kreng, of ik vermoord haar,' zei hij tegen me.

Als ik op hem schoot, was de kans groot dat ik haar zou raken. Ik liep achteruit het schuurtje uit. April was in de keuken. Haar opgezette gezicht was asgrauw en ze ademde moeizaam.

'Kom, lieverd, we gaan naar buiten. Jij gaat goed diep ademhalen. Kom mee.' Ik zette mijn stem van strenge coach op. 'Adem in.

Vier seconden vasthouden. Nu heel, heel langzaam uitademen. Ik tel en dan adem jij op elke tel een beetje uit.'

'En ma dan? Zal hij... gaat hij...?'

'April, doe wat ik zeg. Hij zal haar niets doen, en bovendien komt de politie eraan.'

Ik nam April haastig mee over de stoep naar mijn auto. Ik zette de rugleuning van de passagiersstoel zo ver mogelijk naar achteren om de druk op haar longen te verminderen. Toen haalde ik de portiersleutel van mijn sleutelring, startte de motor en zette de verwarming op vol vermogen.

'Doe de portieren op slot als ik buiten ben. En open ze voor niemand. Ik ga achterom om te kijken of ik je moeder kan helpen, oké?'

Haar lippen beefden en ze hapte naar lucht, maar ze gaf een klein knikje.

'En blijven ademhalen. Dat is het belangrijkste wat je nu kunt doen. Adem in, tel tot vier, adem uit en tel tot vier. Begrepen?'

'J-ja, coach,' fluisterde ze.

Ik keek op mijn horloge; het was meer dan tien minuten geleden dat Sandra de politie had gebeld. Terwijl ik om het huis heen liep, belde ik het alarmnummer met mijn mobieltje, wat betekende dat er niet automatisch een adres op hun scherm verscheen. Ik vertelde waar ik was en zei dat we ruim tien minuten geleden al hadden gebeld. De telefoniste was een paar martelende minuten op zoek naar Sandra's bericht. Uiteindelijk vond ze het en ze zei dat ze iemand zou sturen.

'Wanneer?' vroeg ik. 'Nu, of als Pasen en Pinksteren op één dag vallen? Ik heb hier een kind dat een hartstilstand dreigt te krijgen. Stuur onmiddellijk een ambulance!'

'Dat van u is niet het enige noodgeval in deze stad, mevrouw.'

'Hoor eens, we weten allebei hoe het zit in de South Side. Er is hier een indringer en een ernstig ziek kind. Doe alsof dit Lincoln Park is en zorg dat er nú een team komt!'

De telefoniste zei hooghartig dat elk noodgeval hetzelfde werd behandeld en dat ze geen ambulance voor me te voorschijn kon toveren.

'Ik had er waarschijnlijk zelf een kunnen bouwen in de tijd dat ik heb gewacht. Als dit kind overlijdt, zal dat voorpaginanieuws zijn, en dan zullen de opnamen van deze gesprekken in het hele land worden uitgezonden. Uw kinderen en kleinkinderen zullen ze uit hun hoofd kennen.' Ik klapte mijn telefoontje dicht en rende om het huis heen naar de achterkant.

Door het gebroken raam van Brons werkplaats stroomde licht naar buiten, maar de achterdeur was met veel geweld opengetrapt en dichtgeslagen, want hij hing nu scheef in de sponning. Ik had mijn revolver in mijn hand en greep een deksel van een vuilnisemmer bij wijze van schild. Bij de deur ging ik op mijn hurken zitten, ik haakte het deksel achter de deur en trok die helemaal open. Niets te horen. Ik liep gebukt de keuken in, als een slechte imitatie van een politieagent. Mijn voeten gleden weg op kogeltjes uit een kogellager die Freddy op de grond had gestrooid en ik viel op mijn knieën. Het geluid werd beantwoord met een onderdrukte schreeuw vanuit een van de kamers.

Ik kwam overeind en rende de eetkamer in. Sandra was noch daar, noch in de woonkamer. Ik keek de slaapkamer in en zag dat de toilettafel was omgeduwd, zodat die de kastdeur versperde. Ik rukte het ding opzij. Sandra lag ineengekrompen in de kast op de grond zachtjes te jammeren.

Ik knielde bij haar neer. 'Ben je gewond, Sandra? Heeft hij je gesneden?'

Ze zei niets, lag alleen te huilen als een gewonde hond, een zacht gepiep van ellende. Ik voelde aan haar keel, maar ik vond geen bloed, en op de grond onder haar zag ik ook niets. Freddy had al het beddengoed op de grond gegooid. Ik pakte een deken en sloeg die om haar heen.

In de paar minuten dat ik buiten was geweest met April, was Freddy door het huis gegaan als de sprinkhanen door Egypte. Hij had de laden in de slaapkamer en het medicijnkastje leeggehaald, was naar boven gerend, naar Aprils vliering, en had haar bureau omgekeerd en het matras van haar bed getrokken. En daarna had hij de achterdeur opengetrapt en was hij gevlucht. Waarschijnlijk had Diego hem in de steeg met de pick-up opgewacht.

Ik liep langzaam weer naar beneden, naar Sandra. 'April zit veilig in mijn auto. Als de ambulance niet snel komt, wil je dan dat ik haar naar het ziekenhuis breng?'

Haar tanden klapperden, maar ze klemde haar kaken op elkaar en siste: 'Je pakt me mijn dochter niet af, Tori.'

'Nee, Sandra, dat zal ik niet doen. Jij kunt meerijden. Waarom heeft dat stuk tuig hier zo huisgehouden?'

'Hij z... z-zei... dat hij de opname w-w-wilde,' barstte ze los. 'Alss-of ik een radios-s-station ben. Geef me de opname, z-z-zei hij st-steeds.'

'De opname?' echode ik. 'Wat voor opname?'

Ze sidderde en voelde zich ellendig, en ze wilde geen domme vragen van mij beantwoorden. Ik hielp haar naar de bank, zette water op voor thee en ging naar buiten, naar mijn auto. Tot mijn opluchting ademde April nog toen ik het portier van het slot draaide. Ik legde haar net de situatie uit toen de politiewagens eindelijk de hoek om kwamen scheuren.

42 De schuilplaats

Met de komst van de politie ontstond er een complete chaos. Mannen renden door de steeg en stelden zich rond het huis op, onderwijl voortdurend gewichtig in hun portofoons kwakend. Ik zorgde dat April in mijn auto bleef, want het zou van een tragische ironie zijn als ze haar hartproblemen en Freddy's inbraak overleefde om te worden neergeschoten door een van deze Dirty Harry's. Het duurde een eeuwigheid voordat de mannen (en één vrouw) begrepen dat iemand het huis was binnengedrongen, dat de dader was gevlucht en dat April en haar moeder medische hulp nodig hadden.

Eindelijk lieten ze een ambulance komen. April ademde weliswaar op eigen kracht, maar ze was vreselijk bleek en ik was blij dat er zich deskundigen over haar ontfermden. Sandra beefde nog te erg om zelf naar de ambulance te kunnen lopen, maar de verpleegkundigen droegen haar erheen met een soort onpersoonlijke kordaatheid die haar goed leek te doen en ervoor zorgde dat ze beter functioneerde.

'Kan ik iemand bellen om samen met je te wachten en je naar huis te brengen?' vroeg ik Sandra terwijl ze haar achter in de ambulance hielpen.

'Laat me nou maar met rust, Tori Warshawski. Elke keer dat je bij me in de buurt komt, gebeurt er iets met een familielid van me.' Het kwam er als een reflex uit, want een seconde later zei ze dat ik haar ouders moest bellen, die in Pullman woonden. 'Ze hebben alleen een slaapbank in de voorkamer, maar April en ik kunnen er wel een paar dagen logeren. Mijn vaders oude vakbondsafdeling stuurt wel iemand om de schade aan het huis te repareren.'

Ik was blij dat ze er niet helemaal alleen voor stond, maar toen ze was vertrokken, was het aan mij om te proberen de politie uit te leggen wat er was gebeurd. Ik besloot dat een uitgeklede versie van het verhaal het best zou werken: ik was de tijdelijke basketbalcoach, April was ziek, haar vader was pas gestorven, en ik bracht iets voor haar langs toen er aan de achterkant van het huis een stuk tuig was binnengedrongen. Hij had Sandra gegrepen en bedreigd; ik had de dochter naar mijn auto gebracht om haar buiten gevaar te brengen. We hadden op de politie gewacht, die overigens pas een halfuur na Sandra's eerste telefoontje ter plaatse was.

De uitgeklede versie ging de mist in toen ze mijn Smith & Wesson zagen. Ja, ik had een revolver, ja, ik had een vergunning, ja, ik was privédetective, maar ik was hier niet in die functie. Ik vertelde hun over mijn achtergrond, over mijn relatie met de Czernins doordat April in het basketbalteam van de Bertha Palmer-school zat en ik inviel voor de coach, bla, bla. Het beviel ze niet: ik was hier met een revolver, het huis was overhoopgehaald en ze hadden alleen mijn woord dat Freddy hier ooit was geweest.

Ik deed mijn best om mijn geduld niet te verliezen – dat was hét recept om de nacht in een cel op het bureau te moeten doorbrengen – toen Conrad me op mijn mobieltje belde. Hij was thuisgekomen, had mijn boodschap gehoord, en hoe haalde ik het in mijn hoofd om verdachten te verhoren?

'Het heeft die ploeg van jou exact twintig minuten gekost om te reageren op een melding van een inbraak,' grauwde ik. 'Kom me nou niet aan met uit jouw wijk blijven, politiezaken aan het Fourth District overlaten, theekransjes houden of wat je vorige week dan ook allemaal zei.'

'Een inbraak? Waar heb je het over, Warshawski? Daar heb je niks over gezegd in het bericht dat je hebt ingesproken.'

'Toen was het ook nog niet gebeurd,' zei ik bits, 'maar Freddy Pacheco, die vent waar ik je over belde, is nog geen uur later binnengedrongen in het huis van de Czernins. Ik heb mijn eerdere aanvaring met hem wel bij een van je rechercheurs gemeld, maar die vond het niet de moeite er iets mee te doen. En nu willen je mannen me arresteren wegens het redden van Sandra en April Czernin.'

'Je bent zo opgewonden dat ik geen touw aan je verhaal kan vastknopen,' klaagde Conrad. 'Geef me de leidinggevende daar.'

Ik grijnsde boosaardig en gaf de telefoon aan mijn belangrijkste ondervrager. 'Het is Conrad Rawlings, uw chef van het Fourth District.'

De agent fronste zijn wenkbrauwen, want hij dacht dat ik hem voor de gek hield, maar toen hij de stem van Conrad over de telefoon hoorde, onderging hij een komische metamorfose: als op bevel rechtte hij zijn rug en hij gaf een beknopt verslag van hun aankomst. Zo te horen aan de afgebroken zinnen van de agent onderbrak Conrad hem voortdurend met vragen: waarom het zo lang had geduurd tot ze bij de Czernins waren en wat ze hadden gevonden toen ze het huis doorzochten. De agent stond op om met een andere man te overleggen en meldde toen dat er niemand in het huis aanwezig was.

Ik hoorde Conrads stem krassend uit het telefoontje komen. De agent zei tegen mij: 'Hij wil weten wat u over de dader weet.'

'Niet veel. Hij komt veel in een café dat de Cocodrilo heet, in 91st Street, maar ik weet niet waar hij woont. Hij trekt op met een neef van hem, ene Diego.' Ik beschreef Freddy's stuurse, knappe uiterlijk.

De agent gaf deze informatie door, luisterde weer even naar Conrad en vroeg toen of ik wist waarom Pacheco het huis was binnengedrongen.

Ik haalde omstandig mijn schouders op. 'Het is een stuk tuig. De pastor van Mount Ararat noemt hem een chavo banda die klusjes doet voor grotere boeven. Misschien weet de pastor wel waar hij woont.'

Ik was niet van plan te gaan uitweiden over de kikker, de brand bij Fly the Flag en het feit dat Freddy op zoek was naar een opname, niet via een tussenpersoon. Uiteindelijk waren Conrad en de agent uitgepraat en liet de agent mij verder praten met zijn chef.

'Vertel eens, Ms. W., die chavo van jou, hoe weet je dat hij die brand heeft gesticht?'

'Dat heeft hij bekend. Tegen mij, toen ik hem hier in een hoek had gedreven... Voordat Sandra Czernin als een waanzinnige tekeer begon te gaan en tussen hem en mij in ging staan. Waarna hij haar greep en als gijzelaar gebruikte. Maar ik weet niet wat hij in haar huis zocht. Bron Czernin heeft een ding gemaakt dat Freddy heeft gebruikt om de brand mee te stichten. Freddy had het voor hem getekend en die tekening was hier in huis. Hij heeft de tekening gezien, maar dat was niet waar hij voor kwam, want die is nog hier.' Weliswaar in mijn zak, maar dat hoefde Conrad niet te weten.

'Terwijl ik het meisje in veiligheid bracht, heeft Freddy het huis ondersteboven gekeerd. Ik denk niet dat hij heeft gevonden wat hij zocht. Hij rijdt rond met zijn neef in een Dodge, een pick-up. De eerste letters van de nummerplaat zijn v b c; de rest heb ik niet gezien. Dat is mijn hele verhaal. Mag ik nu naar huis?'

'Ja, en probeer daar te blijven. Ook al reageren we dan niet zo snel als de burger wil, we komen wel...'

'Op tijd om de lijken op te ruimen,' vulde ik hatelijk aan. 'Wat je had kunnen doen als ik hier niet was geweest. Ik ben coach van een basketbalteam hier in de buurt. April Czernin speelt in mijn team, net als Josie Dorrado, die nog steeds vermist wordt, ondanks de ongelooflijke energie die je team erin steekt om haar te vinden, dus ik moet hier soms zijn, of je dat nou leuk vindt of niet.'

'Oké!' schreeuwde hij. 'Nu ken je mijn geheim. Ik heb te weinig geld en mankracht om alles te doen wat er moet gebeuren om Zuid-Chicago veilig te houden. Stuur een brief naar de burgemeester, vertel het de commissaris, maar werp het mij niet voor m'n voeten.'

Dus zijn territoriumgevecht met mij kwam deels voort uit trots: hij wilde niet dat ik wist dat hij niet voor de buurt kon zorgen. 'O, Conrad, het is hier zo'n puinzooi dat zeven flikken met zeven blikken die nog niet opgeveegd zouden krijgen. Ik probeer echt, eerlijk waar, niet om je gezag te ondergraven, alleen om je te helpen.'

'God beware me daarvoor, Ms. W.,' zei hij, duidelijk trachtend zijn zelfbeheersing te hervinden. 'Ga naar huis, ga naar bed... O, wacht even. Ik wist dat er nog iets was. Die auto, die Miata die je langs Ewing Avenue onder de Skyway hebt gevonden, was weg toen wij er dinsdagmiddag kwamen. We hebben de Bysens gebeld, of hun advocaten: de auto is van Billy en ze wilden niet dat er politieagenten met hun vieze handen aan zaten. Ze hebben hem naar een plaatwerkerij laten slepen, waar hij gisterochtend al volledig ontmanteld en schoongemaakt was. Ik dacht dat je dat wel wilde weten. Probeer uit de problemen te blijven, Ms. W.'

Ik was blij dat hij in een wat vriendelijker stemming was toen ik ophing en ik verliet het huis van de Czernins zo snel mogelijk. De agenten die de straat en de steeg doorzochten, hielden me tegen om te controleren of ik geen vluchtende verdachte was, maar ten slotte kon ik gaan. Toen ik buiten hun zicht was, zette ik de auto langs de stoeprand.

Ik liet mijn rugleuning achterover zakken tot ik bijna plat kon liggen, zette de cd van David Schrader en Bach weer op en probeerde na te denken. Ik zou naar pastor Andrés kunnen gaan om uit te zoeken waar Freddy woonde, maar ik was niet meer zo geïnteresseerd in de chavo. De politie zou hem snel genoeg vinden en ik verwachtte niet dat hij me nog iets nuttigs te vertellen had. Die opname, daar wilde ik meer over weten.

Met mijn ogen dicht liet ik me meevoeren door Bach. Opnames. In mijn jeugd waren dat singletjes of bandjes met muziek. Daarom had Sandra gezegd dat Freddy tegen haar praatte alsof ze een radiostation was. Mijn gedachten gingen even terug naar mijn middelbareschooltijd, toen ik stiekem naar wvon luisterde, een zwart station waar de beste muziek werd gedraaid. In die tijd van strijd om burgerrechten voor zwarten konden blanke meisjes die naar wvon luisterden worden afgetuigd door hun 'verlichte' leeftijdgenoten.

Maar een opname kon ook een opgenomen gesprek zijn. Ik zag Marcena's valse glimlach voor me, toen ze tijdens de gebedsbijeenkomst bij By-Smart haar vulpen-recorder uitstak om vast te leggen wat er werd gezegd. Ze nam alles op. Op haar kleine apparaatje was ruimte voor acht uur gesproken woord, en ze kon de inhoud van dat digitale brein overzetten op haar computer. Dus haar laptop was gestolen om die opnames te vernietigen. Maar dat dingetje, die rode pen die geluid opnam, hadden ze niet. Als ze dat had laten vallen toen ze in de Miata zat, zou het nog onder de Skyway kunnen liggen. Iemand had de Miata nogal grondig doorzocht, dus als het in de auto had gelegen, zouden de mensen die ernaar op zoek waren het hebben... en dan zouden ze Freddy niet hebben ingehuurd om er hier naar te komen zoeken. Het zou gevallen kunnen zijn toen Marcena uit de Miata werd gesleept. Als dat onder de Skyway was gebeurd, kon de pen daar nog liggen.

De gedachte om op dit uur van de avond terug te gaan naar het viaduct trok me niet. Morgenochtend zou ik Amy Blount mee kunnen nemen om te helpen zoeken, als ik geen afspraken had. Ik pakte mijn Palm-organizer uit mijn tas en zag hoe laat het was. Ik had tegen Mary Ann gezegd dat ik haar om negen uur zou bellen als ik laat was, en het was nu kwart voor tien.

Ik tikte met mijn pen tegen het schermpje. Ik moest op weg naar huis toch maar bij haar langsgaan; ze had zich zo vreemd gedragen toen we elkaar spraken, dat ik me ervan wilde overtuigen dat alles echt goed met haar was. Ik kon de boodschappen in de keuken voor haar achterlaten en misschien snel haar teckeltje even uitlaten.

Ik keek naar mijn afspraken voor vrijdag. Tot één uur had ik niets. Ik zou de ochtend vrij hebben, een welkome adempauze. Dan kon ik uitslapen en naar de Belmont Diner gaan voor cornedbeef en eieren. Bij die gedachte begon ik bijna te kwijlen, en ik besefte dat ik niets meer had gegeten sinds ik negen uur geleden een kom kippensoep met noedels had gehaald. Ik liep naar de kofferbak en brak een stuk af van de feta die ik voor Mary Ann had gekocht. De pittig-zoete kaas was zo heerlijk dat ik er nog een stuk van opat. Voordat ik het wist, was de hele plak op. Nou ja, dan kocht ik volgende week wel een nieuwe voor haar.

Terwijl ik Route 41 weer opreed, vroeg ik me af of Marcena haar pen bij Morrell had achtergelaten. Carnifice, of wie dan ook, had zijn woning doorzocht, maar misschien wisten ze niet waar ze precies naar op zoek waren. Ik belde Morrell.

'Hippolyte! Hoe gaat het vanavond met Uwe Majesteit?'

'Niet erg majesteitelijk, vrees ik. Ik kon een ordinaire straatboef al niet eens aan, dus ik geloof niet dat ik klaar ben om het tegen een ware strijder op te nemen.'

Ik vertelde hem over mijn belevenissen met Freddy. 'Hij is op zoek naar Marcena's recorder, en ik denk dat ze daar bij jou ook naar op zoek zijn geweest, als dat enige troost is. Ik weet dat ik te laat ben voor het eten, maar ik zou straks naar je toe kunnen komen, als je nog een tijdje opblijft.'

'Ik zou naar Zuid-Chicago moeten rijden en je op je schild naar huis moeten dragen, na alles wat je hebt doorgemaakt. Maar aangezien ik dat niet kan, denk ik dat je maar naar je eigen huis moet gaan. Dat is dichterbij, en ik vind het niet prettig als je rijdt terwijl je zo moe bent. Don en ik kijken hier wel rond. Ik bel je als ik iets vind. Bel jij mij dan als je thuis bent.' Toen ik geen antwoord gaf, zei hij scherp: 'Goed, Warshawski?'

Mijn eigen rommelige huis met mijn honden... Ik besefte met een ongemakkelijk gevoel dat dat aantrekkelijker klonk dan Morrells kraakheldere appartement. Maar misschien kwam dat alleen doordat Don er logeerde en zou ik vervuld zijn van verlangen naar Morrell als ik weer alleen met hem kon zijn.

Pas toen ik ophing, herinnerde ik me dat Carnifice of iemand anders misschien mijn telefoon of die van Morrell afluisterde. Ik probeerde me het hele gesprek te herinneren. Niet dat ik graag had dat vreemden mijn onzekerheden hoorden, maar waar ik echt niet over had moeten praten, was de recorder. Ik belde Morrell terug om hem te waarschuwen. Zoals te verwachten was, ergerde het hem dat er iemand zou kunnen meeluisteren, maar hij stemde ermee in de deur niet open te doen zonder de geloofsbrieven van zijn bezoek driemaal te controleren.

'Trouwens, Don rookt nog steeds als een schoorsteen. Als er iemand binnenkomt, kan hij hem longkanker bezorgen terwijl we wachten tot jij met je revolver komt.'

Ik lachte wat ongedwongener. Ik was zo onverantwoordelijk geweest te telefoneren onder het rijden en ik was nu bij Mary Ann, dus ik zei tegen hem dat ik zou bellen als ik thuis was en hing weer op.

Het was nog niet zo heel laat; achter de meeste ramen brandde nog licht. Ik dacht zelfs dat ik bij Mary Ann nog een lamp zag branden. Misschien lag ze in bed te lezen. Ik bleef nog even in de auto zitten om mijn laatste restje energie bij elkaar te rapen voordat ik op stijve benen naar de entree liep. Ik belde niet aan, voor het geval dat ze sliep, maar liet mezelf het gebouw binnen. De trap ging ik bijna sluipend op, zodat Scurry mijn voetstap niet zou herkennen en zou gaan blaffen. Net zo onhoorbaar draaide ik de deursloten open en glipte naar binnen.

De hond vloog door de gang op me af, maar ik zette de boodschappen neer en tilde hem op voordat hij geluid kon maken. Hij likte uitbundig mijn gezicht, wrong zich los en rende terug naar de keuken. Ik pakte de tas op en liep achter hem aan. De deur van Mary Anns slaapkamer was dicht, maar achter in het huis brandde licht. Ik liep zachtjes langs haar kamer naar de keuken.

En daar, met een strak gezicht van angst, morrelend aan de sloten van de achterdeur, stonden Josie Dorrado en Billy the Kid.

43 De voortvluchtigen

Ik was zo verbluft dat ik een ogenblik roerloos bleef staan, niet in staat iets te zeggen of zelfs maar te denken. Mary Anns vreemde manier van doen – haar onwil om me te ontvangen en haar wens dat ik haar heel precies liet weten wanneer ik zou komen – en degene die haar telefoon had opgenomen zonder iets te zeggen... Ik had geen moment vermoed dat zij de voortvluchtigen onderdak bood.

Billy schermde Josie voor me af alsof hij verwachtte dat ik hen te lijf zou gaan. Hij slikte nerveus. 'Wat gaat u nu doen?'

'Nu? Ik ga Mary Anns boodschappen uitpakken, koffiezetten voor mezelf en jullie uithoren over wat er precies aan de hand is.'

'U weet wel wat ik bedoel,' zei Billy. 'Wat gaat u doen nu... nou ja, nu u ons hier hebt gevonden?'

'Dat hangt ervan af wat jullie me vertellen over de reden dat jullie zijn weggelopen.'

Toen ik de bederfelijke waren in de koelkast zette, zag ik dat ze twee cola en pizza's voor zichzelf hadden gekocht. Ik dacht verlangend aan de fles armagnac in mijn drankkast, maar ik zette water op voor koffie en roosterde brood voor mezelf.

'Ik hoef u helemaal niets te vertellen.' In zijn strijdlust klonk Billy veel jonger dan zijn negentien jaar.

'Dat is waar,' gaf ik toe, 'maar je kunt niet eeuwig bij coach McFarlane blijven. Als je me vertelt wat je weet en voor wie je je verschuilt, kan ik misschien iets regelen of als bemiddelaar fungeren of, als je echt in levensgevaar bent, een veilige plaats voor je zoeken.'

'We zijn hier veilig,' zei Josie. 'Coach zorgt ervoor dat niemand ons ziet.'

'Josie, denk eens na. Als er bij iemand in jullie flat twee vreemden logeerden, hoe lang zou het dan duren voordat je dat hoorde?'

Ze bloosde en keek naar de grond.

'Mensen kletsen nou eenmaal. Ze vertellen graag nieuwtjes. Billy's familie heeft het grootste detectivebureau van Chicago en omstreken, misschien wel ter wereld, ingehuurd om naar hem te zoeken. Vroeg of laat zal een van de detectives met iemand praten die Mary Ann kent, en dan hoort hij van het onbekende jonge stel dat soms haar hond uitlaat, dat pizza's en cola haalt bij The Jewel en zich in de keuken verschuilt als de thuiszorg komt. En als ze Billy komen halen, zou jou of Mary Ann iets kunnen overkomen.'

'Dus we moeten een andere plek zoeken,' zei Billy somber.

Ik schonk koffie voor mezelf in en bood hun de pot aan. Josie ging naar de koelkast om een glas fris te pakken, maar Billy wilde wel koffie. Ik keek gefascineerd toe hoe hij er ongeveer een half ons suiker door roerde.

'En denk eens aan je moeder, Josie. Ze is gek van ongerustheid over jou. Ze is ervan overtuigd dat je dood op het stortterrein ligt waar we Aprils vader hebben gevonden. Wilde je haar tot in het oneindige laten denken dat ze je kwijt is?'

Billy zei: 'Lagen ze op het stortterrein? Wie heeft ze daarheen gebracht?' terwijl Josie iets mompelde wat erop neerkwam dat haar moeder niet wilde dat ze met Billy omging.

'Wat onaardig van haar! Je bent vijftien, slim en gewiekst genoeg om ervoor te zorgen dat een jongen de nacht in jouw slaapkamer kan doorbrengen, of om met hem naar bed te gaan – waar – op het opklapbed van coach McFarlane? Vroeg of laat zul je toch weer naar huis moeten. Laat het dan maar vroeg zijn.'

'Maar, coach, hier is het stil, er is geen baby, mijn zus pakt mijn spullen niet af en er slapen geen jongens onder de eettafel. Er zijn geen kakkerlakken in de keuken... Het is hier zo rustig. Ik wil niet terug!' In haar donkere ogen vlamde passie, en een soort verlangen. 'En coach McFarlane vindt het fijn dat ik hier ben, dat heeft ze zelf gezegd. Ze zorgt dat ik mijn huiswerk maak en ik help haar, ik doe dingen die ik ook voor mijn oma deed toen ze ziek was. Dat vind ik niet erg.'

'Dat is een heel andere zaak,' zei ik, wat kalmer nu. Ik was te vaak in die flat aan Escanaba Avenue geweest om haar verlangen naar rust niet te begrijpen. 'Laten we gaan zitten en bedenken wat we aan Billy's problemen kunnen doen.'

Ik trok de stoelen onder Mary Anns oude emaillen tafel vandaan. Billy's kin stak nog steeds strijdlustig naar voren, maar het feit dat hij op mijn bevel ging zitten, betekende dat hij bereid was mijn vragen te beantwoorden.

'Billy, ik kom net bij Aprils huis vandaan. Terwijl ik daar was, drong Freddy Pacheco binnen. Hij heeft het huis ondersteboven gekeerd. Eerst dacht ik dat hij op zoek was naar de tekening die hij voor Bron heeft gemaakt...' Ik haalde het vel papier tevoorschijn, dat er inmiddels gehavend uit begon te zien en gescheurd was langs een van de vouwen.

'Hebt u die?' riep Billy uit. 'Hoe komt u daaraan?'

'Die lag op de plek waar je auto maandagnacht in de vernieling is gereden. Wat weet je ervan?'

'Is mijn auto in de vernieling gereden? Hoe is dat gebeurd? En waar?'

Ik keek hem onderzoekend aan. 'Op de hoek van 100th Street en Ewing Avenue. Wie zat er achter het stuur? Marcena?'

'Nee, want haar hebben ze...' Hij sloeg zijn hand voor zijn mond.

In de daaropvolgende stilte hoorde ik de keukenklok tikken en de wastafelkraan in de badkamer druppelen. Ik had de irrelevante gedachte dat ik eraan moest denken die kraan goed dicht te draaien voordat ik wegging.

'Wíé heeft wát met haar gedaan, Billy?'

Hij zei niets en ik dacht aan Rose Dorrado, die eerder die avond tegen Julia had gezegd dat ze geen zin had de waarheid uit haar te moeten trekken alsof het een rotte kies was. 'Al die verrotte troep zal eruit moeten, Billy, voordat ik er iets aan kan doen en alles weer in orde kan maken. Begin maar met je auto. Die heb je aan Bron gegeven, hè?'

Hij knikte. 'Ik heb tegen Bron gezegd dat hij hem mocht gebruiken tot ik hem weer nodig had. Ik heb zelfs een briefje geschreven dat hij bij zich kon dragen, voor het geval dat een politieagent of – of wie dan ook hem van diefstal zou beschuldigen.

Maar ik wilde eerst naar het magazijn om mijn boeken te halen, en een paar andere dingen die ik in mijn kastje had laten liggen. Ik wilde niet meer voor Grobian werken, want hij had Josie beledigd, en mij, door haar te bespioneren. Dat was voordat ik wist dat hij... Nou, hoe dan ook, ik heb tegen Bron gezegd dat ik hem de auto zou geven als ik daarmee klaar was.'

'Ben je zondagmiddag na de kerkdienst met Pat Grobian gaan praten? Was hij toen op zijn werk?'

'Nee, maar hij woont in Olympia Fields. Ik ben erheen gereden nadat ik met u had gepraat. Pat zat nog in zijn ondergoed naar een sportwedstrijd op de tv te kijken, ongelooflijk toch? En hij had het lef om Josie een... nou, iets lelijks te noemen wat ik niet wil herhalen. We hebben ruzie gehad, maar dat bleef bij een woordenwisseling; ik gebruik geen geweld. Ik maakte me al zorgen over bepaalde dingen en ik heb hem gezegd dat ik een tijdje vrij nam.'

'De dingen waar je je zorgen over maakte... had je die in een fax uit Nicaragua gezien? Dat zegt je tante Jacqui.'

'Heeft ze u daarover verteld? Wanneer?' Zijn ogen waren groot van ongeloof.

'Ik ben gisteravond bij je oma thuis geweest. Jacqui heeft niet veel gezegd, alleen dat je iets over de fabriek in Matagalpa verkeerd had begrepen, maar ze...'

'Heeft ze dat gezegd?' Billy schreeuwde bijna van woede. 'Heeft ze daarover gelogen waar mijn oma bij was? Hebt u enig idee wat hier gebeurt?'

'Nauwelijks,' moest ik toegeven. 'Ik weet dat pastor Andrés lijm in de sloten van Fly the Flag heeft gespoten om Frank Zamar duidelijk te maken dat hij geen illegalen mocht uitbuiten, maar dat Zamar daar gewoon mee is doorgegaan. Ik weet dat Freddy...'

Billy onderbrak me. 'U weet niets van Matagalpa. Ik heb ontdekt... Ik heb een fax aan tante Jacqui gezien, dat was trouwens op de dag dat u naar het magazijn kwam om steun te vragen voor het basketbalproject. In Matagalpa worden spijkerbroeken voor By-Smart gemaakt, snapt u, voor ons huismerk, Red River, en tante Jacqui wilde weten hoe snel ze daar de massaproductie van lakens en linnengoed en dat soort dingen op poten konden krijgen. Dus ik heb alle cijfers voor lonen en werkuren gezien en die waren schokkend, en daar heb ik met haar over gepraat. Ze geeft twee- of drieduizend dollar uit aan elke outfit die ze draagt, dat weet ik doordat oom Gary er altijd over tekeergaat. Toen ik die fax uit Nicaragua zag, ben ik eens gaan rekenen. De arbeiders in de Red River-fabriek werken vierenveertighonderd uur per jaar en ze krijgen nog geen achthonderd dollar, per jáár, bedoel ik. Dus ze zouden veertienduizend úúr moeten werken om een van haar jurken te kunnen betalen. Wat uiteraard niet zou kunnen, want ze moeten natuurlijk hun kinderen te eten geven. Ik heb haar gevraagd waarom ze hen niet behoorlijk kan betalen, en ze lachte op die manier van haar en zei dat hun behoeften eenvoudiger waren dan de hare. Eenvoudiger! Omdat zij ze arm houdt!'

Hij was rood aangelopen en hijgde. Ik zag het voor me, Billy net als nu buiten zichzelf van gerechtvaardigde woede en tante Jacqui boosaardig glimlachend, zoals ze altijd deed als een van de Bysens zich opwond.

'Dus daarom wilde je bij je familie uit de buurt blijven?'

'Min of meer.' Hij bleef maar roeren in de zoete blubber in zijn kopje. 'Ik heb met iedereen gepraat, met opa, met oma. Vader is natuurlijk hopeloos, maar opa deed alsof ik achterlijk was; ze denken allemaal dat ik achterlijk ben. Hij zei dat ik het wel zou snappen als ik de onderneming beter kende. Dus toen pastor Andrés naar ons hoofdkantoor kwam om de dienst te leiden, die dag dat u er was, wilde hij zijn preek daarover houden en, nou ja, u hebt gezien wat er gebeurde!'

Josie legde een hand op de zijne en keek me zijdelings aan om te zien of ik haar zou beletten hem aan te raken. Hij gaf haar afwezig een klopje, maar hij zat te peinzen over zijn familie.

'Je dreigde naar de aandeelhouders te stappen. Waar ging dat over?'

'O, dat.' Hij haalde ongeduldig zijn schouders op. 'Dat is al zo lang geleden. Ik heb mijn... mijn vader en oom Roger verteld dat ik een poging van de vakbond om in Nicaragua voet aan de grond te krijgen zou steunen, dat ik naar de aandeelhouders zou stappen en hun zou vertellen dat ik geld ging sturen naar de mensen die door de Red River-manager in Matagalpa buiten de deur worden gehouden, zodat ze het zich konden veroorloven om hun zaak voor te leggen aan de International Labour Organisation. Daar gingen vader en al mijn ooms natuurlijk van over de rooie. Ik was niet echt van plan om de familie schade te berokkenen, toen niet, maar nu, o, jezus...!'

Zijn woorden klonken gekweld, en met een gepijnigd gezicht zweeg hij en liet hij zijn hoofd in zijn handen zakken. Nu was ik het die me naar hem toe boog en hem een troostend klopje gaf.

'Wat is er dan gebeurd? Ging het om Zamar?'

'Alles ging om Zamar.' Zijn stem klonk gedempt van achter zijn handen. 'Ze – tante Jacqui en Grobian, bedoel ik – bedreigden Zamar, snapt u, ze dreigden zijn fabriek te verwoesten en ze hebben dat met die ratten gedaan, omdat hij zei dat hij het contract zou moeten verbreken. Pat – Pat Grobian – en vader zeiden dat niemand een contract met By-Smart kon verbreken. Als Frank Zamar dat deed, zou iedereen denken dat je er gewoon vanaf kon als de voorwaarden je niet bevielen. Iedereen wil zaken met ons doen omdat we zo groot zijn, en dan dwingen we mensen akkoord te gaan met prijzen die ze zich niet kunnen veroorloven...'

Hij zweeg.

'En?' spoorde ik hem aan.

'Ik ben nogal goed geworden in Spaans,' zei hij, en hij keek even op. 'Ik heb het op school gehad, maar door mijn werk in het magazijn en doordat ik naar Mount Ararat ga, begrijp ik het nu echt goed. En er kwam dus een fax binnen van de manager in Matagalpa, in het Spaans. Hij stuurde Pat de naam van een van de plaatselijke jefes, chefs, u weet wel, die rotbaantjes verzamelen voor illegalen en dan de helft van hun loon in hun eigen zak steken, en, u weet wel...'

Ik knikte.

'Dus die kerel uit Matagalpa zei dat ze Frank Zamar naar die vent moesten sturen, die jefe hier in Zuid-Chicago, en die zou er dan voor zorgen dat Frank een hele stroom illegalen uit Midden-Amerika zou krijgen die dolgraag wilden werken. En Pat Grobian heeft min of meer tegen Frank gezegd: "Doe het, of anders...." '

'Maar Frank heeft die illegalen inderdaad aangenomen,' wierp ik tegen. 'Josies moeder heeft er gewerkt. Dat was twee dagen voordat de fabriek uitbrandde.'

'Ja, maar Frank was zo verbitterd en hij schaamde zich zo dat hij tante Jacqui en mijn vader niet heeft verteld dat hij die dingen was gaan maken. Hij nam de productie mee naar zijn eigen huis en spaarde die op totdat hij een volledige leverantie had. Die zou hij dan afleveren, maar hij wilde er niet over praten.' Billy keek me met zijn grote, onschuldige ogen aan. 'Had hij het ze maar verteld! Maar ze dachten dat hij nog steeds dwarslag, dus wilden ze meer sabotage.'

Ik herinnerde me dat ik, de laatste keer dat ik bij de fabriek was vóór de brand, had gezien dat er dozen in een bestelwagen werden geladen. Dat moest de gedeeltelijke leverantie zijn die Zamar mee naar huis nam.

'Je familie heeft Freddy in de arm genomen,' stelde ik. 'Maar hoe is Bron erbij betrokken geraakt?'

'O, u weet helemaal niets!' riep hij uit. 'Bron was degene die het deed! Alleen heeft hij Freddy ingehuurd om het vuile werk op te knappen. Ze zeiden gewoon tegen Bron: doe iets met de fabriek, ze omschreven het niet nauwkeurig, en dan liet hij Freddy Pacheco al die dode ratten verzamelen of... of die kikker op de bedrading zetten.'

Mijn mobieltje ging. Morrell, die zei dat hij had rondgekeken en niets had gevonden, doelend op Marcena's pen-recordertje, en dat hij naar bed ging.

'Is alles goed met Mary Ann?'

'Ik geloof het wel,' zei ik. Ik dacht er net op tijd aan er niet uit te flappen dat Billy en Josie hier waren en zei alleen dat ik nog een paar dingen moest doen, omdat ik hier een week niet was geweest.

Ik wendde me weer tot Billy. 'Hoe lang weet je dat al, van die kikker? Waarom ben je niet naar de politie gegaan?'

'Dat kon ik niet,' fluisterde hij. Hij staarde strak naar het tafelblad, alsof hij erin wilde verdwijnen, en ik moest hem een paar minuten aansporen voordat de rest van het verhaal kwam.

Op maandag had hij gezegd dat hij Bron naar het magazijn zou brengen, zodat Bron daar op tijd zijn truck kon ophalen. Billy was van plan zijn kastje leeg te maken en hij zou de Miata op het personeelsparkeerterrein achterlaten, zodat Bron er na zijn dienst mee naar huis kon rijden. Bron zou op zijn beurt Billy afzetten bij het forensenstation in Zuid-Chicago, voordat hij naar zijn eerste afleverpunt reed.

Toen ze op weg waren naar het magazijn, vroeg Billy Bron hoe hij van plan was aan geld te komen voor Aprils hartoperatie en Bron zei dat hij een extra verzekeringspolis had die Grobian voor hem had afgesloten, en hij liet Billy de tekening van de kikker zien, dezelfde die ik bij me had. Billy vroeg wat het was en Bron zei dat het een deel van zijn polis was, maar dat Billy niet meer hoefde te weten, want daar was hij te aardig voor.

'Ik word het zo zat om de hele tijd te horen te krijgen dat ik te onschuldig, te aardig, te achterlijk of wat dan ook ben om te hoeven weten wat er aan de hand is,' viel Billy uit. 'Alsof je automatisch een idioot bent als je in Jezus gelooft en goed wilt doen. Maar om u te bewijzen dat ik helemaal niet zo aardig ben: ik besloot uit te zoeken wat er tussen Bron en Pat speelde. In Pats kamer is een kast die doorloopt naar de kamer ernaast; vroeger was het een grote kantoorsuite met een wc of zo tussen de twee kamers. Hoe dan ook, ik heb me in die kast verstopt en heb alles gehoord: Bron die zei dat hij honderd mille nodig had voor April en Pat die op die hatelijke manier van hem lachte en zei: "Je hebt te veel met the Kid gepraat als je denkt dat deze familie ook maar een cent voor die meid van jou zal dokken."

Toen liet Bron hem waarschijnlijk de tekening van de kikker zien en Pat zei dat dat geen klote bewees...' Billy werd dieprood toen hij deze woorden herhaalde. Hij keek me snel even aan om te zien of ik gechoqueerd was. 'En Bron zei dat hij er een geluidsopname van had, want Marcena Love was bij hem geweest toen Pat hem vroeg het vuile werk op te knappen en zij had alles opgenomen, dat deed ze bij alle gesprekken die ze hier hoorde, zodat ze betrouwbare gegevens had. Dus toen gaf Pat hem opdracht even buiten te wachten. En hij belde iemand op en herhaalde wat er was gezegd, en toen riep hij Bron weer naar binnen en zei dat hij dacht dat hij hem toch wel kon helpen. Hij zei dat Bron met zijn vrachtwagen naar Fly the Flag moest komen nadat hij zijn spullen had afgeleverd in Crown Point, dat hij de eerste partij lakens wilde inspecteren die Zamar had gemaakt om te zien of die nog bruikbaar waren en dat er dan iemand van de familie zou zijn met een cheque, dat het allemaal ondershands moest omdat de familie er niets mee te maken wilde hebben. Dus besloot ik naar Fly the Flag te gaan om te zien wie van mijn familieleden er zou komen opdagen.'

'Waar was Josie intussen?' vroeg ik.

'O, ik wachtte in de Miata.' Het was voor het eerst dat Josie iets zei; al die tijd was het geweest alsof ze er niet was.

'In de Miata? Dat is een tweezittertje!'

'We hadden de kap naar beneden.' Josies ogen schitterden van plezier bij de herinnering. 'Ik zat ineengedoken achter de stoelen. Het was hartstikke leuk, ik vond het te gek.'

Op een koude novemberavond tegelijk in de nabijheid van de dood en de liefde zijn, ja... dat was leuk, als je vijftien was.

'Hoe is Marcena dan in de auto terechtgekomen?' vroeg ik, terwijl ik probeerde te bedenken wat de link was tussen al deze mensen.

'Bron heeft haar opgehaald met de truck. Ze was iemand aan het interviewen of iets aan het bekijken, dat weet ik niet precies, maar hij vertelde me dat hij haar ging ophalen en hij wilde weten of ik het goedvond dat zij in mijn auto reed. Voordat ik Grobian en Bron hoorde praten, waren wij – Josie en ik – namelijk van plan om weg te lopen naar Mexico en Josies oudtante in Zacatecas op te zoeken. We zouden de trein naar het centrum nemen, naar het busstation. Josie heeft geen legitimatiebewijs, dus we konden niet met het vliegtuig, en trouwens, als we zouden gaan vliegen, zouden de detectives van mijn vader ons vinden. We zouden met de Greyhound naar El Paso gaan en dan liften naar Zacatecas.

Maar toen besloot ik dat ik eerst naar Fly the Flag moest. Ik moest zien wie van mijn familieleden daar zou zijn en ik wilde niet dat Bron wist dat ik dat ging doen. Als ik had geweten wat ze gingen doen, zou ik Josie nooit hebben meegenomen, dat moet u geloven, mevrouw War-sha-sky, want het was het meest afschuwelijke...' Zijn schouders begonnen te schokken en hij deed zijn best niet hardop te snikken.

'Wie was het?' vroeg ik op zakelijke toon.

'Het was meneer William,' zei Josie na een tijdje met zachte stem, toen Billy geen woord kon uitbrengen. 'Die Engelse mevrouw kwam in Billy's auto. Meneer Czernin had ons afgezet bij het treinstation aan 91st Street, ziet u. De fabriek is maar iets van zes straten bij het station vandaan. Billy droeg mijn rugzak en we zijn gaan lopen, onderweg hebben we een pizza en drinken gekocht, en toen zijn we gewoon de fabriek binnengegaan.'

Ze bleef met dezelfde zachte stem praten, alsof ze Billy niet wilde laten schrikken. 'De grote kamer waar ma altijd zat te naaien stonk wel van de brand, maar de voorgevel was nog intact. Als je niet wist dat de achterkant weg was, zou je denken dat alles gewoon in orde was. En toen hebben we gewacht, nou, ik denk een uur of drie. Het werd wel koud. En toen hoorde ik plotseling de stem van meneer Grobian, en meneer William en hij kwamen binnen. We verscholen ons onder een van de werktafels. Door de brand was er geen elektriciteit, en ze hadden een grote draagbare werklamp bij zich die ze aandeden, maar ze zagen ons niet.

En toen kwam Aprils vader binnen, met de Engelse journaliste. Ze hadden het over Aprils operatie en wat meneer Czernin voor mevrouw Jacqui en meneer Grobian had gedaan, en meneer William zei tegen de Engelse mevrouw: "Meneer Czernin heb gezeg..." Ik bedoel: "Meneer Czernin heeft gezegd dat u dat allemaal hebt opgenomen?"

En de Engelse mevrouw zei dat ze een opname had, maar dat ze hun alleen het... Ik kan me het woord niet herinneren, maar ze had alles opgeschreven, gekopieerd van de opname, bedoel ik. Want ze mochten haar recorder niet hebben, zei ze. Ze wist wat ermee zou gebeuren als ze hun die in handen gaf. Toen las ze voor hoe meneer Grobian meneer Czernin opdracht gaf de fabriek te verwoesten, Fly the Flag, bedoel ik. Billy's tante was er ook bij, niet in de fabriek, maar toen ze Aprils vader opdracht gaven de fabriek te verwoesten. Dus de Engelse mevrouw las voor wat ze allemaal hadden gezegd, en hoe meneer William zelf zei dat dit voor zijn ouweheer het bewijs zou zijn dat hij wel degelijk drastische maatregelen kon nemen. Toen ze klaar was, lachte meneer William een beetje gemaakt' – ze wierp een snelle blik op Billy om te zien of hij beledigd was – 'en zei: "Ik zie dat je de waarheid vertelde, Czernin. Ik dacht dat je dreigementen loos waren. We regelen wel iets. Ga jij de truck maar laden, want de lakens zijn in orde, ze zitten in deze dozen hier, dan schrijf ik een cheque voor je uit."'

Josie gaf een knappe imitatie ten beste van Williams pietluttige, redderige manier van doen. Billy zat glazig voor zich uit te staren, alsof hij stomdronken was. Ik wist niet of hij Josie hoorde of in gedachten de avond opnieuw beleefde.

'Wat er daarna precies gebeurde, weet ik niet, want we zaten onder een tafel, maar meneer Grobian en meneer Czernin hebben de vorkheftruck geladen en de Engelse mevrouw zei dat ze die dolgraag wilde besturen, want ze had in tanks en in de vrachtwagen gereden, maar nog nooit in een vorkheftruck, en meneer Grobian zei dat hij de vrachtwagen naar achteren zou rijden, naar het laadplatform, en dan kon Czernin haar laten zien hoe je de vorkheftruck bestuurde. Maar toen sloeg de vorkheftruck op de een of andere manier om en ze vielen eraf, de Engelse mevrouw en meneer Czernin. Zij gaf een soort gil, maar meneer Czernin maakte helemaal geen geluid...' Haar stem stierf weg; plotseling was het niet spannend meer, maar beangstigend.

'Wat was er gebeurd?' Ik probeerde het tafereel voor me te zien: de vorkheftruck die naar de vrachtwagen reed en toen over de rand kantelde. Of Grobian en William die een lading dozen op Bron en Marcena lieten vallen.

'Ik heb het niet gezien,' fluisterde Billy. 'Maar ik hoorde pap zeggen: "Ze hebben het wel gehad, Grobian. Laad ze in de vrachtwagen. We brengen ze naar het stortterrein en laten hun familie in de waan dat ze samen zijn weggelopen naar Acapulco."'

Hij begon te huilen, met harde, gierende uithalen waar zijn hele lijf van schudde. Josie schrok van de uitbarsting en keek angstig van hem naar mij.

'Haal een glas water voor hem,' zei ik haar.

Ik liep om de tafel heen om zijn hoofd tegen mijn borst te drukken. De arme jongen was er getuige van geweest dat zijn vader een moord pleegde. Geen wonder dat hij zich verschool. Geen wonder dat William hem wilde vinden.

Ik schrok op van een stem achter me. 'O, ben jij het, Victoria. Het was zo'n herrie dat ik had kunnen weten dat jij er was.' Mary Ann McFarlane stond in de deuropening.

44 Een boeiende opname... helaas

Met haar kale hoofd boven haar rode, Schots geruite ochtendjas was Mary Ann een alarmerende verschijning, maar we reageerden alle drie ogenblikkelijk op het gezag dat ze uitstraalde. Billy's diepgewortelde goede manieren zorgden ervoor dat hij opstond. Hij nam een slok van het water dat Josie hem had aangereikt en verontschuldigde zich tegenover Mary Ann dat hij haar wakker had gemaakt. Nadat we elkaar hadden begroet en ik had verteld hoe ik op de voortvluchtigen was gestuit, maakte Billy het verhaal af door uit te leggen hoe ze bij Mary Ann waren terechtgekomen.

Ze waren de rest van de maandagnacht onder de werktafel blijven zitten, te bang en geschrokken om te proberen weg te komen. Ze dachten dat ze meer stemmen hadden gehoord dan alleen die van William en Grobian, maar ze wisten het niet zeker, en ze wisten niet of de fabriek in de gaten werd gehouden. Maar de volgende ochtend waren ze verkleumd en hadden ze honger. Ze waren voorzichtig te voorschijn gekropen om de wc te gebruiken, die in het deel van de fabriek lag dat nog intact was. Toen niemand hen aanviel, hadden ze besloten weg te gaan, maar ze wisten niet waarheen.

'Ik wilde u bellen, coach Warshawski,' zei Josie, 'maar Billy was bang dat u misschien nog voor meneer William werkte. Dus zijn we hierheen gegaan, omdat coach McFarlane Julia heeft geholpen toen ze in verwachting was.'

Ik deed alsof ik Mary Ann ging stompen. 'Wat zei je nou vanmiddag tegen me? Dat je de meisjes Dorrado niet zo goed kende?'

Ze schonk me haar grimmige glimlach. 'Ik wilde dat ze naar jou zouden gaan, Victoria, maar ik had beloofd dat ik hun geheim stil zou houden tot ze zover waren dat ze het wilden vertellen. Het

401

punt is dat ik dacht dat Billy zich verschool om uit te zoeken hoe het zat met de morele kwesties rond het bedrijf van zijn familie. Tot ik het net hoorde, had ik geen idee dat ze getuige waren geweest van Brons dood. Als ik dat geweten had, had ik je gebeld *quam primum famam audieram*, geloof me alsjeblieft.'

Mary Ann schakelt over op Latijn als ze opgewonden is; daar wordt ze kalmer van, maar het maakt het voor mensen als artsen en verpleegkundigen lastig om te begrijpen wat ze zegt. Ik kan haar zelf ook niet altijd volgen, en op dat ogenblik was ik te overdonderd door Billy's verhaal om er moeite voor te doen.

'Je zei dat Marcena een tekst voorlas van papier, dat ze de opname niet afspeelde,' zei ik tegen Billy. 'Maar heb je haar recordertje wel gezien bij Fly the Flag?'

'We hebben helemaal niks gezien,' zei Josie.

'En Billy's vader heeft jullie ook niet gezien?'

'Niemand heeft ons gezien.'

Ik snapte nu waarom William zo wanhopig op zoek was naar de recorder. Ze hadden haar laptop, maar ze hadden het origineel niet. Maar waarom vond hij het zo belangrijk om Billy te vinden als hij niet wist dat zijn zoon erbij was geweest? Ik vroeg Billy wie hij het nog meer had verteld.

'Niemand, mevrouw War-sha-sky, helemaal niemand.'

'Je hebt niemand een bericht gestuurd via MSN of zo?'

Hij schudde zijn hoofd.

'En het weblog? April zei dat je zus en jij via een weblog contact houden.'

'Ja, maar we gebruiken pseudoniemen, voor het geval dát. Candy woont op een zendingspost in Daegu, dat is in Zuid-Korea. Mijn ouders – mijn vader heeft haar daarheen gestuurd na de... de abortus, om haar niet bloot te stellen aan verleidingen en haar te laten boeten voor het ongeboren leven dat ze had genomen. Ik mag haar niet schrijven, maar we sturen berichten naar dat weblog over Oscar Romero, omdat hij mijn... mijn held is, in spiritueel opzicht. Mijn vader weet er niets van, en als ik haar schrijf, gebruik ik mijn schuilnaam, Turf, maar...'

Mijn nekharen gingen overeind staan. 'Van "Billie Turf", ongetwijfeld. Heb je haar verteld over Bron en je vader?'

Hij keek naar het linoleum en trok een cirkel met de teen van zijn sportschoen. 'Min of meer.'

'Carnifice kan je berichten op het weblog via je laptop natrekken, zelfs als jullie de slimste schuilnamen hebben gebruikt die er bestaan.'

'Maar... ik heb haar over Bron verteld vanaf de computer van coach McFarlane,' wierp hij tegen.

Ik gaf zo'n harde gil dat Scurry de gang in rende om dekking te zoeken. 'Als ze je schuilnaam hebben, kunnen ze speuren naar nieuwe berichten die je stuurt! En daarmee kunnen ze Mary Anns computer vinden. Als je wilt onderduiken, mag je absoluut geen contact met de buitenwereld onderhouden. Nu moet ik bedenken waar ik met jullie tweeën heen moet. Het is een kwestie van uren voordat de detectives van je vader Mary Anns computer hebben opgespoord. Misschien moeten we jou ook elders onderbrengen,' vervolgde ik tegen mijn oude coach.

Mary Ann zei dat ze absoluut niet van plan was haar huis te verlaten, vanavond of wanneer dan ook; ze bleef hier totdat ze naar een begraafplaats werd gebracht.

Ik verdeed geen tijd met pogingen haar om te praten of de kinderen over te halen ergens anders heen te gaan; mijn dringendste taak was Marcena's recorder te vinden voordat de dobermanns van William dat deden. Aangezien ze hem overal mee naartoe leek te nemen, moest ze hem maandag ook bij zich hebben gehad. Misschien had ze alleen voorgelezen van papier omdat ze de bijeenkomst opnam, of had ze hun uit voorzorg het apparaatje niet willen laten zien.

Haar grote Prada-tas, die ze ook overal mee naartoe nam, was niet meer opgedoken nadat ik Bron en haar had gevonden, dus die had William blijkbaar te pakken gekregen. Hij had het wrak van de Miata doorzocht. Als de pen daar niet was, noch bij Morrell of bij de Czernins, dan was ik er vrij zeker van dat ze die had verloren bij Fly the Flag of in de vrachtwagen waarin ze naar het stortterrein waren gebracht. Of op het stortterrein zelf, natuurlijk. Aangezien ik niet wist waar de vrachtwagen was en ik pas de volgende ochtend op het stortterrein kon gaan kijken, besloot ik meteen bij de fabriek langs te gaan, voordat William op hetzelfde idee kwam.

Ik hoopte dat Billy en Josie voorlopig veilig zouden zijn als ik hen achterliet. Het was moeilijk met zoveel onzekerheid te leven. Gisteren was ik gevolgd, maar vandaag niet... voor zover ik wist. Maar ik had mijn telefoon in het afgelopen uur gebruikt, en Billy had Mary Anns computer gebruikt. Ik ging naar de woonkamer en gluurde door een spleet in de gordijnen. Ik dacht niet dat we in de gaten werden gehouden, maar je kon het nooit met zekerheid zeggen.

Josie had gezorgd dat ze zover waren gekomen. Ze was vier jaar jonger dan Billy, maar beter toegerust om te overleven in de grote stad. Zij was degene die ik op het hart drukte de kettingen op beide deuren te doen en voor niemand open te doen, behalve voor mij. Als ik die avond niet terugkwam, moesten ze de volgende dag een betrouwbare volwassene vertellen wat er aan de hand was.

'Het is verstandig van jullie dat jullie de telefoon van coach McFarlane niet hebben gebruikt, en dat moeten jullie zo houden, maar jullie moeten me beloven dat jullie inspecteur Rawlings van het Fourth District bellen als jullie morgenochtend nog niets van me hebben gehoord. Praat met niemand anders, alleen met hem.'

'We kunnen niet naar de politie gaan,' wierp Billy tegen. 'Er zijn te veel politiemensen die mijn familie iets schuldig zijn en die daarom doen wat mijn vader of... of opa hun opdraagt.'

Ik stond op het punt te zeggen dat ze Conrad net zo konden vertrouwen als mij, maar hoe kon ik daar zeker van zijn? Het kon waar zijn, maar Conrad had superieuren, en zelfs zijn gewone agenten konden zijn omgekocht of bedreigd. Ik gaf hun het nummer van Morrell.

'Als ik terugkom, neem ik jullie mee naar mijn huis. Ik wil niet dat jullie bij coach McFarlane blijven. Jullie zijn hier te kwetsbaar en jullie aanwezigheid brengt haar in gevaar.'

'O, Victoria, mijn leven is al zo dicht bij het einde dat je je geen zorgen meer hoeft te maken over gevaar,' protesteerde Mary Ann. 'Ik vind het leuk om jongelui over de vloer te hebben. Dan ga ik niet over mijn lijf zitten tobben. Ze zorgen voor Scurry en ik leer ze Latijn; we hebben het reuze gezellig met elkaar.'

Ik glimlachte flauwtjes en zei dat we het er later nog maar eens over moesten hebben. Ik liet Josie de spleet tussen de gordijnen zien waarvandaan ze de straat in de gaten kon houden en zei dat ze me moest bellen als ze zag dat ik werd gevolgd. En anders zou ik haar de volgende ochtend zien.

Ik ritste mijn parka dicht, kuste Mary Ann op beide wangen en liet mezelf uit. Billy kwam achter me aan en trok even aan mijn arm.

'Ik wilde u alleen even bedanken omdat u me hebt geholpen toen ik daarnet instortte,' mompelde hij.

'O, jongen, je hebt ook een veel te zware last op je schouders gehad. Je stortte niet in, je voelde je gewoon veilig genoeg om te laten merken hoe moeilijk het is geweest.'

'Meent u dat?' Hij nam me met zijn grote ogen onderzoekend op om te zien of ik hem voor de gek hield. 'In mijn familie vindt zelfs mijn oma dat je niet mag huilen.'

'In mijn familie vinden we dat je niet moet zwelgen in je tranen, dat je iets moet doen, maar soms kun je niets doen voordat je een flinke huilbui hebt gehad.' Ik sloeg een arm om hem heen en drukte hem even tegen me aan. 'Pas goed op Josie en coach McFarlane. En op jezelf. Ik kom zo snel mogelijk terug.'

De lucht was helder geworden. Toen ik bij mijn auto aankwam, zag ik de Grote Beer laag aan de noordelijke hemel staan. Het was bijna volle maan. Dat had een voor- en een nadeel: ik had geen licht nodig om de fabriek te vinden, maar ik zou zichtbaar zijn voor iedereen die Fly the Flag in de gaten hield.

Ik controleerde mijn zaklantaarn. De batterijen waren nog goed en ik had een resevestel in het handschoenkastje. Die stopte ik in mijn zak. Ik keek of ik een extra patroonhouder voor de Smith & Wesson bij me had. Ik hield mijn telefoon ingeschakeld tot ik een paar straten bij Mary Ann vandaan was en in noordelijke richting naar Lake Shore Drive en mijn huis reed. Bij 71st Street zette ik mijn telefoon uit, en daarna sloeg ik af naar het westen en reed met een boog om de wijk heen totdat ik zeker wist dat ik niet werd gevolgd. Toen reed ik terug naar het zuiden, naar Fly the Flag.

Weer parkeerde ik op Yates Avenue en liep naar de fabriek. Het talud van de Skyway rees voor me op; de natriumlampen vormden een halo boven de straat, maar het licht scheen nauwelijks naar beneden. Hier op grondniveau waren de meeste straatlantaarns uit, maar de koele, zilveren maan verlichtte de straten, waardoor het leek alsof de oude fabrieken langs South Chicago Avenue uit marmer waren gebeiteld. Het maanlicht zorgde voor langgerekte schaduwen. Mijn eigen gestalte deinde over het wegdek als een uitgerekt stuk kauwgom, allemaal magere lijnen met kleine verdikkingen op de plaatsen van mijn gewrichten.

Het was stil in de brede straat. Niet de verlaten stilte van het platteland, maar die waarin stedelijke aaseters onder beschutting van het donker rondscharrelden: ratten, verslaafden, criminelen, allemaal op zoek naar een buit. Een stadsbus zwoegde door de straat mijn kant op. Uit de verte leek hij op een sprookjesbus: achter de ramen scheen licht en de koplampen leken een grijns te vormen onder de grote voorruit. Stap in en reis warm en gerieflijk naar huis.

Ik stak de straat over en liep het fabrieksterrein op. Er was ruim een week verstreken sinds de brand, maar de flauwe geur van rook hing nog in de lucht, als een vleugje parfum.

Ook al maakte het verkeer op de Skyway zoveel herrie dat mijn geluiden werden overstemd, ik ging toch maar door de berm van de oprit lopen om te zorgen dat mijn sportschoenen niet knerpten op het grind. Ik liep om het gebouw heen naar het laadplatform.

Ik zag onmiddellijk wat er met Bron was gebeurd. Net toen hij de zwaarbeladen voorkant van de vorkheftruck voorbij de rand van het platform had gebracht, klaar om zijn lading in de vrachtwagen te lossen, was Grobian weggereden. De vorkheftruck was voorover van het platform gekanteld en had zich met de punten van zijn vork in de grond geboord. De dozen die Bron erop had geladen, waren er in een grote kring omheen gevallen. Brons nek moest door de val zijn gebroken; het was een wonder dat Marcena de tuimeling had overleefd.

Ik scheen met mijn zaklantaarn over het terrein. Sherlock Holmes zou geknakt onkruid of een verplaatst stuk steen hebben gezien dat verraadde of Marcena in de vorkheftruck had gezeten toen die kantelde. Ik kon alleen gissen dat haar ervaring in oorlogsgebieden haar een zesde zintuig voor gevaar had opgeleverd, zodat ze op tijd van de vorkheftruck was gesprongen toen die viel.

Ik klauterde om de machine heen. Zo goed en zo kwaad als het ging keek ik eronder, maar nergens zag ik Marcena's rode pen. Misschien lag die onder de voorkant, maar die mogelijkheid zou ik tot het laatst bewaren, want dat zou betekenen dat er een sleepwagen moest worden ingehuurd om de vorkheftruck weg te takelen.

Ik zocht in een cirkel rond het apparaat tussen het onkruid en het grind. Aan deze kant van het gebouw had het vuur niet gewoed, dus ik had geen last van het gebroken glas en de verkoolde resten stof die ik had gevonden toen ik hier een week eerder aan het zoeken was geweest, maar er lag toch een ergerlijke hoeveelheid afval, rommel die van de Skyway was gegooid en van de straat was komen aanwaaien. Kortgeleden had ik gelezen dat de stortterreinen van Chicago zo ongeveer vol waren en dat we ons afval naar het zuiden van de staat gingen transporteren. Als alle zakjes en blikjes die ik vandaag op straat had zien liggen in de vuilnisbak waren gegooid, waren onze stortterreinen misschien nog eerder vol geraakt. Misschien bespaarden straatvervuilers de belastingbetaler wel geld.

Na een uur was ik er zo zeker van als in het donker maar mogelijk was dat de pen hier niet lag. Ik zette een voet op de vorkheftruck en klom op het laadplatform. Ik ging op de rand zitten en staarde het struikgewas in terwijl ik me Marcena voorstelde.

Nu ik zelf niet rondliep, begonnen de geluiden van de nacht harder te klinken. Ik deed mijn best door het zoeven van de auto's en de knarsende versnellingen van de trucks op de hooggelegen weg heen te luisteren. Waren dat ratten en wasberen, die ritselden in het struikgewas, of mensen?

Marcena had Grobian en William op band gewild, of op chip, liever gezegd. Ze had doorgehad dat ze op een veel belangrijker verhaal was gestuit dan ze had verwacht. Ze wist hoeveel macht de Bysens hadden; als ze probeerde het verhaal te publiceren, zouden ze het de kop indrukken, een rechtszaak aanspannen tegen de krant of tegen haar. Ze had hun stem nodig, ze moesten vertellen wat ze hadden gedaan.

Misschien had ze haar recorder in haar broekzak gehad, maar het was ook mogelijk dat ze hem had neergelegd op een plek waar ze dacht dat hij vertrouwelijke opmerkingen tussen de twee mannen zou opnemen. Ik duwde mezelf overeind. Ondanks mijn parka had ik het koud gekregen, en ik had geen zin om alleen het donkere, kille gebouw in te gaan.

Billy en Josie hebben hier een hele nacht doorgebracht, hield ik mezelf voor. Gedraag je naar je leeftijd, gedraag je als een detective. Ik deed mijn zaklantaarn weer aan en liep de verlaadruimte in. Aan de hoge muren hingen planken, met daarop platte stukken karton die tot dozen voor lakens gevouwen konden worden. Er lagen nog een paar rollen stof in hun plastic verpakking te wachten tot ze naar de plek werden gebracht waar ze gebruikt zouden worden. Na twee weken waren ze overdekt met een dikke laag roetkleurig stof en de randen waren aangevreten door knaagdieren, die dolblij waren dat er van dat zachte nestbekledingsmateriaal voor ze was neergelegd. Ik hoorde ze wegschieten toen mijn licht ze op de vlucht joeg.

Ik keek vluchtig rond in de ruimte, maar de vloer was kaal, dus ik zou de recorder wel gezien hebben als ze die daar in het zicht had laten vallen. Ik controleerde wel langs de muren en keek onder de planken om te zien of hij misschien was weggerold, maar ik vond alleen rattenkeutels. Ik huiverde en liep snel naar de werkruimte waar William een lading lakens had gevonden, of beweerde te hebben gevonden.

Hier was de brandschade duidelijk. Er zat een gat in de voorgevel, waar de brandweermannen zich een weg naar binnen hadden gehakt. Op de naaimachines en snijtafels lag as, een dikkere laag in de zuidwestelijke hoek, waar de vlammenzee het ergst was geweest, maar ook waar ik stond, aan de andere kant van de ruimte, lag flink wat. De grote ramen aan de achterkant waren gebroken. Overal lag glas, zelfs voor in de ruimte. Hoe was het daar helemaal terechtgekomen? Stukken raamkozijn, stoelpoten en half voltooide Amerikaanse vlaggen lagen overal verspreid, alsof een reuzin hier met een poppenhuis had zitten spelen en een driftbui had gekregen: ze was het zat geworden, had al het speelgoed opgepakt en het willekeurig om zich heen gegooid.

Marcena had vast zo veel mogelijk materiaal willen verzamelen voor haar opzienbarende verhaal. Ze had waarschijnlijk geprobeerd het gesprek tussen Grobian en meneer William op te nemen terwijl Bron de vorkheftruck laadde, dus misschien had ze haar pen ergens neergelegd in de buurt van waar ze hadden gestaan.

En daar lag hij, naast een naaimachine, tegen een schaar aan. Ik kon mijn ogen niet geloven: achteloos in het volle zicht op een tafelblad. Maar als je niet wist wat het was, zou je natuurlijk nooit bedenken dat het een recorder kon zijn. Het was echt een heel ingenieus apparaatje.

Ik pakte het op en bekeek het bij het licht van mijn zaklantaarn. Het was niet veel groter dan zo'n dikke, dure vulpen die je wel in chique kantoorboekhandels ziet. Het had een USB-poort om het met een computer te verbinden en de inhoud te kopiëren, en kleine knopjes met de universele vierkantjes en driehoekjes van recorders: *play, forward, reverse.* Het had ook een schermpje van ongeveer tweeënhalve bij een halve centimeter. Toen ik op '*on*' drukte, verscheen op het schermpje de vraag of ik wilde afspelen of opnemen. Ik drukte op het knopje 'play'.

'Zij en ik zijn de twee besten van het team, maar coach trekt April altijd voor.'

Het was de stem van Celine, mijn bendeleider. Het apparaat begon bij het begin, de dag dat Marcena met me mee was gegaan naar de basketbaltraining. Ik kwam in de verleiding verder te luisteren naar hoe het team over me dacht, maar ik nam een grote sprong door het bestand. Vervolgens werd ik opgeschrikt door mijn eigen stem. Ik praatte tegen de vrouw die naast me had gezeten tijdens de gebedsbijeenkomst bij By-Smart en vroeg haar naar William Bysen. Ik drukte weer op '*fast-forward*'.

Nu klonken Marcena's afgemeten woorden metalig door de ruimte. 'Kijk, stop dit in de zak van je jasje, hier. Ik heb hem aangezet, maar hij neemt alleen op als mensen binnen een afstand van een meter of twee ervan praten, dus hopelijk pik je niet al te veel nutteloze achtergrondgeluiden op.'

Daarna volgden gesmoorde schurende en grommende geluiden, Marcena's lach, een pets en gespeelde woede van Bron. Kortom, een opname voor boven de achttien. Dan een paar korte fragmenten waarin Bron zijn truck bestuurde en op een andere chauffeur schold, en daarna zei hij tegen Marcena dat ze achter de stoelen moest kruipen en op het matras erachter moest gaan liggen, zodat de bewaker bij het toegangshek van het magazijn haar niet zou zien. De bewaker liet hem binnen. De twee kenden elkaar en maakten grapjes over en weer. Verderop, in het magazijn, vonden soortgelijke gesprekjes plaats: hij praatte met mijn vriend in het Harley-jack over hun routes en ladingen, schepte op over April en haar basketbalspel en klaagde met de anderen mee over de Bears en het management van By-Smart totdat Grobian hem naar binnen riep.

Grobian nam zijn route en lading van die dag met hem door en zei toen: 'Die leverancier in jouw wijk, Czernin, die vlaggenfabrikant, ik weet niet of het komt doordat hij een Serviër is, maar hij is niet echt snel van begrip. Hij heeft het blijkbaar nog niet door.'

'Ik heb toch echt mijn best gedaan, Grobe.'

'En wij hebben onze dankbaarheid laten blijken.' Dat was tante Jacqui. 'Maar wij – als familie – willen dat je hem nog een waarschuwing geeft.'

'Wat wilt u dat ik doe?'

'Hem een waarschuwing geven, zorgen dat zijn fabriek een dag moet sluiten, maar zodanig dat hij weet dat we zijn zaak voorgoed kunnen opdoeken als hij niet meewerkt. Honderd, net als de vorige keer, als je dat voor het eind van de week doet. Honderd extra als de waarschuwing zo effectief is dat hij overstag gaat,' zei Grobian.

'Wat hebt u in gedachten?' vroeg Bron.

'Jij bent creatief, je bent goed met je handen,' zei tante Jacqui op een uitdagende toon die suggereerde dat ze best zou willen weten wat hij allemaal met zijn handen kon. 'Je kunt vast wel iets bedenken. Dat soort details hoef ik niet te horen.'

Haar stem klonk duidelijker dan die van Grobian. Kennelijk zat ze in de stoel voor het bureau, terwijl Grobian erachter zat. Had ze die zwarte jurk gedragen, waarvan de knopen maar tot net onder haar heupen kwamen? Had ze nonchalant haar benen over elkaar geslagen en hem een suggestieve glimp langs haar dijbeen omhoog gegund – dit kan van jou zijn, Bron, als je doet wat ik wil?

Plotseling hoorde ik stemmen uit de richting van het laadplatform komen. Ik was zo verdiept geweest in de opname dat ik niet had gehoord dat er een vrachtwagen het terrein op was gereden. Wat was ik voor detective, dat ik hier zat te wachten als een lam op de slacht?

'Jacqui, als je mee wilde komen, had je praktische schoenen aan moeten doen. Het kan me niet verdommen of die laarzen van duizend dollar van jou een kras oplopen. Ik snap niet dat Gary die geldsmijterij van jou goedvindt.'

Jacqui lachte. 'Er is wel meer wat jij niet snapt, William. Papa Bysen zou uit zijn vel springen van woede als hij je zo hoorde vloeken.'

Ik stopte de recorder in mijn broekzak en dook onder de grote snijtafel. Er hing rood met wit vlaggendoek als een zwaar gordijn over de randen, en ik hoopte dat ik er veilig zou zitten.

'Misschien blijft hij er dan in. Ik ben het godverdomme zat dat hij me behandelt alsof ik niet eens in staat ben mijn eigen gezin te bestieren, laat staan dit bedrijf.'

'Willy, Willy, je had jaren geleden duidelijk stelling moeten nemen, zoals ik heb gedaan toen Gary en ik net getrouwd waren. Als je niet wilde dat papa Bysen alles voor je bepaalt, had je hem geen huis voor je moeten laten bouwen in... Wat was dat?'

Ik was gestruikeld over een stoelpoot en had tegen de tafel gestoten toen ik eronder dook. Ik bleef roerloos op mijn hurken achter het vlaggendoek zitten en durfde nauwelijks adem te halen.

'Een rat, waarschijnlijk.' Dat was de eerste keer dat Grobian sprak.

Een lichtbundel schoot over de vloer.

'Er is iemand binnen,' zei William. 'Er staan hier voetafdrukken in de as.'

Ik had de Smith & Wesson in mijn hand met de veiligheidspal vrij. Ik glipte aan de andere kant van de snijtafel tussen het vlaggendoek door en schatte de afstand naar het gat in de voorgevel.

'Het sterft in deze buurt van de junks. Ze komen hier om een shot te zetten.' Grobians stem klonk onverschillig, maar hij kiepte de snijtafel zo snel om dat ik nauwelijks tijd had opzij te springen.

'Daar!' riep Jacqui toen ik me oprichtte en naar de voorkant rende.

Ze richtte haar zaklantaarn op me. 'O! Het is die Poolse detective, die ons de les heeft gelezen over liefdadigheid.'

Ik keek niet om maar bleef rennen, slipte om tafels heen en probeerde brokken puin te ontwijken.

'Pak haar, Grobian,' schreeuwde William, en zijn stem schoot de hoogte in tot een schril gepiep.

Ik hoorde zware voetstappen achter me, maar bleef voor me kijken. Ik was nog twee passen van de deur toen ik de klik hoorde van een haan die werd gespannen. Ik raakte de grond op het ogenblik dat hij vuurde. Ik probeerde mijn eigen wapen vast te houden, maar door mijn val vloog het uit mijn hand. Grobian was bij me voordat ik overeind kon komen.

Ik greep zijn linkerbeen en rukte dat omhoog. Hij wankelde en moest zich omdraaien om overeind te blijven. Ik sprong op om bij hem uit de buurt te blijven. Mijn hoofd was nat. Er stroomde bloed door mijn haar en langs mijn nek over mijn shirt. Ik werd er duizelig van, maar ik probeerde me op hem te concentreren. Jacqui en William hielpen hem door hun zaklantaarns op me te richten. Grobian was een schim in het donker, twee schimmen, twee vuisten die in mijn richting zwaaiden. De eerste kon ik ontwijken, maar de tweede niet.

45 Gedumpt

Mijn vader maaide het gras. Hij duwde de maaier steeds over me heen. Ik had een blinddoek om, dus ik kon hem niet zien, maar ik hoorde de wielen door het gras rollen. Ze raakten me, reden over me heen en rolden dan weer terug. Het was koud, waarom maaide hij het gras terwijl het zo koud was buiten, en waarom zag hij me niet? Het stonk vreselijk in de tuin, naar pis, braaksel en bloed.

Ik schreeuwde naar hem dat hij moest ophouden.

'*Pepaiola, cara mia*', zijn enige woorden Italiaans, die hij voor mijn moeder en mij gebruikte, zijn twee Kruidjes-roer-me-niet. 'Waarom lig je in mijn pad? Sta op, ga uit de weg.'

Ik probeerde te gaan staan, maar het lange gras had zich om me heen gewikkeld en hield me vast, en toen duwde hij de grasmaaier weer over me heen. Hij was dol op me, waarom kwelde hij me zo?

'Papa, hou op!' riep ik weer. Hij hield even stil en ik probeerde te gaan zitten. Mijn handen waren achter mijn rug vastgebonden. Ik wreef met mijn gezicht langs mijn schouder in een poging de blinddoek omhoog te duwen. Ik kreeg er geen beweging in en bleef wrijven, totdat ik besefte dat ik over mijn ogen wreef. Ik had geen blinddoek om, ik bevond me in een pikdonkere ruimte, zo donker dat ik zelfs de glans van mijn parka niet kon zien.

Ik hoorde een geronk, voelde een vreselijke schok, en toen rolde de maaier weer over me heen en sloeg de lucht uit mijn longen, zodat ik niet kon schreeuwen. Mijn bewustzijn sloot de pijn buiten en kromp tot een speldenknopje. Opnieuw een pauze, en ditmaal dwong ik mezelf na te denken.

Ik lag in een vrachtwagen. Ik lag in de laadruimte van een truck en er reed een ding op wielen heen en weer door het hotsen van de vrachtwagen. Ik herinnerde me dat Marcena voor een kwart ontveld was en probeerde te gaan verliggen, maar door de beweging van de vrachtwagen en de aanvallen van de handkar of de transportband of wat het ook was, kon ik me onmogelijk verplaatsen.

Mijn handen waren achter mijn rug gebonden en mijn benen waren bijeen gesnoerd. Ik stonk zoals Freddy Pacheco had gestonken toen ik hem bedreigde. Honderd jaar geleden was dat. Het braaksel, het bloed en de pis waren allemaal van mij. Mijn hoofd deed pijn en er zat opgedroogd bloed in mijn neus. Ik snakte naar water. Ik stak mijn tong uit en likte aan het bloed. AB-negatief, van een goed jaar, moeilijk te vinden, daar moest je niet te veel van kwijtraken.

Ik wilde hier niet zijn, ik wilde weer in mijn andere wereld zijn, waar mijn vader bij me was, ook al deed hij me pijn. Ik wilde dat mijn moeder aan de andere kant van de deur warme chocola voor me maakte.

Een detective die medelijden met zichzelf heeft, kan net zo goed meteen haar eigen grafschrift schrijven. Toen de vrachtwagen weer stilhield, ging ik met bovenmenselijke inspanning zitten. Ik draaide me zo ver dat mijn benen in een rechte hoek lagen met waar ze eerst hadden gelegen. Nu zat ik met mijn rug tegen de achterkant van de vrachtwagen. De volgende keer dat het ding op wielen op me af kwam, beukte het tegen mijn schoenzolen. Ik voelde de schok door mijn hele ruggengraat gaan. Dat is niks, V.I., nog een paar van die klappen en je bent verlamd.

We bleven weer staan. Waar we ook naartoe gingen, we reden door de stad, vermoedde ik, met veel stoplichten, en mijn overmeesteraars hielden zich aan de verkeersregels; ze namen niet het risico op de bon geslingerd te worden omdat ze door rood hadden gereden.

Ik liet me naar voren op mijn knieën vallen en slaagde erin ze een heel klein beetje te bewegen, net genoeg om naar voren te kruipen tot ik tegen het ding op wielen botste. De bovenkant kwam ongeveer tot mijn dijen, en toen de vrachtwagen schommelend weer in beweging kwam, ging ik eroverheen hangen.

Het voelde als een overwinning, een triomf vergelijkbaar met het bedwingen van de Mount Everest. Ja, ik was een ware Junko Tabel. Wat zij had gedaan, die hoge berg beklimmen, woog niet op tegen mijn prestatie: met gebonden handen en voeten op iets klauteren wat ik niet kon zien. Ik lag op het ding met wielen en mijn hoofd bonsde, maar de blijdschap dat ik was ontsnapt aan de wielen zorgde ervoor dat ik bij bewustzijn bleef.

We namen plotseling een scherpe bocht en de vrachtwagen hobbelde op en neer. De oplegger stuiterde omhoog en omlaag op zijn achttien wielen en schommelde toen van links naar rechts. Ik rolde hulpeloos heen en weer op het karretje en werd keihard van de ene kant van de vrachtwagen naar de andere gesmakt. Ik probeerde mijn hoofd vast te houden, zodat dat niet op en neer zou slaan met de beweging.

Ik wist waar we naartoe gingen. Het omvergereden hek, het spoor door het moeras, ik zag onze route voor me, de grijze lucht en het gras, en dan het einde, het einde in een kuil. Ik kneep mijn ogen dicht, want ik wilde het donker niet zien, het einde.

Toen we bleven staan, lag ik voorover met korte stootjes te hijgen terwijl ik de motor onder me voelde trillen, te uitgeput om me schrap te zetten tegen de volgende schok. Ik hoorde rechts van me een kabaal en draaide mijn hoofd langzaam die kant op. De deuren van de vrachtwagen zwaaiden open en ik werd verblind door licht. Ik dacht dat het dag was, dat het de zon was, dat ik blind zou worden.

Grobian liep met grote passen door het achterste deel van de vrachtwagen. Ogen dicht, V.I., en draai ze naar boven. Je bent bewusteloos, en je ogen draaien naar boven als je bewusteloos bent. Grobian duwde met zijn duim ruw een ooglid open; hij leek tevreden. Hij greep me bij mijn middel, wierp me over zijn schouder en liep dreunend weer naar buiten. Ik deed mijn ogen open. Het was nog nacht, maar doordat ik in het aardedonker had gelegen, had zelfs de nachtelijke hemel in eerste instantie licht geleken.

'Deze keer zijn we op de goede plek,' zei Grobian. 'Jezus, echt iets voor een provinciale lul als jij om Czernin en dat mens van Love op de golfbaan te dumpen, in plaats van op het stortterrein. Maar dit Poolse mokkel ligt onder drie meter vuilnis tegen de tijd dat de zon opkomt.'

'Sla niet zulke taal tegen me uit, Grobian,' zei meneer William.

'Bysen, van nu af aan zeg ik tegen je wat me voor de mond komt. Ik wil die baan in Singapore, als hoofd van de Aziatische tak van By-Smart, maar ik ben ook bereid Zuid-Amerika te overwegen. Een van die twee, of ik ga met je ouweheer praten. Als Buffalo Bill hoort wat je hebt uitgevreten met zijn geliefde onderneming...'

'Als die schok hem een beroerte bezorgt en hij erin blijft, ga ik lachend naar zijn begrafenis,' zei William. 'Ik maak me niet druk om wat je hem gaat vertellen.'

'Grote woorden, Bysen, grote woorden. Maar als je als mens net zo groot was als je woorden zijn, zou je nooit in dit soort rotzooi verzeild zijn geraakt. Mannen als je vader, als die hun vuile werk zelf niet kunnen doen, zijn ze slim genoeg om vriendjes van vriendjes van vriendjes te hebben die het oplossen, zodat zij nergens mee in verband zijn te brengen. Wil je weten waarom Buffalo Bill je geen groter aandeel in zijn onderneming toevertrouwt? Niet omdat je een liegende, bedriegende smeerlap bent, want hij heeft respect voor liegende, bedriegende smeerlappen. Het is omdat je een liegende, waardeloze lafbek bent, Bysen. Als je niet toevallig Buffalo Bills zoon was, had je je gelukkig mogen prijzen met een baantje als onderknuppel op de boekhouding van je eigen magazijn.'

Grobian jonaste me heen en weer, en wierp me van zich af. Ik kwam plat op mijn buik in de viezigheid terecht. Ik hoorde hem zijn handen afkloppen en daarna met William teruglopen naar de vrachtwagen. Ze bleven de hele weg ruziën en keken niet naar me om, praatten zelfs niet over me.

Ik hief mijn hoofd toen de vrachtwagen zich weer in beweging zette. Het licht van de koplampen streek even over me heen en ik kon zien waar ik was, op de flank van een van de gigantische aardhopen waar Chicago zijn afval begraaft. Voorbij de truck van By-Smart zag ik koplampen van andere vrachtwagens, gemeentelijke vuilniswagens, een rij torren die mijn kant op kroop. Elke dag komt er weer tienduizend ton binnen, die wordt gestort en met de volgende lading overdekt. De vuilniswagens van de gemeente werkten de klok rond om onze troep af te voeren.

Mijn buik was bevroren van angst. Grobian reed de truck van By-Smart achteruit en begon aan een wijde, onhandige bocht. Als hij weg was, zou de rij torren tegen de heuvel op kruipen en daarna zouden ze hun lading over me uitstorten. In paniek duwde ik mijn linkervoet tegen mijn rechter, kromde mijn tenen in mijn schoenen en zette me schrap door mijn hoofd in het slijk te drukken. Ik mocht geen tijd verliezen met het nakijken van de truck. Ik duwde zo hard dat ik het uitgilde van de pijn die langs mijn ruggengraat omhoogschoot.

Mijn rechtervoet kwam uit mijn sportschoen. Ik rukte mijn voet los uit de stof waarmee mijn benen bijeen waren gebonden. Trok mijn knieën onder me en duwde mezelf overeind. Ik was vrij, ik kon op en neer springen, de bestuurders zouden me zien. Mijn dijen trilden van vermoeidheid, mijn armen zaten achter mijn rug gebonden, zodat mijn schouders aanvoelden alsof ze uit de kom zouden springen, maar ik wilde wel zingen, dansen en radslagen maken.

De vuilniswagens waren nog niet bij me. De truck van By Smart versperde hun nog steeds de weg en reed stampend in een cirkel rond. Ik hield op met springen. Spaar je krachten, Warshawski, spaar ze voor wanneer je ze nodig hebt. De truck bleef draaien en ging niet rechtdoor rijden, terug naar waar hij vandaan kwam. De rij torren was blijven staan en ze toeterden naar de truck. Het leek alsof Grobian niet meer wist hoe hij moest autorijden. Of had William willen bewijzen dat hij geen volkomen waardeloze lafbek was en was hij zelf achter het stuur gaan zitten? De truck maakte een te wijde bocht en de oplegger hing over de rand van de heuvel. De oplegger wankelde even op de binnenste wielen en tuimelde toen over de rand. De trekker kwam op zijn achterste wielen omhoog, bleef even zo hangen en klapte toen op zijn zijkant.

46 Ziedaar: de verdwenen pen

De nacht eindigde voor mij zoals er die maand al te veel waren ge-
eindigd: op de spoedeisende hulp van een ziekenhuis, met Conrad Rawlings naast mijn bed.

'Ik weet niet waar jij mee ontbijt, Ms. W., maar ik wil het ook
gaan eten, want je had dood moeten zijn.'

Ik keek hem met half toegeknepen ogen wazig aan door het
gordijn van pijnstillers waarin mijn geest was gehuld. 'Conrad?
Hoe kom jij hier?'

'Je hebt een verpleegkundige opgedragen me te bellen. Weet je
dat niet meer? Blijkbaar kreeg je zo ongeveer een toeval toen ze je
onder zeil wilden brengen en heb je geëist dat ze je niet behandel-
den voordat ik hier was.'

Ik schudde mijn hoofd en probeerde me flarden van de voor-
afgaande nacht te herinneren, maar door de beweging deed mijn
hoofd pijn. Ik stak een hand op om het aan te raken en voelde een
stuk pleister.

'Ik weet het niet meer. En wat is er met me? Wat heb ik op mijn
hoofd?'

Hij grijnsde en zijn gouden tand glinsterde in het licht van
de plafondlampen. 'Ms. W., je ziet eruit als de aanvoerder van de
zombies in *Night of the Living Dead*. Iemand heeft je in je hoofd
geschoten, en als ik zou denken dat er op die manier wat verstand
in geramd kon worden, zou ik het toejuichen.'

'O. In de fabriek, vlak voordat hij me buiten westen sloeg. Grobian heeft op me geschoten. Ik voelde niets, alleen dat het bloed
langs mijn gezicht stroomde. Waar is hij? Waar is William Bysen?'

'We hebben ze min of meer te pakken, maar het juridische apparaat van de Bysens begint op gang te komen, dus ik weet niet
hoe lang ik ze mag houden. Toen ik hier aankwam, probeerden ze

de dienstdoende agent op de spoedeisende hulp wijs te maken dat jij een vrachtwagen van By-Smart had gekaapt en dat ze er met je om hadden gevochten, waarbij de truck was omgeslagen. De brandweerlieden die jullie drieën hebben binnengebracht, wierpen tegen dat je handen en voeten gebonden waren, en Grobian zei dat ze dat hadden gedaan om te zorgen dat je hen niet zou overmeesteren. Wil je er nog commentaar op leveren?'

Ik sloot mijn ogen, want het licht van de lamp boven mijn hoofd deed te veel pijn. 'We leven in een wereld waarin mensen bereid lijken te zijn vrijwel elke leugen te geloven die er wordt verteld, hoe belachelijk ook, als die maar wordt gedebiteerd door iemand die het gezin en de bijbehorende waarden hoog in het vaandel heeft. De Bysens kakelen zo veel over het belang van het gezin en de familie, dat ik denk dat ze de officier van justitie en een rechter wel zover kunnen krijgen om hun verhaal te geloven.'

'Hé, niet zo cynisch, Ms. W. Je hebt mij toch om aan de zaak te werken? En de vuilnismannen hebben verklaringen afgelegd die het verhaal van de Bysens niet ondersteunen.'

Ik glimlachte vaag en wezenloos naar hem. 'Dat is aardig van je, Conrad, bedankt.'

De pijnstillers voerden me steeds weer mee op hun stroom, maar tussendoor, als ik even bovenkwam, vertelde ik hem over Billy en Josie en wat ik me kon herinneren van mijn nacht in de fabriek, en hij vertelde me hoe ik was gered.

Toen de truck op het stortterrein was gekanteld, waren de vuilnismannen blijkbaar uit hun wagens gesprongen en naar de plek van het ongeluk gerend, als barmhartige samaritanen en voyeurs tegelijk. Op dat moment had een van hen mij in het oog gekregen, krachteloos rondhobbelend over de helling. Ze hadden hulp ingeroepen en er was een brandweerwagen gekomen, maar geen ambulance, dus nadat de brandweerlieden Grobian en William uit de trekker hadden bevrijd, waren we met zijn drieën in een ladderwagen naar het ziekenhuis gebracht.

Daar had ik vage herinneringen aan: het gehots over Stony Island Avenue in een brandweerwagen op volle snelheid had zo'n pijn gedaan dat ik er wakker van was geworden, en ik had wazige beelden van Grobian en William die elkaar schreeuwend de schuld gaven van de puinhoop waarin ze beland waren. Pas toen ze bij het ziekenhuis aankwamen en de politie iets moesten vertellen, hadden ze kennelijk besloten één front te vormen en mij de schuld van hun problemen te geven.

Ik probeerde wakker genoeg te blijven om Conrads verhaal te volgen, maar achter de pijnstillers bonsden mijn schouders doordat mijn armen uit de kom waren getrokken. Ik had pijn in mijn rug en mijn hele lijf was van top tot teen overdekt met bloeduitstortingen. Na een tijdje gaf ik de strijd op en viel in slaap.

Toen ik weer wakker werd, was Conrad vertrokken, maar Lotty en Morrell waren er. Het ziekenhuis wilde me ontslaan en Lotty zou me meenemen naar haar huis.

'Het is misdadig om je nu al te vervoeren, en dat heb ik tegen de directeur gezegd, maar hun zorgmanagers bepalen hoeveel zorg een gehavend lijf krijgt, en dat van jou krijgt twaalf uur.' Lotty's zwarte ogen schoten vuur; ik besefte dat haar verontwaardiging slechts gedeeltelijk met mij te maken had. Ze was woedend dat een ziekenhuis meer waarde hechtte aan de mening van de investeerders dan aan die van een belangrijk chirurg.

Doordat hij zelf kortgeleden gewond was geraakt, wist Morrell wat hij moest meenemen voor een gehavend lijf dat aangekleed naar huis moest. Hij was bij een chique boetiek in Oak Street geweest en had een huispak voor me gekocht van kasjmier dat zo zacht was dat het aanvoelde als de vacht van een jong poesje. Verder had hij met fleece gevoerde laarzen gekocht, zodat ik niet hoefde te prutsen met schoenen en sokken. Toen ik me wankel en sloom aankleedde, zag ik dat mijn huid eruitzag als een lading aubergines, meer paars dan olijfkleurig. Toen we op weg naar de uitgang waren, gaf de verpleegkundige me een tas met mijn kleren, die onder een dikke laag opgedroogde smurrie zaten. Dat maakte mijn dankbaarheid jegens Morrell nog groter, omdat ik er dankzij hem niet meteen naar hoefde te kijken.

Morrell hielp me in een rolstoel en legde zijn stok over mijn schoot zodat hij me door de gang kon duwen. Lotty liep als een terriër naast ons en haar haren gingen overeind staan toen ze met iemand van de staf over mijn ontslag praatte.

Zelfs mijn verwondingen konden Lotty er niet van weerhouden te doen alsof de straten van de stad een grandprix-circuit waren, maar ik was te versuft om me zorgen te maken over haar bijna-aanrijding met een vrachtwagen bij 71st Street.

Morrell reed met ons mee naar haar appartement. Daarvandaan zou hij een taxi naar Evanston nemen. In de lift naar boven zei hij dat het Britse ministerie van Buitenlandse Zaken eindelijk Marcena's ouders in India had gevonden. Ze vlogen vanavond naar Chicago en zouden bij hem logeren.

'Mooi zo,' zei ik, en ik probeerde de energie op te brengen om geïnteresseerd te zijn. 'En Don dan?'

'Die verhuist naar de bank in de huiskamer, maar hij gaat zondag terug naar New York.' Hij streek met een vinger langs de rand van mijn hoofdverband. 'Kun je je een paar dagen aan de oorlogen onttrekken, Hippolyte? Marcena krijgt maandag haar eerste huidtransplantatie. Het zou fijn zijn als ik me dan geen zorgen over jou hoef te maken.'

'Victoria gaat helemaal nergens heen,' verklaarde Lotty. 'Ik geef de portier opdracht haar terug naar boven en naar haar bed te dragen als hij haar in de hal ziet.'

Ik lachte flauwtjes, maar maakte me zorgen over Billy en Josie. Morrell vroeg of ik het een prettiger idee zou vinden als ze bij Contreras gingen logeren. 'Hij wil zich dolgraag nuttig maken, en als hij hen heeft om voor te zorgen, zal hij het zich minder aantrekken dat jij hier bij Lotty slaapt.'

'Ik weet niet of ze bij hem veilig zijn,' tobde ik.

'Dit weekend zal Grobian in elk geval nog achter slot en grendel zitten. En maandag, geloof het of niet, zul je je al veel sterker voelen en dan kun je een beter plan bedenken.'

Ik moest er wel mee akkoord gaan, want ik had niet de kracht om iets anders te doen. Ik moest er zelfs mee akkoord gaan dat Morrell Amy Blount naar Mary Ann stuurde om het stel weglopers op te halen. Ik nam het mezelf kwalijk dat ik niet voor ze kon zorgen en ik nam het Morrell kwalijk dat hij zei dat ik niet de hele wereld in mijn eentje draaiende kon houden en dat ik het dus niet moest proberen.

De rest van de dag sliep ik. Toen ik 's avonds wakker werd, bracht Lotty me een kom zelfgemaakte linzensoep. Ik lag in haar logeerkamer en genoot van de schone kamer, de schone kleren en de rust van haar liefdevolle zorg.

Pas de volgende ochtend liet ze me Marcena's rode pen-recorder zien. 'Ik heb je vieze kleren naar de wasserij gebracht, kind, en heb dit in een zak gevonden. Ik heb maar aangenomen dat je het wilde houden.'

Ik kon nauwelijks geloven dat ik hem nog had na alles wat ik had meegemaakt, en dat Bysen en Grobian hem niet hadden gevonden toen ik bewusteloos aan hen overgeleverd was. Ik griste hem uit haar hand. 'God, ja, deze wil ik hebben.'

47 Kantoorfeestje

'Als die schok hem een beroerte bezorgt en hij erin blijft, ga ik lachend naar zijn begrafenis.'

Williams nasale, pietluttige stem hing als een roetwolk in mijn kantoor. Buffalo Bills ronde wangen waren ingevallen. Onder zijn zware wenkbrauwen waren zijn ogen bleek, waterig, met de onzekere blik van een zwakke oude man, in plaats van de felle adelaarsblik van de dictator van een bedrijf.

'Hoor je dat, May Irene? Wil hij me dood hebben? Wil mijn eigen zoon me dood hebben?'

Zijn vrouw boog zich over mijn salontafel om hem op zijn hand te kloppen. 'We zijn te streng voor hem geweest, Bill. Hij heeft nooit zo hard kunnen zijn als jij hem graag had gezien.'

'Ik ben te streng voor hem geweest, en daarom is het begrijpelijk dat hij me dood wenst?' Zijn verbazing bracht wat kleur terug op zijn wangen. 'Sinds wanneer geloof jij in dat slappe linkse gedoe dat je kinderen niet zou mogen bestraffen maar moet verwennen?'

'Ik geloof niet dat mevrouw Bysen dat bedoelde,' mompelde Mildred.

'Mildred, laat me nou eens een keer voor mezelf spreken. Ga mijn woorden niet voor mijn man zitten interpreteren, alsjeblieft. We hebben allemaal de opname gehoord die mevrouw Warshawski heeft afgespeeld. Ik denk dat we het erover eens kunnen zijn dat het een droevig hoofdstuk in ons familieleven is, maar we zijn familie, we zijn sterk en we zullen hier overheen komen. Linus heeft het godzijdank uit de kranten weten te houden' – ze wierp een dankbare blik op de juridisch adviseur, die op een van de rechte stoelen zat – 'en hij zal ons vast wel helpen een regeling te treffen met mevrouw Warshawski hier.'

Ik leunde achterover in mijn gemakkelijke stoel. Ik was nog steeds moe en mijn schouders deden nog steeds pijn doordat mijn armen twee uur lang achter mijn rug gebonden waren geweest. Ik had een paar gebroken ribben en mijn lichaam zag er nog steeds uit als een veld rijpe aubergines, maar ik voelde me fantastisch; schoon, als herboren, dat euforische gevoel dat je krijgt als je beseft dat je werkelijk leeft.

Toen Lotty de kleine recorder vond, was het batterijtje leeg. Ze wilde me niet naar buiten laten gaan om een oplader te kopen, maar toen ik uitlegde waarom ik de opname zo dolgraag wilde beluisteren, liet ze zich vermurwen Amy Blount mijn laptop te laten brengen. Toen ik het apparaatje aan mijn iBook koppelde, kwam het gehoorzaam tot leven en stortte zijn digitale hart bij me uit.

Donderdagavond in de fabriek was de batterij nog vol genoeg geweest om William, Grobian en Jacqui op te nemen. Grobians schot op mij echode angstaanjagend door Lotty's woonkamer, gevolgd door een tevreden uitroep van William die ik destijds helemaal niet had gehoord. De pen had het op weg van het stortterrein naar het ziekenhuis begeven. Ik kon dus slechts een deel van de ruzie tussen Grobian en William horen, maar dat bevatte zoveel bloemrijke taal van Grobian dat ik mijn vocabulaire behoorlijk kon uitbreiden door het een paar keer af te spelen.

Nadat we het materiaal hadden overgezet naar mijn Mac, vroeg ik Amy een stuk of dertig kopieën te maken. Ik wilde ervoor zorgen dat die wijd en zijd verspreid werden, zodat zelfs Linus Rankin of de detectives van Carnifice ze met de beste wil van de wereld niet allemaal onschadelijk konden maken. Ik stuurde er een aantal naar mijn eigen advocaat, Freeman Carter, legde er een paar in de kluis op mijn kantoor, stuurde er een naar Conrad en een naar een hoge politiefunctionaris die bevriend was geweest met mijn vader, en na uitvoerig met Amy en Morrell te hebben overlegd stuurde ik er uiteindelijk een naar Murray Ryerson van de *Herald-Star*. Murray deed zijn uiterste best zijn bazen over te halen hem het te laten opnemen tegen het geld en de macht van de Bysens, maar het was nog onzeker of ze hem toestemming zouden geven om in het verhaal te duiken.

Intussen maakte de opname mijn verhaal zo geloofwaardig dat

de officier van justitie – die er huiverig voor was het op te nemen tegen het geld en de macht van de Bysens – wel gedwongen was actie te ondernemen. Grobian en William waren vrijdag in staat van beschuldiging gesteld wegens mishandeling van mij, maar waren bijna onmiddellijk op borgtocht vrijgelaten. Maandag had Conrads team hen echter opnieuw gearresteerd, ditmaal voor de moord op Bron.

De politie vond Freddy bij zijn nieuwe vriendin thuis. Hij werd aangeklaagd wegens doodslag van Frank Zamar, omdat hij niet met opzet brand had gesticht, maar alleen kortsluiting had willen veroorzaken. Tante Jacqui werd gearresteerd als medeplichtige. Als ze veroordeeld zou worden en in Dwight terechtkwam, kon ze daar misschien lezingen gaan geven: 'Bajesklant, maar toch elegant'. William en Grobian kwamen binnen een paar uur op borgtocht vrij, net als tante Jacqui, maar die arme Freddy, die geen geld had voor borg, was overgeleverd aan de genade van de pro-Deoadvocaat en zou waarschijnlijk niet alleen Thanksgiving Day in de gevangenis van Cook County doorbrengen, maar ook Kerstmis en misschien zelfs Pasen nog wel, gezien het tempo waarin de staat mensen voor het gerecht brengt.

Toen Freddy besefte dat Pat Grobian hem in de kou liet staan, werd hij zo spraakzaam als pastor Andrés tijdens zijn dienst in de Mount Ararat-kerk. Hij vertelde Conrad over zijn gesprek met Grobian in het magazijn, die keer dat ik hen had gezien, toen Grobian hem opdracht had gegeven in te breken in Brons huis om te zoeken naar Marcena's recorder. Hij vertelde Conrad hoe hij het kikkertje vol salpeterzuur bij Fly the Flag had neergezet. Hij vertelde Conrad zelfs dat hij de Miata voor Grobian in het struikgewas onder de Skyway had gereden. Daar was hij verbitterd over, want hij vond dat Grobian hem de auto had moeten geven, als dank voor al het werk dat hij, Freddy, had verzet, maar het enige wat hij aan zijn inspanningen van die nacht had overgehouden was vijftig dollar.

Dit had Conrad me in het ziekenhuis niet allemaal verteld, maar toen hij bij Lotty langskwam om nog wat vragen te stellen, vulde hij de leemtes in het verhaal in. Hij vertelde ook dat hij het een genot vond om te horen hoe Grobian en William zich tegen elkaar keerden. 'Zo hebben ze die grote truck op zijn kant gekregen: ze zaten te kibbelen over de vraag of William echt een lafbek was of Grobian een ordinaire schurk – ik hou je niet voor de gek, Ms. W., de twee hebben hun ruzie voor me nagespeeld – en William heeft het stuur gegrepen en gezegd dat hij mans genoeg was om de vrachtwagen te besturen. Ze zijn gaan vechten om het stuur en zo is de wagen omgeslagen. Ik vind het heerlijk, echt waar, als de rijken der aarde zich net zo gedragen als mijn straatboefjes. Tussen haakjes, de vrachtwagen waar je in hebt gelegen was die van Bron, althans, degene waar hij in reed de avond dat hij om zeep is geholpen. Ik snap werkelijk niet waarom Grobian hem niet naar de schroothoop heeft gebracht; we hebben bloed van Czernin en van die mevrouw Love aan dat transportband-ding gevonden, samen met het jouwe, A B-negatief. Het is jou wel toevertrouwd het raarste bloed te hebben dat er bestaat.'

Die kwinkslag negeerde ik. 'Hoe zit het met tante Jacqui? Donderdagnacht was ze met hen in de fabriek. Waar was ze toen de vrachtwagen omsloeg?'

'Ze was teruggereden naar Barrington Hills. Nu zegt ze dat ze in opdracht van Buffalo Bill handelde. Ze beweert dat Buffalo Bill haar heeft gezegd dat ze Zamar een lesje moest leren, omdat Zamar zich niet wilde houden aan de overeenkomst tussen Fly the Flag en By-Smart. Volgens haar had Buffalo Bill zulke dingen zelf zo vaak gedaan toen hij jong was, totdat de hele buurt ervan was doordrongen dat niemand een loopje kon nemen met By-Smart. "Als ze hun lessen vergeten, moeten we ze die weer leren," zoiets heeft die ouwe Buffalo volgens haar gezegd.'

Jacqui beweerde dat Buffalo Bill vond dat ze door met Zamar af te rekenen moest bewijzen het waard te zijn aan de management-tafel van By-Smart te zitten, vertelde Conrad. Ik was bereid alles te geloven van dat zootje. Ik hoorde het de oude man zeggen, gevolgd door 'gnn, gnn, gnn', maar als Jacqui dacht dat ze tegen die ouwe Buffalo op kon, had ze erg veel lef of leed ze aan waanideeen.

Dinsdag, toen Lotty naar de kliniek was, kwam Morrell bij me langs. Hij was bij Marcena op bezoek geweest, in het Cook County Hospital. Ze was aan het bijkomen van haar eerste huidtransplantatie. Ze lag op de intensive care, maar ze was eindelijk bij bewustzijn en leek goed te herstellen. Ze was helder en er waren geen tekenen van hersenbeschadiging als gevolg van haar beproevingen in de truck van By-Smart.

Nu ik dezelfde afschuwelijke rit had gemaakt als zij, met de handbediende transportband die over me heen rolde, was mijn blijdschap dat het goed met haar ging gemeender dan die voordien misschien was geweest. Ze herinnerde zich niets van wat er vlak voor het ongeluk was gebeurd, laat staan het ongeluk zelf, maar nu hij wist waar hij moest zoeken, had Conrad een team van de technische recherche naar Fly the Flag gestuurd. Ze dachten dat Marcena van de vallende vorkheftruck was gesprongen, maar Bron niet. Bij de val was zijn nek gebroken. Marcena was waarschijnlijk buiten westen geraakt toen ze op de grond viel en de rest van haar verwondingen had ze opgelopen tijdens de rit naar het moeras.

Een ander punt waar we alleen maar over konden speculeren, was Marcena's sjaal, die Mitch had gevonden en die hem naar haar had geleid. Het technisch team vermoedde dat die van haar hals was gegleden toen Grobian haar in de oplegger had gegooid. Misschien had hij vastgezeten tussen de deuren en was hij daarna aan het hek blijven haken, toen de truck de weg verliet om naar het stortterrein te rijden.

Dit waren maar details, dingen waar ik over piekerde. Diep in mijn hart geloofde of hoopte ik dat Marcena bij bewustzijn was gekomen en met opzet een spoor had achtergelaten. De sjaal was gescheurd en een groot stuk had aan het hek gehangen, maar een kleiner stukje had Mitch al eerder gevonden. Ik wilde graag geloven dat ze iets had ondernomen, wat dan ook, om haar leven te redden, dat ze niet passief in de vrachtwagen op de dood had liggen wachten. De gedachte dat iemand volkomen machteloos is benauwt me, vooral als ik het zelf ben.

'Het is mogelijk, Victoria,' zei Lotty toen ik er met haar over praatte. 'Het menselijk lichaam is een verbazingwekkend instrument, en de geest al helemaal. Ik zou de mogelijkheid van bijzondere kracht en vindingrijkheid nooit uitsluiten.'

Diezelfde dinsdag begon ik de teugels van mijn bedrijfje weer in handen te nemen. Afgezien van tientallen beterschapswensen van vrienden en journalisten en een bestelwagen vol bloemen van mijn belangrijkste cliënt ('Blij dat je nog niet dood bent, Darraugh,' stond er op het kaartje), meldde mijn antwoordservice dat er minstens twintig telefoontjes van Buffalo Bill waren geweest, die me dringend moest spreken. Hij wilde weten 'met wat voor verzinsels ik zijn kleinzoon vergiftigde', en 'voor eens en voor altijd duidelijk maken wat ik wel en niet over de familie kon zeggen'.

'Die jongen wil niet naar huis komen,' zei de Buffalo toen ik hem dinsdagmiddag terugbelde. 'Hij zegt dat u hem allerlei leugens hebt verteld over mij, over de onderneming.'

'Pas op met de praatjes die u rondstrooit, meneer Bysen. Als u me van liegen beschuldigt, zou ik de juridische problemen van uw familie wel eens kunnen vergroten door er een aanklacht wegens laster aan toe te voegen. En ik heb geen macht over Billy. Hij besluit zelf wat hij doet en niet doet. Als ik hem spreek, zal ik kijken of ik hem zover kan krijgen dat hij met u wil praten, maar dat is het enige wat ik zal doen.'

Later die middag kwam Morrell langs met Billy – en Contreras en de honden. Josie was weer naar school gegaan, onder protest, volgens haar moeder. Zelf had ik gisteren de basketbaltraining afgezegd en het team verteld dat ik het hun zou laten weten als ik genoeg was hersteld om terug te komen. Ze reageerden met een beterschapskaart die groot genoeg was om de hele muur in Lotty's logeerkamer mee te bedekken, vol met bemoedigende wensen in het Engels en het Spaans.

Amy Blount had me al verteld hoe het met Billy en Josie ging, want ze was er vrijdag niet in geslaagd ze over te halen Mary Ann te verlaten. Rose Dorrado was doortastender te werk gegaan en had Josie mee naar huis gesleurd en gedwongen weer naar school te gaan.

Volgens Amy's beschrijving was de hereniging tussen Rose en haar dochter in een voorspelbare mengeling van vreugde en woede verlopen ('Jij zat hier, nog geen drie kilometer bij me vandaan, schoon, doorvoed, veilig, en ik heb 's nachts geen oog dichtgedaan van ongerustheid!').

Billy, diep geschokt over het gedrag van zijn vader, was bij Mary Ann gebleven. Hij had zijn oma gebeld en even met zijn moeder gesproken, maar hij wilde niet naar huis. Hij wilde zelfs niet terug naar pastor Andrés, want hij vond dat de voorganger gedeeltelijk schuld had aan de dood van Frank Zamar, vanwege de druk waaronder hij Zamar had gezet om terug te komen op zijn contract met By-Smart.

Maar de belangrijkste reden dat Billy niet bij Mary Ann weg wilde, was dat hij niet de energie had om voor de zoveelste keer te verkassen. Hij had in de afgelopen tien dagen bij de pastor, bij Josie en daarna bij Mary Ann gelogeerd. Hij was te ontredderd om geestelijk opgewassen te zijn tegen een nieuwe verhuizing, en mijn coach vond het heel prettig dat hij bij haar in de flat woonde. Nu hij zich niet meer schuilhield, ging hij drie- of viermaal per dag met de hond uit, en hij stak al zijn energie in het leren van Latijn. De regels van die taal, de ingewikkelde grammatica, leken voor hem in deze tijd een veilige haven te zijn, een plek van zuiverheid en regelmaat.

Toen hij dinsdag bij Lotty was, probeerde hij me dat uit te leggen, en zijn onwil om zijn familie weer te zien. 'Ik hou van hen allemaal, hoewel, misschien niet van pap, ik vind het in elk geval moeilijk hem te vergeven dat hij Aprils vader en meneer Zamar heeft vermoord. Want ook al hebben Freddy en Bron ervoor gezorgd dat de fabriek is afgebrand, het komt toch eigenlijk door tante Jacqui en... en pap dat meneer Zamar dood is. Ik hou zelfs van mam, en natuurlijk van mijn grootouders, die zijn fantastisch, heus waar, maar... maar ik vind ze kortzichtig.'

Hij duwde zijn handen in Peppy's vacht en sprak tegen haar, niet tegen mij. 'Het is grappig, ze hebben zulke hooggestemde ideeën over het bedrijf en hoe ze er een internationale gigant van kunnen maken, maar de enige mensen die ze echt als... als menselijk zien, zijn zijzelf. Ze zien niet in dat Josie een mens is, en haar familie, en alle mensen die in Zuid-Chicago werken. Als iemand niet als Bysen is geboren, telt hij of zij niet mee. En als je wel een Bysen bent, maakt het niet uit wat je doet, want dan hoor je bij de familie. Neem nou oma, ze is oprecht tegen abortus onder alle omstandigheden, ze geeft tonnen weg aan de antiabortusbeweging, maar toen Candy, mijn zus, in verwachting raakte, wist oma niet hoe snel ze haar moest afvoeren naar een kliniek. Ze waren boos op Candy, maar oma heeft ervoor gezorgd dat ze een abortus kreeg die Josie van hen nooit zou mogen hebben... Niet dat Josie in verwachting is.' Hij werd zo rood als een kroot. 'We... we hebben geluisterd naar wat u zei, over... nou ja, over voorzichtig zijn, maar het is gewoon een voorbeeld van wat ik bedoel over hoe mijn familie de wereld ziet.'

'Je opa wil met je praten. Als we dat in mijn kantoor doen, wil je dan komen?'

Hij bewerkte verwoed Peppy's nek. 'Ik denk van wel. Ja, ik denk van wel.'

Dus de dag voor Thanksgiving Day ging ik, zeer tegen Lotty's wil, naar mijn kantoor voor een bijeenkomst met Bysen en zijn gevolg. Voor deze ene keer had ik zoveel mensen in mijn kantoor dat ik blij was met de enorme ruimte. Billy's moeder was er, samen met zijn grootouders, oom Roger en Linus Rankin, de advocaat van de familie. De man van Jacqui, oom Gary, was ook komen opdraven. En uiteraard was Mildred meegekomen, met de gouden map in haar hand.

Mijn team bestond onder meer uit Morrell en Amy Blount. Contreras had erop gestaan te komen, met de honden, 'voor het geval dat die Bysens je op klaarlichte dag iets proberen te flikken; ik zie ze er best voor aan'. Ook Marcena's ouders waren aanwezig, nieuwsgierig naar de mensen die hun dochter bijna hadden vermoord. Ik moest vijf stoelen lenen uit het atelier van mijn medehuurster om iedereen een zitplaats te kunnen aanbieden.

Nadat hij zijn oma had omhelsd, was Billy met een koppig gezicht bij Peppy gaan zitten, in het midden. Hij droeg een oud flanellen sportshirt en een spijkerbroek, waarmee hij zich bewust onderscheidde van de grijze, zakelijke pakken van zijn familie.

Toen Billy's oma zei dat Linus vast wel iets met mij kon regelen, reageerde Contreras stekelig. 'Uw zoon heeft dit meisje hier bijna vermoord. Denkt u dat u hier kunt binnenstappen en met uw dikke portemonnee kunt zwaaien om "iets met haar te regelen"? Zoals? Kunt u haar haar gezondheid teruggeven? Kunt u de Loves de huid van hun dochter teruggeven? Kunt u dat arme zieke meisje in het basketbalteam van pop... Vicki... mevrouw Warshawski haar vader teruggeven? Wat dacht u nou eigenlijk?'

Mevrouw Bysen keek hem met een frons aan, bedroefd, alsof hij een van haar kleinkinderen was die ruziemaakte onder het eten. 'Ik heb me nooit bemoeid met de zaken van mijn man, maar ik weet dat hij met honderden kleine bedrijfjes samenwerkt. We hebben beiden bewondering voor de moed en vasthoudendheid van mevrouw Warshawski. Het spijt ons dat onze zoon zo... Nou, dat hij heeft gedaan wat hij heeft gedaan. Onze waarden komen niet tot uitdrukking in zijn gedrag, dat verzeker ik u. Als mijn man wat van zijn opdrachten tot speurwerk aan mevrouw Warshawski zou geven, denk ik dat ze zou merken dat ze rijkelijk werd beloond door de groei die haar bedrijf zou doormaken.'

'En in ruil daarvoor?' vroeg ik beleefd.

'O, in ruil daarvoor zou u alle kopieën van die dwaze geluidsopname vernietigen. We willen niet dat die openbaar wordt, want daar wordt niemand beter van.'

'En ik kan waarschijnlijk toch wel zorgen dat die niet wordt toegelaten als bewijs, als William al ooit voor de rechtbank zal moeten verschijnen,' voegde Linus Rankin er behulpzaam aan toe.

Ik rolde de mouwen van mijn sweater op en keek nadenkend naar mijn paarse vlees. Ik had me door Morrell laten fotograferen, hoewel ik het afschuwelijk had gevonden, dat gevoel mezelf bloot te geven. Nu had ik geen last van gêne, ik zei niets en liet Billy's oma en Rankin alleen mijn opgezette, verkleurde armen zien.

'Ze heeft geen behoefte aan dat soort hulp,' zei Billy. 'Het draait bij haar niet om geld, ze... Oma, als u haar kende, zou u weten dat ze, hoewel ze geen christen is, haar leven leidt volgens alle waarden die u me hebt bijgebracht: ze is eerlijk, ze zorgt voor haar vrienden, ze... ze is moedig...'

'Billy.' Ik lachte verlegen. 'Dat is een prachtige getuigenis. Ik hoop dat ik lang genoeg leef om een kwart ervan waar te maken. Mevrouw Bysen, het probleem is het volgende: die opname is niet van mij, die is van Marcena Love. Ik kan niet voor haar spreken. Maar ik kan uw man en u wel een kleine suggestie aan de hand doen. U was niet betrokken bij Williams daden. Brand er ook nu uw vingers niet aan. Zelfs als Jacqui gelijk heeft, dat Buffalo Bill haar heeft gezegd dat ze Frank Zamar van Fly the Flag in het gareel moest krijgen – dat het een test was om te zien of ze goed genoeg was voor het managementteam van By-Smart –, dan nog heeft hij niemand expliciet opgedragen de fabriek in brand te steken en meneer Zamar om te brengen, of Bron Czernin om te brengen. Tenminste, dat dacht ik niet, toch?'

Ik schonk Bysen en Linus Rankin mijn stralendste glimlach. 'Dit is mijn bescheiden voorstel. Verzet u niet tegen de claim van Sandra Czernin vanwege Brons dood. Ze moet de volledige twee-honderdvijftigduizend dollar uitbetaald krijgen. Dat is voldoende voor April Czernins ziekenhuisrekeningen en misschien houdt ze dan nog een potje over voor als ze gaat studeren. Ten tweede: geef Rose Dorrado een baan bij uw bedrijf tegen hetzelfde salaris dat ze bij Frank Zamar verdiende. Ze is een ervaren cheffin. Neem haar fulltime in dienst, zodat ze in elk geval de karige ziektekosten-tenregeling krijgt die fulltimers bij u genieten. En, als laatste: sub-sidieer het basketbalprogramma van de Bertha Palmer-school, die vijfenvijftigduizend dollar waar ik u een maand geleden om heb gevraagd.'

'O, ja, een biljet van een dollar in veertigduizend stukjes scheu-ren, dat was uw krankzinnige idee, gnn?' zei Bysen, die weer praats begon te krijgen. 'En voor die vrachtwagenchauffeur, die zijn trouwbeloften schond, moet ik dan een ander biljet in een kwart miljoen stukjes scheuren. Alsof ik mensen geld moet geven om te zondigen...'

'Kom, kom, schat.' May Irene legde berispend haar hand op zijn knie. 'En wat zou u voor ons doen, mevrouw Warshawski, als wij dat voor u deden?'

'Ik zou uw verklaring bevestigen dat uw zoon en schoondoch-ter achter uw rug om hebben gehandeld, dat u niet betrokken was bij al dat bloedvergieten in de South Side.'

'Dat stelt helemaal niets voor, jongedame!' zei Linus Rankin. 'Dat is ridicuul!'

Ik leunde weer achterover in mijn stoel. 'Het is het voorstel dat op tafel ligt. Ga erop in of niet, het maakt mij niet uit, maar ik ga er niet over marchanderen.'

'Het geeft niet, mevrouw War-sha-sky,' riep Billy met rode wan-

432

gen uit. 'Want ik zal Aprils rekeningen betalen als ze de uitkering van Brons verzekering aanvechten, en ik zal het geld voor het basketbalprogramma beschikbaar stellen. Dan moet ik wel wat aandelen verkopen, en daar heb ik toestemming van mijn bewindvoerders voor nodig, maar als ze die niet geven, nou, dan denk ik dat een bank me best geld wil lenen, want ze weten dat ik mijn aandelen krijg als ik zevenentwintig word. Tot die tijd kan ik de rente wel betalen, lijkt me.'

'Dat wordt een mooie kop in de kranten.' Ik glimlachte naar hem. '"Erfgenaam Bysen leent geld om morele verplichtingen opa te voldoen." Gaat u nu allemaal maar naar huis en denk erover na. Morgen is het Thanksgiving. Bel me maandag maar met uw beslissing, na het lange weekend.'

Oom Gary vond dat hij moest bewijzen dat hij de harde jongen van de familie was door me tegen te spreken, maar ik zei: 'Tot ziens, Gary. Ik heb rust nodig. Ga nu maar, jullie allemaal.'

De Bysens dromden naar buiten, onderling mompelend. Ik hoorde Buffalo Bill Gary toebijten: 'Jacqui heeft van het begin af aan niks dan ellende gebracht. Beweerde christelijk te zijn, gnn. Als jij in het paradijs was geweest, had je vast ook naar de slang geluisterd, want...'

May Irene onderbrak hem. 'We hebben genoeg aan ons hoofd, schat, laten we zuinig zijn op wat er nog rest van onze familie.'

Mijn team bleef nog even napraten over de bijeenkomst en probeerde in te schatten wat de Bysens zouden besluiten. Uiteindelijk vertrokken Morrell en de Loves om bij Marcena op bezoek te gaan. Amy ging met de auto naar St. Louis om Thanksgiving bij haar familie door te brengen. Ik kwam overeind op mijn trillerige benen en liep onvast met Contreras en de honden naar buiten, voor het eerst in een week op weg naar mijn eigen huis. We zouden de volgende dag naar Evanston gaan om Thanksgiving met Lotty bij Max Loewenthal te vieren, maar die middag was ik blij dat ik me in mijn eigen bed kon laten vallen.

48 Dansende neushoorn

Morrell en ik sloten ons aan bij de mensenmassa op het Thanksgiving-diner van Max. Hij heeft altijd veel bezoek; zijn dochter komt met haar man en kinderen over uit New York, de musici met wie Lotty en hij bevriend zijn komen vroeg en blijven lang hangen, en Lotty nodigt altijd ontheemde co-assistenten uit die ze kent uit het Beth Israel Hospital. Dit jaar was Contreras er ook, blij dat hij aan een verblijf bij zijn humeurig dochter kon ontsnappen. Toen Max van de Loves hoorde, waren ze onmiddellijk welkom bij hem, en hij stelde zelfs voor dat ik Billy en Mary Ann McFarlane zou uitnodigen. Hij vond het een akelige gedachte dat Billy, vervreemd van zijn familie, met Thanksgiving alleen zou zijn. Maar Billy hielp pastor Andrés met het serveren van kalkoen aan daklozen, en Mary Ann zei dat haar buurvrouw haar avondeten zou brengen en dat ze het prima rooide zonder mij.

Marcena lag natuurlijk nog in het ziekenhuis, maar ze herstelde snel en haar stemming was goed. Ik was bij haar op bezoek geweest voordat ik naar Max reed. Op de intensive care liep ik haar ouders tegen het lijf. De Loves waren sinds hun aankomst zwijgzaam en ongerust geweest, maar nu waren ze bijna uitgelaten door Marcena's snelle vooruitgang.

Voordat we Marcena's kamer binnengingen, moesten we allemaal een beschermend masker voor en een schort aan om te voorkomen dat we ziektekiemen verspreidden, want ze was vanwege de transplantatie vatbaar voor besmettingen. Haar ouders lieten me met haar alleen, omdat er niet meer dan twee bezoekers tegelijk bij haar mochten.

Ik liep op mijn tenen de kamer in. Marcena's hoofd was geschoren en verbonden. Ze had een vervagende bloeduitstorting op haar linker jukbeen en haar lichaam ging schuil in een soort doos waar lakens overheen hingen, om haar nieuwe huid te ontzien, maar in haar ogen was een sprankje van haar oude levenslust zichtbaar.

Marcena wees me erop dat we twee bij elkaar passende monsters waren, met ons geschoren hoofd en onze blauwe plekken. 'We hadden dit voor Halloween moeten doen, niet voor jouw Thanksgiving-diner. Wat was dat voor een ding, dat me heeft ontveld?'

'Een handbediende transportband,' zei ik. 'Heb je die nooit gezien, in Brons vrachtwagen? Ze worden gebruikt om grote ladingen in- en uit te laden. Hij had vastgebonden moeten zijn, maar of ze zijn slordig geweest, of ze hoopten dat hij ernstige schade zou aanrichten. Hoewel ze van plan waren je op het stortterrein te dumpen, net als ze met mij hebben gedaan... Alleen heeft meneer William, incapabele idioot die hij is, je per ongeluk naar de golfbaan gebracht.'

'En Mitch was mijn held, die ervoor heeft gezorgd dat jij me hebt gered, heeft Morrell verteld. Het is een rotstreek dat het ziekenhuis geen honden binnenlaat. Ik zou hem graag een dikke, natte zoen willen geven. Hoe komt het dat jij minder beschadigd bent dan ik?' Haar ogen mochten dan sprankelen, haar spraak was moeizaam; tussen de attributen rond haar bed bevond zich een morfinepomp.

Ik haalde onbeholpen mijn schouders op. 'Stom geluk. Jij hebt een flinke klap op je hoofd gehad toen de vorkheftruck omsloeg, dus je kon niet manoeuvreren, zoals ik heb gedaan.'

Ik vroeg of ze zich nog iets herinnerde van wat er in de fabriek was gebeurd, hoe ze uit de buurt van de vallende vorkheftruck was gekomen, bijvoorbeeld, maar ze zei dat haar laatste coherente herinnering was dat ze Billy's Miata achter Fly the Flag parkeerde. Ze wist zelfs niet meer wie er allemaal waren geweest, of tante Jacqui erbij was geweest of Buffalo Bill zelf.

Ik vertelde haar dat ik haar recordertje had, maar het nog even wilde houden, in elk geval tot duidelijker was hoe de ellenlange juridische strijd zou gaan uitpakken. 'Het is mogelijk dat de staat er beslag op wil leggen. Ik heb het zelfs in een bankkluis gelegd om te zorgen dat Bysens maffia het niet uit mijn kantoor kan stelen, maar hun juridische team probeert natuurlijk de opnamen helemaal buiten het bewijsmateriaal te houden.'

'Je mag het houden als je mij een kopie van de inhoud geeft. Morrell zegt dat William en Pat Grobian zijn gearresteerd wegens de moord op Bron. Is er een kans dat ze schuldig zullen worden verklaard?'

Ik maakte een ongeduldig gebaar. 'Het hele juridische proces wordt een lange, vervelende touwtrekkerij. Het zou me verbazen als de zaak voor het gerecht komt voordat Billy getrouwd is en zelf volwassen kleinkinderen heeft... Marcena, hoeveel wist je hiervan, voor Brons dood? Wist je dat hij sabotage pleegde in de fabriek?'

Onder haar sluier van verband bloosde ze licht. 'Ik ben er te veel bij betrokken geraakt. Daardoor krijg ik altijd de beste dieptereportages, waar ik ook kom, doordat ik betrokken raak bij het leven van de mensen over wie ik schrijf. Morrell zegt dat ik het nieuws dat ik versla manipuleer, maar dat is niet waar. Als ik ergens bij ben, doe ik geen suggesties en spreek geen oordeel uit, ik kijk alleen toe, niet veel anders dan Morrell doet als hij met een stamhoofd in Afghanistan meegaat bij overvallen en plunderingen.'

Ze zweeg even om op adem te komen en sprak toen met zachtere stem verder. 'De eigenaar van die fabriek – hoe heette hij ook weer, Zabar? O, ja, Zamar – het was niet de bedoeling dat hij dood zou gaan. En toen Bron besloot die knul te gebruiken, dat bendelid, Freddy, heb ik wel gezegd dat Freddy niet de sterkste schakel van de ketting was, maar Bron zei dat hij niet zelf naar de fabriek kon gaan, omdat de moeder van de beste vriendin van zijn dochter er werkte en hem zou herkennen als ze hem daar toevallig zag. Maar ik heb wel geholpen met het maken van dat dingetje, bij hem thuis. Zijn dochter was op school en zijn vrouw naar haar werk.'

Haar ogen glinsterden weer bij de herinnering. Je had er niet veel fantasie voor nodig om haar gedachtegang te volgen, naar seks in Sandra's bed terwijl de echtgenote bij By-Smart achter de kassa stond. Ze had geholpen bij het vervaardigen van een moordwapen, maar wat ze zich herinnerde, was de seksuele opwinding. Misschien zou ze iets anders voelen als ze herstelde; ze moest nog twee grote chirurgische ingrepen ondergaan voor ze naar huis kon.

Ze zag aan mijn gezicht wat ik dacht. 'Je bent wel een beetje preuts, hè, Vic? Je neemt zelf toch ook veel risico's? Ga me nou niet vertellen dat jij die adrenalinekick niet voelt als je dicht langs het randje gaat.'

Ik betastte onwillekeurig mijn eigen verband. 'De adrenaline-kick? Misschien is dat mijn tekortkoming: ik neem risico's om de klus geklaard te krijgen, ik neem geen klussen aan om risico's te kunnen lopen.'

Ze draaide haar hoofd opzij, ongeduldig of in verlegenheid ge-bracht; ik zou nooit begrijpen hoe ze dacht.

'Hoe zat het met die extra afspraken met Buffalo Bill?' vroeg ik. 'Heeft hij al zijn smerige zakelijke praktijken opgebiecht?'

'Niet met zoveel woorden. Maar na een paar bewonderende opmerkingen van mij liet hij meer los dan hij besefte. Volgens mij is de man een tikje paranoïde. Niet voldoende om te ontsporen, maar het feit dat hij de wereld als zijn vijand beschouwt, betekent dat hij altijd in de aanval is, en ik denk dat dat een rol heeft ge-speeld bij zijn succes. We hebben heel wat zitten gnuiven over de noodzaak van ingrepen zoals het storten van afval op de parkeer-terreinen van kleinere winkels, om de klanten duidelijk te maken dat ze bij By-Smart beter af zijn.'

'Dus jij hebt een heel aardig verhaal,' zei ik beleefd.

Ze grijnsde flauwtjes. 'Hoewel ik me de climax niet herinner, is het niet al te slecht afgelopen. Behalve voor die arme Bron. Hij was zo hebzuchtig dat hij zich niet kon voorstellen dat er een dik-ke staaf dynamiet in die wortel zat die ze voor zijn neus hielden.'

'Hebzuchtig is niet het woord dat ik zou gebruiken,' wierp ik te-gen. 'Hij was ten einde raad om een manier te vinden zijn doch-ter te helpen, dus hij keek niet zo nauw en was bereid gevaar te lo-pen.'

'Kan zijn, kan zijn.' Haar kleur trok weg; ze liet het ziekenhuis-bed zakken en sloot haar ogen. 'Sorry, ik ben zo slap als een vaat-doek, ik zak steeds weg.'

'Je zult vast snel herstellen als je eenmaal uit het ziekenhuis bent,' zei ik. 'Voordat je het weet, zit je weer in Falluja of Kigali of wat het volgende oorlogsgebied ook zal zijn.'

'Gnn,' mompelde ze. 'Gnn, gnn.'

Terug in mijn auto kon ik nauwelijks de energie opbrengen om weg te rijden. Preuts, had ze me genoemd. Was ik dat echt? In vergelijking met Marcena voelde ik me een groot, log wezen, een soort neushoorn, die probeerde een pirouette te draaien rond een hazewind. Ik had de neiging naar huis te gaan en de rest van de dag in bed te gaan liggen, naar sport te kijken en heel veel medelijden te hebben met mezelf en mijn gehavende lijf, maar toen ik thuiskwam, stond de oude Contreras al klaar om naar Max te gaan. Hij had een grote ovenschotel vol bataatpudding volgens het recept van zijn vrouw. Hij had de honden geborsteld tot hun vacht glansde, en oranje strikken om hun nek geknoopt. Max had gezegd dat de honden mee mochten komen, zolang ze zich maar gedroegen en zolang ik alle schade herstelde die Mitch in zijn tuin aanrichtte.

's Avonds, toen we hadden gegeten zoals men dat doet op dergelijke feestdagen en ik met de honden in de tuin was, kwam Morrell naar buiten hinken om me gezelschap te houden. Voor korte stukjes had hij zijn stok niet meer nodig, een hoopvol teken.

Doordat er zoveel mensen waren en ik naar American football had zitten kijken terwijl Morrell over politiek had gepraat met Marcena's vader, hadden we elkaar eigenlijk de hele dag nog nauwelijks gesproken. De hemel was al donker, maar de tuin werd beschut door een hoge muur, die de hevigste wind van het meer tegenhield. We zaten onder een rekje waar een paar laatbloeiende rozen een zachte, zoete geur verspreidden. Ik gooide stokken weg voor de honden om te voorkomen dat Mitch ging graven.

'Ik was jaloers op Marcena.' Het verbaasde me dat ik mezelf dat hoorde zeggen.

'Lieverd, ik wil niet bot zijn, maar een Siberische tijger in de woonkamer is minder opvallend dan jouw jaloezie.'

'Ze neemt zoveel risico, ze heeft zoveel gedaan!'

Morrell was verbluft. 'Victoria, als jij nog meer risico nam, was je dood geweest voordat ik je had leren kennen. Wat wil je nou? Skydiven zonder parachute? De Mount Everest beklimmen zonder zuurstof?'

'Onbekommerdheid,' zei ik. 'Ik doe dingen omdat mensen me nodig hebben of omdat ik dat denk: Billy, Mary Ann, de Dorrado's. Marcena doet dingen vanuit een zucht naar avontuur. Onze drijfveer is verschillend.'

Hij drukte me steviger tegen zich aan. 'Ja, ik snap wat je bedoelt. Zij wekt waarschijnlijk de indruk vrij te zijn en jij voelt je te zeer gebonden. Ik weet niet wat ik daarover kan zeggen, maar... ik vind het wel fijn dat ik weet dat ik op je kan rekenen.'

'Maar ik ben het zat dat mensen op me rekenen.' Ik vertelde hem hoe ik het voor me had gezien, de neushoorn en de hazewind.

Hij barstte in lachen uit, maar pakte mijn hand. 'Vic, je bent mooi als je beweegt, en ook als je stilligt, hoewel dat niet vaak voorkomt. Ik hou van je energie, en je gratie als je rent. Wees in jezusnaam niet jaloers op Marcena. Ik kan me niet voorstellen dat jij Bron Czernin achteloos zou helpen om in zijn schuurtje een levensgevaarlijk ding in elkaar te knutselen en dat niet aan de politie zou vertellen omdat je je fantastische verhaal niet wilt bederven. En dat is niet omdat je zo verdomd gewetensvol bent, maar omdat je je hersens gebruikt, oké?'

'Oké,' zei ik, niet helemaal overtuigd, maar bereid het onderwerp te laten rusten.

'Over jaloezie gesproken, waarom heeft Sandra Czernin zo'n hekel aan jou?' vroeg Morrell.

In de donkere tuin voelde ik mijn gezicht vuurrood worden. 'Toen we op de middelbare school zaten, heb ik haar samen met anderen een heel gemene poets gebakken. Mijn neef Boom-Boom had haar uitgenodigd voor het schoolbal voor de laatstejaars. Mijn moeder was pas overleden, mijn vader was heel beschermend en wilde niet dat ik afspraakjes had, en Boom-Boom had gezegd dat ik met hem mee mocht. Maar toen ik ontdekte dat hij Sandra mee zou nemen en ik een soort vijfde wiel aan de wagen zou zijn, ging ik door het lint. We hadden al vaker ruzie gehad, zij en ik, dus ik beschouwde dit als het ultieme verraad. Ze ging met Jan en alleman naar bed, dat wisten alle meisjes, maar ik wilde niet erkennen dat Boom-Boom dat ook deed. Ze was knap in die tijd, op een zachte, Perzische-katachtige manier, en ik denk... Nou ja, dat doet er niet toe. Hoe dan ook, ik was woedend, en... en mijn basketbalteam en ik hebben haar onderbroek uit haar kastje gepikt toen ze aan het zwemmen was; we hadden vroeger ook zwemles op de Bertha Palmer-school. De avond voor het bal braken we in in de gymzaal, klommen in de touwen en hingen haar broekje aan het plafond, met een grote rode S erop, naast Boom-Booms teamjack. Toen Boom-Boom ontdekte dat ik dat had gedaan, heeft hij een halfjaar niet tegen me gesproken.'

Morrell bulderde van het lachen.

'Het is niet grappig!' riep ik.

'Jawel, Warshawski, dat is het wel. Je bent ook zo'n vechthond. Misschien is onbekommerdheid niet jouw sterkste punt, maar je zorgt in elk geval dat heel wat mensen op hun tenen blijven lopen.'

Ik vermoedde dat hij dat als compliment bedoelde, dus ik probeerde het als zodanig op te vatten. We zaten in de tuin totdat ik huiverde in de kille nacht. Na een tijdje gingen we met de honden naar zijn huis; een gast die naar de Loop moest, bood aan Contreras thuis te brengen. We brachten het weekend voornamelijk in bed door, met onze gammele, gehavende lijven, en verschaften elkaar de troost die het aardse leven ons biedt.

Maandag kreeg ik een telefoontje van Mildred, de duvelstoejager van de familie Bysen, die vertelde dat ze een cheque hadden uitgeschreven voor Sandra Czernin en die per koerier naar haar toestuurden. 'U vindt het misschien interessant te horen dat Rose Dorrado vanochtend aan het werk is gegaan als cheffin in onze winkel aan 95th Street. En meneer Bysen wil graag een bijzonder gebaar maken naar de Bertha Palmer-school, omdat hij daar zelf op heeft gezeten. Hij laat komende zomer een nieuwe gymzaal bouwen, en de winter daarna zal hij voor zowel het meisjes- als het jongensbasketbalteam een coach aanstellen. Vanmiddag houden we daar een persconferentie over op de school. We zetten een heel nieuw programma voor tieners op, onder de naam "het Bysen Belofte-programma". Via de sport kunnen tieners zich concentreren op christelijke waarden.'

'Dat is geweldig nieuws,' zei ik. 'Ik weet zeker dat de christelijke praktijken van meneer Bysen zeer zullen worden gewaardeerd in de South Side.'

Ze wilde gaan vragen wat ik daarmee bedoelde, maar besloot

van onderwerp te veranderen en alleen mijn faxnummer te vragen, zodat ze me de volledige plannen kon toesturen.

De persconferentie vond maandag vlak voor de basketbaltraining plaats. De meisjes waren zo opgewonden dat ze er naderhand niet toe waren te bewegen zich op hun training te concentreren. Uiteindelijk stuurde ik ze vroeger naar huis, maar met de mededeling dat ze donderdag ter compensatie dubbel zo lang moesten trainen.

Het Bysen Belofte-programma zou officieel pas de volgende herfst van start gaan, wat betekende dat ik het team de rest van het seizoen nog moest coachen. Tot mijn verrassing merkte ik dat ik daar blij om was.

In de sombere wintermaanden vloog Billy naar Korea om zijn zus te bezoeken. Hij nam haar mee naar huis en ze kochten een van de kleine huisjes waar pastor Andrés aan had gewerkt. Ik had het gevoel dat de liefde tussen Billy en Josie enigszins was bekoeld. Hij was zo gewetensvol dat hij haar in de gaten bleef houden, om te zorgen dat ze haar best deed op school, maar hij richtte zijn energie nu op een project van zijn zus en hem, genaamd 'the Kid voor kids' en bedoeld om jonge mensen in de buurt beroepsonderwijs te geven.

Kort na Nieuwjaar werd April Czernins pacemaker geïmplanteerd. Het zou een paar maanden duren voordat ze weer naar school kon, maar ze kwam wel kijken bij de thuiswedstrijden van de Lady Tigers, en de andere meisjes zagen haar als een soort mascotte. Celine en Sancia, de beide aanvoersters, droegen de wedstrijden heel plechtig aan haar op.

Sandra gebruikte een deel van het restant van de verzekeringsuitkering van Bron om een kleine aanbouw aan haar huis te laten bouwen, zodat haar ouders bij haar konden intrekken en konden helpen voor April te zorgen. Ze kocht ook een tweedehands Saturn, maar de rest van het geld zette ze opzij voor April. Ze wist dat ze het aan mij te danken had dat ze het geld zo snel had gekregen, zonder juridische strijd – of kosten –, maar dat maakte haar niet minder venijnig als we elkaar op school tegen het lijf liepen.

In de loop van de winter moest ik steeds opnieuw verklaringen afleggen voor de talrijke advocaten die betrokken waren bij de juridische strijd rond de activiteiten van By-Smart. Ze volgden een voorspelbaar traject van inzage van stukken, nader onderzoek, bezwaren tegen het verloop van de zaak, uitstel van behandeling... Ik vroeg me af of er tijdens mijn leven nog een datum voor een rechtszaak zou worden vastgesteld.

Ik was woedend toen ik hoorde dat Grobian gewoon weer aan het werk was gegaan in het magazijn. Billy zei gegeneerd blozend dat zijn opa Grobian respecteerde om zijn doorzettingsvermogen. William daarentegen was langdurig met verlof gestuurd; Buffalo Bill kon het zijn zoon niet vergeven dat die had gewenst dat zijn vader aan een beroerte zou overlijden. En Gary had een procedure in gang gezet om te scheiden van tante Jacqui, een andere juridische strijd die waarschijnlijk een paar decennia zou duren. Zo gemakkelijk zou ze geen afstand doen van de Bysen-miljarden.

Het enige goede wat het By-Smart-bloedbad had voortgebracht, was eigenlijk dat mijn relatie met Conrad ontspannener was geworden. Na de basketbaltraining dronken we soms een kop koffie of een glas whisky samen. Dat vertelde ik nooit aan Morrell; Conrad en ik waren oude vrienden, dus we konden best af en toe samen iets drinken. Tenslotte logeerde hij niet bij me, zoals Marcena bij Morrell, om weer op krachten te komen. Ook al prefereerde Morrell mijn gewetensvolle aard boven haar onbekommerdheid, ik vond het toch niet prettig om haar elke keer op de bank in de woonkamer aan te treffen als ik er kwam.

Als dit een Disney-film was, als dit zo'n soort sprookje was, zou ik eindigen met de mededeling dat de Lady Tigers achtereenvolgens de kampioenschappen van het district en de staat hadden gewonnen. Ik zou zeggen dat ze zich volledig hadden gegeven voor mij, hun veelgeplaagde coach, en voor Mary Ann, wier begrafenis we eind februari met elkaar bijwoonden.

Maar in mijn wereld gebeuren dat soort dingen niet. Mijn meiden wonnen in het hele seizoen vijf wedstrijden, terwijl ze er het jaar daarvoor twee hadden gewonnen. Dat was de enige triomf die mij ten deel zou vallen.

De dag nadat het wedstrijdseizoen voor de Lady Tigers was afgelopen, at ik samen met Lotty en vertelde haar hoe moedeloos ik was. Ze fronste om blijk te geven van haar afkeuring, of in elk geval van een afwijkende mening.

'Victoria, je weet dat mijn grootvader, de vader van mijn vader, een diepgelovige jood was.'

Ik knikte verbaasd, want ze sprak vrijwel nooit over haar overleden familieleden.

'In de afschuwelijke winter die we in 1938 met zijn vijftienen doorbrachten in twee kamertjes in het getto van Wenen, riep hij al zijn kleinkinderen bijeen en vertelde ons dat de rabbi's zeiden dat je vier vragen krijgt voorgelegd als je sterft en je aan Gods oordeel moet onderwerpen: ben je eerlijk en betrouwbaar geweest in zaken? Heb je je familie genoeg liefde gegeven? Heb je de Thora bestudeerd? En de laatste, maar belangrijkste vraag: heb je geleefd met de hoop dat de Messias zou komen? We hadden niet eens te eten toen, laat staan dat we ergens op konden hopen, maar hij weigerde zonder hoop te leven, mijn *zejde* Radbuka. Zelf geloof ik niet in God, laat staan in de komst van de Messias. Maar ik heb wel van mijn zejde geleerd dat je hoop moet houden, de hoop dat jouw werk de wereld een klein beetje beter maakt. En jouw werk doet dat, Victoria. Je kunt niet met een toverstokje zwaaien en het puin van de verlaten staalfabrieken wegtoveren uit de South Side of alle geknakte levens daar helen. Maar je bent teruggegaan naar je oude buurt, je hebt drie meisjes onder je hoede genomen die nooit over hun toekomst hadden nagedacht en je hebt ervoor gezorgd dat ze naar een toekomst verlangen, dat ze naar de universiteit willen. Je hebt Rose Dorrado een baan bezorgd, zodat ze haar kinderen kan onderhouden. Als er ooit een Messias komt, is dat alleen vanwege mensen als jij, die die bescheiden, lastige karweitjes opknappen en kleine veranderingen bewerkstelligen in deze harde wereld.'

De avond dat we met elkaar aten, leek het me een schrale troost. Maar terwijl de winter in Chicago voortduurde, voelde ik me verwarmd en gesterkt door haar grootvaders hoop.

443

Dankwoord

Dr. Helen Martin heeft me zeer geholpen met haar informatie over het lange QT-syndroom, de hartafwijking waar een van de meisjes van V.I.'s basketbalteam aan lijdt. Ik ben haar dankbaar voor haar informatie over de afwijking, de symptomen en de behandeling. Dr. Susan Riter is zo goed geweest ons met elkaar in contact te brengen.

De heer Kurt Nebel, districtsmanager van de CID Recycling and Disposal Facility aan 138th Street, was zo vriendelijk uitgebreid de tijd te nemen om me uit te leggen hoe en waar de stad Chicago haar afval verwerkt. Dave Sullivan heeft me bij hem geïntroduceerd. Ook heeft hij me geholpen de weg te vinden naar de kerken van Zuid-Chicago; ik ben blij met de tijd die ik heb kunnen doorbrengen in die zwaar op de proef gestelde gemeenschap.

De stad Chicago produceert meer dan tienduizend ton afval per dag. Het afvoeren van die stroom is een enorme klus. De stortterreinen van de stad zijn in de afgelopen jaren vol geraakt en tegenwoordig transporteert Chicago het meeste afval de stad uit, maar voor dit boek heb ik het stortterrein aan 122nd Street in bedrijf gehouden.

Ik dank Janice Christiansen, directeur van FlagSource, omdat ik haar fabriek mocht bezoeken, en Beth Parmley voor haar informatieve en levendige rondleiding. Zij is ook degene die me het idee aan de hand deed voor het ongeluk dat wordt beschreven in hoofdstuk 44, 'Een boeiende opname... helaas, Sandy Weiss van Packer Engineering heeft dit contact voor me gelegd en heeft waardevolle technische informatie verstrekt, waaronder foto's van het ongeluk. Fly the Flag vertoont geen enkele overeenkomst met FlagSource.

Judi Phillips heeft hulp geboden bij de beschrijving van de fauna in de tuin uit V.I.'s jeugd. Kathy Lyndes heeft op vele gebieden haar tijd en deskundigheid bijgedragen, onder meer bij het nauwgezet corrigeren van de kladversie. Ook Jolynn Parker en de Fact Factory hebben een belangrijke bijdrage geleverd. Calliope heeft ervoor gezorgd dat ik niet ben weggekwijnd achter de computer door er op de juiste momenten met mijn schoenen vandoor te gaan. De oudste C-hond heeft op zijn gebruikelijke knieschijfbedreigende manier gefungeerd als eerste lezer, persklaarmaker en verzinner van hoofdstuktitels.

Een speciaal bedankje voor Constantine Argyropoulos, voor de cd's die hij heeft samengesteld en waarop alle muziekstukken staan die V.I. in de loop der jaren heeft gezongen of gehoord. Nick Rudall heeft me geholpen met het Latijn van coach McFarlane.

De inhoud van dit boek berust geheel op fantasie. Niets ervan is bedoeld als weergave van het hedendaagse Amerikaanse leven. Voor American football-fanaten: ik heb de wedstrijd Kansas City-New England verplaatst van 22 november 2004 naar 15 november van dat jaar. Voor lezers die vrezen dat V.I. niet voldoende respect heeft voor multinationals: vergeet niet dat ze een fictief personage is en dat haar opvattingen niet noodzakelijkerwijs overeenkomen met die van de directie.